Aventuras e Descobertas de Darwin a Bordo do *Beagle*

RICHARD KEYNES

Aventuras e Descobertas de Darwin a Bordo do *Beagle*

1832-1836

Cerca de 120 ilustrações originais,
sendo 20 em cores, além de mapas

Tradução:
Sergio Goes de Paula

Jorge Zahar Editor
Rio de Janeiro

Para minha mãe

Título original:
Fossils, Finches and Fuegians
(Charles Darwin's Adventures and Discoveries
on the Beagle, *1832-1836)*

Tradução autorizada da reimpressão da primeira edição inglesa,
publicada em 2003 por Harper Collins, de Londres, Inglaterra

Jorge Zahar Editor Ltda.
rua México 31 sobreloja
20031-144 Rio de Janeiro, RJ
tel.: (21) 2240-0226 / fax: (21) 2262-5123
e-mail: jze@zahar.com.br
site: www.zahar.com.br

Projeto gráfico e diagramação: Victoria Rabello

Capa: Sérgio Campante

CIP-Brasil. Catalogação-na-fonte
Sindicato Nacional dos Editores de Livros, RJ.

Keynes, R. D.
K55a Aventuras e descobertas de Darwin a bordo do Beagle, 1832-1836 / Richard Keynes; tradução Sergio Goes de Paula. – Rio de Janeiro : Jorge Zahar Ed., 2004
Il. (algumas color.), mapas;

Tradução de: Fossils, finches and fuegians: (Charles Darwin's adventures and discoveries on the Beagle, 1832-1836)
Apêndice
ISBN 85-7110-805-6

1. Darwin, Charles, 1809-1882 – Viagens – América do Sul. 2. Beagle Expedition (1831-1836). 3. América do Sul – Descrições e viagens. 4. Naturalistas – Inglaterra – Biografia. I. Título.

CDD 508.3
04-1792 CDU 502.05

Sumário

Lista de ilustrações . . . 7
Prefácio . . . 17

1. O rapaz que caminha com Henslow . . . 23
2. As estranhas conseqüências de roubar uma baleeira . . . 41
3. Preparativos de viagem . . . 53
4. De Plymouth ao arquipélago de Cabo Verde . . . 66
5. Da travessia do Equador à Bahia . . . 76
6. Rio de Janeiro . . . 86
7. Uma viagem intranqüila de Montevidéu a Buenos Aires . . . 101
8. À procura de fósseis nos penhascos de Baía Blanca . . . 109
9. A volta para casa dos fueguinos . . . 123
10. Primeira visita às ilhas Falkland (Malvinas) . . . 138
11. Coleta perto de Maldonado . . . 146
12. Um encontro com o general Rosas no caminho entre Patagones, Buenos Aires e Santa Fé . . . 153
13. Despedida de Montevidéu . . . 172
14. Natal em Puerto Deseado e de lá a Puerto San Julián e Puerto Hambre . . . 178
15. Adeus a Jemmy Button e à Terra do Fogo . . . 195
16. Segunda visita às ilhas Falkland (Malvinas) . . . 208

17. A subida do rio Santa Cruz . . . 213
18. Pelo estreito de Magalhães até Valparaíso . . . 220
19. Valparaíso e Santiago . . . 228
20. Chiloé e o arquipélago Chonos . . . 242
21. O grande terremoto de 1835 atinge Valdívia e Concepción . . . 253
22. A cavalo de Santiago a Mendoza e de volta pelo passo Uspallata . . . 259
23. Uma última viagem pelos Andes, de Valparaíso a Copiapó . . . 270
24. O naufrágio do HMS *Challenger* . . . 276
25. De Copiapó a Lima . . . 282
26. As ilhas Galápagos . . . 286
27. Pelo Pacífico até o Taiti . . . 306
28. Nova Zelândia . . . 315
29. Austrália . . . 320
30. Ilhas Coco Keeling . . . 329
31. Ilha Maurício, cabo da Boa Esperança, Santa Helena e ilha Ascensión . . . 334
32. Uma passagem rápida pela Bahia rumo a Falmouth . . . 343
33. A coleta de evidências . . . 348
34. Adeus a Robert FitzRoy . . . 359

Epílogo . . . 365
Notas . . . 369
Índice remissivo . . . 381

Lista de ilustrações

Pranchas em cor

[*entre as págs. 96 e 97*]

1. Santiago, uma das ilhas do arquipélago de Cabo Verde, a seis milhas de distância, de L a N, 9 de junho de 1833, por Conrad Martens
2. Enseada de Botafogo, Rio de Janeiro, por Conrad Martens (© *Mitchell Library, State Library of New South Wales*)
3. "Pendurando o macaco" em Puerto Deseado, no dia de Natal de 1833, por Conrad Martens
4. *Rhea darwinii*, por John Gould
5. Acampamento em Puerto Deseado, 29 de dezembro de 1833, por Conrad Martens
6. Entrada de Puerto San Julián, por Conrad Martens

[*entre as págs. 192 e 193*]

7. Patagônios em baía Gregório, por Conrad Martens
8. Cariofilácea na ilha Elizabeth, por Conrad Martens
9. Fueguinos e o *Beagle* na enseada Portrait, por Conrad Martens
10. Caça ao guanaco nas barrancas do rio Santa Cruz, por Conrad Martens
11. Monte Sarmiento visto da baía Warp, por Conrad Martens
12. Condores alimentando-se de um guanaco morto, por Conrad Martens
13. Igreja em San Carlos, Chiloé, por Conrad Martens

[*entre as págs. 288 e 289*]

14. Baía de Valparaíso na direção de Viña del Mar, por Conrad Martens
15. Rua com casas de madeira em San Carlos, por Conrad Martens
16. Vestidos de passeio das mulheres de Lima, por Syms Covington
17. Tentilhão de Darwin, *Geospiza magnirostris*, por John Gould
18. Tentilhão de cacto, *Cactornis scandens*, por John Gould
19. Tordo de Galápagos, *Mimus parvulus*, por John Gould
20. Vista do vale Jamieson em Wentworth Falls, por Conrad Martens

Ilustrações

Uma silhueta do dr. Robert Darwin (c.1826) [24]
Charles Darwin, desenho de 1840, por George Richmond [31]
John Stevens Henslow, professor de botânica [33]
Adam Sedgwick, professor de geologia [34]
Bússola e clinômetro combinados, usados por Charles no *Beagle* [37]
Desenhos, por Robert FitzRoy, de seus fueguinos [45]
Escala Beaufort [49]
Robert FitzRoy em um desenho da época da viagem (P.G. King) [57]
Tombadilho e cabine de popa do *Beagle*, desenhados de memória por Philip Gidley King, em 1890, para Hallam Murray [59]
Cópia impressa do desenho de Philip Gidley King do diagrama do *Beagle* [61]
A rede de plâncton de Charles [68]
"Um animal muito simples", desenho de um verme quetógnato feito por Charles [69]
O microscópio Bancks usado por Charles no *Beagle* [70]
Uma página típica das *Notas de zoologia* de Charles [73]
Corte transversal da ilha das Codornizes, *Notas de geologia* de Charles [74]
Cruzando a linha do Equador, por Augustus Earle [79]
Fernando de Noronha, por Conrad Martens [80]
Vista da Bahia (Salvador), por Augustus Earle [82]
O cais, o paço e a catedral do Rio de Janeiro, por Augustus Earle [89]
Morro do Corcovado, Rio de Janeiro, por Conrad Martens [95]
Pão de Açúcar, Rio de Janeiro, por Conrad Martens [96]
O cais de Montevidéu, por Augustus Earle [103]
Alfândega de Montevidéu, por Augustus Earle [105]
O briozoário com uma cápsula em bico de abutre [110]
Reconstrução dos ossos do megatério em *Recherches sur les ossements fossiles*, de Cuvier, depois de corrigido o erro [116]
Reconstrução do gliptodonte, com mais de dois metros e meio de comprimento, com e sem carapaça [117]
Uma peça da caparaça de gliptodonte retirado em Pehuen-Co, perto de monte Hermoso [118]
Dois conjuntos (acima) de pegadas de megatério em Pehuen-Co, com diâmetro de cerca de 90 centímetros de um animal bípede; e (abaixo) um conjunto cruzando o outro, *in* Aramayo e Manera [119]

Pegadas em Pehuen-Co com os três dedos característicos da macrauquênia, *in* Aramayo e Manera [120]

Pegadas, em Pehuen-Co, de um *Megalamaichnum tulipensis* (acima, na escala de 4cm na esquerda, 5cm na direita), gliptodonte (abaixo, à esquerda, escala de 5cm) e *Rhea americana* (abaixo, escala de 2cm), *in* Aramayo e Manera [121]

Uma seleção de fueguinos desenhada por FitzRoy [127]

Cabo Hornos e os rochedos ao largo de cabo Deceit, por Conrad Martens [132]

Fueguinos em Woollya, por Robert FitzRoy [134]

Port Louis, nas ilhas Falkland (Malvinas), por Conrad Martens [140]

Uma rocha fossilífera (de Armstrong) [143]

O golfinho de FitzRoy [147]

Cabeça do rincopídeo bico-de-tesoura [151]

General Juan Manuel de Rosas [154]

Auto-retrato de Conrad Martens (Biblioteca Mitchell) [168]

Reconstrução do toxodonte, com cerca de 2,70m de comprimento (ver Romer) [170]

O muro externo de Montevidéu, por Conrad Martens [173]

Montevidéu vista do ancoradouro do *Beagle*; primeiro desenho feito a bordo do *Beagle* por Conrad Martens [174-5]

Perto do Portão Inglês em Montevidéu, por Conrad Martens [176]

Montevidéu e o porto, por Conrad Martens [177]

O *Adventure* e ruínas espanholas em Puerto Deseado, por Conrad Martens [179]

Um guanaco, por Martens [180]

Túmulo indígena em Puerto Deseado, por Charles Darwin [181]

Reconstrução de macrauquênia com os ossos (em preto) recolhidos por Charles em Puerto San Julián [187]

Estrato nos penhascos de 27m de altura em Puerto San Julián [188]

O *Adventure* e as ruínas de Puerto Hambre, por Conrad Martens [192]

Monte Sarmiento, por Conrad Martens [193]

Dois fueguinos pescando em uma canoa, por Conrad Martens [196]

Fueguinos ao largo da ilha Wollaston, perto de cabo Hornos, por Conrad Martens [197]

Um fueguino com seu cão na enseada Portrait, por T. Lanseer, segundo Conrad Martens [199]

Fueguinos ao lado do navio, por Conrad Martens [200]

Fueguinos na ilha de Jemmy Button, por Conrad Martens [201]

Fueguinos pegando peixes com uma lança à beira d'água, por Conrad Martens [207]

Estreito Berkeley e Port Louis, nas ilhas Falkland (Malvinas), por Conrad Martens [210-11]

O *Beagle* a seco no rio Santa Cruz, gravura a partir de Conrad Martens [214]

Seção das planícies em Puerto San Julián [215]

Vale de basalto no rio Santa Cruz, gravura de T. Landseer segundo Conrad Martens [217]

Barrancas do rio Santa Cruz, por Conrad Martens [218]

Puxando os barcos pelo rio Santa Cruz com os Andes ao longe, por Conrad Martens [219]

Desenhos da estrutura do briozoário *Caberea minima* com lofóforo móvel [221]

Arando com o peito em Chiloé, gravura segundo P.P. King e Conrad Martens [225]

Maria Mercedes e don *Manuel*, de Chiloé, por Conrad Martens [226]

Uma mulher tecendo em Chiloé, por Conrad Martens [226]

Cabanas de Chiloé negras da fumaça que sai dos telhados, por Conrad Martens [227]

Uma cena perto de Valparaíso, por Conrad Martens [229]

Quebrada Elias, Valparaíso, desenhada do balcão da casa em que residia Conrad Martens [230]

A baía de Valparaíso vista de um promontório, por Conrad Martens [231]

O *Beagle* e o *Mary Walker*, de Glasgow, ancorados ao largo de Valparaíso, por Conrad Martens [238]

Construções à beira do cais em Valparaíso, por Conrad Martens [241]

O vulcão Osorno visto de Chiloé, por Conrad Martens [243]

Cena de floresta em Chiloé, por Conrad Martens [245]

Cena de floresta em Chiloé, por Conrad Martens [247]

A anatomia do menor cirrípede, a criptofícea [250]

Escombros da catedral de Concepción, por J.C. Wickham [256]

Passaporte de Charles assinado pelo presidente do Chile [261]

A base de uma das árvores fossilizadas tal como é vista atualmente no alto do passo Uspallata [269]

Ilha Chatham e o local de aguada na costa sul, por P.G. King [287]

Retrato de uma iguana-do-mar e de uma iguana-da-terra em poses características, por Thalia Grant [289]

Ilha Charles, por P.G. King [293]

Cágados com cascos em forma de domo e de sela, por Thalia Grant [295]

Ilha Albermale (Isabela), por P.G. King [297]

Ilha James [298-299]

Bicos de seis espécies dos tentilhões de Darwin, por Thalia Grant [300]
Daphne Major, por Thalia Grant [302]
Vista da baía de Papeete, Taiti, por Conrad Martens [308]
A velha capela do sr. Nott em Papawa, por P.G. King [309]
Casa da rainha Pomare, por Conrad Martens [311]
Casas no Taiti, por Conrad Martens [313]
Desenhos de neozelandeses por Robert FitzRoy e Augustus Earle [317]
Armadilhas cônicas de uma formiga-leão (de F.W. e S.M. Nicholas) [322]
Uma formiga-leão australiana, larva de um hemerobiídeo da ordem *Neuroptera* [323]
Ilhas Coco Keeling, Norte e Sul [331]
Desenhos de Charles sobre a formação de uma ilha de coral [332]
Desenho do túmulo de Napoleão, por Syms Covington [339]
Diagrama em ramificações feito por Charles, caderno de notas B [354]
Barômetro de tempestade do almirante FitzRoy [363]

Mapas

A viagem do *Beagle* [12-13-14-15]
Mapa geológico de parte de Gales do Norte [39]
Terra do Fogo [47]
Oito excursões terrestres importantes [158]
Puerto San Julián [185]
Estreito de Magalhães [191]
Costa ocidental do Chile [224]
As ilhas Galápagos (mostrando o percurso do *Beagle* e os locais onde Darwin desembarcou) [290-1]

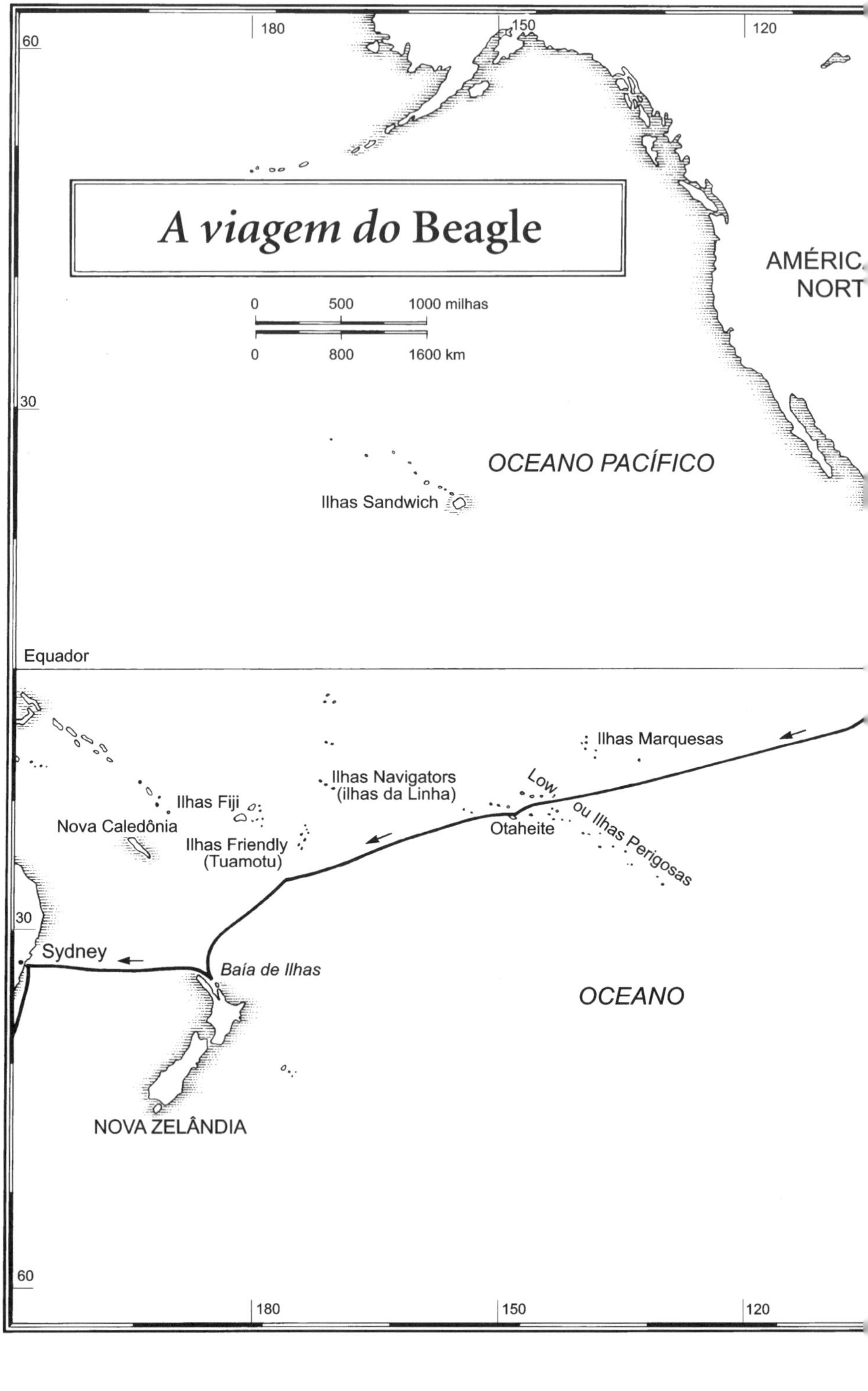

A viagem do Beagle
0
500
1000 milhas
0
800
1600 km
180
150
120
60
30
Equador
30
60
180
150
120
AMÉRIC
NORT
OCEANO PACÍFICO
Ilhas Sandwich
Ilhas Marquesas
Ilhas Navigators
(ilhas da Linha)
Low,
ou Ilhas Perigosas
Otaheite
Ilhas Fiji
Nova Caledônia
Ilhas Friendly
(Tuamotu)
Sydney
Baía de Ilhas
OCEANO
NOVA ZELÂNDIA

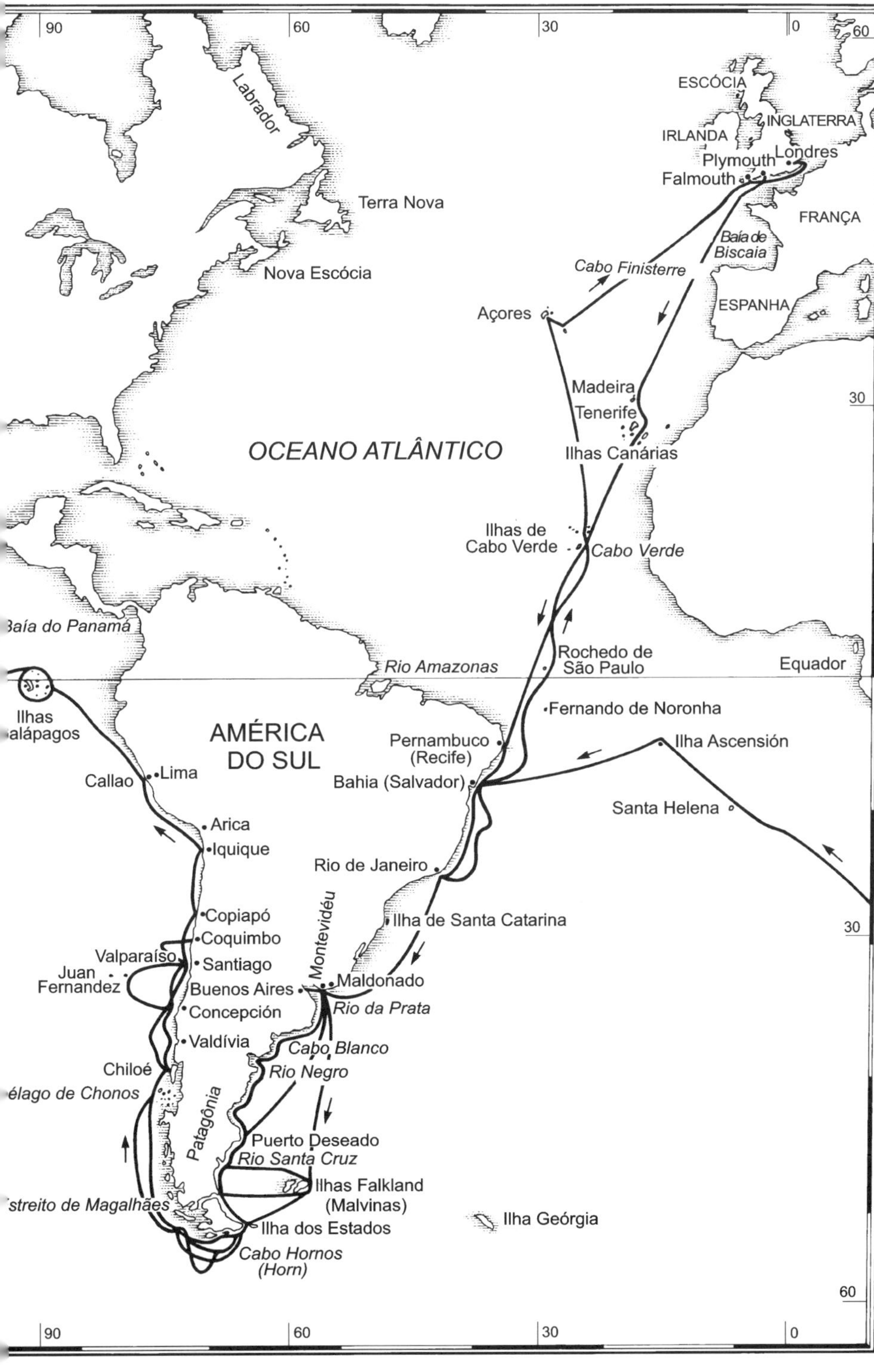
90
60
30
0
60
ESCÓCIA
INGLATERRA
IRLANDA
Plymouth
Londres
Falmouth
Labrador
Terra Nova
FRANÇA
Baía de Biscaia
Nova Escócia
Cabo Finisterre
ESPANHA
Açores
Madeira
Tenerife
30
OCEANO ATLÂNTICO
Ilhas Canárias
Ilhas de Cabo Verde
Cabo Verde
Baía do Panamá
Rochedo de São Paulo
Rio Amazonas
Equador
Fernando de Noronha
Ilhas Galápagos
AMÉRICA DO SUL
Pernambuco (Recife)
Ilha Ascensión
Callao
Lima
Bahia (Salvador)
Santa Helena
Arica
Iquique
Rio de Janeiro
Montevidéu
Copiapó
Ilha de Santa Catarina
30
Coquimbo
Valparaíso
Santiago
Juan Fernandez
Buenos Aires
Maldonado
Rio da Prata
Concepción
Valdívia
Cabo Blanco
Chiloé
Rio Negro
Arquipélago de Chonos
Patagônia
Puerto Deseado
Rio Santa Cruz
Ilhas Falkland (Malvinas)
Estreito de Magalhães
Ilha dos Estados
Ilha Geórgia
Cabo Hornos (Horn)
60
90
60
30
0

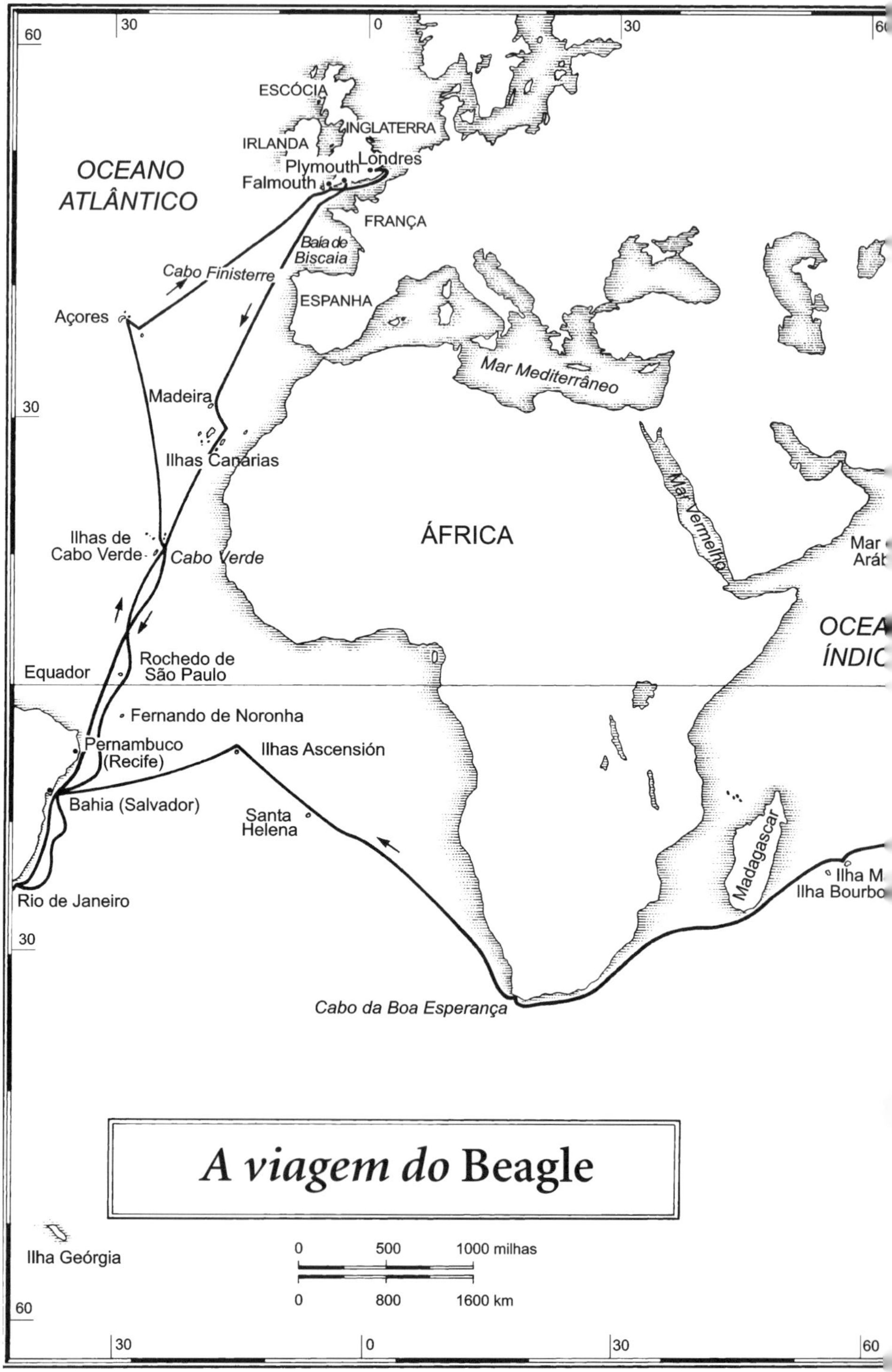

A viagem do Beagle

90
120
150
60
ÁSIA
CHINA
30
ÍNDIA
OCEANO
PACÍFICO
Baía de
Bengala
Filipinas
Ceilão
Equador
SUMATRA
Nova
Guiné
Cébeles
Java
Ilhas Coco Keeling
Nova Caledônia
AUSTRÁLIA
30
Sydney
Enseada
Rei George
Estreito Bass
Hobart
NOVA ZELÂNDIA
60
90
120
150

Prefácio

Charles Darwin, na autobiografia escrita já no fim da vida e dedicada a seus filhos e descendentes,[1] declarou:

> A viagem do *Beagle* foi de longe o acontecimento mais importante de minha vida e determinou toda a minha carreira; no entanto, dependeu de uma circunstância ínfima — meu tio se oferecer para viajar comigo 30 milhas [38km] até Shrewsbury, o que poucos tios fariam — e de uma coisa tola, o formato de meu nariz. Sempre achei que devo àquela viagem meu primeiro treinamento de verdade ou a educação de minha mente. Fui levado a examinar de perto vários ramos da história natural; e assim meus poderes de observação se aprimoraram, embora ainda não estivessem plenamente desenvolvidos.

Não se pode contestar essa avaliação de Darwin sobre a importância da viagem do *Beagle* no desenvolvimento posterior de sua trajetória científica. Ele próprio fez uma descrição clássica da viagem em *Journal of Researches* (aqui designado como *Diário de campo*),[2] mas seus biógrafos, com exceção de Janet Browne, não detalharam a pesquisa científica que realizou no *Beagle*; e o livro de Alan Moorehead, *Darwin and the Beagle*,[3] preocupou-se mais em descrever a aventura sem dúvida excitante e relatar de maneira claramente enganadora as relações entre Darwin e FitzRoy. O propósito deste livro é contar de novo toda a história, começando pelos fortuitos acontecimentos na Terra do Fogo que levaram Robert FitzRoy a viajar novamente no *Beagle* ao local, tendo uma "pessoa bem-educada, um cientista" como companheiro. Mostro então que o "cientista" de FitzRoy tinha exatamente os talentos certos para lançar mão, de modo eficiente, da variedade de novos fatos científicos que lhe foram apresentados na América do Sul e nos países visitados pelo *Beagle* no caminho de volta pela parte mais remota do mundo. E finalmente explico como as descobertas de Charles Darwin no *Beagle* logo o colocaram na rota que, após algum tempo, o levou à descoberta do princípio da seleção natural e da origem das espécies.

Meu interesse pela América do Sul nasceu em 1951, quando tive a sorte de ser convidado pelo professor Carlos Chagas Filho para ser professor visitante, no período do verão, no Instituto de Biofísica da Universidade Federal do Rio de Janeiro. Minha ignorância sobre o Brasil era profunda, mas eu sabia que o professor Chagas tinha um bom estoque de peixes elétricos em seu laboratório. Além disso, Alan Hodgkin — nosso orientador de grupo e que trabalhava no Laboratório de Fisiologia em Cambridge sobre o mecanismo de condução dos impulsos nervosos — havia acabado de desenvolver uma importante técnica para registrar a atividade elétrica em células vivas. Eu poderia recorrer a esse método na investigação das propriedades do que Charles Darwin havia descrito como órgãos "espantosos"[4] de certos peixes que geravam descargas elétricas potentes — muito embora ele ficasse intrigado com as formas de evolução desses órgãos. Assim, passei dois meses e meio felizes de verão no Rio de Janeiro, desvendando com sucesso o mistério de como era obtida a descarga adicional do órgão elétrico.[5] Completado o trabalho, e tendo acumulado uma bolada em cruzeiros como pagamento por meus esforços, peguei então um DC-6 da Braniff, no vôo direto que acabara de ser criado entre o Rio de Janeiro e Lima, passando sobre o Mato Grosso e os Andes. Fiz a primeira de muitas viagens ao Peru, encontrando-me rapidamente com fisiologistas do Chile e da Argentina no caminho de volta e chegando a Cambridge para o trimestre de outono, no começo de outubro.

Em agosto de 1968 visitei um colega chileno em Viña del Mar, perto de Valparaíso, para discutir a possibilidade de um estudo conjunto a respeito da biofísica e fisiologia das fibras nervosas gigantes, e voei para casa via Buenos Aires. Nesta cidade, o representante do Conselho Britânico, sabendo que eu pertencia à família Darwin, perguntou-me se eu conhecia a coleção darwiniana do dr. Armando Braun Menendez. Jamais havia me interessado em particular pela viagem do *Beagle*, mas felizmente o professor argentino que me guiava pela cidade conhecia o dr. Braun Menendez e levou-me à casa dele. Sua impressionante coleção de papéis e livros referia-se à exploração dos Mares do

Sul, e a parte referente a Darwin consistia em duas pequenas pastas de desenhos a lápis e aquarelas feitas a bordo do *Beagle* por Conrad Martens, que eu vagamente sabia ter sido o segundo oficial artista do navio. Abri uma das pastas e encontrei a pintura que Martens chamou de "'Pendurando o macaco' em Puerto Deseado, no dia de Natal de 1833", retratando a tripulação na tradicional celebração de Natal da Marinha Real Britânica, com o *Beagle* e o *Adventure* ancorados ao fundo. O desenho trazia as iniciais R.F. no canto superior direito, embora o capitão do *Beagle*, Robert FitzRoy, evidentemente não aprovasse todos os detalhes, porque Martens escrevera abaixo: "Nota. O mastro principal do *Beagle* um pouco para trás. Inclinar mais o mastro." Esse documento gráfico e outros que se encontravam nas pastas abriram uma interessantíssima porta para mim sobre a viagem do *Beagle* e me lançaram, embora em tempo parcial, em um campo de estudo inteiramente novo e gratificante.

De volta para casa consultei Nora Barlow, minha madrinha e mentora, e, como minha mãe, neta de Charles Darwin. Pelas organizações pioneiras que fez de *Charles Darwin's Diary of the Voyage of HMS* Beagle (1933), *Charles Darwin and the Voyage of the Beagle* (1945), *Autobiography* (1958), *Ornithological Notes* (1963) e *Darwin and Henslow: The Growth of an Idea, Letters 1831-1860* (1967), Nora Barlow foi a verdadeira fundadora do que hoje em dia é muitas vezes chamado de "indústria Darwin". Sua sabedoria e gentileza não tinham limites, e minha dívida com ela é imensa.

Com o encorajamento de lady Barlow, comecei por reunir um catálogo dos desenhos e pinturas remanescentes de Conrad Martens, feitas em sua viagem inicial da Inglaterra a Montevidéu. Lá, em 3 de agosto de 1833, se reuniu ao *Beagle*, substituindo o primeiro oficial artista do navio, Augustus Earle, que ficara doente. Então listei os desenhos e pinturas que ele fez na Patagônia, Terra do Fogo, ilhas Falkland, estreito de Magalhães, Chiloé e nos arredores de Valparaíso, até dezembro de 1834, quando, não havendo mais lugar para ele no *Beagle*, Martins seguiu para a Austrália. Estabeleceu-se em Sydney como o principal artista do período e continuou a pintar aquarelas a partir dos desenhos que fizera no *Beagle*, alguns dos quais vendeu a Darwin e outros a Robert FitzRoy, para serem usados como ilustrações dos relatos da viagem. No primeiro livro que publiquei, *The Beagle Record* (1979), reproduzi uma seleção desse material, ilustrando alguns dos lugares e povos vistos por Darwin e FitzRoy na América do Sul. Quanto aos registros mais imediatos, usei os vívidos relatos presentes nas cartas de Darwin para as irmãs e para seu mentor em Cambridge, professor John Stevens Henslow, e também o que ele próprio chamava de seu "diário particular", mas que aqui será referido simplesmente como "diário", para distingui-lo do *Diário de campo*, publicado mais tarde. Além disso usei o relatório publicado por FitzRoy,[6] os poucos de seus diários que ainda restam e algumas de suas cartas.

Cinqüenta anos após a publicação, a edição do diário particular por Nora Barlow há muito já se esgotou. A esplêndida descrição de Darwin sobre seu dia-a-dia no *Beagle* e em terra, enviada periodicamente à sua família em Shrewsbury, é um dos grandes clássicos da investigação científica. Minha tarefa seguinte, assim, foi produzir uma nova versão revisada segundo os modernos padrões de transcrição, corrigir os raríssimos erros de Nora Barlow, fazer uma nova introdução e notas. O volume foi publicado em 1988 e recentemente reeditado em brochura.[7]

Dois substanciais manuscritos de Darwin que estão na biblioteca da Universidade de Cambridge continuavam inéditos: as *Zoology Notes* [aqui referidos como *Notas de zoologia*][8] e as *Geology Notes* [aqui mencionadas como *Notas de geologia*],[9] ambas redigidas no *Beagle*.[10] Excetuando-se um breve relato de algumas observações feitas em Edimburgo, em 1827,[11] trata-se de seus primeiros escritos científicos, contendo um registro detalhado de tudo o que ele observou e coletou nos quatro anos e nove meses da viagem. A importância que têm é que, nelas e nas cartas para Henslow,[12] torna-se possível retomar o começo do pensamento de Darwin a respeito da evolução não apenas do reino animal, mas também da superfície da Terra.

Em 1986, após me afastar da administração e do ensino em Cambridge, fiquei com mais tempo à minha disposição; assim, além de visitar, todos os outonos, o laboratório marinho em Roscoff para continuar meu trabalho experimental, dediquei-me à transcrição[13] das *Notas de zoologia* e da *Lista de espécimes* que Darwin elaborou. Ambas compreendiam algumas centenas de folhas *in-quarto* com notas, descrições de 1.500 espécimes preservadas em espírito de vinho e cerca de 3.500 não preservadas nessa substância. Para identificar os insetos e invertebrados marinhos coletados por Darwin, precisei muito da ajuda de especialistas em taxonomia; mas os vertebrados tinham sido incluídos, em sua maioria, nas cinco partes de *The Zoology of the Voyage of* HMS *Beagle*, publicado em 1839-1843.[14] A tarefa manteve-me ocupado por cerca de dez anos, mas agora finalmente terminou. As *Notas de geologia* ainda não foram transcritas e publicadas porque têm cerca de quatro vezes mais páginas que as de zoologia. Artigos de autoria de James Secord,[15] Sandra Herbert,[16] e Frank Rhodes[17] já discutiram-nas com proveito, assim como o relato da viagem, comentado por Janet Browne.[18] Além disso, fotocópias dos manuscritos estão disponíveis na biblioteca da Universidade de Cambridge para qualquer pessoa que consiga decifrar a letra de Darwin, razoavelmente inteligível.

Se qualquer um de meus leitores acha que gostaria de conhecer melhor um de seus antepassados, posso recomendar o caminho que adotei graças àquela apresentação casual em Buenos Aires. Depois de transcrever centenas de milhares de escritos relativos a lugares que pelo menos em parte vimos que não mudaram muito depois de 160 anos, por vezes é quase possível sentir como se estivéssemos conversando com o autor. Mas isso ajuda, sobretudo quando se tem a sorte de possuir um antepassado tão simpático e tão construtivamente crítico e honesto acerca de suas próprias idéias como sempre foi Charles Darwin.

RICHARD DARWIN KEYNES
Cambridge, julho de 2001

1

O rapaz que caminha com Henslow

1825-1831

Charles Robert Darwin nasceu em The Mount, Shrewsbury, no dia 12 de fevereiro de 1809, quinto filho — o segundo homem — do dr. Robert Waring Darwin.

Pela linha masculina, sua constituição genética era bastante "científica", embora o pai não combinasse sua posição como um dos principais médicos de Midlands e a ciência, mas sim com uma vasta atividade de aconselhamento financeiro privado da nobreza da região. Mais tarde Charles elogiaria muito o poder de observação do pai e sua simpatia pelos pacientes, mas não considerava que ele possuísse um verdadeiro espírito científico. Apesar disso, a riqueza de Robert foi uma herança tão valiosa para o filho quanto um gene para a ciência: não apenas pagou as despesas de Charles no *Beagle* — quando este embarcou como cientista não-oficial e companheiro do capitão —, mas também por lhe permitir dedicar a vida exclusivamente a uma carreira científica, sem se preocupar em ganhar dinheiro.

Os avôs de Darwin, no entanto, dr. Erasmus Darwin, de Lichfield, e Josiah Wedgwood I, o ceramista que construiu uma fábrica modelo em Etrúria, perto de Stoke-on-Trent, foram dois dos principais cientistas e tecnólogos de seu tempo. Ambos filiados à Royal Society, eram também membros fundadores da Lunar Society de Birmingham, que desempenhou papel intelectual de destaque no desenrolar da Revolução Industrial na Inglaterra. Erasmus Darwin[1] foi basicamente médico, mas suas prodigiosas energias transbordavam em muitas outras direções. Poeta, inventor de artefatos mecânicos de vários tipos, pioneiro em meteorologia e na descrição da fotossíntese, foi autor de um imenso tratado médico intitulado *Zoonomia** e de um excelente poema, "The Temple of Nature", em que, como veremos adiante, dava uma importante contribuição à teoria da evolução que o neto iria desenvolver. Josiah Wedgwood I introduziu melhorias radicais na manipulação da argila utilizada no fabrico de porcelana, fundou uma célebre fábrica de cerâmica e implementou um sistema de canais para o transporte de seus produtos. Os químicos da Europa recorriam a ele em busca de vidrarias e retortas; em certo momento, seu filho, Josiah Wedgwood II, forneceu a seus sobrinhos Erasmus e Charles vasilhas de cerâmica resistentes ao fogo, feitas em sua fábrica, e um termômetro industrial para o laboratório que os dois montaram.

Uma silhueta do dr. Robert Darwin (c.1826)

Charles escreveu que desde muito cedo teve paixão por colecionar "todos os tipos de coisas, conchas, selos, lacres, moedas e minerais, ... o que leva a pessoa a se tornar um naturalista sistemático, um virtuoso ou um avarento".

* *Zoonomia; or The Laws of Organic Life*, 2 vol., Londres, 1794-96.

Por toda a vida também manifestou certo gosto muito útil para um cientista: fazer listas cuidadosas de suas várias coleções, da caça que matara, dos livros que lera ou pretendia ler, das vantagens e desvantagens do casamento, dos gastos domésticos.

Em sua educação formal na escola de Shrewsbury — onde, como o irmão mais velho, Erasmus, foi interno por alguns anos —, Charles entrou em contato sobretudo com os clássicos, geografia e história antigas, e um pouco de matemática, mas não havia ciência no currículo. No entanto, o forte interesse dos avôs por química conseguiu atrair os dois meninos, primeiro Erasmus e depois Charles, e juntos eles montaram em um anexo da casa dos pais o que pomposamente chamavam de "laboratório". Ali puderam praticar um passatempo em moda entre as classes mais abastadas da época, investigando a composição de diversos materiais domésticos, algumas vezes após a purificação de seus elementos constituintes por meio de cristalização — muito embora raramente fossem capazes de extrair os recursos suficientes do pai para adquirir qualquer aparato químico realmente sofisticado. Por algum tempo a aplicação da cristalografia elementar à sua coleção de pedras foi uma das ocupações favoritas de Charles.

Em 1822 Erasmus deixou a escola e foi para Cambridge, onde escreveu uma série de cartas ao irmão com instruções detalhadas de novos experimentos. Isso levou Charles a examinar o efeito do calor em diferentes substâncias, algumas vezes usando um maçarico de sopro no bico de gás de seu quarto da escola, o que lhe valeu o apelido de "Gás" e a decidida desaprovação do diretor. Naquele período Charles gostava de criar instrumentos simples para realizar seus testes; sob a direção de Erasmus, isso funcionou como útil aprendizado inicial na arte da experimentação científica.

Robert Darwin decidiu então que Erasmus deveria sair de Cambridge e ir para a universidade de Edimburgo, como ele mesmo havia feito, para se formar em medicina; e que Charles deveria deixar a escola aos 16 anos e acompanhar o irmão em 1825, com o mesmo objetivo. O plano não funcionou porque, embora Erasmus tivesse sido aprovado no exame em Cambridge, em 1828, sua saúde frágil obrigou-o a se retirar para Londres, onde passou a viver como um cavalheiro de posses e que jamais exerceu a profissão. Charles, por outro lado — após se inscrever nas tradicionais disciplinas de anatomia, cirurgia, física prática e *materia medica*, as substâncias curativas usadas na medicina que seu pai e seu avô haviam aprendido na época deles —, logo descobriu que muitas das matérias estavam lamentavelmente desatualizadas. As condições da sala de dissecação e da sala de cirurgia eram tão desagradáveis que se sentiu impossibilitado de continuar o curso. Só ao final do segundo ano finalmente foi capaz de confessar ao pai sua determinação de abandonar a carreira de medicina. Até lá Edimburgo apresentou-lhe outras formas de usar o tempo que o ajudaram materialmente em seu desenvolvimento como cientista.

No primeiro ano, Charles fazia caminhadas regulares com Erasmus às margens do estuário do Forth, onde pela primeira vez travou conhecimento com alguns dos animais marinhos que mais tarde o iriam ocupar tão intensamente no *Beagle*. Ao mesmo tempo manteve o interesse em ornitologia e conseguiu ter aulas de empalhamento de animais com um "negro" que havia aprendido taxidermia com o naturalista Charles Waterton. Ele e Erasmus renovaram seus conhecimentos em química e nas áreas correlatas da geologia, assistindo às estimulantes aulas e demonstrações dadas por Thomas Charles Hope, professor de química na universidade de 1799 até 1843.

Em 1826 Erasmus ficou em casa, e Charles teve de se arranjar sozinho. Assistiu às populares aulas extracurriculares de Robert Jameson, que incluíam meteorologia, hidrografia, mineralogia, geologia, botânica e zoologia, mas muitos anos depois confessou que elas "eram incrivelmente aborrecidas. O único efeito que produziram em mim foi a determinação de que nunca mais em minha vida iria ler qualquer livro de geologia ou de alguma forma estudar aquela ciência". Embora fosse verdade que o estilo das aulas não inspirava a audiência, a cópia de Charles do *Manual of Minerology* de Jameson está muito anotada e foi para ele valiosa fonte de informação prática em futuros estudos geológicos. Também se beneficiou com o choque entre as visões huttonianas de Hope e a preferência de Jameson pela doutrina werneriana,* e logo se colocou firmemente do lado de Hope. De todo modo, qualquer preconceito temporário que Charles possa ter tido a respeito de geologia não durou muito e no devido tempo foi banido de vez pelos professores Henslow e Sedgwick depois que foi para Cambridge.

Em novembro Charles tornou-se membro da Plinian Society — que tinha este nome em homenagem a Plínio, o Velho, autor de um famoso relato de história natural na Roma Antiga —, em que um pequeno grupo de alunos

---

* James Hutton (1726-97) era escocês, filósofo natural e geólogo. Propunha que o calor interno da Terra desempenhava um papel importante na formação das camadas de granito e basalto. Abraham Gottlob Werner (1749-1817), mineralogista alemão, afirmava que a ordenação das camadas da Terra era determinada pela ordem de sua precipitação a partir de um oceano universal.

encontrava-se informalmente para discutir história natural, ou de onde saíam algumas vezes em expedições de coleta; a sociedade tradicionalmente não admitia a participação de professores da universidade. Às vezes Charles era convidado para a augusta Wernerian Society, restrita aos já formados e cujas atas eram publicadas em uma série de artigos eruditos. No dia 16 de dezembro de 1826, em um encontro da Wernerian Society, ouviu atentamente a leitura de um texto sobre o bútio, em que o grande ornitologista e artista norte-americano John James Audubon, que havia chegado a Edimburgo pouco tempo antes em busca de um gravador para as dez primeiras chapas de seu *Birds of America*, destruía a opinião então muito em moda sobre o extraordinário poder olfativo dos abutres. Quando, nove anos depois, Charles fez observações no Chile sobre o comportamento dos condores, alegrou-se em concordar com as conclusões de Audubon.

O membro mais velho da Plinian Society da época, Robert Grant, então com 33 anos, era apenas um professor assistente que dava aulas sobre animais invertebrados em uma escola de anatomia fora da universidade. Havia se formado em medicina em 1814, viajado bastante pelo continente europeu e estudado em Paris, com o zoólogo e anatomista Georges Cuvier (1769-1832). Logo Grant convidou Charles a coletar uma grande variedade de animais às margens do Leith e a sair com os pescadores nas águas do estuário de Forth. Nessas viagens Charles algumas vezes se fazia acompanhar por outro estudante de medicina, John Coldstream, que mais tarde lhe deu conselhos úteis sobre redes de pesca. Grant também ensinou Charles a dissecar espécimes na água do mar, com a ajuda de um simples microscópio de uma única lente, e propiciou-lhe treinamento valioso em biologia marinha, com ênfase na importância dos estudos sobre invertebrados — conhecimentos absorvidos entusiasticamente por um aluno que logo superou o mestre.

Entre os temas de pesquisa favoritos de Grant estavam os pouco atraentes "animais do brejo" do gênero flustra; estes se apinhavam nas pedras que afloravam da maré em cachos, como algas em miniatura, e consistiam em grandes quantidades de pólipos microscópicos, cuja relação precisa uns com os outros não era muito clara. Havia antigas controvérsias sobre sua classificação — se animais ou plantas —, e o botânico sueco e fundador do sistema de nomenclatura binomial Carl Lineu (1707-78) batizara-os de zoófitos, uma forma intermediária. No início do século XIX aceitava-se amplamente — embora não universalmente — que se tratava na verdade de animais aquáticos sedentários, formando colônias muitas vezes de milhões de pólipos ou zoóides individuais com funções especializadas. Em 1830 o filo* a que eles pertenciam foi denominado polizoários por J. Vaughan Thompson, e atualmente são classificados como briozoários.

Charles se pôs a estudar as partículas reprodutivas da flustra e outros animais marinhos; para sua grande satisfação, confirmou a observação de Grant, segundo o qual os ovos da flustra eram cobertos de cílios finos, órgãos vibratórios semelhantes a cabelos, cujos movimentos coordenados dotavam os ovos de certa mobilidade. Também observou que as "pimentas marinhas" — que muitas vezes se encontravam grudadas nas conchas velhas — não eram, como se supunha anteriormente, brotos de alga, mas ovos da sanguessuga marinha *Pontobella muricata*. Tudo isso foi adequadamente relatado no primeiro artigo científico de Charles, apresentado em um encontro da Plinian Society em 27 de março de 1827; mas o autor sofreu um baque quando, três dias antes, Grant leu um extenso relato para a Wernerian Society incluindo as descobertas do aluno sem qualquer menção à fonte. O que aconteceu foi depois descrito pela filha de Charles, Henrietta:

> Quando ele estava em Edimburgo, descobriu que os ovos das coisas que crescem nas algas se movem. Correu imediatamente para o professor Grant — que estava trabalhando no mesmo assunto —, para contar-lhe, achando que ele ficaria satisfeito com um fato tão curioso. Mas ficou desconcertado quando lhe disseram que era muito incorreto da parte dele trabalhar com o tema do professor G., e que este se aborreceria se meu pai publicasse o fato. Isso deixou meu pai muito impressionado, e ele sempre expressou o mais profundo desprezo por todos esses sentimentos menores — indignos de pesquisadores da verdade.[2]

Mais ou menos na mesma época, como recordou muito depois, Charles teve uma conversa importante com Grant:

> Um dia, quando caminhávamos juntos, ele expressou vivamente grande admiração por Lamarck e seus pontos de vista sobre evolução. Ouvi com silencioso espanto, e até onde posso me lembrar, aquilo não teve qualquer efeito sobre mim.

* Filo é a ordem imediatamente abaixo de reino na hierarquia de classificação dos organismos vivos estabelecida por Lineu. As divisões que se sucedem são: classe, ordem, família, gênero e espécie. Os nomes genéricos e específicos de um animal ou planta são normalmente escritos em itálico. Assim, começando por baixo, a *Flustra foliácea* européia pertence à subordem *Anasca*, da classe *Gymnolaemata* e do filo dos briozoários.

> Eu já havia lido a *Zoonomia* de meu avô, em que são apresentadas visões semelhantes, mas sem que me produzissem impressão alguma. Contudo, é provável que ouvir a defesa de tais pontos de vista tão cedo na vida possa ter contribuído para que os definisse de forma diferente em meu *A origem das espécies.* Naquela época eu admirava muito a *Zoonomia*; mas, ao lê-la uma segunda vez, após um intervalo de 10 ou 15 anos, fiquei muito desapontado pela imensa dose de especulação relativa aos fatos apresentados.[3]

Quando em 1793 Jean-Baptiste Pierre Antoine de Monet de Lamarck foi indicado professor de "animais inferiores" em Paris, renomeou-os de maneira menos desabonadora como "invertebrados", isto é, animais sem espinha dorsal. Também apresentou novas e válidas razões para se acreditar na evolução das espécies. Mas enfraqueceu sua linha de defesa ao dotar todos os animais de um poder especial para interagir diretamente com o ambiente e adquirir maior complexidade ou perfeição, supondo, por exemplo, que o comprimento do pescoço da girafa podia ser atribuído ao fato de o animal estar sempre buscando comida nas partes altas das árvores; ou que o comprimento do nariz e a perda dos dentes do tamanduá era resultado da atividade permanente de fuçar os formigueiros — particularidades que teriam sido herdadas ao longo de muitas gerações. Na ausência de qualquer evidência confiável para essa herança de características adquiridas, o termo "lamarquiano" logo passou a ter conotação pejorativa. A ocasião a que Charles se referiu possivelmente foi a primeira em que Grant revelou suas concepções extremadas sobre a transmutação nos invertebrados e as metamorfoses em fósseis. No final de 1827 Grant tornou-se o primeiro professor de zoologia e anatomia comparativa no University College de Londres,[*] e sua abordagem fortemente lamarquiana foi mais amplamente disseminada. Ele manteve o posto até a aposentadoria, em 1874, e embora Frederick William Hope, amigo de Charles, afirmasse em 1834 que Grant "estava trabalhando com moluscos e infusórios e publicando muito", em 1867 ele ainda ensinava, de casaca puída, a ultrapassada zoologia da década de 1830. Charles mais tarde observou "que ele nada mais fez em ciência — fato que para mim nunca teve explicação". A atitude excessivamente radical de Grant, aliada à desilusão decorrente da desavença naquele mês de março, pode ajudar a explicar por que mais tarde as relações entre ele e Darwin jamais se tornaram

---

[*] O University College de Londres era a "instituição sem Deus" fundada pelos não-conformistas em 1827, na rua Gower, para contrabalançar o religioso ortodoxo King's College, em Strand.

muito próximas. Também não existe qualquer indicação de que Charles alguma vez tenha sido objeto das abordagens íntimas de Grant, as quais eventualmente podem ter levado ao colapso nervoso sofrido por outro de seus alunos, John Coldstream.

Robert Darwin não ficou nada satisfeito quando Charles desistiu da medicina e advertiu-lhe com irritação e — do ponto de vista de Charles — injustiça: "Você não liga para nada além de caça, cachorros e captura de ratos; vai se tornar uma desgraça para si mesmo e para toda a família."[4] Após cuidadosa reflexão, Robert decidiu que a única alternativa — na qual havia vários precedentes nas famílias Darwin e Wedgwood — seria Charles ir para Cambridge e fazer o curso normal de artes, primeiro passo na carreira de clérigo anglicano. Para entrar na universidade ele precisava melhorar o latim e o grego que supostamente havia aprendido na escola, e assim contratou-se um professor particular nos oito últimos meses de 1827. Não foi um período muito feliz para Charles, embora pelo menos ele tivesse conseguido escapar, no começo da estação de caça, para a casa do tio Josiah Wedgwood, em Maer Hall, Strafffordshire, a cerca de dez quilômetros de Stoke-on-Trent; também fez sua primeira e única viagem à França, para buscar os jovens primos Wedgwood em Paris. Mas não registrou se foi visitar o famoso Museu de História Natural dirigido por Cuvier.

Charles matriculou-se no Christ's College, Cambridge, em janeiro de 1828. Logo passou a freqüentar um novo círculo de jovens de sua turma, de gostos semelhantes aos seus, um dos quais o descreveu na época como "bastante robusto quanto ao físico e de natureza das mais plácidas, amigáveis e despretensiosas". Alguns anos depois, Charles aconselhava William, seu filho mais velho, a respeito da escola:

> Sem dúvida você vai descobrir que o maior prazer da vida é ser amado; e isso depende mais de ter modos agradáveis do que de ser bom e ter modos graves e ríspidos. Você quase sempre é gentil, e só lhe falta aparência externa, algo fácil de se adquirir. Acredite no que digo, a única maneira de desenvolver maneiras agradáveis é tentar contentar a *todos* aqueles de quem você se aproximar, colegas, criados e o resto. Não se esqueça, querido menino, de pensar algumas vezes nisso, pois você tem muito tino e observação.[5]

A gentileza de Charles e as boas relações que mantinha com o resto do mundo, em qualquer contexto, sempre estiveram entre suas características mais destacadas — e ele tinha um verdadeiro talento para a amizade.

Charles Darwin, desenho de 1840, por George Richmond

Os novos conhecidos de Charles incluíam diversos colegas de Shrewsbury e o primo Hensleigh Wedgwood, de Straffordshire, que anteriormente já fora colega de Erasmus em Cambridge. No começo, porém, seu amigo mais íntimo foi de longe um primo pertencente ao outro ramo da família, William Darwin Fox — filho único do primo de Robert Darwin, Samuel Fox —, que então cursava o terceiro ano do Christ's College e estava prestes a se tornar pároco em Cheshire. A paixão avassaladora de William Darwin Fox era, tal como Charles em criança, a coleção de espécimes exóticos de história natural que enchia cada centímetro de seus aposentos. Ele gostava muito de caçar e montar a cavalo e tinha dois cães no Christ's, Fan e Sappho, cujos feitos eram comparados aos de Mister Dash, cachorro de Charles em Shrewsbury, e os dois primos mantiveram uma correspondência regular sobre os animais. Fox encorajou Charles a se interessar por arte e música, juntos visitavam lojas de gravuras e o Museu Fitzwilliam e assistiam a concertos de canto coral na capela da universidade. Mais tarde Charles fez parte de um conjunto musical liderado por outro bom amigo, John Maurice Herbert.[6] Iam regularmente à capela do King's College ouvir cantar hinos, e algumas vezes Charles pagava aos cantores para darem récitas em seus aposentos. Mas — como Herbert logo descobriria, e como ele próprio admitia — o prazer que Charles tinha em ouvir não significava um bom ouvido musical. Os interesses do grupo eram vastos, e certa vez se dedicaram à formação de um clube "Glutão" ou "Gourmet", no qual jantavam, quando não comiam no refeitório, consumindo uma série de animais que normalmente não figuravam no cardápio. O clube finalmente foi fechado, após a tentativa de comer uma velha coruja marrom, cujo sabor foi considerado por todos como "indescritível". Pode-se imaginar o que o clube teria feito com alguns dos estranhos pratos mais tarde consumidos por Charles, por espírito empírico, a bordo do *Beagle*.

A principal ocupação de Charles, e a que mais tempo lhe tomava, foi estimulada por Fox, e era colecionar e identificar besouros. Mais tarde Charles lembraria:

> Nenhuma ocupação em Cambridge era realizada com disposição comparável ou me dava tanto prazer quanto colecionar besouros. Era a mera paixão pela coleção, pois eu não os dissecava e raramente comparava suas características com as descrições publicadas, mas os identificava e nomeava. Darei uma prova de meu zelo: um dia, ao arrancar uma velha casca de árvore, vi dois besouros raros e peguei um em cada mão; então vi um terceiro, de um tipo novo, que eu não poderia perder, de modo que coloquei o que estava na minha mão direita na boca. Para minha desgraça ele ejetou algum tipo de fluido intensamente acre que queimou minha língua, e tive de cuspir o besouro, que fugiu, assim como o terceiro. Eu tinha muito êxito na coleta e inventei dois métodos novos; empregava um trabalhador que no inverno raspava o musgo das árvores velhas e colocava-o em um saco grande; e também catava o lixo no casco das barcaças, onde grudavam os caniços dos pântanos. Assim consegui algumas espécies muito raras. Nenhum poeta jamais sentiu maior prazer ao ver seu primeiro poema publicado quanto eu senti ao ler, nas *Illustrations of British Insects*, de Stephen, as palavras mágicas — "capturado por Charles Darwin".[7]

Naquela época o interesse público pela história natural crescia enormemente, mas poucas pessoas praticavam o novo passatempo com a paixão, competência prática e competitividade de Fox e Charles. Todos os dias, após o café da manhã, exploravam os campos e canais próximos, nos "fundos" dos colégios, e toda a região mais distante, ao sul de Cambridge, muitas vezes acompanhados por um carregador conduzindo os equipamentos mais pesados e as capturas. Depois que este homem aprendeu exatamente o que eles procuravam, passou também a coletar, enquanto os dois se ocupavam com outras coisas. Voltando aos aposentos de Charles, eles pesquisavam nos livros de referência de Lamarck a Stephens para identificar qualquer raridade que tivessem capturado e espetá-la em um quadro para todos admirarem. Em uma dessas ocasiões, quando Charles, após uma "caça memorável" em Fens, capturou um besouro particularmente raro, teve o prazer de ver Leonard Jenyns, vigário de Swaffham Bulbeck e um de seus principais rivais em Cambridge, vir rapidamente examiná-lo. Alguns anos depois foi Jenyns quem identificou os peixes trazidos por Charles no *Beagle.*

Quando, em junho de 1828, Fox saiu de Cambridge, Charles se sentiu "morrendo aos poucos, por não ter ninguém com quem falar sobre insetos". Nos três anos seguintes, antes da partida do *Beagle,* ele e Fox trocaram cartas freqüentes, tratando sobretudo de entomologia. Corresponderam-se regularmente durante a viagem e mantiveram contato freqüente a respeito de questões familiares até a morte de Fox, em 1880. Quando mandou para Fox um exemplar de *The Descent of Man*, em 1870, em que finalmente enfrentara a questão de colocar o homem em cena, Charles escreveu: "É um grande prazer para mim saber que você, meu velho amigo, gosta de meus outros livros."

John Stevens Henslow, professor de botânica

No verão de 1828, Charles e alguns amigos foram a Barmouth, na costa de Gales, com a intenção de estudar matemática em grupo, mas acabaram se preocupando mais com entomologia. Até mesmo o infeliz Herbert, que claudicava acentuadamente por causa de um pé deformado, foi arrastado para o topo das colinas em busca de besouros, embora Charles compensasse o esforço ajudando a carregá-lo na descida. O entusiasmo e a intensidade com que perseguia seus besouros já se haviam tornado lenda entre seus contemporâneos.

No início da primavera Charles mudou-se para os aposentos do Christ's nos quais viveria pelos três anos seguintes. O conjunto havia sido ocupado no século XVIII pelo teólogo William Paley (1743-1805). Talvez sua influência ainda pairasse por ali, porque embora Charles dedicasse muito pouco tempo à teologia, mais tarde disse que havia apreciado bastante a clareza de linguagem de Pailey e a força de sua lógica. E encarava seus livros *Evidence of Christianity* e *Moral Philosophy* como a única parte do curso acadêmico que havia ajudado a formar seu espírito. No entanto ele agora estava muito ocupado, pois tinha um cavalo em Cambridge, e como havia convencido o pai e as irmãs a lhe

Adam Sedgwick, professor de geologia

fornecerem recursos para comprar uma poderosa espingarda de dois canos com cápsulas de percussão, exercitava-se mirando velas acesas em seus aposentos. Os besouros jamais foram negligenciados, e perto do fim do semestre em Cambridge decidiu empreender mais uma vez o estudo do funcionamento interno das células vivas por microscopia, que havia iniciado em Edimburgo com Robert Grant. Isso foi possível graças a um doador generoso e inicialmente anônimo, que mais tarde se soube ser Herbert, que lhe deu de presente o último microscópio composto desenhado por Henry Coddington, professor de matemática no Trinity College.

Sem dúvida alguma o acontecimento mais importante na vida de Charles em Cambridge foi sua amizade com o reverendo professor John Stevens Henslow, de quem seu irmão Erasmus já havia falado e que promovia às sextas-feiras reuniões com alunos que tivessem aptidão para ciência. Charles freqüentou essas sessões levado por Fox, em 1828. Henslow fora professor de mineralogia em Cambridge durante cinco anos e depois se tornara professor de botânica, de 1827 a 1861. Em 1819 ele e o reverendo Adam Sedgwick, professor de geologia e inspetor-chefe da universidade, haviam fundado a Cambridge Philosophical Society. Naquela primeira metade do século XIX, juntamente com William Whewell (polímata e mais tarde mestre de Trinity), Charles Babbage (inventor de máquinas de calcular) e George Peacock (matemático e professor de astronomia), Sedgwick e Henslow eram as principais figuras no desenvolvimento da pesquisa científica e no ensino na universidade. As conferências de Henslow sobre botânica — englobando todos os aspectos da química e da biologia das plantas, bem como um mínimo essencial de sua classificação taxonômica por Lineu — eram assistidas anualmente por 60 ou 70 alunos e vários professores. Os cursos incluíam excursões de campo, algumas vezes a pé, outras de diligência ou em uma barcaça que descia o rio até Ely, em viagem pontuada por conversas sobre a variedade de plantas, insetos, conchas e fósseis coletados. Na última primavera havia sempre uma viagem à charneca Gamlingay, 32 quilômetros a oeste de Cambridge, onde se encontravam plantas e animais raros e que sempre terminava com uma alegre reunião social em uma taberna no campo. Charles se inscreveu para essas atividades em 1829, 1830 e 1831. Juntamente com as poucas aulas de Sedgwick a que ele também assistiu em 1831, foi a única instrução formal em ciência que recebeu em Cambridge.

Falando de seus dois últimos períodos na universidade, depois de ter passado no exame de bacharel em artes em janeiro de 1831, no décimo lugar da lista de candidatos, Charles escreveu sobre Henslow em *Autobiography*:

> Fazia longas caminhadas com ele quase todos os dias, de modo que eu era chamado por alguns dos lentes como "o rapaz que caminha com Henslow"; e à noite, muitas vezes ele me convidava para o jantar com a família. Tinha grande conhecimento de botânica, entomologia, química, mineralogia e geologia. Seu gosto mais forte era tirar conclusões após observações muito longas e minuciosas. Tinha excelente capacidade de julgamento, e todo o seu pensamento era bem equilibrado; mas não creio que alguém possa dizer que possuía um talento muito original.

É verdade que, pelos padrões modernos, Charles não teve um treinamento científico ortodoxo e adequado. Mas pelos padrões de 1831, e lembrando os contatos com Grant e as aulas a que assistiu em Edimburgo, ele era tão bem informado em história natural quanto qualquer estudante do país. E embora não tivesse se submetido a qualquer exame sobre o tema, causara boa impressão em alguns dos mais eminentes cientistas de Cambridge, por sua habilidade prática como colecionador e pela alta qualidade e pertinência de seu espírito inquieto. "Este Darwin é bom em fazer perguntas", disse Henslow.

Mais ou menos na mesma época Charles leu dois livros que "me deram um desejo ardente de acrescentar nem que fosse a mais humilde contribuição à nobre estrutura da ciência natural". Um deles foi o relato clássico feito pelo naturalista, geofísico, meteorologista e geógrafo alemão Alexander von Humboldt (1769-1859) sobre suas viagens pela floresta tropical brasileira até os Andes e mais além, junto com o botânico Aimé Bonpland (1773-1858).[8] O segundo foi um livro publicado pouco tempo antes, do astrônomo e físico John Herschel (1792-1871), sobre o estudo da ciência natural.[9] Charles insistia em infligir longas leituras de Humboldt aos amigos e fez planos para uma expedição às ilhas Canárias em julho, para examinar o cone vulcânico do pico de Teide, em Tenerife, cujo cume havia sido detalhadamente observado por Humboldt quando estava a caminho da América do Sul em 1799. Algumas das exigências do plano eram muito cansativas, tais como as aulas "imensamente estúpidas" de espanhol, embora ele não soubesse como se mostrariam úteis mais tarde, quando cavalgou com os gaúchos nos pampas da Patagônia. Vários participantes potenciais se inscreveram, mas, ao indagar sobre os navios de passageiros para as Canárias, Charles descobriu que seu planejamento já se encontrava atrasado, pois os barcos programavam suas saídas apenas em junho. A viagem, assim, teve de ser adiada para 1832.

Henslow observou que a aventura exigiria um conhecimento básico de geologia. Assim, aconselhou Charles a comprar em Londres o instrumento para medir a inclinação do leito de pedras conhecido como clinômetro e mostrou-

Bússola e clinômetro combinados, usados por Charles no Beagle

lhe como devia usá-lo. Logo Charles podia se vangloriar em Shrewsbury: "Coloquei as mesas de meu quarto em todas as direções e ângulos que se possam conceber. Ouso dizer que as medi tão precisamente quanto qualquer geólogo."[10]

O mais importante para o treinamento de Charles como geólogo, contudo, foi que Henslow convenceu Adam Sedgwick a levar o rapaz em sua costumeira excursão durante as férias de verão. Sedgwick era famoso como geólogo de campo, perito no reconhecimento de padrões regionais dos estratos a partir de detalhes exclusivamente locais, e em agosto planejava visitar Gales do Norte, dando continuidade ao projeto de descrever todas as pedras da Grã-Bretanha abaixo da Old Red Sandstone (antigos arenitos vermelhos).* Os dois passaram as primeiras noites da viagem com os Darwin, em Shrewsbury, e estes tiveram uma boa impressão de Sedgwick, especialmente Susan, irmã de Charles, de quem a família sempre caçoava dizendo que "qualquer coisa de casaco e calças

* Old Red Sandstone (antigo arenito vermelho) é uma camada de pedra sedimentar rica em ferro assentada por toda a Inglaterra durante o período devoniano, 410-355 milhões de anos atrás. Foi sucedida pelas rochas do calcário carbonífero, assentadas durante os 65 milhões de anos seguintes, tendo sobre elas os pântanos ricos em carbono que existiram durante o período permiano, há 290-250 milhões de anos.

entre oito e 80 anos era caça para Susan". Charles havia praticado sua geologia nas vizinhanças e mais tarde contou a história da importante lição científica que aprendeu na ocasião:

> Quando examinava uma velha cascalheira perto de Shrewsbury, um trabalhador me disse que havia encontrado nela uma grande voluta, uma concha tropical como as que se vêem sobre as chaminés das casas; e como não quis me vender a concha, fiquei convencido de que ele realmente a havia encontrado na cascalheira. Contei o fato á Sedgwick, e imediatamente ele me disse (sem dúvida com razão) que devia ter sido atirada ali por alguém; mas então acrescentou que se ela realmente estivesse enterrada, seria a maior desgraça para a geologia, pois destruiria tudo o que sabemos sobre os depósitos superficiais das regiões centrais. Aquelas cascalheiras pertenciam ao período glacial, e anos depois encontrei nelas fragmentos de conchas árticas. Mas na época fiquei profundamente espantado por Sedgwick não se ter mostrado feliz com um fato tão maravilhoso como descobrir uma concha tropical perto da superfície, no centro da Inglaterra. Antes disso nada me havia feito perceber com clareza, embora tivesse lido vários livros científicos, que a ciência consiste em agrupar fatos de modo que se possam tirar deles leis gerais ou conclusões.[11]

Sedgwick naturalmente percebeu que a concha não poderia ser uma descoberta genuína em tal lugar. Seu ceticismo ensinou uma lição valiosa a Charles e mostrou-lhe a importância de reunir diversas observações mutuamente compatíveis em apoio a qualquer nova teoria científica. A partir daí o discípulo iria manter a boca bem fechada até acumular evidências suficientes.

O objetivo de Sedgwick era seguir a linha de contato ao longo do vale de Cliff, entre os rochedos do calcário carbonífero e a Old Red Sandstone, mostrada no mapa geológico por faixas que atravessam o vale em diversos pontos, começando em Llangollen e acabando em Great Ormes Head, na costa.[12] Em uma escavação perto de Ruthin encontraram um possível afloramento da Old Red, e ao norte de Henllan havia terra e areia vermelhas, mas Sedgwick não estava certo se isso estabelecia definitivamente a natureza dos estratos subjacentes. Charles foi então despachado para uma travessia sozinho, de St. Asaph a Abergele, por Betwys-yn-Rhos, percorrendo uma faixa substancial da Old Red mostráda no mapa. Encontrando em certos lugares algumas pedras soltas e um pouco de solo avermelhado, ele observou: "Foi em pontos como estes, onde o estrato havia sido muito revolvido, que observei o maior número de partículas de arenito vermelho, mas em lugar algum pude encontrá-las *in situ*."[13] Próximo a Abergele o solo era realmente "vermelho demais", mas ele atribuiu o fato "inteiramente aos veios *muito* ferruginosos [ricos em ferro] na própria rocha, e não ao suposto calcário que está abaixo dela". Naquela noite disse a Sedgwick que ali não havia Old Red alguma, e até o fim da vida lembrava-se com prazer quão satisfeito seu mestre ficara com essa nova evidência de que o vale de Clwyd não possuía a estrutura complexa que se havia suposto, mas era um simples sinclinal* resultante de um estiramento do estrato. Embora sua experiência de geologia no campo tivesse se limitado apenas a uma semana, Charles convivera com um mestre e resolvera seu primeiro problema com grande êxito.

Outros locais de interesse geológico no vale eram as famosas cavernas nos rochedos argilosos, em Plas-yn-Cefn, acima do rio Elwy. Ali o proprietário

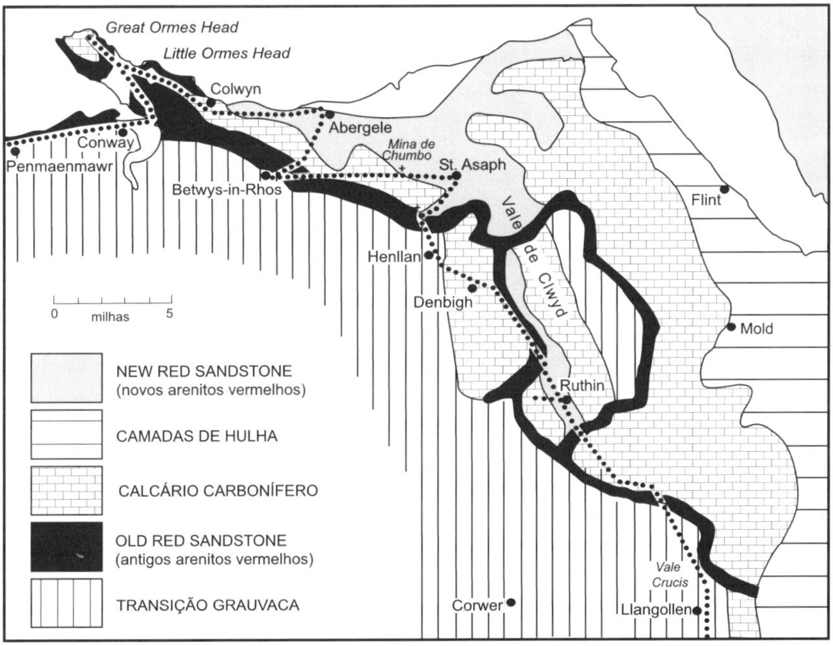

Mapa geológico de parte de Gales do Norte, redesenhado por Secord (James Secord. "The Discovery of a Vocation: Darwin's Early Geology", British Journal of History of Science *24, p.133-57) segundo Greenough (*A Critical Examination of the First Principles of Geology, *Londres, 1819); a linha pontilhada é a rota de Charles de Llangollen a Penmaenmawr. Na segunda edição do mapa de Greenough, publicada em 1839, a camada de antigo arenito vermelho havia desaparecido.*

* Uma grande dobra descendente do estrato geológico.

escavara fósseis vertebrados na caverna maior, entre eles o dente de um rinoceronte, e havia outros ossos na lama. A imaginação de Charles se inflamou com a perspectiva de fazer descobertas semelhantes de mundos passados na projetada viagem às Canárias, embora suas esperanças só se realizassem em 1832, nos rochedos de Punta Alta, na Patagônia. Depois de uma semana, Charles e Sedgwick se separaram em Capel Curig, nas vizinhanças de Bethesda, e o primeiro cavalgou pelas montanhas centrais de Gales, orientando-se com mapa e bússola, até encontrar alguns amigos de Cambridge em Barmouth.

De volta à sua casa no dia 29 de agosto de 1831, depois de duas semanas de caça com o tio John em Maer, "pois naqueles dias eu me consideraria louco se abrisse mão dos primeiros dias de caça à perdiz em nome da geologia ou de qualquer outra ciência", Charles encontrou a fatídica carta de Henslow propondo-lhe embarcar no *Beagle*. Temos de atrasar o relógio para explicar a origem da missiva.

2

As estranhas conseqüências de roubar uma baleeira

1826-1831

A 25 de setembro de 1513 o explorador espanhol Vasco Núnez de Balboa atravessou o estreito istmo que liga as duas metades do continente americano e descobriu, no lado mais distante, o Mar del Sur, posteriormente chamado oceano Pacífico. A cidade do Panamá foi construída à margem do Pacífico e se tornou a base de uma célere expansão espanhola. Enquanto Hernán Cortez conquistava o império asteca no México, Francisco Pizarro dominava os incas no Peru. Ao longo dos 300 anos seguintes, prósperas colônias espanholas foram se estabelecendo nas partes ocidental e sul da América do Sul, enquanto a leste os portugueses dominavam uma grande área no Brasil.

Os ingleses invejaram o êxito dos espanhóis, mas durante um longo período se beneficiaram apenas por meio de roubo, seguindo o exemplo de sir Francis Drake quando regressou de sua viagem de circunavegação, em 1580, com um rico butim de tesouros roubados das colônias espanholas a mando da rainha Elizabeth. Em 1806 Buenos Aires foi atacada por uma força britânica, repelida com sucesso, o que deu aos argentinos confiança para se juntarem às outras colônias espanholas no rompimento com a Espanha. Em 1820 todas as colônias eram independentes, embora nem sempre mantivessem a paz entre si.

O Departamento de Hidrografia da Marinha Real Britânica, fundado em 1795, era inicialmente responsável pela guarda da coleção de mapas de navegação do Almirantado e pelos "Livros de registro" sobre costas e ancoradouros estrangeiros que todos os capitães de navio eram obrigados a fazer. Em 1817 o segundo-hidrógrafo, capitão Hurd, foi autorizado a requisitar alguns pesquisadores por conta própria e logo construiu um programa com 12 pesquisas do

Almirantado em águas domésticas e estrangeiras. O comércio com os novos governos da América do Sul crescia rapidamente, e havia necessidade da presença naval britânica em águas sul-americanas e de mapas precisos da costa para apoiar a navegação. Disso resultou que:

> Em 1825 os comissários do Almirantado ordenaram que fossem preparados dois navios para um levantamento das costas ao sul da América do Sul; e em maio do ano seguinte o *Adventure* e o *Beagle* estavam em Plymouth, prontos para executar as ordens dos comissários. Estas naus estavam bem providas de todo o necessário, de todo o conforto que a liberalidade e gentileza que o Almirantado, o Conselho Naval e os oficiais do Arsenal poderiam oferecer.[1]

O HMS *Adventure* era um "confortável" navio de 330 toneladas, sem canhões, sob o comando do capitão Phillip Parker King. O HMS *Beagle* era um vaso menor, de 235 toneladas, com dois mastros, seis canhões e comandado pelo capitão Pringle Stokes. A 19 de novembro de 1826 o *Adventure* e o *Beagle* zarparam para o sul, saindo de Montevidéu, e até abril de 1827 realizaram pesquisas ao sul da Patagônia, na Terra do Fogo e pelo estreito de Magalhães. Em junho de 1827 voltaram ao Rio de Janeiro. Seis meses mais tarde, desta vez acompanhados por uma escuna chamada *Adelaide* auxiliando-os nas pesquisas — para cuja compra o capitão King havia prudentemente obtido a aprovação prévia do Almirantado, ao contrário do capitão FitzRoy, que em 1833 comprou uma segunda escuna, a *Adventure*, de tamanho menor —, outra vez fizeram-se ao mar rumo ao sul. Em janeiro de 1828 o *Adventure* estava ancorado em Puerto Hambre, ali passando o inverno. O capitão Stokes recebeu ordens de levar o *Beagle* para "examinar as costas ocidentais, entre o estreito de Magalhães e a latitude 47° sul, ou o mais distante que pudesse, sondando aquelas águas perigosas e expostas", e voltar a Puerto Hambre no final de julho. O capitão King atribuiu-se uma tarefa mais confortável no *Adelaide*: mapear as partes ao sul do estreito, relativamente mais próximas, e coletar pássaros e plantas.

Quando, no prazo marcado, o *Beagle* retornou a Puerto Hambre com sua difícil tarefa cuidadosamente realizada, verificou-se que o capitão Stokes estava em um estado de depressão aguda, por causa das extremas privações e dos rigores por que ele e a tripulação haviam passado com o tempo muito severo, tempestuoso e frio, quando trabalhavam no golfo de Peñas. A 1º de agosto de 1828 Stokes tentou se matar com um tiro, e, embora os cirurgiões por algum tempo achassem que ele poderia se recuperar, morreu em meio a grandes dores, no dia 12 de agosto. Foi enterrado no cemitério do *Adventure*, o chamado

Cemitério Inglês, a três quilômetros de Puerto Hambre. (A lápide erigida em sua memória depois foi levada para o Museu Salesiano, na moderna cidade de Punta Arenas, cerca de 64 quilômetros mais adiante, no estreito de Magalhães.)

O *Adventure* e o *Beagle*, este temporariamente comandado pelo primeiro-tenente William Skyring, velejaram de volta ao Rio de Janeiro em outubro, para reparos e reabastecimento. Ali o almirante Otway, comandante-em-chefe da frota da América do Sul, indicou seu jovem ajudante-de-ordens, Robert FitzRoy,* para o comando do *Beagle*, em substituição ao capitão Pringle Stokes. Foi uma escolha bem-sucedida, e FitzRoy logo conseguiu restaurar o moral de uma tripulação desanimada, a ponto de poder prosseguir no mapeamento de uma das costas mais inóspitas do mundo.

Ao longo de 1829 o *Adventure*, o *Beagle* e o *Adelaide* realizaram levantamentos independentes em vários pontos entre a Terra do Fogo e Chiloé, reunindo-se em Valparaíso em novembro. A 19 de novembro o *Beagle* zarpou para novas pesquisas nas costas ao sul da Terra do Fogo, antes de se reunir ao *Adventure* no Rio de Janeiro, para a viagem final à Inglaterra. Navegando entre as ilhas Camden e Stewart, ao sul do canal Cockburn, FitzRoy descobriu anomalias nos registros de sua bússola e escreveu em seu diário, a 24 de janeiro de 1830:

> Deve haver metal em muitas destas montanhas fueguinas, e lamento não ter no navio alguém com conhecimento de mineralogia, ou bem treinado em geologia. É uma pena que uma oportunidade tão boa de conhecer a natureza das rochas e o solo destas regiões tenha sido quase perdida. Não posso deixar de pensar no talento e na experiência necessários para tais pesquisas científicas, dos quais estamos totalmente destituídos; e internamente resolvi que, se alguma vez deixar a Inglaterra outra vez em uma expedição semelhante, vou fazer o possível para trazer uma pessoa qualificada para examinar o solo, enquanto os oficiais e eu mesmo nos dedicaremos à hidrografia.[2]

---

* Robert FitzRoy nasceu a 5 de julho de 1805, em Ampton Hill, Suffolk, terra dos Grafton. Sua família tinha tradições navais e também aristocráticas, e o primeiro duque de Grafton, filho de Charles II, foi almirante, morrendo jovem no comando de seu próprio navio, em luta contra os franceses ao largo de Cork, em 1690. Houve mais dois almirantes em gerações posteriores, os lordes Augustus e William FitzRoy, mas o pai de Robert, filho do terceiro duque de Grafton, tornou-se general, proprietário de terras e membro do Parlamento. Sua mãe, lady Frances Anne Stewart, era irmã de lorde Castlereagh. Em fevereiro de 1818 Robert entrou para o Royal Naval College, em Portsmouth, e após nove anos de mar se tornou ajudante-de-ordens do almirante Otway, pronto para ser promovido. Ver H.E.L. Mellresh, *FitzRoy of the Beagle*, Rupert Hart-Davis, 1968.

Uma semana mais tarde foi relatado a FitzRoy que a baleeira de cinco remos do navio, pilotada pelo sr. Murray, o mestre, e com uma pequena tripulação, havia sido roubada à noite pelos fueguinos perto do cabo Desolación, "que agora merecia duplamente o nome". As más notícias foram levadas ao *Beagle* por dois dos marinheiros, em uma canoa em forma de cesto e cuja curiosa estrutura foi homenageada nos nomes da pequena ilha em que se situava o cabo Desolación, e do primeiro dos fueguinos que FitzRoy tomou como refém.*

No mapa do estreito de Magalhães[3] feito no *Beagle*, a ilha Basket está situada próxima ao extremo ocidental da Terra do Fogo, com o estreito Thieves ao norte e o estreito Whale Boat ao leste. Em um mapa moderno, a área se situa na costa da Terra do Fogo, ao sul de Punta Arenas. FitzRoy reagiu ao roubo com uma campanha de captura de reféns para serem trocados pela baleeira. Mas o estratagema não deu certo, em grande parte porque os fueguinos não demonstraram qualquer interesse em trocar seu butim pelos camaradas, muito satisfeitos no navio. E assim FitzRoy ficou com a jovem Fuegia Basket, "tão larga quanto alta", e York Minster, um adulto capturado no estreito Christmas, próximo ao rochedo de mesmo nome, e Boat Memory, capturado mais tarde ali perto. O capitão logo começou a avaliar as dificuldades práticas de devolvê-los imediatamente a seu povo e passou a considerar a possibilidade de levá-los para Inglaterra e educá-los por algum tempo antes de repatriá-los.

Enquanto se fazia uma baleeira substituta na enseada Doris, em uma ilha ao largo da passagem Adventurer, o sr. Murray saiu no escaler do navio para explorar as águas ao norte e a leste da baía Nassau. Navegou um pouco para o norte e bastante para leste, por um canal com um pouco mais de 500 metros de largura que veio a ser conhecido como estreito de Murray e que "levou-o a um canal reto, com mais de três quilômetros de largura em média, estendendo-se quase

---

* Até o final da última era glacial, cerca de 14.500 anos atrás, a ponta sul da América do Sul era inteiramente coberta por gelo e inabitável. Seguiu-se um período de alguns milhares de anos no qual os coletores-caçadores nômades, que, após cruzar o estreito de Bhering até o Alasca, se espalharam por toda a costa ocidental do continente americano, descobriram que era possível avançar ainda mais para o sul e ocupar as costas desoladas diante da península Antártica. Há oito mil anos ocorreu uma elevação do nível do mar, inundando o estreito de Magalhães e deixando os fueguinos presos na ilha Grande da Terra do Fogo, lutando pela sobrevivência no que deve ter sido o ambiente mais hostil da terra já enfrentado pelos homens primitivos. Não obstante, vivendo quase nus em suas barracas de peles e se alimentando principalmente de ovos de pássaros, peixe, mariscos e frutos do mato, conseguiram sobreviver. No início do século XIX a população total dos aborígines da Terra do Fogo era, provavelmente, próxima a dez mil almas.

Desenhos, por Robert FitzRoy, de seus fueguinos

na direção leste-oeste, até onde a vista alcança". Ele havia descoberto o canal Beagle, cuja orientação precisa no mapa seria razão de uma disputa legal muito tempo depois entre a Argentina e o Chile, a respeito de direitos territoriais sobre a Antártida. O novo país era densamente povoado, e a 11 de maio de 1830, quando o próprio *Beagle* estava no estreito Murray, encontraram algumas canoas cheias de nativos ansiosos para trocar coisas. FitzRoy escreveu: "Eu falei para um menino que estava em uma canoa para subir ao navio e dei ao homem que estava com ele um botão de madrepérola grande e brilhante."[4] Jemmy Button (botão), como logo foi chamado pela tripulação, logo se instalou em seu novo lugar, e os fueguinos do pequeno grupo de FitzRoy passaram a ser quatro.[5]

No final de junho o *Beagle* velejou de volta ao rio da Prata. Em Montevidéu, FitzRoy tentou vacinar os fueguinos contra varíola, cujo ataque era muitas vezes fatal aos nativos desprotegidos, mas a vacina não pegou. No início de agosto o *Beagle* juntou-se ao *Adventure* no Rio de Janeiro, e juntos fizeram uma passagem "extremamente tediosa" até Plymouth, onde ancoraram a 14 de outubro.

O primeiro pensamento de FitzRoy foi para os fueguinos. Desembarcando após o escurecer, eles foram levados a seus alojamentos, onde no dia seguinte foram vacinados pela segunda vez. Sob a vigilância de James Bennett, timoneiro do *Beagle,* transferiram-se para uma fazenda próxima a Plymstock, na qual teriam ar fresco e, com sorte, escapariam de outras doenças transmissíveis, sem atrair a atenção pública. Enquanto isso desmontou-se parcialmente o *Beagle*, e a 27 de outubro o mastro foi arriado.

Na viagem de volta, FitzRoy, por intermédio do capitão King, enviou a John Barrow,[6] segundo-secretário do Almirantado, um longo relato sobre a maneira pela qual havia tomado os fueguinos a bordo do *Beagle*[7] e sobre seu propósito de devolvê-los ao país de origem após receberem alguma educação. A resposta de Barrow, embora formulada de maneira negativa e, como era de se prever, nada entusiástica, dizia que as autoridades não interfeririam com as bondosas intenções de FitzRoy a respeito dos fueguinos, ofereceriam facilidades no tocante à sua educação e manutenção e ainda lhes dariam uma passagem de volta para casa. A promessa foi devidamente cumprida, e quando, no começo de novembro, Boat Memory caiu doente com varíola, deram-se instruções imediatas para que os fueguinos fossem admitidos no Hospital Naval em Plymouth para vacinação e tratamento. Infelizmente Boat Memory, que era o favorito de FitzRoy, não se salvou, mas os outros três foram vacinados novamente e com sucesso. Fuegia Basket, além disso, foi levada para casa pelo

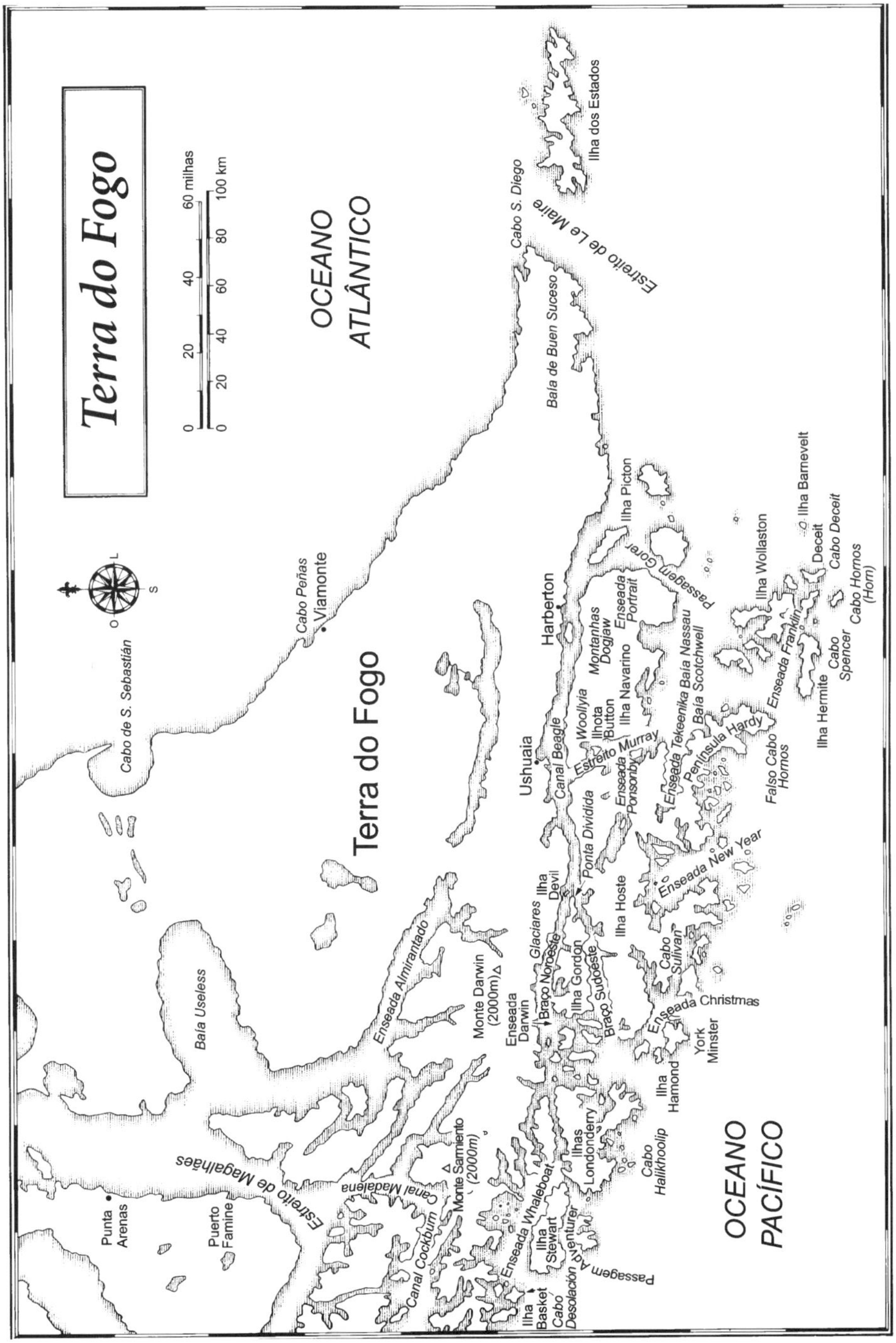
Terra do Fogo
0 20 40 60 milhas
0 20 40 60 80 100 km
OCEANO ATLÂNTICO
OCEANO PACÍFICO
Terra do Fogo
Cabo de S. Sebastián
Cabo Peñas
Viamonte
Cabo S. Diego
Estreito de Le Maire
Ilha dos Estados
Baía de Buen Suceso
Harberton
Ushuaia
Canal Beagle
Ilha Picton
Passagem Goree
Enseada Portrait
Montanhas Dogjaw
Ilha Navarino
Woollyia
Ilhota Button
Estreito Murray
Enseada Ponsonby
Ponta Dividida
Enseada Tekeenika
Baía Nassau
Baía Scotchwell
Península Hardy
Falso Cabo Hornos
Enseada Franklin
Ilha Wollaston
Ilha Barnevelt
Deceit
Cabo Deceit
Cabo Hornos (Horn)
Cabo Spencer
Ilha Hermite
Enseada New Year
Ilha Hoste
Ilha Devil
Glaciares
Braço Noroeste
Braço Sudoeste
Ilha Gordon
Cabo Sulivan
Enseada Christmas
York Minster
Ilha Hamond
Cabo Halikhoolip
Ilhas Londonderry
Enseada Darwin
Monte Darwin (2000m)
Enseada Almirantado
Baía Useless
Estreito de Magalhães
Punta Arenas
Puerto Famine
Canal Magdalena
Monte Sarmiento (2000m)
Canal Cockburn
Enseada Whaleboat
Ilha Stewart
Passagem Adventurer
Ilha Basket
Cabo Desolación

médico que cuidava deles, para se expor ao sarampo na companhia dos próprios filhos do doutor. Ela teve um surto ameno e rapidamente se recuperou, com o sistema imunológico fortalecido.

Por meio de contatos com a Church Missionary Society, os fueguinos foram em seguida levados para Walthamstow, nos arredores de Londres, para ter aulas com o reverendo William Wilson, ficando a seus cuidados até outubro de 1831, ainda sob a supervisão de James Bennett. Fuegia Basket e Jemmy Button eram alunos muito interessados, porém o mais velho, York Minster, não. Com muita relutância ele assistia às lições práticas, como jardinagem, mas recusou-se firmemente a aprender a ler. Além disso desenvolveu o que parecia ser um interesse pouco saudável por Fuegia, de dez anos de idade, seguindo-a por toda parte, mantendo-a afastada dos outros homens e tratando-a como se ela fosse sua. Àquela época não havia indício de relacionamento sexual entre os dois, embora mais tarde, a bordo do *Beagle*, tenha-se julgado que ela deveria ficar oficialmente noiva de York, para evitar embaraços; de volta à Terra do Fogo, Fuegia se casou com dele. No verão os fueguinos foram levados ao palácio St. James, a pedido do rei William IV, e a rainha Adelaide fez uma homenagem a Fuegia Basket, presenteando-lhe com um de seus chapéus e um anel e dando-lhe algum dinheiro para comprar roupas na volta para casa.

O capitão King havia levado FitzRoy a supor que as pesquisas do *Beagle* e do *Adventure* na América do Sul seriam continuadas por algum outro navio, o que lhe daria oportunidade de devolver os fueguinos à sua terra natal. Mas quando, em março de 1831, completou suas obrigações oficiais a respeito do cruzeiro do *Beagle* em 1826-1830, pelas quais foi oficialmente elogiado, FitzRoy descobriu que sem qualquer razão declarada os planos do Almirantado haviam mudado, e os lordes não mais pretendiam completar o levantamento. Sentindo que não poderia confiar em ninguém para levar os fueguinos aos lugares precisos de onde haviam sido tirados, conseguiu uma licença de 12 meses. Em junho, às suas próprias expensas, fez um acerto com o proprietário de um pequeno navio mercante para levá-lo com mais cinco companheiros, os fueguinos e algumas cabras à Terra do Fogo. Pretendia com isso povoar algumas ilhas e devolver à terra seus protegidos. O acerto não precisou contudo ser efetivado. Um dia FitzRoy mencionou o problema a um de seus aristocráticos e influentes tios, o quarto duque de Grafton, e a lorde Londonderry, meio-irmão de lorde Castlereagh, ex-secretário do Exterior. Após algumas pressões eficientes sobre o Almirantado, os lordes foram persuadidos a indicar FitzRoy mais uma vez para o comando do *Beagle*, em um segundo cruzeiro de pesquisas.

FIGURES

TO DENOTE THE FORCE OF THE WIND.

0	Calm.		
1	Light Air	Or just sufficient to give steerage way.	
2	Light Breeze	Or that in which a man-of-war, with all sail set, and clean full, would go in smooth water from	1 to 2 knots.
3	Gentle Breeze ..		3 to 4 knots.
4	Moderate Breeze		5 to 6 knots.
5	Fresh Breeze	Or that to which a well-conditioned man-of-war could just carry in chase, full and by	Royals, &c.
6	Strong Breeze....		Single-reefed topsails and top-gall. sails.
7	Moderate Gale ..		Double-reefed top-sails, jib, &c.
8	Fresh Gale		Treble-reefed top-sails, &c.
9	Strong Gale......		Close-reefed topsails and courses.
10	Whole Gale	Or that with which she could scarcely bear close-reefed main-topsail and reefed fore-sail.	
11	Storm	Or that which would reduce her to storm stay-sails.	
12	Hurricane	Or that which no canvass could withstand.	

Escala Beaufort

O maior dos hidrógrafos, o capitão Francis Beaufort, que desde 1829 chefiava o Departamento de Hidrografia, aproveitou com entusiasmo a oportunidade de preencher alguns dos muitos espaços em branco nos mapas existentes sobre a costa da Argentina e da Terra do Fogo e de ampliar os mapas navais, de modo a cobrir não apenas a Argentina e as ilhas Falkland, mas também uma maior extensão das costas do Chile e do Peru para o norte, até o Equador. FitzRoy também seria encarregado da tarefa de calcular uma série de distâncias meridianas, para avaliar as diferenças de longitude entre um local estabelecido e outro, novo, por toda a volta ao mundo. O *Beagle* recebeu assim instruções para voltar pelas ilhas Galápagos, Taiti, Nova Zelândia, Austrália — chegando ao observatório Port Jackson, em Sydney, Hobart e ao estreito Rei George —, ilhas Cocos Keeling, Maurício, cabo da Boa Esperança, Santa Helena, Ascensión, e daí voltar para casa. O longo memorando de Beaufort para FitzRoy,[8] explicando cuidadosamente o plano, incluía uma nota; ela proibia que os oficiais mais graduados que FitzRoy porventura encontrasse tomassem qualquer um de seus instrumentos ou cronômetros; instruções para observações meticulosas dos eclipses da terceira e quarta luas de Júpiter; e conselhos sobre a melhor maneira de lidar com os nativos. Finalmente o *Beagle* era o primeiro navio da Marinha Britânica a levar a lista da escala Beaufort, ainda em uso até hoje, relacionando a força do vento — baseada nas velocidades de um vaso de guerra com todas as velas abertas — e o conjunto de velas que poderia ser usado a plena velocidade. Uma segunda lista de letras descrevia o estado do tempo, porém esta não é mais usada atualmente.

Enquanto o *Beagle* era completamente remodelado como preparativo para a longa viagem, FitzRoy, lembrando de sua resolução de recrutar um geólogo caso voltasse à Terra do Fogo,[9] começou a procurar "uma pessoa bem-educada e com treinamento científico que desejasse partilhar as acomodações que tenho a oferecer, para aproveitar a oportunidade de visitar países distantes e ainda pouco conhecidos".[10] Começou por consultar a pessoa mais apropriada do Almirantado, Francis Beaufort, que, amigo dos reformadores científicos de Cambridge e da Royal Society, era um entusiasta da modernização e empenhava-se em aumentar a base científica do Departamento de Hidrografia. Ele imediatamente apoiou a idéia. Dessa forma, Beaufort escreveu a seu amigo George Peacock, matemático do Trinity College, Cambridge, falando-lhe da vaga para um "sábio" em um navio de pesquisas. No começo de agosto Peacock passou a informação a Henslow, muito embora não tivesse interpretado corretamente a situação, mancionando especificamente a vaga para um naturalista; só em correspondências posteriores colocou maior ênfase na necessidade de que o cientista também fosse um cavalheiro e boa companhia:

> Meu caro Henslow
>
> O capitão FitzRoy está de partida para investigar a costa sul da Terra do Fogo, depois visitar muitas das ilhas dos Mares do Sul e voltar pelo arquipélago das Índias; o navio está expressamente preparado para objetivos científicos combinados com a pesquisa; desta forma, será uma oportunidade rara para um naturalista, e seria uma grande infelicidade se ela fosse perdida.
>
> Foi-me solicitado que recomendasse uma pessoa adequada para viajar como naturalista nesta expedição; ela será tratada com toda consideração; o capitão é um jovem de maneiras muito corretas (é sobrinho do duque de Grafton), de grande zelo por sua profissão e boa reputação; se Leonard Jenyns se dispusesse a ir, que tesouros poderia trazer, uma vez que o navio seria colocado à sua disposição, sempre que as pesquisas tornassem isso necessário ou desejável; na falta de um naturalista tão completo, há alguém que você recomende com firmeza? Deve ser uma pessoa que corresponda à sua recomendação.

Pense nesse assunto: seria uma grave perda para a causa da ciência natural se a excelente oportunidade fosse perdida.

O navio zarpará no final de setembro.

Pobre Ramsay!* Que perda para todos nós e particularmente para você.

Aceite meus sinceros cumprimentos

Meu caro Henslow

George Peacock
Suffolk Street, 7 – Pall Mall East

Meu caro Henslow

Escrevi esta carta no domingo, mas era tarde demais para o correio. Que gloriosa oportunidade seria de formar coleções para os nossos museus: escreva-me imediatamente e trate de não perder a oportunidade.

Aceite meus sinceros cumprimentos

Meu caro Henslow

Geo Peacock
Suffolk Street, 7 – Segunda-feira[11]

Como já vimos, Leonard Jenyns era outro clérigo naturalista, cunhado de Henslow e vigário em Swaffham Bulbeck, próximo a Cambridge. Após pensar um dia sobre a oferta, Jenyns decidiu com pesar que não poderia deixar sua paróquia. Henslow assim voltou-se para Charles Darwin como óbvia escolha alternativa, e a 24 de agosto escreveu:

Meu caro Darwin

Antes de entrar no assunto imediato desta carta, quero lamentar com você a perda de nosso inestimável amigo Ramsay, de cuja morte você sem dúvida já soube. Não vou me demorar neste doloroso assunto, uma vez que conto vê-lo em breve, pois espero que você aceite a oferta que lhe deverá ser feita, de uma viagem à Terra do Fogo, voltando pelas Índias Orientais. Peacock, que vai ler esta carta e mandá-la para você de Londres, solicitou-me que lhe recomendasse um naturalista como companheiro para o capitão FitzRoy, empregado pelo governo para explorar a extremidade sul da América. Já afirmei que considero você a pessoa mais qualificada que conheço para aceitar tal situação. Afirmo isto, não supondo que você seja um naturalista *acabado*, mas amplamente qualificado para coletar, observar e anotar qualquer coisa que valha a pena ser observado em história natural. Peacock é quem deve fazer a indicação, e se ele não encontrar alguém desejoso

* Marmaduke Ramsay, professor no Jesus College, que havia morrido.

> de ocupar a função, é provável que a oportunidade se perca. O cap. F. deseja alguém (pelo que entendi) mais como companheiro do que como mero coletor, e não levaria ninguém, por melhor naturalista que seja, que não lhe fosse recomendado também como *cavalheiro*. Nada sei de particularidades sobre salário etc. A viagem deverá durar dois anos, e se você levar muitos livros, pode fazer qualquer coisa que desejar — terá ótimas oportunidades. Em suma, acho que nunca houve uma oportunidade tão boa para alguém de zelo e espírito. O cap. F. é jovem. Eu gostaria que você viesse imediatamente à cidade, se encontrasse com Peacock (em Suffolk Street, 7, Pall Mall East, ou então no clube da universidade) e se informasse sobre os detalhes. Não tenha dúvidas ou medos sobre suas qualificações, pois lhe garanto que acho que é você a pessoa que estão procurando — de modo que se considere cumprimentado por seu meirinho vagabundo* e afetuoso amigo
>
> J.S. Henslow[12]

A carta foi reforçada por outra de Peacock, em termos semelhantes, dois dias depois. Embora tanto Henslow como Peacock dissessem nas cartas que FitzRoy estava procurando um naturalista, é evidente que em algum momento na conversa original com Beaufort havia-se mencionado um geólogo, pois o candidato de Henslow para o posto foi descrito pelo próprio FitzRoy como "o sr. Charles Darwin, neto do dr. Darwin, o poeta, um jovem de promissoras capacidades, extremamente dedicado à geologia e, na verdade, a todos os ramos da história natural."[13] Pode-se supor que FitzRoy julgava que estava levando um geólogo, pois o presente que fez a Charles na partida para Plymouth foi o primeiro volume de *Principles of Geology*, de Charles Lyell. Além do mais, em seu primeiro relato à Royal Geographical Society, na volta do *Beagle* à Inglaterra em 1836, ele disse que "o sr. Charles Darwin informará os resultados de sua reclusão voluntária e desinteressada dedicação à causa da ciência. A geologia tem sido sua principal atividade".

* "O meirinho que está atrás do devedor, ou que o surpreende pelas costas."

3

Preparativos de viagem

1831

Charles chegou a Shrewsbury de sua viagem à Gales do Norte com Sedgwick em uma segunda-feira, 29 de agosto, e as irmãs entregaram-lhe as cartas de Henslow e Peacock. Sua reação imediata e alegre foi aceitar, mas quando na manhã seguinte descobriu que o pai opunha-se firmemente à decisão, foi com tristeza que escreveu a Henslow:

> A carta do sr. Peacock chegou no sábado, e eu a recebi ontem, tarde da noite. Quanto a mim, *certamente* aceitaria com muita alegria a oportunidade que você me ofereceu. Mas meu pai, embora não tenha recusado explicitamente, apresentou tantos argumentos contrários à ida que eu não me sentiria confortável se não os obedecesse. As objeções de meu pai são as seguintes: [a viagem] não é adequada para eu me estabelecer como clérigo; não tenho hábito de viagens marítimas; o *pouco tempo* e a possibilidade de não me adequar ao capitão FitzRoy. Certamente é uma objeção muito séria, o tempo é muito curto para todos os meus preparativos, uma vez que não apenas o corpo, mas também o espírito necessita se preparar para tal empreendimento. Se não fosse pelo meu pai, certamente correria todos os riscos. ... Mesmo que eu decidisse ir, o desgosto de meu pai tiraria todas as minhas energias, e certamente preciso de um bom estoque dela. Mais uma vez devo agradecer-lhe; aumenta um pouco a carga, pesada porém agradável, de gratidão que tenho por você.[1]

Charles escreveu uma carta em termos semelhantes a Peacock, que no entanto não chegou até nós.

Nem tudo estava perdido, contudo, pois Robert reconheceu o considerável cumprimento feito ao filho pelos dois eminentes acadêmicos de Cambridge e temperou sua desaprovação dizendo a Charles: "Se você encontrar qualquer pessoa de bom senso que o aconselhe a viajar, dou o meu consentimento." Robert sabia muito bem quem poderia ser tal homem, e a 30 de agosto escreveu para Josiah Wedgwood II: "Charles vai falar da oferta que lhe foi feita, uma viagem de pesquisa por dois anos. ... Eu me opus por várias razões, mas não vou entrar nos detalhes sobre meus motivos para que ele tenha a sua opinião sem a minha influência, e se você fizer uma avaliação diferente, quero que ele siga seu conselho."[2]

Charles partiu imediatamente para Maer, onde encontrou o tio e os primos entusiasticamente favoráveis a que ele embarcasse na viagem. À noite todos pressionaram-no a voltar a discutir o caso com o pai. A 31 de agosto, com o tio Josiah ao lado, escreveu ao pai um bilhete extremamente apologético, terminando, em uma outra folha de papel, com uma lista de objeções a serem respondidas:

> Receio mais uma vez incomodá-lo. Creio que você me desculpará por novamente apresentar minhas opiniões sobre a oferta da viagem. Minhas desculpas e o motivo é que todos os Wedgwoods encararam a questão de maneira diferente da sua e de minhas irmãs... Mas por favor não julgue que eu esteja tão empenhado em ir que hesite, sequer por um único momento, caso você, mesmo que por pouco tempo, continue aborrecido.
>
> (1) Desabonador para meu caráter como clérigo de agora em diante.
> (2) Um planejamento desordenado.
> (3) Que eles devem ter oferecido a muitas pessoas antes de mim o posto de naturalista.
> (4) E que pelo fato de não terem aceito, deve haver alguma objeção séria ao navio ou à expedição.
> (5) Que eu jamais me estabeleceria em uma vida pacata depois disso.
> (6) Que minhas acomodações seriam muito desconfortáveis.
> (7) Que você considerasse isso como mais uma mudança de profissão.
> (8) Que seria um feito inútil.[3]

Junto a esta carta seguia outra, de Josiah para Robert:

> Meu caro doutor
>
> Sinto que a responsabilidade de sua solicitação quanto à oferta feita a Charles é bastante pesada, mas, como você desejou que Charles me consultasse, não posso me recusar a dar os resultados das considerações que pude fazer. Charles resumiu o que ele supõe serem suas principais objeções, e acho que o melhor caminho a tomar é apresentar o que me ocorre quanto a cada uma delas.

1 – Não creio que seja de alguma maneira desabonador para o caráter dele como clérigo. Pelo contrário, acho que a oferta honra-o, e a história natural, embora certamente não seja uma profissão, é muito adequada para um clérigo. 2 – Não sei bem como responder a esta objeção, mas ele teria objetos definidos a estudar e pode adquirir e fortalecer hábitos de estudo, e creio que o mais provável é que isso venha a acontecer, qualquer que seja a maneira como ele passe os próximos dois anos em casa. 3 – Não tive essa impressão ao ler as cartas, e lendo-as de novo com este objetivo em mente não vejo base para isso. 4 – Não posso imaginar que o Almirantado mande um navio ruim para o serviço. Quanto às objeções à expedição, cada pessoa tem a sua, e nada, acho eu, se pode inferir a respeito de Charles pelo fato de que outros tiveram objeções a ela. 5 – Você é muito mais capaz de julgar o caráter de Charles do que eu. Se, comparando o modo como ele iria passar os próximos dois anos com a maneira com que provavelmente irá passar caso não aceite esta oferta, você achar que isso fará com que ele fique mais instável e incapaz de se aquietar, esta é sem dúvida uma objeção de peso. Não é verdade que os marinheiros não sejam propensos a se estabelecer em uma vida doméstica com hábitos tranqüilos. 6 – Não possuo qualquer opinião a esse respeito, além do fato de que, se indicado pelo Almirantado, ele tem direito a ser acomodado da melhor maneira que o navio permitir. 7 – Se eu visse Charles absorvido em estudos profissionais, provavelmente acharia que não seria aconselhável interrompê-los, mas este não é, nem creio que será, o caso dele. Sua presente busca de conhecimento está no mesmo caminho que ele seguiria caso vá na expedição. 8 – O empreendimento é inútil no que diz respeito à profissão dele, mas, considerando-o uma pessoa de grande curiosidade, ser-lhe-á oferecida uma oportunidade de ver homens e coisas, o que acontece a poucos.

Tenha em mente que tive muito pouco tempo para pensar, e que você e Charles são as pessoas que devem decidir. Sou

Meu caro doutor
Afetuosamente seu

Josiah Wedgwood[4]

E assim o tio Jos, com seu calmo bom senso, afastou as exageradas preocupações de Robert, e sua descrição de Charles como uma "pessoa de grande curiosidade" era verdadeiramente profética.

As duas cartas foram despachadas para Shrewsbury bem cedo, no dia 1º de setembro, e Josiah e Charles pegaram suas espingardas para o que normalmente seria uma ocasião em especial agradável para eles, o primeiro dia da estação de caça à perdiz. Mas os dois tinham coisas demais na cabeça, e Charles havia derrubado um único pássaro quando, às dez horas, Josiah fez o que "poucos tios fariam": enfiou-o em uma carruagem e correram os dois a Shrewsbury, para travar pessoalmente a batalha com Robert. Ao chegar, porém, descobriram com alívio que este já havia mudado de idéia e estava pronto a "dar toda a assistência possível".

No mesmo dia Beaufort informou a Robert FitzRoy: "Creio que meu amigo sr. Peacock, de Trin^{y} College Camb^{e}, conseguiu um "sábio" para você. ... O sr. Darwin, neto do conhecido filósofo e poeta, ... cheio de zelo e disposição e que já havia pensado em fazer por sua própria conta uma viagem à América do Sul." Naquela mesma tarde Charles sentou-se em Shrewsbury e escreveu pela primeira vez diretamente a Beaufort, explicando que a situação havia mudado desde que mandara sua recusa a Henslow e a Peacock, e que, se a vaga ainda não tivesse sido preenchida, "ficarei muito feliz em ter a honra de aceitá-la".

No sábado, dia 2 de setembro, Charles voltou a Cambridge e passou o domingo fechado com Henslow, "pensando no que havia a ser feito". Henslow explicou como ele próprio quase havia aceitado a indicação, mas que recusara diante da infelicidade da esposa com a perspectiva, enquanto Leonard Jenyns havia feito o mesmo porque não podia abandonar sua paróquia em Swaffham Bulbeck. Na casa de Henslow, Charles encontrou Alexander Charles Wood, primo e muito amigo de FitzRoy e que na época estudava no Trinity College e era aluno de Peacock. A pedido deste, Wood havia escrito para FitzRoy recomendando Charles, o que ele fez tomando o cuidado de avisar a seu primo, um conservador, que Charles politicamente era um decidido liberal. FitzRoy respondeu em uma carta que Charles achou "*muito* direta e *cavalheiresca*, mas tão contrária à minha ida que imediatamente desisti de tudo". No entanto Henslow insistiu firmemente para ele não decidir nada antes de fazer consultas sérias a Beaufort e FitzRoy; desse modo, na segunda-feira de manhã Charles tomou a carruagem para Londres e teve seu primeiro encontro com o seu algumas vezes errático "ideal de capitão".

Os dois jovens, FitzRoy com 26 anos de idade e Charles quatro anos mais moço, de imediato se dispuseram a ser agradáveis um com o outro. Charles escreveu para a irmã Susan: "O cap. FitzRoy está na cidade e eu o vi; é inútil tentar elogiá-lo tanto quanto eu desejaria, porque você não iria acreditar em mim." FitzRoy propôs que fizessem as refeições juntos, sem vinho e de maneira simples, aproveitando o limitado espaço de trabalho disponível em um navio tão pequeno. A viagem seria inevitavelmente tempestuosa e desconfortável, e se Charles achasse que era demais, sempre teria a liberdade de partir; quando o tempo estivesse muito ruim, ele deveria passar dois meses em terra, em algum país seguro, salubre e agradável. Esses oferecimentos logo restauraram o entusiasmo de Charles pela viagem, deixando apenas uma pequena dúvida — logo

Robert FitzRoy em um desenho da época da viagem (P.G. King)

respondida por Beaufort — sobre se o *Beagle* realmente iria voltar pelo Pacífico e, assim, circunavegar o mundo. Charles escreveu mais tarde:

> Depois que me tornei íntimo de FitzRoy soube que havia corrido um grande risco de ser rejeitado por conta do formato de meu nariz! Ele era um ardente discípulo de Lavater* e estava convencido de que poderia julgar o caráter de uma pessoa pelos traços fisionômicos; e duvidava que alguém com um nariz como o meu pudesse ter suficiente energia e determinação para a viagem. Mas acho que mais tarde ficou satisfeito, porque meu nariz mentira.

E Charles concluía, para a irmã: "Na verdade existe uma ondulação relativa aos assuntos humanos; experimentei isto e desisti *inteiramente* até hoje".

* Johann Kaspar Lavater (1741-1801), místico e teólogo suíço, conhecido principalmente por sua obra sobre a determinação do caráter a partir de características faciais.

Seguiu-se uma atividade frenética em Londres. Charles apresentou-se a especialistas indicados por Henslow em busca de conselhos de todos os tipos, desde naturalistas que lhe diziam o que coletar e como melhor preservar os espécimes até fornecedores de instrumentos, vidraria, papéis, livros e armas. Suas irmãs cuidaram do guarda-roupa, comprando-lhe sapatos e botas resistentes e camisas marcadas com seu nome, para não se perderem na lavanderia do navio. Seu amigo John Coldstream aconselhou-o a usar uma rede de arrasto para ostras do *tamanho normal*, para coletar animais marinhos, a conseguir alguns covos de lagostas e, quando estivesse ancorado, a jogar linhas profundas, tendo como iscas alguns pequenos pedaços de madeira comidos pelos vermes. Ele encontrou o capitão P.P. King, imediato de FitzRoy na expedição anterior, e este, sem que lhe fosse perguntado, disse que o capitão tinha um temperamento excelente; estava inclusive mandando seu próprio filho, Philip Gidley King, como aspirante no *Beagle*. Charles excedeu-se e comprou um caro microscópio portátil para dissecação feito por Bancks, do tipo recomendado a ele pelo eminente botânico e microscopista Robert Brown. Com a ajuda do vendedor de livros e ornitologista William Yarrell encomendou um rifle e um par de pistolas por 50 libras, alegrando-se com o pensamento de que FitzRoy tinha gasto 400 libras. As armas poderiam ser necessárias, disse a um amigo, "porque teremos muitas lutas com aqueles m.... canibais". A 8 de setembro, quando todas as lojas estavam fechadas, achou um lugar excelente para apreciar a procissão de coroação do rei Guilherme IV, que "parecia estar muito bem e era popular; mas havia muito pouco entusiasmo, tão pouco que acredito ser difícil uma coroação como esta nos próximos 50 anos". Em outras horas livres estudou astronomia, pois "acho que os marinheiros iriam ficar espantados se eu não soubesse como descobrir latitude e longitude".

Em 11 de setembro Charles embarcou com FitzRoy no navio a vapor, indo ao longo da costa sul até Plymouth, onde sua primeira visão do *Beagle* no dique em Devonport não foi das melhores, "sem mastros e anteparos, e mais parecendo um navio naufragado do que uma embarcação pronta para circunavegar o globo". A viagem deu a FitzRoy uma primeira oportunidade para avaliar as capacidades marítimas de Charles, transmitir mais completamente ao jovem os planos do Almirantado para o *Beagle* e o que se havia obtido na viagem anterior. O navio era impressionantemente pequeno, 27 metros de comprimento e 58 metros de largura no meio, deslocando 235 toneladas. No interior da cabine de popa, medindo 3 metros por 33 e ocupada sobretudo por uma grande mesa de mapas e três cadeiras, Charles iria trabalhar com o aspirante Philip Gidley King e com o pesquisador assistente John Lort Stokes (nenhum parentesco com

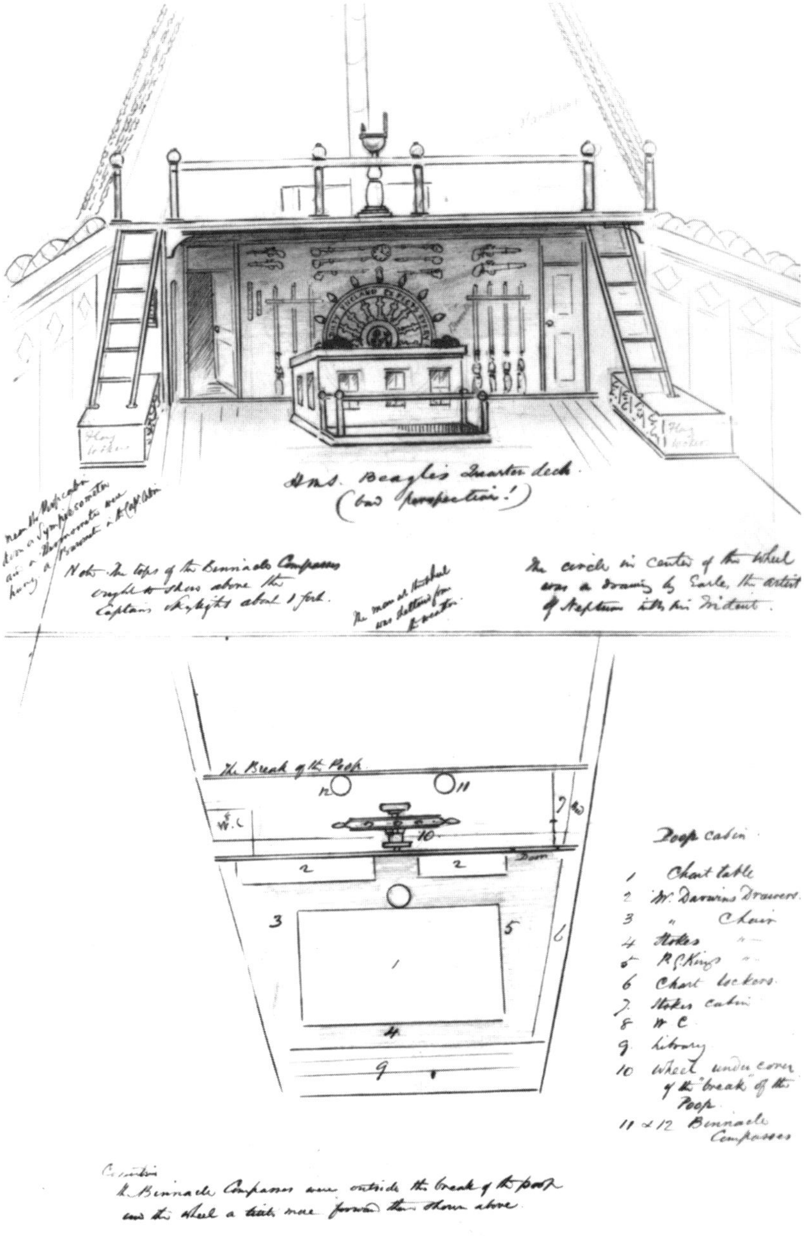

Tombadilho e cabine de popa do Beagle*, desenhados de memória por Philip Gidley King, em 1890, para Hallam Murray*

o antigo capitão do *Beagle*), e iria dormir em uma rede acima da mesa. A cama de Stoke era em um cubículo ao lado da porta, e a de King, em um convés inferior. Eles comeriam no alojamento dos oficiais, mas Charles teria acesso à cabine do capitão, no convés inferior, onde os dois fariam as refeições. Sessenta anos depois King desenhou de memória, para uma edição do *Diário de campo* de Charles, uma planta da disposição interna do navio.

Charles correu de volta a Londres de carruagem, em uma "viagem maravilhosamente rápida, 420 quilômetros em 24 horas". Ali teve uma conversa útil com Beaufort, que relatou a ele a prática naval comum: qualquer coleção feita pelo cirurgião do navio automaticamente se tornava propriedade do governo. Como a indicação de Charles não era oficial, contudo, o melhor seria que sua coleção ficasse à disposição nas diferentes instituições de Londres. Em sua posterior correspondência com Henslow, um problema de grande preocupação foi a escolha dos locais mais adequados. A primeira medida, contudo, foi passar uns dias em Cambridge, fazendo acertos detalhados com Henslow e um irmão dele, em Londres, para receber e guardar em segurança, até a volta do *Beagle*, os espécimes que no devido tempo fossem mandados da América do Sul. O presente de despedida de Henslow para Charles foi um exemplar da tradução inglesa dos dois primeiros volumes de *Personal Narrative of Travels to the Equinoctial Regions of the New Continent* de Humboldt, com a dedicatória "J.S. Henslow para seu amigo C. Darwin, na partida da Inglaterra para uma viagem em volta ao mundo. 21 set. 1831".

De volta a Shrewsbury para os dez últimos dias, Charles empacotou roupas e livros e acertou suas complicadas e algumas vezes graves questões financeiras. Escreveu para Henslow dizendo que o pai estava muito mais reconciliado com a idéia da viagem, agora que se acostumara a ela, e que na verdade o estava tratando com uma generosidade que desmentia totalmente sua reputação de pai extremamente severo. Um pouco antes "o governador" tinha-lhe dado nada menos que uma nota de 200 libras para Charles acertar suas dívidas em Cambridge. O custo dos equipamentos para a viagem chegou a cerca de 600 libras, próximo ao que custariam dois anos em Cambridge, e o Almirantado cobrou 50 libras por ano pelas despesas a bordo. Charles tentou consolar o pai, dizendo-lhe que teria de "ser extremamente esperto para gastar mais do que minha mesada a bordo do *Beagle*", ao que Robert respondeu, com um sorriso: "Mas todo mundo me diz que você é muito esperto."

A 2 de outubro Charles disse adeus ao pai e às irmãs. Mas sua mais querida vizinha Fanny Owen, "a mais bela, rechonchuda, encantadora personagem que

Shropshire possui" — para a qual, na correspondência, ele era "dr. Postilhão", e ela era "a ama da casa" —, estava longe, em Exeter, e só pudera escrever duas longas cartas expressando o desgosto de não o ver por dois anos ou mais, "quando nós já estaremos *velhos* e acomodados". Charles foi para Londres, onde, graças a outros atrasos na finalização do *Beagle*, permaneceu por três semanas. Nesse período escreveu para FitzRoy pedindo desculpas pelo tamanho da bagagem que havia despachado para Devonport, ficando mais tranqüilo com a resposta de que o volume era aceitável. Em uma segunda carta que acompanhava mais um pacote contendo talco, que Charles iria precisar para taxidermia, perguntou se FitzRoy tinha um bom conjunto de barômetros de montanha, porque "vários figurões no mundo científico pediram-me para verificar alguns pontos de geologia que dependem inteiramente da altura relativa". A resposta de FitzRoy não ficou registrada, mas Charles obteve um conjunto de barômetros aneróides, de que lançou mão muitas vezes na viagem, em suas investigações sobre a elevação da terra de cada lado dos Andes. O exemplar de *Jones's Companion to the Mountain: Barometer & Tables* sobrevive entre seus papéis na biblioteca da universidade de Cambridge.

Após uma viagem agradável, Charles foi de Londres a Devonport, em 24 de outubro, e no dia seguinte encontrou o *Beagle* "amarrado ao casco do *Active* e em um estado de alvoroço e confusão". Os carpinteiros ocupavam-se fixando as gavetas na cabine de popa, e "meu cantinho particular parecia tão pequeno que fiquei com medo de que muitas das minhas coisas tivessem de ficar para

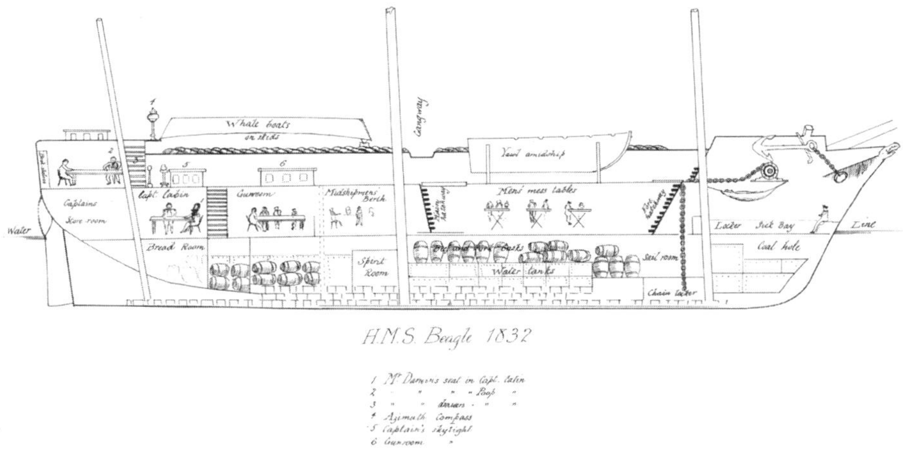

Cópia impressa do desenho de Philip Gidley King do diagrama do Beagle

trás". Mais tarde ele costumava se referir, um pouco injustamente, aos dois meses seguintes passados "naquela hórrida Plymouth". Pelas cartas às irmãs e pelos registros no diário particular que manteve de 24 de outubro de 1831 a 4 de outubro de 1836, é evidente que o principal defeito de Plymouth a seus olhos eram as freqüentes tempestades e as chuvas, mesmo quando fazia o melhor dos tempos, pois "não é preciso um barômetro para mostrar como chove mais na parte ocidental da Inglaterra do que na parte central e oriental". Mais grave ainda foi a longa série de ventos de sudoeste em dezembro, impondo a desistência de várias tentativas de zarpar. À parte isso, no entanto, a principal queixa de Charles era de que tinha mais compromissos sociais do que desejava, embora eles incluíssem jantares com o comandante-em-chefe, almirante sir Manley Dixon, em que todos, exceto ele, eram oficiais da Marinha e onde, naturalmente, a conversa era quase exclusivamente náutica. Porém confessou que isso tornava a noite muito agradável.

Ele jantou com os nove oficiais do navio pela primeira vez em 29 de outubro e foi presenteado com pavorosos relatos sobre a maneira pela qual seria tratado por Netuno na travessia do Equador. No dia seguinte almoçou com os aspirantes e, depois de velejar até Millbrook, fez uma longa caminhada com Stokes e Charles Musters, um jovem voluntário de primeira classe que esperava se tornar aspirante. Em outras ocasiões caminhou com diversos amigos até Cawsand, Rame Head e Whitesand Bay, mas sua caminhada favorita — à qual levou o irmão Erasmus durante uma visita de despedida no começo de dezembro — era no parque do monte Edgcumbe, que tinha o que ele descreveu como uma "visão *à vol d'oiseau*" de Devonport, Stonehouse e Plymouth.

A 31 de outubro Charles foi com Stokes ao Ateneu de Plymouth, onde haviam reservado espaço para uma "sala astronômica" do *Beagle*, na qual eram realizadas operações com uma bússola de inclinação para determinar a depressão angular do campo magnético da Terra. Nas semanas seguintes teve várias reuniões com FitzRoy, as quais primeiro descreveu como "uma operação muito longa e delicada", embora mais tarde dissesse, com menos entusiasmo, que ele tinha sido "desagradavelmente empregado na busca das imprecisões da nova bússola de inclinação de Gambey". Uma noite assistiu no Ateneu a uma conferência dada por um certo sr. Harris sobre as virtudes do novo sistema de condutores de relâmpagos com que o *Beagle* estava equipado, e cuja utilidade seria testada. FitzRoy levou-o ao quebra-mar que protegia o estreito de Plymouth, onde se faziam marcações ligando uma determinada pedra, a partir da qual o capitão King havia baseado suas longitudes para a viagem anterior, com o cais em

Clarence Baths, onde então foi medido o tempo real. E foi-lhe atribuída a tarefa permanente de, a cada manhã, comparar as diferenças nos barômetros do *Beagle*. Seu treinamento em navegação e meteorologia, assim, avançava rapidamente.

As relações de Charles com FitzRoy eram na maior parte do tempo cordiais, embora mais tarde ele se recordasse de um exemplo das tempestades que podiam surgir rapidamente e de súbito se aplacar:

> Em Plymouth, antes de zarpar, ele ficou extremamente zangado com o vendedor de uma loja de louças que se recusava a trocar um artigo comprado no estabelecimento; o capitão perguntou ao homem o preço de uma louça de porcelana muito cara e disse "Eu teria comprado isto se você não tivesse sido tão impertinente." Como eu sabia que o navio estava plenamente servido de louça, duvidei de que ele tivesse tal intenção; e minha cara deve ter mostrado minhas dúvidas, mas não disse uma palavra. Quando saímos da loja ele olhou para mim, dizendo, "Você não acreditou no que eu disse", e fui forçado a confessar que era verdade. Ele ficou em silêncio por alguns minutos e então falou, "Você está certo, e eu agi erradamente com aquele patife".

A 14 de novembro FitzRoy levou seus 22 cronômetros para o navio, mas a tinta ainda estava fresca na cabine de popa, e assim Charles não pôde arrumar seus livros. Uma semana depois carregou todos os seus instrumentos para bordo do *Beagle*, e, após dois dias de trabalho árduo, Stokes deixou a cabine com uma "arrumação bastante satisfatória". O *Beagle* havia ido de Devonport para a ancoragem em Barnett Pool, sob o monte Edgcumbe, pronto para a partida final. A 28 de novembro FitzRoy ofereceu um magnífico almoço para cerca de 40 pessoas, em uma celebração ao navio, e valsou-se até tarde da noite.

A 4 de dezembro, no primeiro registro em seu diário feito a bordo do navio, Charles escreveu:

> Pretendo dormir em minha rede. Fiz isso na noite passada e tive a mais ridícula dificuldade para entrar; meu maior erro de montaria foi tentar colocar primeiro as pernas. Como a rede fica suspensa, só consegui empurrá-la para longe, sem fazer qualquer progresso na tentativa de me meter dentro dela. O método correto é sentar rigorosamente no centro da cama, fazer então uma torção precisa, e pés e cabeça entram em seus respectivos lugares. Após algum tempo ouso dizer que vou achá-la, como os outros, muito confortável.

Na manhã seguinte o tempo estava razoavelmente bom, com boa visão, e o *Beagle* estava pronto para seu muito postergado momento de partir. Mas ao meio-dia um vento pesado começou a soprar do sul, fazendo o navio balançar tanto que Charles quase enjoou, afastando-se assim qualquer possibilidade de sair do porto. "De noite jantei com Erasmus", escreveu ele. "Não vou ter mais muitos desses jantares quietos e confortáveis." No entanto, os ventos vindos daquele infeliz ponto a sudoeste repetiram-se diariamente, e Charles teve ocasião para novos jantares e uma caminhada ao monte Edgcumbe com Erasmus. A 10 de dezembro o vento diminuiu, e o *Beagle* zarpou às dez horas, tendo a bordo Erasmus, que desembarcou depois do quebra-mar. Mas à noite o barômetro apontou outro vendaval, e depois de uma noite bravia e desconfortável, determinou-se voltar a Plymouth e lá esperar por um vento mais favorável. Charles refletiu tristemente que, embora tivesse agido certo ao aceitar a oferta da viagem, "Acho duvidoso que ela acrescente algo à felicidade da vida de alguém. Se eu mantiver minha saúde, retornar e tiver força mental para me estabelecer quietamente na vida, minha presente e futura cota de contrariedades e falta de conforto será amplamente compensada."

Dois dias depois, enquanto o tempo ainda mostrava poucos sinais de melhora, Charles tomou algumas decisões sérias:

> Um dia ocioso; jantei pela primeira vez na cabine do capitão e me senti em casa. De todos os luxos que o capitão me proporcionou, nenhum será tão essencial quanto fazer minhas refeições com ele. Muitas vezes tenho receio de ser esmagado pelas muitas obrigações de que devo me desincumbir. É difícil fazer qualquer plano, e, sem método em um navio, tenho a certeza de que pouco será feito. Os principais objetivos são, primeiro, coletar, observar e ler todos os ramos da história natural de que eu consiga tratar. Observações meteorológicas. Francês e espanhol, matemática e um pouco dos clássicos, talvez não mais que o testamento grego aos domingos. Espero ter um livro inglês à mão para minha diversão, afora os acima mencionados ramos. Não tenho energia suficiente para ser permanentemente industrioso durante a viagem, por maior e mais incomum que seja a oportunidade de melhorar. Que isso jamais, nem por um momento, me fuja da mente, e então talvez eu possa ter a mesma oportunidade de apurar meu espírito que aquela que joguei fora em Cambridge.

O vento continuava obstinadamente no quadrante errado, até que a 21 de dezembro soprou um leve noroeste que encorajou o *Beagle* a tentar zarpar outra vez. Depois de encalhar na costa da ilha Drake e levar várias horas para se soltar, o navio velejou para fora do porto; assim que chegaram ao mar aberto, Charles logo ficou enjoado e retirou-se, primeiro para a cabine do capitão e depois para sua rede. Mas durante a noite o vento ficou mais forte, rondou outra vez para sudoeste, e Charles, quando acordou, se viu novamente em Plymouth.

No dia de Natal Charles desembarcou para ir à igreja e lá encontrou, pregando, um velho amigo de Cambridge. Almoçou no alojamento dos oficiais, onde a vulgaridade da conversa fez com que "se sentisse muito grato à minha sorte por conviver com o capitão". Enquanto isso, a tripulação entregava-se ao tradicional costume de se embriagar de tal modo, que o aspirante King teve de ficar de sentinela. O dia seguinte foi saudado por um excelente vento para velejar, mas o navio estava em um estado próximo à anarquia, com os tripulantes de pior comportamento presos e acorrentados. Finalmente, no dia 27 de dezembro, o *Beagle* bordejou com dificuldade para fora do porto, acompanhado pelo comissário capitão Ross no que Charles descreveu como "seu iate". Após almoçarem carneiro e champanhe com o capitão Ross, o tenente Sullivan e Charles "embarcaram no *Beagle* cerca de duas horas ao largo do quebra-mar, e imediatamente, com todas as velas cheias por uma leve brisa, deslizamos à velocidade de sete ou oito nós por hora — não enjoei naquela noite, mas fui cedo para a cama". A viagem do *Beagle* havia começado.

4

De Plymouth ao arquipélago de Cabo Verde

1832

Na primeira semana, o mar esteve muito agitado na baía de Biscaia. Charles sofreu enjôos, como em toda a viagem, e observou com desânimo que "freqüentemente eu disse, antes de começar, que sem dúvida ia me arrepender muitas vezes daquela empreitada. Mal sabia eu com que fervor isso iria acontecer. Não consigo imaginar estado mais miserável do que este, quando pensamentos negros e tristes assolam minha mente, como aconteceu hoje". Nada ajudou o fato de que seus pensamentos também se concentrassem, com desagrado, na imposição de testemunhar o chicoteamento de vários membros da tripulação, como castigo pela bebedeira do dia de Natal. Quinze anos depois ele escreveu a FitzRoy:

> Adeus, meu caro FitzRoy, eu sempre penso em seus muitos atos de gentileza comigo, e não raro na ocasião, sem dúvida esquecida para você, em que, antes de chegarmos a Madeira, você veio arrumar minha rede com suas próprias mãos, o que, como soube depois, levou lágrimas aos olhos de meu pai.[1]

A 31 de dezembro o tempo melhorou e também o ânimo de Charles, ao ver pela primeira vez um cardume de golfinhos nadando em volta do navio e uma procelária deslizando nas ondas. Passou a tarde deitado no sofá da cabine do capitão, lendo as apaixonadas descrições de Humboldt sobre o cenário tropical, concluindo que nada poderia ser melhor para animar o coração de um homem que padecia de enjôo.

A 6 de janeiro o *Beagle* chegou às ilhas Canárias e ancorou ao largo do porto de Santa Cruz, em Tenerife. Embora alguns geógrafos tivessem adotado o pico de Tenerife como o marco zero a partir do qual se registraria a longitude, FitzRoy considerava o procedimento insatisfatório, pela ausência de dados sobre a posição precisa dos pontos de partida nas vizinhanças de Tenerife com respeito ao próprio pico. No entanto, assim que a âncora foi baixada, aproximou-se um bote com o vice-cônsul britânico e alguns oficiais de quarentena, com a notícia de que, por motivo de relatos de ocorrência de cólera na Inglaterra, ninguém teria permissão de ir à terra sem primeiro passar por um rigoroso isolamento de 12 dias. FitzRoy considerou que seu objetivo não poderia ser satisfeito sem que houvesse observações em terra e que não podia sofrer aquele atraso; assim, levantou âncora, e o *Beagle* abriu as velas rumo ao arquipélago de Cabo Verde. Sabendo dos planos de Charles a respeito de uma expedição a Tenerife, FitzRoy escreveu:

> Foi um grande desapontamento para o sr. Darwin, que havia acalentado esperanças de visitar o pico. Vê-lo — ancorar e estar a ponto de desembarcar e, no entanto, ser obrigado a dar a volta sem a menor perspectiva de tocar Tenerife outra vez — foi para ele uma grande calamidade.[2]

A primeira das *Notas de zoologia* de Charles foi feita ao largo de Santa Cruz, quando escreveu:

> O mar estava luminoso, todo pontilhado, e a esteira do navio era de uma cor uniformemente leitosa. ... Quando se colocava água em uma garrafa, ela faiscava por alguns minutos quando era derramada. ... Quando a examinamos de noite e na manhã seguinte, descobrimos que ela estava cheia de numerosos e pequenos (mas visíveis a olho nu) pedaços irregulares de uma matéria (gelatinosa?). ... Na manhã seguinte, o mesmo lugar do mar estava igualmente impuro.[3]

Quatro dias depois o mar ficou de novo muito luminoso, com a presença de miríades de minúsculos camarões que produziam uma forte luz verde. Charles escreveu no diário:

> Hoje experimentei a utilidade de uma engenhoca que me proporcionará muitas horas de diversão e trabalho. É um saco fundo com cerca de quatro pés [1,20m], feito de filete; e, amarrado a um arco semicircular com fios, fica de pé e é arrastado atrás do navio. Esta noite ele me deu uma massa de pequenos animais, e espero fazer amanhã uma coleta maior.[4]

Esse foi o segundo registro de uso — sendo o primeiro pelo zoólogo irlandês J. Vaughan Thompson, poucos anos antes — de uma rede desenhada espe-

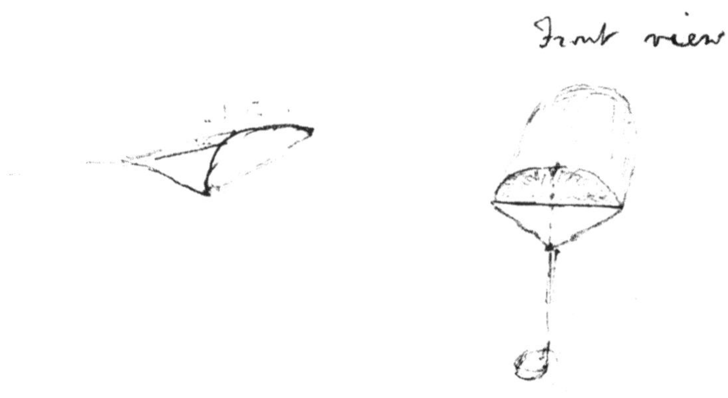

A rede de plâncton de Charles

cificamente para a captura de plâncton, nome adotado 60 anos depois para os muitos tipos de pequenas plantas (fitoplâncton) ou animais (zooplâncton) que se encontram flutuando ou à deriva em várias profundidades no oceano. Ao contrário da rede de arrasto para ostras concebida por John Coldstream, cuja parte inferior era arrastada no fundo do mar para pegar os organismos que lá viviam, a rede de Charles destinava-se a coletar na superfície da água. Suas notas prosseguem:

> Dia 11. Estou bem cansado depois de ter trabalhado o dia inteiro com os produtos de minha rede. O número de animais que a rede coleta é muito grande e explica plenamente por que tantos animais de tamanho grande vivem tão distantes da terra. Muitas dessas criaturas tão abaixo na escala da natureza são muito estranhas nas formas e ricas nas cores. Desperta um sentimento de espanto, tanta beleza ser criada aparentemente com tão pouco propósito.

Tratava-se na verdade de um começo muito auspicioso, pois Charles estava muito à frente de seu tempo, ao perceber instantaneamente o significado do plâncton no que hoje em dia se chamaria a cadeia alimentar oceânica.

Nos dias seguintes vários animais interessantes foram capturados na rede. Um dos primeiros foi uma caravela, *Physalia*, um hidrozoário que vive em colônias, da ordem conhecida como sifonóforo,* com um grande flutuador hori-

* Os primeiros animais a possuir um sistema nervoso primitivo, que evoluíram no mar há cerca de 550 milhões de anos, pertenciam ao filo conhecido como cnidário, que contém muitas criaturas conhecidas,

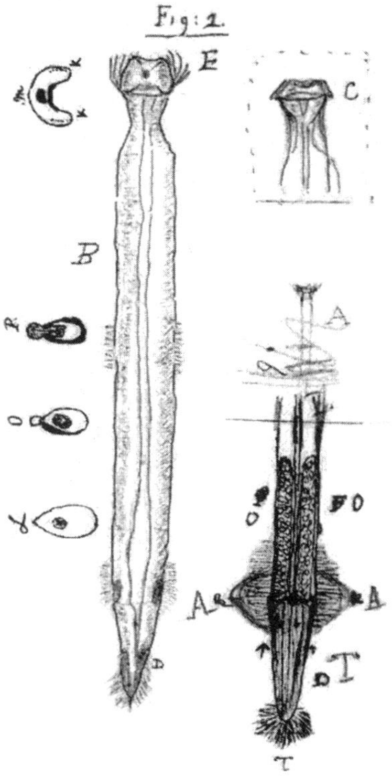

"Um animal muito simples", desenho de um verme quetógnato feito por Charles

zontal que lhe permite ficar na superfície do mar e longos tentáculos para capturar as presas. Essa espécie particular é bem conhecida dos nadadores das águas quentes do Atlântico Norte pela capacidade de provocar uma ardência dolorosa, como Charles logo descobriu quando ficou com um pouco do muco nos dedos e acidentalmente levou-o à boca, sentindo a desagradável sensação, que lhe era familiar, produzida pela raiz do copo-de-leite. Havia outros hidrozoários, borboletas do mar, como a *Velella*, com uma pequena vela na parte superior, algumas salpas que cresciam em longas cadeias e "um animal muito sim-

como água-viva, anêmonas, corais, celenterados e outros menos familiares, como as caravelas. Os cnidários têm esse nome porque possuem estruturas urticantes chamadas cnidas ou nematocistos. Muitos cnidários, como os briozoários (ver p.109-10), são animais que vivem em grandes colônias de pólipos ou zoóides individuais com funções especializadas.

O microscópio Bancks usado por Charles no Beagle

ples", de que Charles produziu uma excelente figuração na primeira página das 20 pranchas que desenhou com a ajuda do microscópio Bancks, ilustrando suas *Notas de zoologia*. Mais tarde ele iria encontrar outras dessas criaturas na costa do Brasil e da Patagônia, ocasião em que descreveu a anatomia delas com maiores detalhes; mas ainda não havia conseguido classificá-las quando o *Beagle* retornou à Inglaterra em 1836. Hoje esses seres são instantaneamente reconhecíveis como quetógnatos do gênero *Sagitta*, poderosos predadores carnívoros de outros animais planctônicos, capturados por espinhas localizadas de cada lado da cabeça. São plânctons comuns em todos os mares tropicais, mas só receberam nome formalmente em 1827, em um artigo que não estava na biblioteca do *Beagle*.

Quando o navio chegou a Santiago (Saint Jago), nas ilhas de Cabo Verde, a 16 de janeiro, Charles dividiu seu tempo entre geologia pela manhã, coletar animais que encontrava na beira do mar à tarde e examinar os espécimes e escrever suas notas à noite. Com FitzRoy e o primeiro-tenente John Wickman, visitou o famoso baobá de Santiago, de idade legendária, cuja altura foi medida com precisão naval, tanto por triangulação como diretamente, após o capitão subir até a copa e de lá atirar um barbante do topo. A vida marinha incluía uma variedade de lesmas-do-mar (*Doris*), aplísias, ouriços-do-mar, anêmonas, conchas, planárias e alguns corais, mas o ponto alto foi um polvo, sobre o qual Charles escreveu:

> Encontrado um polvo nas águas rasas, entre as pedras a oeste da ilha das Codornizes. Quando descoberto, estava em um buraco, e era difícil perceber do que se tratava. Assim que o tirei da toca ele *disparou com grande rapidez* pelo poço, deixando atrás uma grande quantidade de tinta. Mesmo então, nas águas rasas, era difícil capturá-lo, pois se espremia com grande facilidade entre as pedras e, com as ventosas, se agarrava com força a elas. Na água o animal era de cor púrpura com tons marrons, mas imediatamente depois de posto na areia, a cor mudou para verde amarelado. Quando o coloquei em uma bacia com água salgada a bordo, o fato foi explicado por ter ele a capacidade camaleônica de mudar a cor do corpo. A cor geral do animal era cinza claro com numerosas pintas amarelas brilhantes. A primeira dessas cores variava de intensidade, a outra desaparecia inteiramente e depois voltava outra vez. Por todo o corpo havia *continuamente* nuvens passageiras, variando do "vermelho jacinto" ao "marrom castanho". Vistas com uma lente, essas nuvens consistiam de pontos diminutos aparentemente injetados com um fluido colorido. Todo o animal apresentava uma aparência extraordinariamente matizada e que surpreendeu muito a todos os que o viram. As margens do élitro eram cor-de-laranja, também em tons variados. O animal parecia suscetível a pequenos choques de galvanismo: contraindo-se entre os pontos de contato dos fios, tornava-se quase negro. O mesmo acontecia, em menor grau, quando se arranhava o animal com uma agulha. As ventosas eram em fila dupla nos braços e de cor avermelhada. O olho podia se fechar inteiramente por uma pálpebra avermelhada, e a pupila era azul escura. O animal era levemente fosforescente à noite.[5]

Charles ficou muito excitado com o que pensou ser uma nova descoberta e descreveu-a entusiasticamente na primeira carta para Henslow. Mas este respondeu que também observara as mudanças de cor de um polvo que havia capturado em Weymouth, tendo o fenômeno sido também relatado por outros. Na verdade, Cuvier havia mencionado que o polvo ultrapassava o camaleão nesse aspecto, mas Charles foi o primeiro a fazer uma descrição acurada das propriedades de cromatóforos, as células de pigmento na pele cuja rápida contração e expansão sob controle nervoso são responsáveis pelas vívidas mudanças de cor nos polvos e em outros cefalópodes, como a siba e a lula. A função dessas células não é apenas camuflar os animais quando se movem para novos locais, mas, como só muito recentemente se percebeu, fornecer um meio de comunicação entre os animais.

Em sua *Autobiography* Charles escreveu:

> A investigação da geologia de todos os lugares visitados era muito mais importante do que a história natural, de vez que aqui o raciocínio entra em ação. Ao examinar inicialmente uma nova região, nada parece mais sem esperanças do que o

> caos de pedras; mas quando se registram a estratificação e a natureza de pedras e fósseis em muitos pontos, sempre raciocinando e prevendo o que vai ser encontrado em outros lugares, a luz logo começa a se fazer sobre a região, e toda a estrutura se torna mais ou menos inteligível. Eu havia levado o primeiro volume de *Principles of Geology*, de Lyell, que estudava com atenção; e foi da maior utilidade para mim de muitas maneiras. O primeiro lugar que examinei, Santiago, nas ilhas de Cabo Verde, mostrou-me claramente a maravilhosa superioridade da maneira de Lyell tratar a geologia, quando comparada à de qualquer outro autor cujas obras eu tivesse comigo ou mesmo que tenha lido depois.

Em seu exemplar do volume 1 dos *Principles* de Lyell estava escrito: "Dado a mim pelo cap. F.R.C. Darwin", e Henslow havia aconselhado que Darwin o lesse, mas que "de maneira alguma aceitasse as teorias ali defendidas".

O primeiro projeto geológico de Charles foi examinar a estrutura da ilha das Codornizes, que por acaso foi pintada pelo artista Conrad Martens cerca de 18 meses depois, quando estava a caminho de encontrar o *Beagle* em Montevidéu (PRANCHA 1). Era um "lugar desolado e miserável, de menos de dois mil metros de circunferência", na baía de Porto Praia, mas foi útil para Charles como chave para o entendimento da estrutura da ilha principal, Santiago. Ele escreveu em *Autobiography*:

> A geologia de Santiago é muito impressionante, embora simples: uma corrente de lava rolou sobre o leito do mar, formado de corais e conchas trituradas, cozidos em uma dura pedra branca. Desde então toda a ilha sublevou-se. Mas a linha de pedra branca revelou para mim um novo e importante fato, ou seja, que depois ocorreu uma precipitação em torno das crateras, que desde então têm estado em ação e cuspiram lava. Pela primeira vez tive a idéia de que talvez pudesse escrever um livro sobre a geologia dos vários países visitados, e isso me fez vibrar de alegria. Foi uma hora memorável para mim, e me lembro com facilidade do baixo penhasco de lava sob o qual eu estava sentado, com o sol brilhando, algumas estranhas plantas desérticas perto de mim, e os corais nos poços feitos pela maré a meus pés.

Nas notas feitas à época, a interpretação de Charles era de que tanto Codornizes quanto Santiago eram vulcânicas e que, em um tempo não muito distante, tinham estado submersas, quando aos poucos se juntaram camadas de material marinho, às quais teria se seguido outra camada de lava.[6] "Toda a massa então se elevou, e depois, ou mesmo naquele tempo, houve um *afundamento parcial*. Afirmo isso pela aparência de distorção; e na verdade a linha costeira mais distante vista ao leste, que é consideravelmente mais alta, corrobora isso."

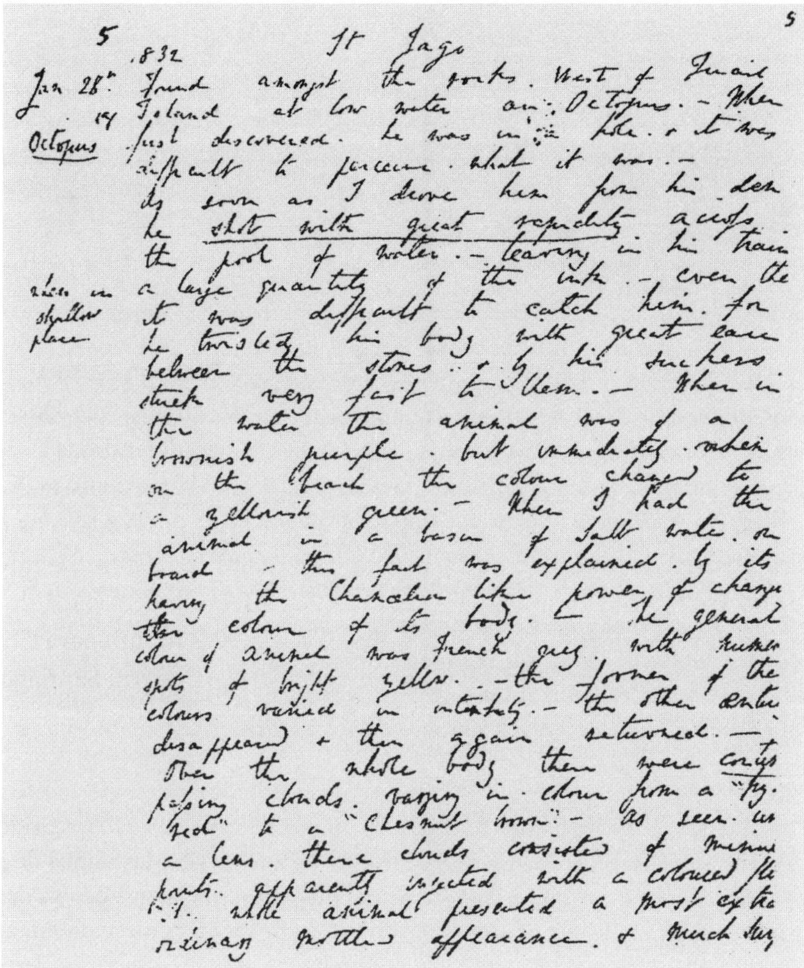

5 1832 St Jago 5

Jan 28th 19 Octopus — Found amongst the rocks. West of Quail Island at low water an Octopus. — When first discovered he was in a hole & it was difficult to perceive what it was. — As soon as I drove him from his den he shot with great rapidity across the pool of water. — leaving in his train a large quantity of the ink. — even then it was difficult to catch him, for he twisted his body with great ease between the stones & by his suckers stuck very fast to them. — When in the water the animal was of a brownish purple, but immediately when on the beach the colour changed to a yellowish green. — When I had the animal in a basin of salt water on board — this fact was explained by its having the Chameleon like power of changing the colour of its body. — The general colour of animal was French grey with numerous spots of bright yellow. — the former of these colours varied in intensity. — the other entirely disappeared & then again returned. — Over the whole body there were continually passing clouds, varying in colour from a "hyacinth red" to a "Chestnut brown". — As seen under a lens these clouds consisted of minute points apparently injected with a coloured fluid. The whole animal presented a most extraordinary mottled appearance & much sur

(when in shallow place)

Uma página típica das Notas de zoologia *de Charles*

A observação era acompanhada por um desenho do corte da ilha das Codornizes mostrando as camadas sucessivas. Testes com espécimes da camada branca D mostraram que ela "Torna-se efervescente rapidamente com ácido muriático, precipita-se com oxalato de amônia — com o maçarico lentamente torna-se cáustica, e com cobalto quente fica violeta. — Carbonato de magnésia. (?) Carb. de cal." (A linha branca pode ser vista na PRANCHA 1.)

Em seu primeiro projeto geológico independente, a cuidadosa análise de Charles sobre a seqüência de rochas na ilha das Codornizes mostra com que

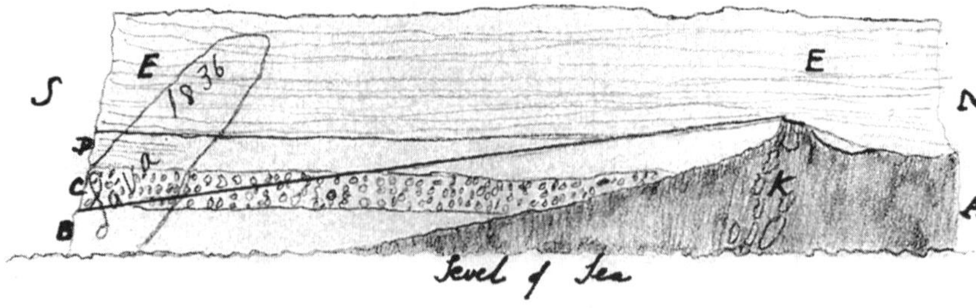

Corte transversal da ilha das Codornizes, Notas de geologia *de Charles. As rochas inferiores, chamadas* A, *eram de basalto negro contendo cristais de olivina e outros minerais, muitas vezes decompostos em argila ou pedras mais duras. A camada inferior* B *era mais terrosa e continha muitas conchas de caramujos. A camada* C *era uma mistura de cascalho, grandes pedras redondas e areia, com conchas de espécimes atuais de mariscos tropicais. As partes superiores da camada* D *eram, na maior parte, de areia branca ou cinzenta, formadas de minúsculas conchas e corais, enquanto mais embaixo se assemelhavam a um muro construído com uma massa fundida de glóbulos do tamanho de ervilhas feitas de um mineral branco. Onde estava em contato próximo com a camada* E *tornou-se muito dura e era branca com manchas amarelas. A capa* E, *superior, parecia basalto e variava em profundidade de 1,80 a 6m. A nota a lápis "Lava 1836" foi acrescentada quando o* Beagle *tocou rapidamente em Santiago na volta à Inglaterra.*

bons resultados ele seguiu os ensinamentos de Sedgwick e Henslow. Suas notas também revelam como a geologia permitia-lhe desde o início exercer plenamente sua paixão latente pelo argumento e pela teorização. Ao completar as notas sobre a ilha das Codornizes, ele imediatamente releu-as e escreveu: "Fiz uso da pena naquelas partes que parecem mais absurdas", e um ano depois acrescentou uma longa lista de novos comentários e teorias. Ao mesmo tempo, aderiu imediatamente e de todo coração à abordagem de Lyell, gradualista e ainda não geralmente aceita, de que as mudanças geológicas resultavam de processos lentos que operavam em um longo período de tempo. Assim, suas evidências claramente apoiavam a visão de que tanto a sedimentação como a elevação da terra deveriam ter ocorrido em uma área apreciável, em um passado não muito distante, e ele foi levado a concordar com Lyell, pensando que as forças envolvidas deveriam ter agido lenta e igualmente, de modo a não perturbar os aspectos superficiais da paisagem e das edificações. Outro fator relevante na história foi a identificação da espessa camada de poeira que cobriu o navio em sua visita a Santiago, "para grande prejuízo dos delicados instrumentos astronômicos": era de origem vulcânica.

Charles reagiu ao primeiro dia em Santiago com um entusiasmo que jamais o iria abandonar:

> Voltei para a terra pisando as rochas vulcânicas, ouvindo as notas de pássaros desconhecidos e vendo novos insetos voejando em torno de flores ainda mais novas. Foi para mim um dia glorioso, como dar olhos a um homem cego — ele fica esmagado pelo que vê e não o pode compreender com justeza. Tais são os meus sentimentos — e que possam permanecer assim.

5

Da travessia do Equador à Bahia

1832

No dia originalmente fixado para zarpar pelo Atlântico até o Brasil, FitzRoy estava ocupado em terra, cumprindo as expressas instruções do capitão Beaufort de jamais deixar um porto sem verificar não apenas o ângulo magnético, mas também a inclinação e a variação diárias. A 8 de fevereiro os instrumentos foram embarcados e, após girar o navio — para aferir a bússola e determinar menos de 20 minutos de diferença em qualquer posição do ângulo do pico, 17 quilômetros adiante —, o *Beagle* levantou âncora e zarpou. A 10 de fevereiro encontraram o paquete *Lyra*, indo de Londres para o Rio de Janeiro, e ficaram satisfeitos em descobrir que trazia uma caixa com seis prumos de sonda, modificados pelo fabricante especialmente para eles, de modo que operassem satisfatoriamente em profundidades maiores que 180 metros. Charles mandou uma breve carta ao pai — no caso de ela chegar antes de uma outra, mais longa, que seria despachada da Bahia — em que dizia: "Creio, se já é possível julgar a essa altura, que serei capaz de fazer algum trabalho original em história natural — acho que se sabe tão pouco sobre os animais dos trópicos."

Ao pôr-do-sol de 15 de fevereiro os rochedos de São Paulo foram avistados no horizonte; eles são o pico de uma montanha submersa e formavam o grupo de pequenas rochas mais distantes de terra firme que FitzRoy jamais vira. Na manhã seguinte o mar estava liso, e enquanto o *Beagle* navegava em volta dos rochedos, com Stokes medindo os ângulos e realizando as sondagens, dois barcos foram enviados para que FitzRoy, Charles e um grupo desembarcassem e examinassem o local. FitzRoy descreveu-os:

> Quando nosso grupo efetuou o desembarque pelas ondas e teve um momento de tranqüilidade para olhar em volta, ficamos espantados com as multidões de pás-

saros que cobriam as pedras e escureciam completamente o céu. O sr. Darwin disse depois que até então jamais havia acreditado em histórias de homens derrubando pássaros com um pau; mas eles tinham de ser chutados para sair do caminho. O primeiro impulso de nossos invasores dessa pedra coberta de pássaros era derrubá-los como se fossem meninos de escola; até o martelo de geologia acabou se transformando em míssil. "Empreste-me o martelo?", perguntou um. "Não, não", respondeu o dono, "você vai quebrar o cabo"; mas mal acabara de dizer isso, e, tomado pela novidade da cena e pelo exemplo dos outros à sua volta, lá se foi o martelo, com todas as forças de seu braço direito.[1]

Em seu próprio relato Charles não nega que foi de alguma forma levado pelo impulso. E assim participou da matança de pássaros em terra, enquanto luta semelhante também estava sendo travada nas águas próximas, na tentativa de obter peixes para a panela, pois tanto pássaros como peixes eram bem-vindos para homens que há muito viviam apenas de provisões conservadas em sal. Apesar de tudo, Charles encontrou tempo para anotar que, ao contrário de quase todas as rochas isoladas no meio do oceano, São Paulo excepcionalmente não era de origem vulcânica, mas composta de um mineral desconhecido para ele e que incorporava veios de serpentina.* As águas em volta eram muito profundas, de modo que se tratava do pico de uma montanha muito alta com as encostas bastante escarpadas. A conclusão de Charles estava correta, e o ponto de vista moderno é que São Paulo constitui um exemplo importante do material primevo do invólucro da Terra, modificado para se transformar na camada de basalto da crosta oceânica. Os únicos pássaros que se viam eram atobás, uma espécie de mergulhão, e gaivinas, um tipo de andorinha-do-mar; fora isso, só se viam por ali grandes caranguejos tropicais do gênero *Grapsus*. Charles não encontrou uma planta sequer, nem mesmo um líquen crescendo entre as rochas. Havia alguns carrapatos, ácaros e pequenas traças de cor marrom alimentando-se de penas e que poderiam ter vindo com os pássaros; um besouro estafilinídeo e um verme que vive sob o esterco; e grande número de aranhas que presumivelmente predavam os outros insetos. Charles então pensou que, como os primeiros colonos das ilhotas de coral dos Mares do Sul provavelmente eram semelhantes a estes, destruía "a poesia da história descobrir que os pequenos e vis insetos devem portanto ter tomado posse delas antes que aparecessem o coqueiro e outras plantas nobres".

---

* Antiga designação de mineral esverdeado que consiste de silicato de magnésio e água quimicamente incorporada.

O *Beagle* zarpou. Estavam agora próximos ao Equador e deram início, a bordo, aos preparativos para as tradicionais cerimônias navais feitas quando se "cruzava a linha". Pouco depois do anoitecer foram saudados pela voz rouca de um pseudo-Netuno. O capitão manteve com ele uma conversa pelo megafone, e combinou-se para o dia seguinte uma visita sua ao navio.

Os acontecimentos do dia seguinte foram vividamente descritos de memória, quase 60 anos depois, pelo aspirante Philip Gidley King, então com 14 anos.

> O efeito produzido na mente do jovem naturalista foi sem dúvida notável. Sua primeira impressão foi de que toda a tripulação do navio, do capitão para baixo, havia perdido a cabeça. "Estes marinheiros se fazem de idiotas", disse ele, enquanto descia a escada da gaiúta para esperar em baixo até ser admitido. O capitão recebeu o deus e sua esposa Afrodite com a apropriada solenidade; Netuno estava cercado por um grupo de seres com a aparência ultrademoníaca que bem se pode imaginar, despidos da cintura para cima, os braços e pernas lambuzados de todas as cores que os estoques do navio podiam fornecer, as órbitas dos olhos exageradas com grandes círculos de pigmentos vermelhos e amarelos. Esses demônios dançavam uma espécie de dança de guerra náutica, exultantes com o destino que esperava suas vítimas. Enfiando a cabeça na gaiúta, o capitão gritou: "Darwin, venha cá!". E lá veio o jovem naturalista, espantado, mas pronto para qualquer extravagância que os marinheiros fizessem. Um simples olhar sobre a cena foi suficiente, e ele se convenceu de que estava entre loucos; dando um grito, desapareceu escada abaixo. Claro que foi o primeiro a ser chamado pelo oficial secretário, e Netuno recebeu-o com graça e cortesia, observando que, em deferência à sua alta posição a bordo, como amigo e comensal do capitão, seria tido como sagrado e poupado dos ritos ordinários que se observavam na localidade. Claro que o sr. Darwin imediatamente entrou na brincadeira e logo foi submetido a alguns baldes de água do mar jogados nele e no capitão por um dos rapazes, como se fosse por acidente.[2]

Pelo relato que fez, Charles foi tratado com menos cortesia do que na cena narrada por King:

> Antes de subir, o guarda vendou meus olhos e conduziu-me; baldes d'água eram jogados de todos os lados. Fui então colocado em uma prancha que podia facilmente se transformar em uma grande banheira cheia d'água. Eles borraram meu rosto e boca com piche e tinta, que rasparam um pouco com um pedaço de arco de ferro. A um sinal fui jogado de cabeça para baixo na água, onde dois homens esperavam-me e deram-me um caldo. Afinal, felizmente escapei. Muitos dos ou-

tros foram ainda mais maltratados, enchendo-lhes a boca com porcarias. Todo o navio era um chuveiro, e voava água para todos os lados; claro que ninguém, nem mesmo o capitão, conseguiu fugir ao banho.

Embora FitzRoy condenasse a prática como absurda e perigosa manifestação de loucura, ao mesmo tempo a defendia, alegando que "seus efeitos sobre as mentes dos que se envolvem na preparação da palhaçada, que se aproveitam dela e que por muito tempo dela falam, não podem ser facilmente julgados por quem não a tenha testemunhado".

O porto seguinte do *Beagle*, a 20 de fevereiro, foi Fernando de Noronha, outro grupo isolado de pequenas ilhas cujo aspecto mais proeminente era um morro cônico na ilha principal, elevando-se de forma íngreme em um pico de cerca de 300 metros de altura que parecia estar pendurado de um dos lados da costa. Próximo ao cume havia um posto permanente de observação mantido pelo governo brasileiro. Segundo o programa de Beaufort, FitzRoy deveria verificar algumas medidas de longitude feitas alguns anos antes por outro navio de pesquisa que havia realizado experimentos com um pêndulo na casa do governador local.

Cruzando a linha do Equador, por Augustus Earle

Fernando de Noronha, por Conrad Martens

Com o *Beagle* ao largo naquela noite, antes de ancorar na baía, o tenente Sulivan habilmente arpoou um grande golfinho, e momentos depois "uma dúzia de facas retiravam-lhe o couro para o jantar". De manhã, apesar das ondas altas, desembarcaram o mais perto possível da casa onde provavelmente as observações anteriores haviam sido feitas. FitzRoy tomou as medidas do sol e comparou seus cronômetros com os usados em terra, enquanto Charles passava "um dia delicioso, caminhando pelas florestas". Concluiu que, ao contrário dos rochedos de São Paulo, Fernando de Noronha era formado por uma rocha vulcânica chamada fonólito,* que certamente havia sido injetada em estado de fusão entre estratos moles, mas que não era de origem recente. A ilha encontrava-se espessamente coberta de árvores, muitas vezes cheias de delicados botões; pela pequena quantidade de chuva, no entanto, o crescimento da flora não era opulento, e FitzRoy observou que a lenha catada pela tripulação estava cheia de centopéias e outros insetos nocivos. Não havia beija-flores, pássaros vistosos ou flores, e Charles percebeu que não tinha ainda visto a plena grandeza dos trópicos.

Ao meio-dia de 28 de fevereiro o *Beagle* ancorou na grande baía de Todos os Santos, no Brasil, ao norte da qual se situava a grande e antiga cidade da Bahia, agora conhecida como Salvador. A vista da cidade era magnífica, e quando, na manhã seguinte, Charles aventurou-se em terra, descreveu no diário o

* Um tipo de rocha vulcânica assim chamada porque emite um som quando nela se bate.

que viu, com sua característica apreciação estética combinada a uma conclusão estritamente prática:

> O dia foi delicioso; delícia, no entanto, é um termo fraco para tais transportes de prazer — estive passeando em uma floresta brasileira. Entre a multiplicidade é difícil dizer que conjunto de objetos é mais chocante. A exuberância da vegetação é vitoriosa: a elegância das gramíneas, a novidade das plantas parasitas, a beleza das flores, o verde lustroso das folhagens, tudo tende a este fim. Um mistura extremamente paradoxal de som e silêncio invade as partes sombrias da floresta. O ruído dos insetos é tão alto que, à noite, pode ser ouvido até mesmo de um navio ancorado a várias centenas de jardas da costa. No entanto, no recesso da floresta, bem no meio dela, uma quietude universal parece reinar. Para uma pessoa que gosta de história natural, um dia como este traz consigo um prazer mais agudo do que jamais poderá experimentar outra vez. Após vagar por algumas horas, voltei para o local de desembarque. Antes de chegar fui alcançado por uma tempestade tropical. Tentei buscar abrigo debaixo de uma árvore tão densa que jamais seria penetrada pela chuva inglesa normal; no entanto, em alguns minutos uma pequena torrente descia pelo tronco. É a essa violência que devemos atribuir a verdura na parte de baixo da floresta. Se as chuvas fossem como as de um clima mais frio, a umidade seria absorvida ou evaporaria antes de chegar ao chão.

Charles fez várias outras caminhadas com King ou outros companheiros e, após coletar inúmeros insetos e alguns espécimes geológicos, refletiu:

> É uma coisa nova e agradável para mim tomar consciência de que se dedicar à história natural é fazer o meu dever e que, se eu desdenhar este dever, estarei ao mesmo tempo negligenciando o que por alguns anos me deu tanto prazer.

Algumas vezes as formigas corredeiras chamavam sua atenção:

> Algumas das espécies menores migram em grandes quantidades. Um dia minha atenção foi atraída por muitas aranhas *Blattaae* [uma espécie de barata] e outros insetos correndo na maior agitação por um trecho nu do terreno. Atrás deles, todos os gravetos e folhas estavam escuros, da mesma cor de uma pequena formiga. Os insetos atravessaram o espaço aberto até chegarem em um pedaço de muro do lado da estrada. Aí a multidão dividiu-se, e cada grupo desceu de um lado; com isso muitos deles foram cercados: os esforços que as pobres criaturinhas faziam para se livrar da morte eram surpreendentes. Quando as formigas chegaram à estrada, mudaram o curso e, em fileiras estreitas, subiram outra vez o muro; foram em uma direção; em poucas horas (quando voltei) todas haviam desapareci-

do. Quando se colocou uma pequena pedra no caminho de uma das fileiras, primeiro todas elas atacaram-na e depois imediatamente se retiraram: contornar o obstáculo no espaço aberto significava um desvio de menos que uma polegada [2,5cm]; sem dúvida, se a pedra já estivesse ali, elas teriam feito isso. Em poucos segundos um grupo ainda maior voltou ao ataque, mas como não conseguiram mover a pedra o caminho foi completamente abandonado.

Vista da Bahia (Salvador), por Augustus Earle

Um outro dia Charles atirou em um lagarto grande e muito bonito, mas se queixou de que tanto ali como no Rio de Janeiro os pássaros da floresta tropical pareciam inesperadamente escassos. No entanto, se colocasse uma rede leve em uma clareira e a deixasse lá por uma hora, ficaria mais bem impressionado pelo grande número de pequenos pássaros que teria capturado.

Confinado por duas semanas a bordo do *Beagle* por causa de um joelho machucado, Charles capturou um baiacu *Diodon* nadando — embora não inflado — ao longo do navio; como sempre se interessou pela mecânica dos movimentos animais, redigiu uma descrição minuciosa sobre o comportamento do peixe, sem receio de contradizer as autoridades, se necessário:

> Na cabeça, quatro projeções macias; as superiores, mais longas como as antenas de um caramujo. Olho com a pupila azul-escuro; íris amarela mosqueada de preto. As barbatanas dorsal, caudal e anal são tão próximas que funcionam como se fossem uma só. Assim como as peitorais, situadas logo antes das aberturas branquiais, elas estão em um estado contínuo de movimento trêmulo, mesmo quando

o animal fica parado. O peixe propele seu corpo usando essas barbatanas posteriores da mesma maneira como se maneja uma canoa, ou seja, movendo-as rapidamente de um lado a outro com uma superfície oblíqua exposta à água. As barbatanas peitorais têm grande atividade, necessária para que o animal nade de costas. Quando se mexia nele, emitia pelo abdome quantidade considerável de uma bela secreção fibrosa "vermelho carmim" que manchava papel, marfim etc. de uma cor forte. O peixe tem vários meios de defesa, morde com força e pode espirrar água a alguma distância da boca, fazendo ao mesmo tempo um ruído curioso com as mandíbulas. Depois de retirado d'água por algum tempo, quando era colocado de volta, absorvia grandes quantidades de *água* e ar, suficientes para distender o corpo em um globo perfeito. Esse processo era efetuado por dois métodos: principalmente engolindo ar e então forçando-o na cavidade do corpo, impedindo seu retorno por uma contração muscular visível externamente; e pela dilatação da sucção do animal. A água, no entanto, entrava em corrente pela boca, que então se estendia bem aberta e sem movimento; esta última ação, portanto, deve ter sido causada por algum tipo de sucção. Quando o corpo está assim distendido, as papilas com que ele está coberto tornam-se rígidas, exceto os acima mencionados tentáculos na cabeça. O animal ficava assim boiando, as aberturas branquiais sem água, mas uma *corrente* fluía regularmente para fora dele, constantemente reabastecida pela boca. Após ficar nesse estado por pouco tempo, o ar e a água são expelidos com considerável força das aberturas branquiais e da boca. O animal pode à vontade soltar uma certa porção da água, e acho que está claro que isso se faz em parte para regular a gravidade específica do corpo. A pele em volta do abdome é muito mais frouxa do que a das costas; por conseguinte, é mais distendida; por isso o animal nada com as costas para baixo. Cuvier duvida que eles sejam capazes de nadar nessa posição; mas, claramente, não só podem nadar para a frente como mover-se para os lados. Efetuam isso não como os outros peixes, pela ação das caudas, mas retraindo as barbatanas caudais e movendo apenas as peitorais. Quando colocados em água doce pareciam *singularmente pouco incomodados.*

A rocha dominante na Bahia era o gnaisse-granito.* Um ponto interessante é que, bem próximo à cidade, as foliações tendiam a se alinhar com a direção da costa, a rigorosos 50ºL-N, em concordância com as observações de Humboldt na Venezuela e na Colômbia.

---

* O granito é a mais conhecida e mais abundante das rochas ígneas de alto grau, contendo uma grande proporção de sílica ou quartzo. Após metamorfose por altas pressão e temperatura em uma grande região, ele pode se transformar em gnaisse, com esfoliações grosseiras ou bandas de minerais segregados claros e escuros. Pode também acontecer o desaparecimento do quartzo ou mica, ou o feldspato pode perder a cor vermelha, passando a esverdeada, com um cinzento brilhante primitivo.

Foi na Bahia que se deu uma das mais violentas brigas de Charles com FitzRoy. Quando desembarcou pela primeira vez Darwin se horrorizou ao ver-se em um país que ainda abrigava "aquele escândalo para as nações cristãs, os escravos" que eram importados legalmente da África. A prática continuava graças à dependência dos cafeicultores brasileiros com relação ao trabalho escravo, até ser abolida um quarto de século depois, em resposta à pressão permanente do governo britânico. A escravidão era um problema que sempre despertava as mais fortes emoções em Charles, nascido como era de uma família na qual ambos os avôs haviam desempenhado papéis de destaque no movimento antiescravagista nos últimos 20 anos do século XVIII e em que abundavam influentes personagens liberais, participantes de campanhas pela abolição da escravatura. Duas semanas mais tarde o capitão Paget, do HMS *Samarang*, jantando com FitzRoy no *Beagle*, relatou aos demais comensais fatos horríveis que atestavam as práticas dos senhores de escravos no Brasil. Como Charles registrou no diário, Paget também provou a falsidade da argumentação de que mesmo os escravos mais bem tratados não desejavam voltar para seus países de origem. O que não registrou na época, e só revelou muito mais tarde, foram as conseqüências disso:

> No começo da viagem, na Bahia, Brasil, FitzRoy defendeu e elogiou a escravidão, que eu abominava, e me disse que tinha acabado de visitar um grande proprietário de escravos; falou que havia chamado muitos dos escravos e perguntado se eram felizes, se queriam ser libertados, e que todos responderam: "Não." Então perguntei a ele, talvez com deboche, se achava que a resposta dos escravos na presença do dono valia de alguma coisa. Isso deixou-o excessivamente zangado, e ele disse que, como eu estava duvidando de sua palavra, não poderíamos permanecer juntos. Achei que seria obrigado a deixar o navio; mas assim que a notícia se espalhou, o que aconteceu rapidamente, pois o capitão mandou chamar o primeiro-tenente, fiquei profundamente grato ao ser convidado por todos os oficiais a fazer as refeições com eles. Após algumas horas, contudo, FitzRoy mostrou sua magnanimidade costumeira, mandando um oficial me pedir desculpas e dizer-me que continuasse em sua companhia.[3]

Como em outras ocasiões, a raiva de FitzRoy era de curta duração. Além do mais, como já havia demonstrado com ações, era sempre muito simpático com os nativos, escravos e pobres-diabos em geral, de modo que a explosão talvez fosse mais um reflexo de suas posições políticas conservadoras do que de seus verdadeiros sentimentos pela humanidade. A posição de Charles foi aceita, e quando, em Montevidéu, escreveu a Beaufort, em julho de 1833, FitzRoy disse: "Se todos os caminhos se fecharem quando eu voltar à velha Inglaterra (se este dia chegar), estou pensando em fazer uma cruzada contra os traficantes de escravos! Pense só que *Montevidéu* enviou *quatro negreiros*!!! ... O *Adventure* pode ser um bom corsário!!". E, ao final da viagem, seus pontos de vista a respeito da escravidão no Brasil estavam plenamente de acordo com as opiniões de Charles.[4]

6

Rio de Janeiro

1832

A 18 de março, depois de realizar novas sondagens para o mapa da baía de Todos os Santos, o *Beagle* zarpou lentamente sob um vento leve, rumando para Abrolhos, um grupo de ilhotas desabitadas ao largo da costa do Brasil, cerca de 500 quilômetros ao sul da Bahia. Cinco dias depois o vento continuava fraco, mas o balanço era suficiente para Charles se sentir mal. A melhor cura para isso sempre foi se ocupar, e assim ele montou o microscópio para examinar o mofo denominado múcor que crescia no gengibre dentro do armário de comida. Escreveu em suas notas:

> *Mucor* crescendo em gengibre verde: cor, amarela; extensão, de 1/20 a 1/15 [0,12 a 016cm] de polegada. Diâmetro do pedúnculo, 0,001 [cm]; da copa à extremidade, 0,006 [cm]. Pedúnculo transparente, cilíndrico em cerca de 1/10 de extensão, próximo da esfera é achatado, angular e mais largo. Esférula terminal cheia de grãos, 0,0025 [cm] de diâmetro e grudados em planos. Quando colocada na água, a bola explodiu parcialmente, emitindo grânulos e grandes bolhas de ar. Era visível a corrente de fluido saindo no pedúnculo ou cilindro. Bastava assoprar nela, a esférula se expandia, e três projeções cônicas semitransparentes se formavam na superfície. (Coisa parecida ocorre com o pólen.) Esses cones em breve tempo visivelmente se contraem e entram na esférula.

Infelizmente o espécime de mofo múcor (mucorácea) não foi bem preservado, e Henslow escreveu para Charles em janeiro de 1833, após receber as primeiras encomendas do *Beagle*: "Pelo amor de Deus, o que é o nº 233; parece os restos de uma explosão elétrica, uma mera massa de fuligem — algo muito curioso, ouso dizer."

Em volta de Abrolhos há baixios rochosos estendendo-se para leste. Uma das tarefas atribuídas ao *Beagle* por Beaufort era determinar a extensão exata desses baixios. Por isso FitzRoy tomou o curso sul-leste até a latitude de Abrolhos e então virou para oeste, sempre realizando sondagens, até alcançar um banco rochoso a uma profundidade mais ou menos constante de cinco quilômetros. Após passar dois dias examinando partes de Abrolhos que não haviam sido cobertas adequadamente por uma expedição francesa comandada pelo barão Roussin em 1818-1821 — talvez por causa das desconcertantes e súbitas mudanças de profundidade, chamadas pelos franceses de *coups de sonde* —, dois grupos desembarcaram a 29 de março. Charles lançou-se a um ataque às pedras, insetos e plantas, enquanto os membros da tripulação começavam outro, muito mais sangrento, aos pássaros, dos quais uma grande quantidade foi massacrada. Charles relatou a FitzRoy que as rochas — que se elevavam em estratos horizontais a cerca de 25 metros acima do mar — eram de gnaisse e arenito. Em suas notas a descrição geral das ilhas foi a seguinte:

> As ilhas de Abrolhos, vistas a uma certa distância, são de cor verde brilhante. A vegetação consiste de plantas suculentas e *Gramina* [gramíneas], entremeadas com alguns arbustos e cactos. Embora pequena, minha coleção de plantas de Abrolhos contém quase todas as espécies que ali florescem, acho eu. Pássaros da família dos totipalmados [um velho nome de grupo para alguns pássaros marinhos palmípedes] são extremamente abundantes, tais como atobás, rabos-de-palha e fragatas. Talvez o mais surpreendente seja o número de sáurios; quase todas as pedras têm o seu lagarto correspondente; aranhas em grande número; o mesmo com os ratos. O fundo do mar em volta é densamente coberto por enormes corais cerebriformes [corais pedrentos, solitários, de aparência semelhante ao cérebro]; muitos tinham mais de uma jarda [90cm] de diâmetro.

O *Beagle* velejou na direção do Rio de Janeiro, e a 1º de abril todos os marinheiros se dedicavam a enganar uns aos outros. Jogaram o anzol, e, quando o tenente Sullivan gritou "Darwin, você já viu uma orca? Dê uma olhada", Charles correu, em um transporte de entusiasmo, sendo recebido com ruidosas gargalhadas de todos daquele turno.

A 120 quilômetros do Rio de Janeiro, passaram pelo promontório de Cabo Frio, onde até há poucos anos as praias ainda eram cobertas de areia branca e brilhante, mas no qual hoje em dia existe uma linha de arranha-céus. FitzRoy estava ansioso para voltar à cena em que, na noite de 5 de dezembro de 1830, a fragata HMS *Thetis*, rumando urgentemente para a Inglaterra e carregando um tesouro, se viu em luta desesperada contra ventos contrários e foi levada bem para fora do curso por uma corrente insuspeitada. Até que, no meio de uma chuva forte e com pouca visibilidade, rumou a nove nós diretamente sobre os recifes de Cabo Frio, derrubando os três mastros e ferindo muitos homens. Nas lutas subseqüentes, com as ondas batendo forte no casco, perderam-se 25 membros da tripulação, e o navio rapidamente afundou. FitzRoy servira como tenente no *Thetis* e concluiu seu comovido relato do trágico acidente com as seguintes palavras:

> Aqueles que jamais correram risco; que só velejam quando o vento está bom; que suspiram quando se aproximam da terra, mesmo que a apenas um dia de viagem; e que atrasam o cumprimento de deveres urgentes até que eles possam ser cumpridos com facilidade e segurança, estes são sem dúvida pessoas extremamente cautelosas, mas muito diferentes dos oficiais cujos nomes jamais serão esquecidos enquanto a Inglaterra tiver uma Marinha.[1]

Chegando ao Rio de Janeiro na tarde de 4 de abril, Charles orgulhosamente observou que: "No mais glorioso estilo o pequeno *Beagle* entrou no porto e baixou as velas ao lado da capitânia. ... Enquanto o capitão estava fora, em reunião com o oficial comandante, nós viramos de bordo no porto e ganhamos grande crédito com a maneira pela qual o *Beagle* era conduzido e tripulado." Como Philip Gidley King recordava:

> Embora o sr. Darwin pouco soubesse de assuntos náuticos, um dia ele ofereceu seus serviços ao primeiro-tenente. A ocasião foi quando a embarcação entrou pela primeira vez no Rio de Janeiro. Decidiu-se a fazer uma demonstração de perícia ao recolher as velas diante dos inúmeros navios no ancoradouro, com as bandeiras de todas as nações. O navio entrou no porto com todas as velas abertas, inclusive a varredeira no tope, de ambos os lados, pois a brisa soprava de popa. O sr. Darwin recebeu ordem de segurar uma escota em cada mão e um cabo da varredeira do topo do mastro, nos dentes. À ordem de "recolher velas", ele tinha de soltar tudo e ajudar nas cordas que visse estarem com poucas pessoas ... ele fez tudo certo, achou muita graça e depois sempre dizia "que o feito não se realizaria sem ele".[2]

Em vista da instabilidade política daquele período no Brasil, e com os recém-libertados países nas fronteiras ao sul, a Marinha Real Britânica mantinha uma esquadra no magnífico porto do Rio de Janeiro, para proteção geral dos interesses ingleses na América do Sul. Era comandada pelo almirante sir Thomas

O cais, o paço e a catedral do Rio de Janeiro, por Augustus Earle

Baker. Enquanto Charles tão destramente ajudava a tripulação do *Beagle* a recolher as velas, o capitão recebia ordens do comandante-em-chefe quanto à exata posição que o *Beagle* e os outros navios da esquadra deveriam tomar caso os marinheiros tivessem de descer à terra para ajudar a debelar um motim que havia irrompido entre as tropas na cidade. Felizmente não houve necessidade disso, e todos no *Beagle* se instalaram para ler a correspondência de casa, bastante acumulada.

Na manhã seguinte Charles desembarcou com o primeiro oficial artista do navio, Augustus Earle, nos degraus do palácio. Earle já havia morado algum tempo no Rio de Janeiro, e, depois de mostrar a Charles o centro da cidade, os dois encontraram "a mais deliciosa casa" em Botafogo, um excelente alojamento. Conrad Martens pintou-a quando estava de passagem pela cidade alguns meses depois (PRANCHA 2), e pode-se observar como ela era de um atraente estilo rural; hoje em dia a praia de Botafogo está lamentavelmente ocupada por uma rede de avenidas com diversas pistas. A casa depois também foi dividida com a "srta. Fuegia Basket" — que, observou Charles, "crescia diariamente em todas as direções, exceto na altura" —, com o sargento dos marinheiros do navio e com o jovem Philip Gidley King, que escreveu afetuosamente:

> No Rio de Janeiro o sr. Darwin gostou muito da vida nova em um país tropical. Alugou uma casa em Botafogo, adorável enseada com uma praia de areia impressionantemente branca, e levou como companhia o escritor, que, por ter estado ali na viagem anterior com o pai, embora então fosse de tenra idade, era capaz de se

> lembrar de suas aventuras e de contá-las ao até então inexperiente filósofo. "Olhe aqui, King", dizia ele, "você já dobrou o cabo Horno, e eu não, mas não me venha com suas lorotas de viajante." Uma delas era que King tinha visto baleias pularem para fora da água com todo o corpo, só restando o rabo dentro da água; e outra, que tinha visto ostras nadando na água salgada. Mas o sr. Darwin teve de se desculpar depois por não acreditar nessas afirmações. A primeira história foi comprovada em uma bela tarde, na costa leste da Terra do Fogo. Um grande número de baleias nadava em volta do navio, o capitão, o "filósofo" e os vigias estavam na popa, o sr. Darwin tinha os braços esticados nas enxárcias, quando um animal gigantesco se levantou, deixando três quartos de seu enorme corpo para fora da água. "Veja senhor, veja! Acredita agora?", foi a exclamação do até então desacreditado jovem. "Sim! E em qualquer coisa que você me disser no futuro", foi a rápida resposta do naturalista de bom coração.[3]

Foi no canal Beagle, a 28 de janeiro de 1833, que Charles teve este esclarecimento:

> O dia estava incrivelmente quente; tanto que nossa pele queimou; isso é uma novidade na Terra do F. O canal Beagle é aqui impressionante, nada impede a visão dos dois lados, e para oeste estende-se até o Pacífico. Um canal tão estreito, reto e de quase 120 milhas [200km] de extensão deve ser um fenômeno raro. Lembramos de que se trata de um braço de mar pelo número de baleias que esguichavam água em todas as direções; a água é tão profunda que, uma manhã, duas baleias monstruosas nadavam à distância de uma pedrada da costa.[4]

Charles logo tratou de organizar uma expedição a cavalo até o rio Macaé, a cerca de 160 quilômetros a nordeste do Rio de Janeiro. Seu "extraordinário e quixotesco grupo de aventureiros consistia de um negociante irlandês, Patrick Lennon, que morava no Rio de Janeiro há 20 anos e era dono de uma propriedade perto da foz do rio Macaé, que nunca havia visitado; estava acompanhado por um sobrinho. Depois vinha o sr. Lawrie, "um bem informado e esperto escocês, homem *egoísta e sem princípios*; e, no comércio, parte traficante de escravos, parte vigarista", com um amigo aprendiz de droguista cujo irmão mais velho tinha um sogro, o sr. Manuel Figueiredo, que era dono de muitas terras em Macaé, no local chamado Sossego. Charles levou um rapaz negro como guia do grupo. O primeiro obstáculo era obter passes para uma excursão ao interior. Os oficiais locais não eram muito prestativos, "mas a perspectiva de florestas virgens habitadas por belos pássaros, macacos e preguiças e lagos com capivaras e jacarés faz qualquer naturalista lamber o pó até mesmo dos pés de um brasileiro".

A exótica cavalgada partiu a 8 de abril, e Charles ficou extasiado com a imobilidade da floresta — exceto pelas grandes e brilhantes borboletas, principalmente em tons azuis, que preguiçosamente voejavam — e com o número infinito de lianas e parasitos cujas belas flores lhe pareciam os objetos mais notáveis a serem admirados em uma floresta tropical. À noite o cenário, à luz pálida da lua, era desolador, com vaga-lumes adejando e o solitário rasga-mortalha emitindo seu grito dolente, enquanto o distante e soturno ronco do mar pouco quebrava o silêncio da noite. A hospedaria em que passaram a primeira noite, dormindo em colchões de palha, era paupérrima, embora em outras eles comessem suntuosamente, com vinho e aguardente ao almoço, café à noite e peixe pela manhã. Os cinco dias gastos na viagem até a foz do rio Macaé foram algumas vezes cansativos ao extremo, e era impressionante o esforço que os cavalos conseguiam despender, mesmo na ocasião em que os cavaleiros tiveram de nadar ao lado deles para cruzar a barra do rio São João.

A 13 de abril descansaram na luxuosa fazenda do sr. Figueiredo em Sossego, onde Charles ficou aliviado ao ver como os escravos eram tratados bondosamente e pareciam felizes. Dois dias mais tarde teve uma impressão muito diferente da escravidão quando o sr. Lennon ameaçou vender em leilão um menino mulato, a quem seu agente era muito ligado, e até mesmo separar as mulheres e filhos de seus pais e vendê-los no mercado do Rio de Janeiro. A despeito da impressão de que o sr. Lennon no fundo não era desumano, Charles refletiu amargamente sobre o estranho e inexplicável efeito que os hábitos dominantes e o interesse próprio tinham sobre o comportamento humano. Concordou-se que o sr. Manuel arbitraria a questão, o que provavelmente ele fez em favor dos escravos, embora Charles não tenha registrado o resultado. O naturalista voltou a Sossego, onde passou a parte mais agradável de toda a expedição coletando insetos e répteis nas florestas e admirando as árvores:

> As florestas daqui são ornamentadas por uma árvore muito elegante, a juçara, com um caule tão estreito que se pode abarcar com as duas mãos e que balança sua copa elegante a 30 ou 50 pés [15m] acima do chão. A parte macia, de onde as folhas brotam, fornece um excelente alimento. Muitas das árvores mais velhas apresentam um espetáculo bastante curioso, cobertas de tranças de cipós, várias delas parecidas com feixes de trigo. Quando o olhar se desvia do mundo da folhagem acima e passa para o chão, é atraído pela extrema elegância das folhas de inúmeras espécies de samambaias e mimosas. Assim, é fácil especificar objetos individuais de admiração; mas é quase impossível dar uma idéia adequada dos elevados sentimentos excitados; maravilhamento, espanto e devoção sublime enchem e elevam a alma.

Na viagem de volta, em que Charles foi acompanhado apenas pelo sr. Lennon, seguiram o mesmo caminho. Quando chegaram ao Rio de Janeiro, como, por descuido, tivessem perdido os passes, encontraram dificuldades para provar que os cavalos não eram roubados. Charles voltou ao *Beagle*, onde soube que o cirurgião Robert McCormick fora "invalidado", ou seja, havia brigado com o capitão e com o primeiro-tenente e ia voltar à Inglaterra a bordo do HMS *Tyne*. A notícia não aborreceu Charles, que havia chegado à conclusão, mesmo antes de sair de Devonport, que "meu amigo, o doutor, é um idiota, ... está agora em meio a grandes tribulações, pois não sabe se manda pintar a cabine de cinza claro ou de branco — ele só fala nisso". E em Santiago, McCormick se revelara "um filósofo antiquado; lá, por conta própria, fez observações *gerais* na primeira quinzena e coletou fatos particulares na segunda". Robert McCormick era um escocês ambicioso, decidido a fazer carreira como cirurgião naval, e havia velejado ao Ártico em 1827 com William Edward Parry, como cirurgião-assistente no *Hecla*. Ficara muito desconcertado no *Beagle,* quando Charles lhe foi apresentado pelo capitão como encarregado de história natural, uma das responsabilidades tradicionais do cirurgião do navio. Posteriormente navegou para a Antártida, como cirurgião do *Erebus*, e tomou parte na busca de Franklin no Ártico em 1852-3. Mas quando finalmente se reformou em 1865, ainda não havia obtido o reconhecimento profissional que tanto almejara. Foi substituído como cirurgião no *Beagle* por Benjamin Binoe, com quem o "naturalista" manteve as melhores relações pelo resto da viagem.

A 25 de abril Charles sofreu, em pequena escala, o que descreveu como alguns dos horrores de um naufrágio, quando duas ou três grandes ondas viraram o barco que estava trazendo suas coisas para Botafogo, muito embora nada tenha se perdido. No dia seguinte escreveu um relato do desastre à irmã Caroline, em que também dizia:

> Mando em um pacote meu diário particular. Tive um acesso de desgosto com ele e quero tirá-lo de minha vista. Qualquer um de vocês pode lê-lo se quiser; a maior parte é absolutamente infantil. Lembrem-se no entanto disso: ele foi escrito apenas para me fazer lembrar da viagem, e não é um registro de fatos, mas de meus pensamentos; e para me desculpar, lembrem-se de que eu estava cansado na maior parte das vezes em que o escrevi. ... Não se esqueça de mencionar o recebimento de meu diário, porque de qualquer forma vai ser importante para mim ter um registro exato de todas as minhas primeiras impressões; e tal conjunto de impressões tão vívidas como foram vai fazer com que esse período de minha vida seja

sempre interessante para mim. Se você for sincera, ficarei feliz em receber suas críticas. Só lembre das desculpas acima.[5]

Nos dias seguintes Charles mais de uma vez foi com FitzRoy jantar em companhia do sr. Aston, representante do governo inglês. As refeições, para sua surpresa, "pela ausência de qualquer formalidade, quase pareciam uma festa de Cambridge". Também jantou com o almirante sir Thomas Baker, sem dúvida com a maior formalidade da Marinha, e foi convidado a assistir ao impressionante espetáculo de uma inspeção oficial no navio de guerra *Warspite,* de 74 canhões.

Uma semana depois o *Beagle* velejou de volta à Bahia, em busca de uma explicação para a discrepância de seis quilômetros e meio na distância meridiana entre o arquipélago de Abrolhos e o Rio de Janeiro, quando se comparava o mapa do barão de Roussin com as medidas do *Beagle.* Em uma carta particular a FitzRoy, Beaufort mais tarde elogiou sua "ousadia", por voltar sem instruções prévias do Almirantado.[6] Verificou-se que a localização registrada pelo barão Roussin para Abrolhos estava correta, mas não a do Rio, confirmando que os 22 cronômetros de FitzRoy e sua crença em uma cadeia conectada de distâncias meridianas era o método mais confiável para descobrir a longitude precisa. Essa informação foi transmitida ao comandante-em-chefe francês no Rio.

Uma notícia menos alegre foi a de que três membros do grupo que havia velejado no escaler do navio ao rio Macacu pouco antes da partida do *Beagle* — um marinheiro extraordinariamente forte chamado Morgan, o grumete Jones, que estava prestes a ser promovido, e o jovem amigo de Charles, aspirante Musters — haviam sido acometidos por um ataque fatal de malária poucos dias depois e tinham sido enterrados na Bahia. FitzRoy considerava que o risco de contrair a doença era maior ao dormir, enquanto Charles achava intrigante que muitas vezes a febre ocorresse vários dias depois de a vítima retornar a uma atmosfera aparentemente pura. Os detalhes completos do papel dos mosquitos como vetor na transmissão da malária foram esclarecidos por sir Ronald Ross em 1897.

Durante os dois meses seguintes Charles explorou sistematicamente o Rio de Janeiro e seus arredores; e em dias alternados escrevia suas notas e selecionava os espécimes que havia coletado, pois descobriu que uma hora de coleta muitas vezes deixava-o ocupado pelo resto do dia. Ele observou que, enquanto "um naturalista na Inglaterra tem em suas caminhadas uma grande vantagem sobre os outros, ao encontrar com freqüência alguma coisa que valha a pena, aqui ele sofre do agradável aborrecimento de não ser capaz de andar cem metros sem ter de ficar amarrado ao mesmo lugar por uma nova e maravilhosa criatura". Uma descoberta que o deixou particularmente excitado foi encontrar na floresta uma espécie de platelminto relacionado com a planária de Cuvier, mas que ele pensava ser um animal estritamente marinho. Escreveu:

> 17 de junho. Este animal absolutamente extraordinário foi encontrado sob a casca de uma árvore apodrecida, na floresta, bem ao alto. O lugar era seco e não havia água por perto. Corpo macio, parenquimatoso,* coberto de *muco* (como os caramujos e também como eles deixando uma marca ao caminhar), não muito achatado. Quando plenamente expandido, 2,5 polegadas [6,25cm] de comprimento; nas partes mais largas, apenas 0,13 de largura. Costas arqueadas, topo bastante achatado; embaixo, uma superfície lisa rastejante (semelhante a um gasterópode [caramujo], só que não separado do corpo), com uma borda membranosa projetada. Extremidade anterior *bastante* extensível, com a ponta *aguçada*; a metade posterior do corpo mais larga, com a cauda rombuda.
>
> Cores: dorso com listas pretas lustrosas; lados amarelados com uma borda externa preta; as listras chegam às extremidades e ficam uniformemente mais estreitas. Lados e pés "dourado-alaranjado". Pela elegância de formato e grande beleza da cores, o animal tem uma aparência muito impressionante.
>
> A extremidade anterior do pé é bastante ranhurada ou arqueada. Em sua borda há uma fila regular de manchas pretas redondas (como nas *Planariae* marinhas) que continuam em volta do pé, mas não regularmente; pés espessamente cobertos com marcas brancas diminutas. No pé ao centro, a cerca de 1/3 de polegada [0,8cm] da cauda, há um espaço branco irregular, sem pintas. Estendendo-se por toda a largura há uma incisão transversal, de lados paralelos, extremidades arredondadas, com 1/60 de polegada [0,05cm] de extensão, toleravelmente aparente (isto é, com minhas lentes muito fracas).[7]

As cores entre aspas citadas por Charles nesta e em outras descrições de seus espécimes foram tiradas de um pequeno atlas de cores de Patrick Syme, da bi-

---

* "Parenquimatoso" indica um animal invertebrado, consistindo em grande parte de tecidos macios, não musculares ou conectivos. O animal em questão seria hoje em dia classificado como um platelminto turbelário, da ordem *Tricladida*, cujos exemplares em geral são encontrados em água do mar ou doce, embora alguns, como este, agora conhecidos como *Geoplana vaginuloides* Darwin, sejam terrestres. Charles mais tarde coletou outras novas espécies de platelmintos marinhos da ordem *Polycladida* e publicou um pequeno artigo sobre eles em 1844.

blioteca do *Beagle*, que Charles usava com freqüência. A cópia do atlas, que sobreviveu entre seus livros em Down House, em Kent, está intacta, de modo que a cópia do *Beagle*, muito usada, evidentemente teve de ser trocada após o retorno à Inglaterra. Em uma carta a Henslow começada em 23 de julho de 1832, Charles disse: "Entre os animais inferiores, nada me interessou tanto quanto encontrar duas espécies da elegantemente colorida planária verdadeira vivendo na floresta seca! A falsa relação que eles têm com os caramujos é a coisa mais extraordinária que já vi. No mesmo gênero (ou mais corretamente família), algumas das espécies marinhas possuem uma organização tão maravilhosa que quase não pude acreditar em meus olhos."[8] Henslow não ficou convencido e, na página cinco da edição da correspondência de Charles — para ele publicada em uma edição limitada pela Cambridge Philosophical Society em 1835 —, a palavra "verdadeira" foi omitida e acrescentou-se "(?)" após "planária". As observações de Charles sobre a anatomia e o comportamento desses platelmintos estavam no entanto corretas no geral, exceto quanto ao fato de acreditar que os animais se alimentavam de madeira podre, quando de fato são carnívoros.

Charles um dia foi à caça com um padre muito rico que tinha uma matilha de cinco cães com nomes exóticos. Os cães foram soltos em uma floresta de árvores muito altas e lá perseguiram por conta própria pequenos veados e outras caças. Nos intervalos, os caçadores atiravam em tucanos e belos papagaios

Morro do Corcovado, Rio de Janeiro, por Conrad Martens

Pão de Açúcar, Rio de Janeiro, por Conrad Martens

verdes, de maneira bastante aleatória. Levaram Charles para ver um macaco barbado pego na véspera, mas ele não registrou se viu algum macaco vivo.

Mais uma vez ficou desapontado com os pássaros brasileiros, que surpreendentemente pouco se mostravam. Um dos sons mais característicos do Rio de Janeiro hoje em dia é o pio repetido dos bem-te-vis, mas eles não têm a voz harmoniosa dos crotofagíneos, parentes dos papagaios, de que Charles trouxe um espécime com o papo cheio de insetos.

Em outras partes encontrou melhores vocalistas, pois sob as torrentes de chuva que encharcavam os campos descobriu um sapo que cantava pelo nariz, em um tom muito alto, e uma rã igualmente musical:

> Nas costas, uma lista "marrom-amarelada" da largura da cabeça, com os lados de cor amarelo-cobre; abdome branco, amarelado, prateado; embaixo da boca, amarelo-escuro; sob as laterais das pernas, cor de chumbo. Pode aderir a superfícies perpendiculares de vidro. Os campos ressoam com o som que esse pequeno animal emite, sentado em uma folha de capim a uma polegada da água. A nota é muito musical. Primeiro achei que se tratava de um pássaro. Quando há vários juntos, eles chilreiam em harmonia; cada um começa em uma nota menor que o outro, e continuam duas acima (acho que essas notas são terças das outras).[9]

1. Santiago, uma das ilhas do arquipélago de Cabo Verde, a seis milhas de distância, de L *a* N*, 9 de junho de 1833, por Conrad Martens*

2. Enseada de Botafogo, Rio de Janeiro, por Conrad Martens
(© Mitchell Library, State Library of New South Wales)

3. "Pendurando o macaco" em Puerto Deseado, no dia de Natal de 1833, por Conrad Martens

4. Rhea darwinii, *por John Gould*

5. Acampamento em Puerto Deseado, 29 de dezembro de 1833, por Conrad Martens

6. Entrada de Puerto San Julián, por Conrad Martens

Além da habilidade de trepar em vidraças, o músico tinha alguns parasitos interessantes na pele que também foram preservados para identificação.

Uma das excursões favoritas de Charles, que ele fez várias vezes com amigos do *Beagle*, era subir ao morro do Corcovado, uma imensa massa de granito nu acima do Rio de Janeiro, onde um século depois foi erigida a enorme estátua de Cristo. A 30 de maio Charles levou consigo o barômetro de montanha e determinou que a altura do pico era 667 metros acima do nível do mar, embora possivelmente o número de 700 metros obtido em outra ocasião pelo capitão P.P. King seja mais confiável.

Ainda no Rio de Janeiro Charles escreveu a Henslow: "No momento estou entusiasmadíssimo com as aranhas, elas são muito interessantes; se não me engano, já estou levando alguns gêneros novos." Era verdade, e uma de suas capturas era da família *Thomisidae*:

> Evidentemente, por suas quatro fortes pernas frontais, iguais e mais compridas do que as posteriores, e por seu hábitat em uma folha de árvore, é uma *Laterigrade*: Mas ela difere singularmente daquele grupo, e creio que se trata de um novo gênero. Os olhos são em número de dez (!?), os anteriores, vermelhos, situados em duas linhas curvas *longitudinais*, com os glóbulos triangulares centrais em uma proeminência; *Machoires* [mandíbulas] arredondadas e inclinadas: quelas poderosas com grande abertura para veneno. Abdome incrustado e com cinco saliências cônicas: tórax com uma pequena [saliência]; tarsos em gancho, muito fortes (e com dois pequenos abaixo?). Cor branca como neve, exceto tarsos e metade das pernas, amarelo-brilhante. Tanto topos dos pontos abdominais quanto linhas dos olhos negros. Acho que é nova. *Lithetron paradoxicus* Darwin!!! Capturada na floresta.[10]

Os ocasionais lapsos de Charles no francês de suas notas eram conseqüência da dependência que tinha dos livros dos *encyclopédistes* Cuvier, Lamarck, Lamouroux e outros da biblioteca do *Beagle*, sendo seus favoritos os 17 volumes do *Dictionnaire classique d'histoire naturelle*, editados por Jean-Baptiste Geneviève Marcellin Bory de Saint-Vincent.

Embora as aranhas sejam importantes insetos predadores, Charles verificou que muitas vezes as coisas se invertiam, pois encontrou vespas da família dos esfecídeos que caçavam aranhas para alimentar suas larvas. Escreveu:

> Freqüentemente observei esses insetos carregando aranhas mortas, mesmo do poderoso gênero *Mygalus*, e encontrei as células de argila feitas para suas larvas

cheias de aranhas mortas e moribundas: hoje (2 de junho) assisti a uma luta entre uma delas e uma grande *Lycosa*. O inseto disparou contra a aranha e então voou para longe; ele tinha evidentemente ferido seu inimigo com o ferrão mortal, pois a aranha se arrastou um pouco, então rolou pelo morro abaixo e se esborrachou em um monte de capim. A *Hymenoptera* [vespa] encontrou a aranha com facilidade graças ao olfato: fazendo pequenos circuitos regulares (como um cachorro) e vibrando rapidamente o ferrão e antenas. Era um espetáculo muito curioso: a aranha ainda possuía alguma vida, e a *Hymenop.* tinha muito cuidado em ficar longe das mandíbulas dela; finalmente, depois de ser picada mais duas vezes na parte baixa do abdome, [a aranha] ficou imóvel. A *Hymenop.* aparentemente se certificou disso, colocando várias vezes a cabeça perto da aranha, e então arrastou a pesada *Lycosa* com as mandíbulas. Então eu peguei as duas.[11]

"Quando eu estava no *Beagle*", escreveu Charles em *Autobiography*, "era muito ortodoxo, e me lembro de que vários dos oficiais (embora eles mesmos se considerassem ortodoxos) riam muito de mim por citar a Bíblia como autoridade incontestável em termos de moralidade". Assim, na época ele ainda não havia pensado seriamente sobre a maneira pela qual as novas espécies tinham passado a existir, e sua ortodoxia incluía a crença em um mundo ocupado por espécies constantes que se haviam originado em centros específicos de criação. Como àquela altura ele estava bem versado nos dois primeiros volumes de *Principles of Geology*, de Charles Lyell, isso não quer dizer, é claro, que subscrevesse a verdade absoluta do primeiro livro do Gênese, nem a precisão dos cálculos do bispo Usher sobre a idade da Terra. Mas havia ficado impressionado em Cambridge com a argumentação de William Paley, em sua *Natural Theology*, de que, ao se olhar para o mundo, "As marcas do *projeto* são fortes demais para serem desdenhadas. Projeto implica um projetista. Esse projetista deve ter sido uma pessoa. Essa pessoa é Deus." No devido tempo a fé de Charles em Paley desapareceu. Mas, como veremos, ele continuaria falando de um Criador até 1836. Desse modo, especificamente no que se refere ao evolucionismo, seus pensamentos ainda não haviam ido muito longe quando esteve no Brasil.

No entanto, já havia feito avanços significativos em dois importantes campos biológicos de que foi um dos fundadores. Assim, desde o início da viagem encarava o comportamento dos animais que observava como de importância igual às diferenças anatômicas entre eles na distinção das espécies. Um bom exemplo é dado por seus comentários sobre a borboleta *Papilio feronia*:

Esse inseto não é incomum e geralmente freqüenta os laranjais; é notável em vários aspectos. Ele voa alto e sempre pousa nos troncos das árvores; invariavelmen-

> te com a cabeça para baixo e com as asas abertas para além do plano horizontal. É a única borboleta que já vi fazer uso das pernas para correr; ela evita ser capturada, esquivando-se para um lado. Algum tempo atrás vi diversos pares, imagino que machos e fêmeas, de borboletas se perseguindo, e que, pela aparência e pelos *hábitos*, eram, estou certo, da mesma espécie que esta. Por mais estranho que possa parecer, quando adejam, elas emitem um ruído semelhante ao do engatilhar de uma pistola pequena; uma espécie de estalido. Observei isso muitas vezes. *28 de junho*. No mesmo local observei uma dessas borboletas descansando, como já descrito, no tronco de uma árvore; aconteceu de outra voar por ela; imediatamente as duas começaram a se perseguir, emitindo (e *não pode haver erro*, porque era um espaço aberto) o ruído peculiar; isso continuou por algum tempo, e é mais como uma pequena roda dentada passando sob uma garra de molas. ... O ruído podia ser ouvido a 20 jardas [18m]de distância. Este fato parece ser novo.[12]

Um exame preliminar, feito por G.R. Waterhouse na London Zoological Society, em 1837, de um espécime da borboleta não deu qualquer explicação para a origem do ruído peculiar, mas poucos anos depois outro entomologista descobriu que ele era produzido por uma espécie de tambor na base das asas dianteiras, junto com um diafragma em forma de parafuso, no interior.

Outro importante ramo da biologia em que Charles foi pioneiro, junto com Lineu, Buffon e Humboldt, é o estudo das relações mútuas entre animais e ambiente, para o qual foi introduzido o termo "ecologia" em 1873. Aqui também a maneira de pensar basicamente nova de Charles já aparecia em suas primeiras notas. Resumindo suas observações gerais do que havia visto no Rio de Janeiro, ele escreveu:

> Não pude deixar de observar com que exatidão os animais e plantas em cada região se adaptam uns aos outros. Todos devem ter visto como os alfaces e repolhos sofrem com o ataque de lagartas e caramujos. Mas quando transplantadas para cá, em um clima estrangeiro, as folhas ficam tão inteiras como se tivessem veneno. A natureza, quando formou esses animais e essas plantas, sabia que eles deveriam residir juntos.

Referindo-se à coleção de insetos que havia formado na praia atrás do Pão de Açúcar, no Rio de Janeiro, disse que, como a situação era muito semelhante à de Barmouth, quando ele ali coletava em 1828, muitas das espécies deveriam ser próximas. Em outra ocasião observou:

> Em minhas *Notas de geologia* mencionei as lagoas da costa que contêm água salgada ou doce. A lagoa perto do Jardim Botânico é desse tipo. A água não é tão

salgada quanto a do mar, pois apenas uma vez por ano abre-se uma passagem, por causa dos peixes. A praia é composta de grãos grandes de quartzo e muito limpa. Caso cimentada em uma brecha ou arenito, seria exatamente parecida com uma pedra da Bahia, contendo conchas marinhas. Um pequeno turbo [espécie de caramujo] parece ser seu único habitante, e assim difere das lagoas da costa norte na ausência das grandes quantidades de bivalves. Tive a surpresa de ver uns poucos hidrófilos [besouros d'água] habitando essa água salgada e algumas *Dolimedes* [uma aranha de teia] correndo pela superfície.

7

Uma viagem intranqüila de Montevidéu a Buenos Aires

julho – agosto, 1832

Às 9 horas da manhã de 5 de julho o *Beagle* zarpou do porto do Rio de Janeiro sob uma brisa leve, saudado pelos alegres gritos das tripulações do HMS *Warspite* e do HMS *Samarang*. FitzRoy observou com certa satisfação que uma "etiqueta severa se ofenderia com tal cumprimento feito a um brigue de dez canhões ou até mesmo a qualquer navio, a não ser que estivesse de partida para enfrentar um inimigo ou retornasse vitorioso ao porto; muito embora não estivesse prestes a encontrar o inimigo, nosso solitário navio ia realizar uma tarefa árdua e muitas vezes perigosa, para cuja zelosa execução o encorajamento de nossos irmãos do mar não era pequeno tributo".

Nas três semanas seguintes o *Beagle* velejou para o sul, algumas vezes com ventos fracos, quando o progresso era extremamente lento, outras sob rajadas, quando até mesmo a visão de uma baleia era de pouco interesse para os ictéricos olhos de Charles; mas ele se sentia melhor quando as varredeiras estavam "abertas no tope — ou seja, com vento para a ré do través e favorável". Na manhã de 14 de julho Charles observou:

> Eu estava muito interessado observando um grande bando de orcas que seguiam o navio por algum tempo. Tinham cerca de 15 pés [4,5m] de cumprimento e em geral saltavam juntas, cortando e batendo a água com muita violência. A distância se viam algumas baleias soprando. Todas elas eram negras. O espermacete é o tipo de produto que os baleeiros do sul perseguem.

As orcas, que naquela ocasião eram de verdade, provavelmente compunham um grupo de baleias-piloto jovens, totalmente negras, com protuberantes cabeças cheias de espermacete.

Quatro dias depois Charles escreveu:

> Um maravilhoso cardume de muitas centenas de golfinhos cruzou a proa do navio. Em alguns lugares o mar ficou inteiramente sulcado por eles. Avançavam em saltos nos quais o corpo ficava todo exposto, e como centenas deles cortavam a água dessa maneira, era um espetáculo muito extraordinário. Com o navio indo a nove nós, esses animais podiam com a maior facilidade cruzar e voltar a cruzar nossa proa e popa, e então se lançarem direto para a frente, mostrando-nos assim sua grande força e atividade.

O *Beagle* prosseguiu naquele tempo variável característico da entrada do rio da Prata. Próximo à foz, em uma noite particularmente escura, o navio foi cercado por pingüins e focas fazendo ruídos tão curiosos que o mestre relatou ao primeiro-tenente ter ouvido vacas mugindo em terra. Na manhã do dia 26 a ancoragem do *Beagle* em Montevidéu foi, segundo Charles, imediatamente seguida pela chegada ao navio de seis botes pesadamente armados da fragata HMS *Druid,* com 40 fuzileiros e uma centena de marinheiros. O capitão da fragata, Hamilton, explicou que o governo militar havia acabado de se apropriar de 400 cavalos pertencentes a um súdito britânico, e que ele pretendia dar apoio visível o bastante para que o partido oposicionista restituísse os animais.* Ao que tudo indica, essas disputas eram habitualmente vencidas, sem derramamento de sangue, pelo lado que conseguisse parecer mais forte. O episódio abriu os olhos de Charles para as extravagâncias da política sul-americana, mas FitzRoy não julgou o episódio digno de menção em seu relato do dia, registrando apenas que esteve ocupado anotando observações em seus cronômetros e preparando-se para examinar a margem sul do rio da Prata.

Na manhã seguinte FitzRoy e Charles desembarcaram na ilha do Rato; enquanto um fazia observações com o sextante, o outro achou, mas não preservou, uma espécie de lagarto sem pernas conhecido como cinco. A 28 de julho Charles visitou Monte, uma pequena colina de 130 metros de altura que dominava o distrito e dava nome a Montevidéu. Concluiu que o panorama do cume era o mais desinteressante que jamais havia visto — como Cambridgeshire, mas sem uma árvore sequer.

---

* Em 1821, no governo de seu primeiro imperador, dom Pedro I, os brasileiros haviam anexado a parte ocidental do Uruguai. Forças lideradas por Juan Antonio Lavalleja (1784-1853) se mobilizaram contra a anexação, até que, em 1828, a independência do Uruguai foi finalmente reconhecida. Quando o *Beagle* chegou a Montevidéu, a 26 de julho de 1832, a luta era entre partidos políticos rivais.

O cais de Montevidéu, por Augustus Earle

Dois dias depois FitzRoy teve notícia de que os remanescentes de alguns registros hidrográficos coletados pelos espanhóis estavam preservados nos arquivos de Buenos Aires, e a 2 de agosto o *Beagle* zarpou para a margem sul do rio da Prata, em busca dessas informações. Como Charles explicou, tiveram uma recepção desconcertante:

> Certamente somos um navio muito inquieto; a paz voa diante de nós. Ao entrar no ancoradouro exterior passamos por um navio de guarda-marinha de Buenos Aires. Quando ficamos lado a lado ele disparou um tiro de festim; e, como não entendemos, continuamos à frente; em poucos minutos outra descarga era acompanhada pelo zunir de uma bala acima de nossas enxárcias. Antes que pudessem aprontar outro canhão, estávamos fora de seu alcance. Quando chegamos a nosso ancoradouro, que fica a mais de três milhas [4.800m] do lugar de desembarque, baixamos dois barcos, e um grande grupo se preparou para ficar alguns dias na cidade. Wickham foi conosco e pretendia dirigir-se imediatamente ao sr. Fox, ministro inglês, para informar-lhe sobre o insulto cometido contra a bandeira britânica. Quando estávamos perto da praia, veio a nosso encontro um barco do serviço de quarentena, avisando que todos deveríamos retornar a bordo, para a inspeção de nossa carta de saúde, por medo de cólera. Nada do que dissemos a respeito de sermos um navio de guerra, termos saído da Inglaterra sete meses antes e estarmos em um ancoradouro ao largo surtiu qualquer efeito. Eles declararam que devíamos ter esperado por um bote do guarda-marinha e que teríamos

de voltar toda a distância até o navio, com o vento contra nós e uma forte maré montante. Em nossa ausência havia chegado um barco com um oficial que o capitão logo despachou, com uma mensagem ao comandante, dizendo que: "Lamentava não estar ciente de que entrava em um porto não civilizado, ou teria preparado os canhões para responder ao tiro." Quando nossos barcos e o do serviço de saúde chegaram ao longo do navio, o capitão imediatamente deu ordens para que nos preparássemos para voltar a Montevidéu. Ao mesmo tempo mandou ao governador, pelo oficial espanhol, a mesma mensagem que havia dirigido ao guarda-marinha, acrescentando que o caso seria extensamente investigado em outras instâncias. Então carregamos e apontamos todos os canhões de um lado, e passamos junto ao guarda-marinha. Gritamos para ele que, quando entrássemos de novo no porto, estaríamos preparados, como naquele momento; e, se ele ousasse dar um tiro, nós usaríamos toda nossa força contra seu casco podre.* Agora descemos calmamente o rio. De Montevidéu o capitão pretende escrever ao sr. Fox e ao almirante, para que possam tomar as providências necessárias e impedir que nossa bandeira seja insultada outra vez de maneira tão gratuita.

No dia seguinte, depois de outra passagem complicada ao longo do lamacento e ventoso canal do rio da Prata, cujos bancos eram muitas vezes marcados por velhas carcaças — "é um vento mau que não sopra o bem para ninguém", disse Charles —, o *Beagle* chegou a Montevidéu após o pôr-do-sol, e o capitão imediatamente foi a bordo do *Druid*. Voltou com a notícia de que este zarparia na manhã seguinte rumo a Buenos Aires, para exigir desculpas pela conduta do guarda-marinha. Charles observou com beligerância: "Oh, espero que o guarda-marinha dispare um tiro contra a fragata; se fizer isso, será seu último dia sobre as águas."

Quinze dias depois o *Druid* voltou de Buenos Aires com um longo pedido de desculpas do governo pelo insulto feito ao *Beagle*. O capitão do guarda-marinha foi preso imediatamente, e caberia ao cônsul britânico decidir se deveria manter seu posto. No entanto, parece que os argentinos se queixaram da

---

* Oficialmente o *Beagle* era um brigue de dez canhões, mas, para a viagem de pesquisa, o Almirantado recusou-se firmemente a preparar mais do que sete, compreendendo uma caronada no castelo de proa, e, à frente do mastro principal, dois canhões de seis libras. À ré do mastro principal havia dois de nove libras, e dois de seis libras. Por insistência de FitzRoy todos os canhões eram de bronze, para evitar interferência sobre as bússolas. No Rio de Janeiro o capitão aumentara seu armamento, comprando mais dois canhões longos de nove libras, elevando o total para nove. No entanto, ele demonstrava muita relutância em usá-los, com medo de perturbar seus 22 cronômetros. Ver Keith S. Thomson, *HMS Beagle: The Story of Darwin's Ship*. W.W. Norton, Nova York e Londres, 1995.

Alfândega de Montevidéu, por Augustus Earle

linguagem nada diplomática de FitzRoy, pois, mais tarde, quando informou ao hidrógrafo sobre sua conduta na ocasião, o capitão escreveu:

> Com referência às expressões que ofenderam o governo de Buenos Aires, desejo informar-lhe, e peço que isso seja divulgado, se necessário, que eu *não* disse que: "Vou para outro país onde o governo seja mais civilizado", mas que minha expressão para o oficial de saúde *foi* "Diga a seu governo que vou voltar a um país mais civilizado, onde é mais freqüente se mandarem navios do que balas." Ao gritar para o guarda-marinha, *não* aludi, de *maneira alguma,* ao *governo*, e minhas palavras a *seu comandante* foram: "Se você ousar dar outro tiro contra um navio de guerra britânico, pode contar que seu casco será afundado, e se você atirar contra *este* navio, vou responder com toda força a cada tiro!"[1]

Enquanto isso, novos problemas, de um tipo diferente, haviam surgido em Montevidéu. A 5 de agosto, Charles escreveu no diário:

> Hoje foi um dia cheio de acontecimentos na história do *Beagle*. Às 10 horas da manhã o ministro do presente governo militar veio a bordo e pediu assistência contra uma séria insurreição de certas tropas negras. O capitão FitzRoy foi imediatamente a terra para verificar se era uma questão partidária, ou se os habitantes estavam realmente em perigo de ter suas casas saqueadas. O chefe de polícia [Damas] se manteve no poder durante os dois governos e é considerado inteiramente neutro; perguntado, ele foi de opinião de que prestaríamos um serviço ao Estado se desembarcássemos nossas forças. Enquanto isso acontecia em terra, os americanos baixaram seus botes e ocuparam a Alfândega. Imediatamente o capitão che-

> gou ao cais e fez-nos sinal de içar e tripular os botes. Em bem poucos minutos, o escaler, o cúter, a baleeira e o bote estavam prontos, com 52 homens pesadamente armados de mosquetes, sabres e pistolas. Após esperar um pouco no cais, o *signor* Damas chegou, e marchamos para um forte central, sede do governo. Enquanto isso os insurgentes haviam colocado a artilharia de modo a dominar algumas ruas; mas afora isso permaneceram quietos. Eles haviam previamente arrombado a prisão e armado os prisioneiros. A principal causa de temor era estarem eles de posse da cidadela que guardava toda a munição. Suspeitava-se que toda essa perturbação devia-se a uma manobra do governo constitucional anterior. Mas a política local era ininteligível: sempre se dizia que os interesses dos soldados e do presente governo eram idênticos, e agora parecia ser o contrário. O capitão FitzRoy não queria se meter nisso: ele apenas ficaria para garantir que a propriedade privada não fosse atacada. Se o bando nacional não fosse covarde, poderia rapidamente conquistar a cidadela e acabar com o negócio; em vez disso, preferiu se proteger na fortaleza de Santa Lúcia. Enquanto os diferentes partidos tentavam negociar, ficamos em nossos postos e nos divertimos cozinhando bife no pátio. Ao pôr-do-sol os barcos foram mandados para o navio, e um deles retornou com roupas quentes para os homens acamparem à noite. Como eu estava com dor de cabeça, vim e fiquei a bordo. Os poucos que continuavam no navio sob o comando do sr. Chaffers [o mestre] eram os mais ocupados de toda a tripulação. Eles haviam içado as redes de abordagem, carregado e apontado os canhões e desembaraçado o convés para a ação. Estamos agora, à noite, nos preparando para realizar a melhor defesa possível, caso o *Beagle* seja atacado. O único motivo plausível seria obter munição. Dia 6. Os barcos voltaram. Os movimentos na cidade assumiram agora mais claramente um espírito partidário, e como as tropas negras estão cercadas na cidadela pelo dobro de cidadãos armados, o capitão FitzRoy julgou aconselhável retirar sua força. Nessas circunstâncias, é provável que em muito pouco tempo os dois lados inimigos acabem se enfrentando. Com o capitão FitzRoy de posse do forte central, seria muito difícil preservar um caráter de neutralidade. Sem dúvida há muito prazer na excitação desse tipo de trabalho — suficiente para explicar a alegria com que os marinheiros realizam até os mais perigosos ataques. No entanto, como o tempo voa, é ruim desperdiçar tanto em uma estada inútil.

A retirada de FitzRoy foi seguida por uma desordem considerável e contínua. O governador militar, Juan Antonio Lavalleja, fora o homem que primeiro estabeleceu a independência do Uruguai, em 1828. Quando entrou na cidade de Montevidéu, segundo Charles, foi bem recebido por todo mundo, exceto por suas próprias tropas negras. Ameaçou expulsá-las da cidadela e colocou alguns canhões apontados para o portão. À noite os negros fizeram uma surtida e da cidade ouviram-se descargas de mosquetes; do *Beagle*, parecia que estava ocorrendo uma luta feroz. Mas na verdade ninguém saiu ferido, porque, nas palavras de Charles, as duas partes haviam decidido não ficar ao alcance dos mosquetes, nem uns dos outros, nem das tropas negras. No dia seguinte o apoio a Lavalleja rapidamente se evaporou, e ele fez uma retirada estratégica da cena, deixando o campo para seu rival, o antigo presidente *don* Fructuoso Rivera. Lutas partidárias encarniçadas continuaram a acontecer na cidade; até 12 de agosto as lojas ficaram fechadas, e os habitantes foram obrigados a se trancar em casa. *Don* Fructuoso reapareceu então, e foi proclamada a restauração da ordem constitucional. Dois dias depois o presidente fez sua entrada oficial na cidade, e seu governo novamente tomou o poder. Alguém contou a Charles — talvez o comerciante sr. Parry, com quem havia jantado antes naquele dia — que fora um magnífico espetáculo, uma cavalaria de 1.800 gaúchos selvagens (vaqueiros argentinos), muitos deles vestidos à maneira índia, montados em esplêndidos cavalos.

FitzRoy ficou satisfeito em saber, pelas pessoas importantes cujas vidas e propriedades haviam sido ameaçadas, que a presença da tripulação do *Beagle* certamente tinha evitado o derramamento de sangue. Charles concluiu: "Ficamos chocados com as sangrentas revoluções na Europa, mas depois de ver até onde podem ir estas mudanças imbecis, é difícil decidir qual das duas situações deve-se temer mais". Considerando que, como outros patriotas de países vizinhos, Lavalleja e seus predecessores haviam mantido lutas sérias contra os senhores espanhóis, seguidas por lutas contra forças portuguesas e brasileiras que tentavam se aproveitar da fraqueza da pequena República Oriental do Uruguai, Charles talvez fosse severo em demasia. E o Uruguai continuou por alguns anos em um estado de intermitente guerra civil entre os seguidores de Lavalleja, chamados *blancos*, porque suas bandeiras eram brancas, e os *colorados*, chefiados por *don* Fructuoso, com suas bandeiras vermelhas.

Em suas notas gerais sobre a vida selvagem que observou em Montevidéu, Charles lembrou que:

> Os pássaros são abundantes nas planícies e de cores brilhantes. Estorninhos, tordos, picanços, cotovias e pardais são os mais comuns. As narcejas aqui freqüentemente alçam vôo e percorrem grandes círculos; quando descem, produzem aquele zumbido peculiar de algumas aves européias. Nos bancos de areia da costa há grandes bandos de *Rhynchops* [talha-mar]; acredita-se que esses pássaros habitem os trópicos. De noite voam em bandos para o mar e voltam à praia de manhã. Eu os vi à noite, especialmente em Baía Blanca, voando em torno de um barco de maneira rápida e irregular, um pouco da mesma maneira que o *Caprimulgus*

[curiango] faz. Não posso imaginar que animais eles pegam, com aqueles bicos tão singulares.

Da outra vez que encontrou o *Rhynchops*, Charles tinha mais a dizer sobre a função dos bicos desses animais.

Nos últimos dias antes de partir no primeiro cruzeiro do *Beagle*, a realização mais notável de Charles foi, após uma longa caçada entre as pedras de Monte, atirar bem na cabeça de uma grande capivara fêmea, estruturalmente uma preá gigante com os hábitos de um ratão d'água. Ela pesava 45 quilos e não pôde ser preservada, excetuando-se um carrapato encontrado em seu pêlo. Charles também descobriu mais duas novas espécies de verme turbelariano sob pedras secas em Monte, coletou alguns elegantes sapos e cobras e, como sempre, capturou vários besouros e aranhas.

8

À procura de fósseis nos penhascos de Baía Blanca

1832

O *Beagle* agora estava pronto para iniciar seu primeiro cruzeiro ao sul, para inspecionar as águas costeiras entre Buenos Aires e Baía Blanca. De início as ondas altas das águas rasas da foz do rio da Prata encharcaram de tal modo o navio que raras vezes Charles sentiu uma sensação tão desagradável no estômago. Em águas mais abertas, após contornar a ponta Piedras, as coisas melhoraram, e a 24 de agosto, com dez metros de água um pouco ao norte de cabo Corrientes, na latitude 37°26'S, Charles encontrou um "número incrível" daquele animal muito simples que já havia encontrado antes na viagem, ao norte de Santiago (ver p.69) e ao largo de Abrolhos, e que não conseguira identificar. Desta vez foi capaz de descrever com mais detalhes a anatomia daqueles quetógnatos, como vieram a ser chamados, e 12 anos depois publicou um pequeno artigo sobre eles.[1]

Dois dias mais tarde, na latitude 38°20'S, Charles encontrou um pouco do que ele chamou de coralinas, os insignificantes — mas extremamente numerosos — e minúsculos organismos de natureza duvidosa que se incrustavam em pedras e folhas de algas marinhas como um musgo que crescesse na superfície — e ao qual havia sido apresentado por Robert Grant em Edimburgo (ver p.27). Ao examinar os espécimes ao microscópio, imediata e corretamente identificou-os como próximos ao que hoje em dia chamaríamos de "briozoários" do gênero flustra, que ele havia visto no estuário de Forth. Mas uma questão vital e que ainda não havia sido definida era se deveriam ser classificados como pertencentes ao reino animal ou vegetal. Seriam eles capazes de viver inteiramente de substâncias inorgânicas, derivando sua energia da luz, pela fotossíntese, e sem capacidade de locomoção, nem órgãos especiais de sensação ou digestão?

Ou eram animais vivos dotados de sistemas digestivos e sensoriais identificáveis e capazes de realizar movimentos voluntários?

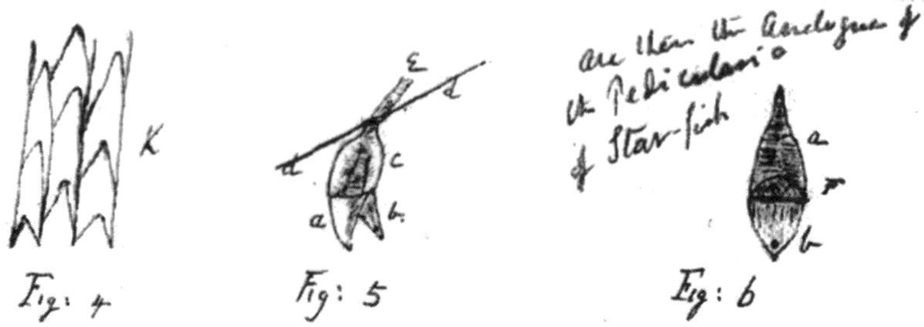

O briozoário com uma cápsula em bico de abutre

O que imediatamente deixou Charles excitado com as coralinas em particular eram as células individuais pontudas, à maneira de caixas — que aparecem na figura sob o número 4, no desenho que Charles fez ao microscópio —, que atualmente são chamadas "zoóides" e contêm não apenas os pólipos retráteis que servem como unidades alimentadoras, mas são também equipadas com cápsulas muito curiosas, semelhantes em formato, mas não em tamanho, ao bico e à cabeça de um abutre — como se pode ver no número 5 da figura.* A característica que Charles achou mais notável foi o movimento contínuo que as cápsulas faziam. Em suas notas, escreveu:

> Quando a coralina está na água, esteja o pólipo dentro ou fora da célula, a cápsula em geral fica completamente aberta (como na fig. 6), e toda a cabeça *no pedúnculo* se vira para frente e para trás verticalmente, percorrendo pelo menos 90°. Elas realizam todo o movimento em cerca de cinco segundos. A maioria das cápsulas fazem-no isocronicamente. De vez em quando [*sic*] elas fecham por um instante

* Os caules da coralina, de até duas polegadas [5cm] no total — e que se ramificam irregularmente e têm várias fileiras de minúsculos zoóides em forma de caixa, contendo uma unidade alimentadora ou pólipo —, se completam com a boca, o ânus e, em sua maior parte, com uma cápsula na forma de cabeça de abutre. As cápsulas, desenhadas por Darwin no número 5 da figura, tinham 1/75 de polegada [0,03mm] de comprimento, com a cabeça, (c), uma mandíbula superior (a) e uma mandíbula inferior (b) e com o ponto representando um dente. São conectadas ao meio da borda externa (dd) da célula por um pequeno caule ou pedúnculo (e) que se estende internamente até a base da célula. O número 6 da figura mostra a boca aberta vista de frente, sendo F uma abertura semicircular na base da mandíbula superior.

> a mandíbula inferior. Em um ramo pequeno, tantas cápsulas movendo-se provocam um tremor. Quando a ponta de uma agulha é inserida entre as mandíbulas, é sempre agarrada tão logo que pode arrastar um ramo pequeno. Os movimentos das mandíbulas ficam mais fracos à medida que o pólipo perde força. Este, embora de movimentos tão irritáveis, não parece se relacionar com o movimento da cápsula. Que serviço este órgão presta?[2]

O contínuo cabecear das cápsulas — que são conhecidas como "aviculário peduncular" — é na verdade um fenômeno muito impressionante quando observado ao microscópio de dissecação, para as espécies de briozoários dotadas de cápsulas; depois disso, cumpre abandonar qualquer idéia de que tais organismos possam ser plantas. O espécime nº355 em espírito de vinho foi identificado em 1901 pelo curador do Museu de Zoologia da Universidade de Cambridge, onde está guardado em segurança em sua garrafa de álcool, classificado como pertencente ao gênero *Bugula*, na mesma subordem que do flustra. A questão da função exata desempenhada pelo aviculário continua surpreendentemente sem solução. Como o próprio Charles apontou, os pólipos de todos os briozoários têm inúmeros pequenos tentáculos para agarrar a presa, de modo que os bicos de abutre seriam supérfluos para propósitos de alimentação. E ele desdenhosamente descartou a possibilidade de constituírem um órgão de geração, que considerava ser "o último recurso em todos os casos intrigantes". Foi sugerido um papel defensivo, embora não haja qualquer evidência decisiva em apoio à hipótese; talvez a melhor resposta seja uma função de proteção contra o acúmulo de sujeira na colônia.

A 6 de setembro o *Beagle* chegou a Baía Blanca, onde os tripulantes encontraram uma pequena escuna navegando para o sul, indo do novo povoado, nesta baía, para o rio Negro e adiante, para caçar focas. A bordo estava o proprietário James Harris, comerciante inglês que se ofereceu para guiá-los a um bom ancoradouro em Puerto Belgrano, no fundo da baía, e de lá à feitoria, cerca de 30 quilômetros adiante. No dia seguinte, após uma difícil viagem em um dos botes do navio por um emaranhado de riachos lamacentos, chegaram ao local de desembarque, onde foram encontrar o que FitzRoy descreveu como um bando de figuras grotescas que tinham a equivocada expectativa de que o *Beagle* trazia suprimentos de Buenos Aires para a necessitada colônia. O grupo era chefiado pelo *comandante* da feitoria, acompanhado por vários gaúchos cujas roupas exóticas fizeram Charles julgar que haviam chegado à Turquia; alguns soldados não regulares, armados e vestidos de diversas formas, mas muito bem montados; e um grupo de índios prisioneiros quase nus que estavam ali para transportar os suprimentos, embora se encontrassem ocupados em devorar os restos de um cavalo semi-assado.

A tripulação do navio então acampou no local de desembarque, enquanto FitzRoy e o comissário do navio, em um cavalo emprestado, e Harris e Charles, na garupa de dois soldados gaúchos, cavalgaram os seis quilômetros restantes até a feitoria. Esta era uma fortaleza construída por um engenheiro francês quatro anos antes e pomposamente chamada de *La fortaleza protectora Argentina*. Ocupava um polígono de 260 metros de diâmetro, cercado por um canal estreito e paredes de barro que em alguns lugares chegavam a quase seis metros de altura. Abrigava cerca de 400 pessoas, a maior parte soldados, e diversas vezes havia sido defendida com êxito contra grandes massas de ameríndios que os espanhóis tentavam expulsar de maneira totalmente bárbara.

Charles e o gaúcho chegaram à fortaleza um pouco antes dos outros e deram ao segundo encarregado do comando — um major velho e famoso por sua sabedoria — o tempo necessário para questioná-los a respeito do propósito da visita. Infelizmente Harris havia explicado que o sr. Darwin era *un naturalista*, termo desconhecido de todos na feitoria. A explicação subseqüente, de que a palavra queria dizer "um homem que sabia de tudo", apenas fez crescer as suspeitas do major, que, como velho espanhol cheio de pertinazes sentimentos de desconfiança, suspeitou que o grupo de FitzRoy era formado por espiões enviados para conhecer a posição deles, preparando-se então para um ataque. Quando o capitão, desejando apenas elogiar a baía, disse que poderia colocar nela uma linha de navios de guerra, Charles percebeu que "o velho cavalheiro ficara apavorado e mentalmente vira os fuzileiros britânicos tomarem o seu forte".

Embora tivessem tratado o grupo com hospitalidade, e o *comandante* fosse razoavelmente bem-educado, eles ficaram todo o tempo sob uma desconfortável e rigorosa observação, e FitzRoy decidiu voltar ao navio logo que possível, na manhã seguinte. Quando retornaram ao *Beagle*, encontraram uma tropa de soldados gaúchos evidentemente enviada para ficar de olho neles; mas, apesar disso, ficaram felizes empenhando-se em uma animada troca de dólares por emas, ovos de ema, veados, preás e tatus. Também deram a Charles a primeira lição sobre um método de capturar emas com um artefato que consistia em duas massas pesadas, *bolas*, amarradas nas pontas de uma longa corda de couro, formando a *bolandera*. Depois ele admitiria: "Jamais gostei tanto de uma coisa como de caçar emas com aqueles soldados selvagens."

Em suas viagens Charles sempre levava um pequeno volume de *Paraíso perdido*, de Milton. Perto de Baía Blanca, no dia 11 de setembro, ele encontrou um notável sapo que parecia primeiro ter sido "imerso na tinta mais preta e, depois de seco, se arrastado sobre uma tábua recém-pintada no mais brilhante vermelhão, colorindo assim as solas dos pés e partes do estômago". Concluiu que, se fosse uma espécie nova, devia ser batizada como *diabolicus*, pois Milton parecia estar se referindo a esse indivíduo ao escrever: "atarracado como um sapo" e adequado para "pregar aos ouvidos de Eva". Depois encontrou outro desses sapos em Maldonado, em um lugar que parecia desconfortavelmente seco, e levou-o para um poço, achando que o animal iria adorar; para seu desgosto, descobriu que o sapo não sabia nadar. Três anos depois da morte de Charles, sua viúva Emma escreveu para o filho William: "Estou lendo o diário de seu pai depois de muito tempo — fiquei tão feliz como se ele estivesse aqui comigo; só que eu queria perguntar tantas coisas... Surge constantemente o homem de verdade, por exemplo, quando ele pensou que iria dar a um sapo do rio da Prata um 'grande prêmio', ao levá-lo para um poço e quase afogá-lo."

Ainda em setembro Milton estava na cabeça de Charles quando escreveu:

> O mar, em sua extrema luminosidade, tinha uma aparência maravilhosa e muito bonita; todas as partes da água, que de dia são vistas como espuma, brilhavam com uma luz pálida. O navio levava à frente da proa dois bilhões de fósforo líquido, e sua esteira era um trem leitoso. Até onde a vista alcançava, o topo de todas as ondas era brilhante, e, da luz refletida, o céu acima do horizonte não era tão escuro quanto o resto. Era impossível contemplar essa planura, como se estivesse derretida e consumida pelo calor, sem se lembrar da descrição de Milton sobre as regiões do Caos e da Anarquia.

A 13 de setembro a ancoragem do *Beagle* se deslocou alguns quilômetros na baía, para ficar mais perto de uma fonte de água recém-descoberta. Charles sentiu-se feliz ao verificar que podia passar o mês de setembro na Patagônia mais ou menos da mesma forma como passaria em casa, atirando em todas as caças que via. Na verdade, havia algumas diferenças com relação às caçadas da Inglaterra. Os únicos pássaros eram emas, e um veado que matou foi deixado no lugar até que alguns marinheiros viessem para carregá-lo; "deixei no chão um animal de porte, mas durante a noite abutres e gaviões haviam comido tudo, deixando os ossos limpos". A maior parte dos companheiros de caça de Charles era formada de índios puros, e ele percebeu ao jantar, observando suas "fisionomias escuras, mas expressivas", que não eram o que pareciam ser, pois um deles começou a brincar com Charles e "fingia ter medo de minha arma, gritando '*no está cargado*?'." Escreveu também: "O que tivemos para jantar hoje ia parecer muito estranho na Inglaterra. Sopa de ema e tatu; a primeira jamais seria reconhecida como ave, mas como um bife. Os tatus, quando não são cozidos à moda gaúcha, no casco, parecem e têm gosto de pato. Ambos são muito bons."

O dia 22 de setembro é uma data marcante para a biologia, pois foi quando Charles saiu para dar uma volta pela baía com o capitão e Sullivan; em Punta Alta, a cerca de 16 quilômetros do navio, fez uma descoberta portentosa. Em seu livro de notas escreveu:

> 22 set. Entrada do riacho, argila arenosa azul-escuro muito estratificada mergulhando para NNO ou NO a cerca de 6° <. Na praia, uma sucessão de estratos finos mergulhando a 15° a O por S, conglomerado de quartzo e seixos de jaspe com conchas. ... vide espécimes. Na costa, a cerca de 12 pés [3,6m] de altura, no conglom., dentes e osso da coxa. Indo para NO há uma camada horizontal de terra contendo muito menos conchas, mas tatu. ... esta camada é horizontal, mas se alarga gradualmente, portanto acho que o conglomerado com conchas partidas foi depositado pela ação das marés sobre e terra, sossegadamente. Era isso, acima da argila, que era visto há pouco tempo, coberto pelo dilúvio e por montículos de areia, como à beira da terra? Espessado e assomando à superfície na direção NNO, provavelmente se sobrepõe à argila.[3]

Pode-se observar como Charles era cuidadoso, pois da primeira vez que viu um fóssil vertebrado determinou o estrato preciso em que os fósseis estavam localizados. No dia seguinte voltou a Punta Alta mais bem equipado para cavar, e após quase três horas de trabalho duro, conseguiu extrair da rocha macia a cabeça de um grande animal que à primeira vista julgou ter alguma semelhança com um rinoceronte.* As imundas pilhas de ossos jogadas por Charles no imaculado convés do *Beagle* eram inteiramente contrárias à tradição naval, e, como foi lembrado muito depois por sua filha Henrietta:

> Meu pai gostava de descrever como Wickham, o primeiro-tenente — um homem muito higiênico que gostava de manter os conveses tão limpos que se pudesse comer diretamente sobre eles —, costumava dizer: "Se fosse eu, toda essa porcaria seria jogada ao mar, e você com ela, seu velho caçador de moscas".[4]

---

* No devido tempo foi classificado pelo anatomista Richard Owen, em Londres, como celidotério, pertencente à ordem dos xenartros: contém os edentados do Novo Mundo, que são mamíferos placentários, tais como as espécies extintas megatério, milodonte e gliptodonte, cujos ossos e dentes também foram encontrados por Charles em Punta Alta, junto com modernos tamanduás, preguiças e tatus.

Mas "embora Wickham sempre resmungasse, porque eu trazia mais sujeira a bordo do que dez homens juntos, ele é de longe a pessoa mais fácil de se conversar a bordo. Não quero dizer que falava mais, pois sob esse aspecto Sulivan ganha o prêmio." Charles sempre se deu maravilhosamente bem com o primeiro-tenente, "um camarada ótimo, glorioso", por toda a viagem.

Então, a 2 de outubro, FitzRoy ancorou o *Beagle* ao largo dos penhascos de monte Hermoso, próximo à entrada de Baía Blanca, onde se propôs a erigir um marco marinho como guia para os navios com destino a Puerto Belgrano. Enquanto alguns membros da tripulação se dedicavam à construção, Charles e Philip Gidley King saíram em uma direção para fazer pesquisas geológicas, e o cirurgião Bynoe seguiu em outra, para caçar. King mais tarde descreveu o que aconteceu a seguir:

> O *Beagle* ancorou a alguma distância da barra da baía, na costa aberta, a cerca de uma milha [1.600m] da praia. Três membros da tripulação foram mandados à terra e desembarcaram atravessando as ondas. Eles tinham provisões para um dia, supondo-se que voltariam à noite. Uma ventania de sudeste, no entanto, subitamente começou a soprar, e por dois dias via-se o pequeno navio preso nas duas âncoras e com proa e popa enfiadas na água. O sr. Darwin e o escritor estavam entre os que foram à terra e viraram os barcos de cabeça para baixo na praia, para se abrigar durante as noites que passaram sem outra comida além da que sobrara de sua primeira refeição, à qual se somou um gavião que pegaram na praia. A situação era nova para o sr. Darwin e na verdade para os outros, e a probabilidade de que o navio arrastasse as âncoras ou rompesse os cabos estava presente para todos. No entanto, a ventania amainou um pouco, e viu-se um bote afastar-se do *Beagle*, conduzindo o próprio capitão, com um barril de provisões que foi jogado sobre as ondas e caiu um pouco antes de onde elas quebravam. Vários homens de esplêndida aparência logo tiraram a roupa e trataram de fazer o barril chegar à terra, pois corria o perigo de se rebentar contra as pedras. A tampa do barril logo foi tirada, e o sr. Darwin e o grupo se puseram de lado para receber sua parte. Algum registro disso pode estar entre as anotações do sr. Darwin; de qualquer forma, o que antecede é uma entre muitas outras de suas experiências. Em terra nós todos admiramos a calma e a completa confiança que o capitão tinha em sua bem experimentada "aparelhagem de segurança" — como mostrou, ao permanecer à nossa vista, em vez de soltar o navio sob o vento, como ele poderia muito bem ter feito.[5]

O relato que Charles fez do episódio em seu diário particular[6] confirma os de King e FitzRoy, e ele acrescenta que "nada quebrava o vento, tão frio que havia neve de manhã na Sierra de La Ventana. Eu não sabia como o vento podia ser doloroso. Não conseguia dormir nem por um minuto, de tanto que meu corpo tremia".

A 8 de outubro de 1832 Charles voltou a Punta Alta e achou um maxilar com um dente que lhe permitiu identificá-lo como pertencente a um megatério (*Megatherium*). Mas quando anotou em seu caderno de notas "Megatério como casco de tatu, dentes", ele seguia a afirmação no *Dictionnaire classique d'histoire naturelle* — baseada em um erro de Cuvier —, segundo o qual se descobrira então recentemente que, como no caso do tatu, o couro do imenso animal fóssil era reforçado por polígonos ossificados. "Isso é particularmente interessante", escreveu Charles em seu diário, "de vez que os únicos espécimes na Europa estão na coleção real, em Madrid, onde, para todos os propósitos da ciência, se encontram quase tão escondidos quanto em sua rocha primitiva".

Em uma carta a Henslow, Charles escreveu:

> Tenho tido muita sorte com ossos fósseis; possuo fragmentos de pelo menos seis animais diferentes; como muito deles são dentes, acho que, por mais quebrados e gastos que estejam, serão reconhecidos. Prestei toda a atenção de que sou capaz a seu local geológico, mas, é claro, esta é uma história muito comprida para agora: – 1°. tarso e metatarso muito perfeitos de um cávia; 2°. o maxilar superior e a cabeça de algum animal muito grande, com quatro molares quadrados e ocos e a cabeça muito protuberante na fronte. Primeiro achei que pertenciam a um megaloniquídeo ou a um megatério. Confirmando isso, na mesma formação encontrei

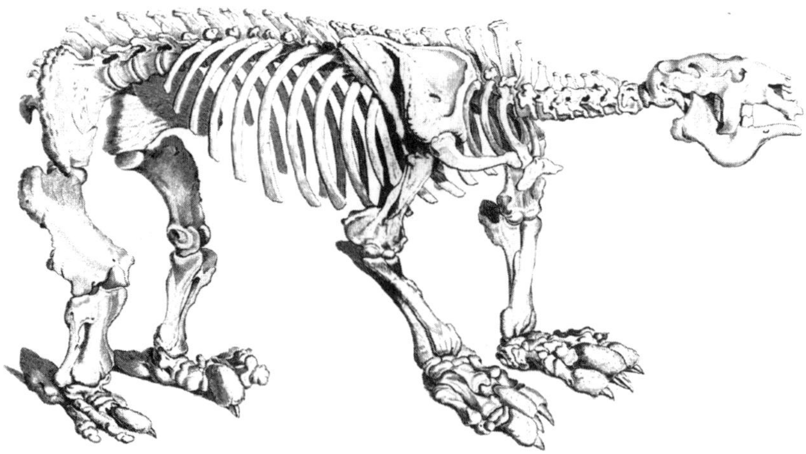

Reconstrução dos ossos do megatério em Recherches sur les ossements fossiles, *de Cuvier, depois de corrigido o erro*

uma grande superfície das placas poligonais ósseas, que as "últimas observações" (quais são elas?) mostram pertencer ao megatério. Assim que os vi achei que deveriam pertencer a um enorme tatu, de que são tão abundantes as espécies vivas do mesmo gênero; 3º. A mandíbula de algum grande animal, que, pelos dentes molares, eu diria pertencer aos edentados; 4º. alguns grandes dentes molares que, sob alguns aspectos, parecem pertencer a um enorme roedor; 5º. também alguns dentes menores pertencentes à mesma ordem; etc. etc. ... Se lhe interessar o suficiente para desempacotá-los, estou ansioso para ouvir alguma coisa sobre eles. É preciso ter cuidado, neste caso, para não confundir os lotes. Estão misturados com conchas marinhas, que a mim parecem idênticas às que existem hoje em dia. Mas como elas estavam depositadas em seus leitos, várias mudanças geológicas ocorreram na região.[7]

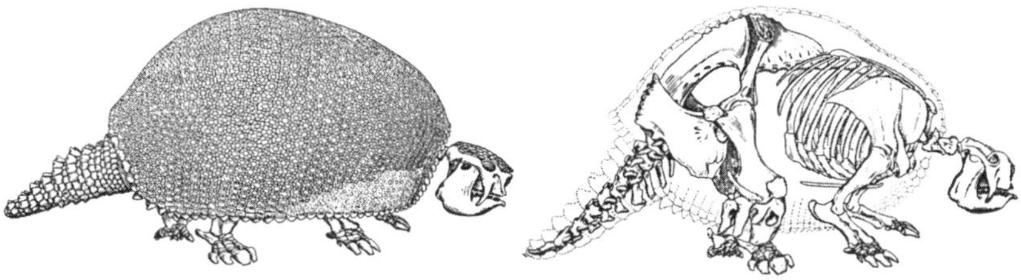

Reconstrução do gliptodonte, com mais de dois metros e meio de comprimento, com e sem carapaça (ver Alfred Romer, Vertebrate Paleontology, 3ª ed., University of Chicago Press, Chicago/Londres, 1974)

Em *Notas de geologia* Charles escreveu em monte Hermoso que "a natureza dos ossos era singularmente diferente daqueles de Punta Alta; em um caso eles haviam sido imediatamente envolvidos pela *tosca*,* no outro, expostos à ação da água. Aqui os ossos eram muito duros e de grande gravidade específica, com as superfícies polidas e escurecidas externamente; os menores, por isso, pareciam azeviche". Entre estes, havia ossos de alguns pequenos roedores, parentes próximos da cutia ou do preá (*Cavia patagonica*), outros, da capivara e do animal escavador que ele chamava de tuco-tuco (*Ctenomys braziliensis*). Havia também peças da carapaça composta de um mosaico de placas poligonais fundidas do gliptodonte, o tatu gigante extinto do fim do período Plistoceno que

* *Tosca* era o nome dado pelos habitantes locais à terra avermelhada misturada com argila e cal, e algumas vezes endurecida até virar pedra, característica dos pampas.

era comum na Argentina.* Em Punta Alta havia um esqueleto excepcionalmente bem conservado da gigantesca preguiça terrestre celidotério, com os braços sepultados na posição relativa correta. Da boa condição desses fósseis e de outras características do estrato em que foram encontrados, Charles concluiu que eram, com toda probabilidade, contemporâneos um do outro e de uma espécie de concha ainda existente.

Uma peça da caparaça de gliptodonte retirado em Pehuen-Co, perto de monte Hermoso

Embora as barrancas cheias de fósseis de Punta Alta tenham desaparecido inteiramente sob a principal base naval argentina de Puerto Belgrano, as barrancas de monte Hermoso, 56 quilômetros a leste, ainda parecem muito com o que deviam ser em 1832, exceto por uma diminuição das dunas de areia que cobrem o arenito mais duro, que pode ter reduzido a altura aparente. Ainda é possível cavar, nas barrancas fósseis negros de azeviche como os descritos por Charles em suas notas. No espécime ilustrado, a espessura da carapaça do gliptodonte era pouco mais de dois centímetros. Um ponto interessante é a presença de vários buracos grandes penetrando a carapaça, na beirada do polí-

* Os primeiros mamíferos edentados, assim chamados porque não possuíam incisivos ou caninos cobertos com esmalte duro, ou mesmo não tinham dentes, eram tatus primitivos, semelhantes em tamanho a seus descendentes modernos, que apareceram primeiro na América do Sul no começo da época Paleocena, há cerca de 55 milhões de anos. Os gliptodontes, mais pesadamente encouraçados, juntaram-se aos registros fósseis no final do Eoceno, cerca de 15 milhões de anos depois, acompanhados, no começo do Oligoceno, por preguiças terrestres de estatura modesta, juntamente com litopternos e não-ungulados de tamanho cada vez maior. No Mioceno e Plioceno, as camadas fósseis da Patagônia eram ricas em preguiças gigantes e outros herbívoros que, ao final do Plistoceno, ainda existiam em Pehuen-Co.

gono central, cuja função era acomodar os vasos sanguíneos, os nervos e o bulbo da base dos pêlos, pois, como o primitivo tatu do qual descendem tanto os gigantes extintos como seus modernos descendentes, os animais sempre devem ter uma pele externa fina e peluda por fora da carapaça.

Dois conjuntos (acima) de pegadas de megatério em Pehuen-Co, com diâmetro de cerca de 90 centímetros de um animal bípede; e (abaixo) um conjunto cruzando o outro, in *Aramayo e Manera*

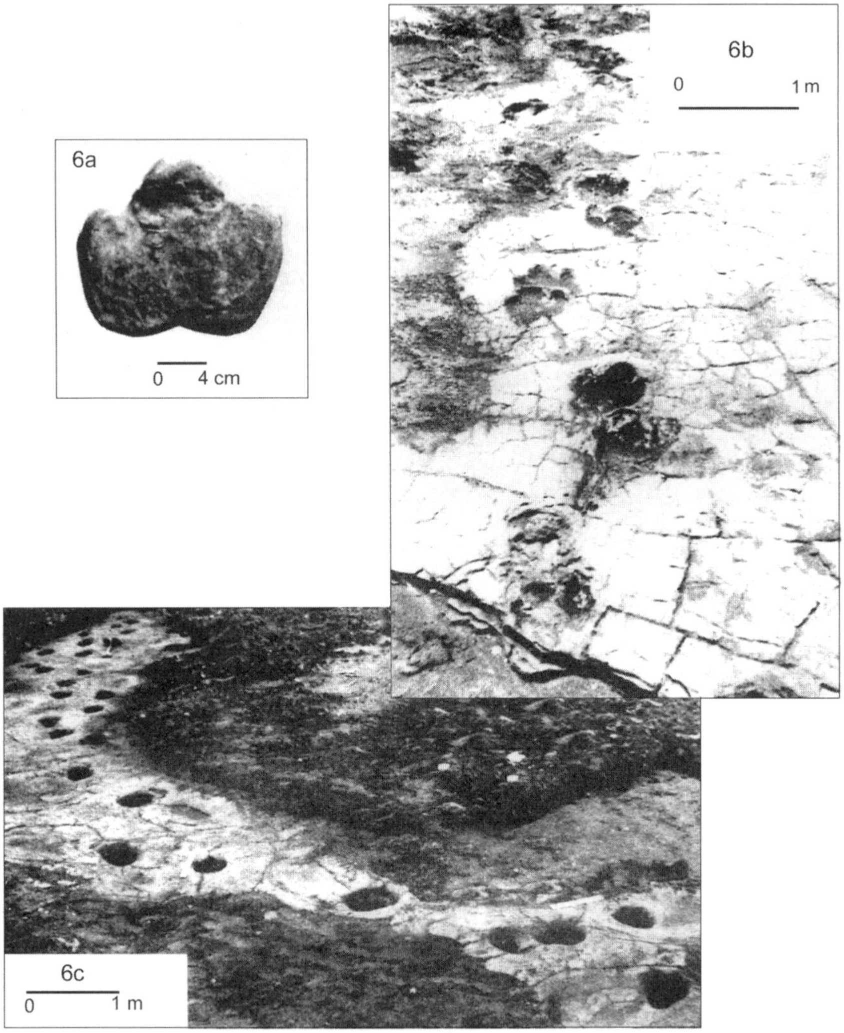

Pegadas em Pehuen-Co com os três dedos característicos da macrauquênia, in *Aramayo e Manera*

O que Charles não viu — e que lhe teria agradado imensamente — foram as linhas de pegadas de megatério descobertas por Silvia A. Aramayo e Teresa M. de Bianco em um depósito erodido pela maré na praia de Pehuen-Co, não muito longe de monte Hermoso, em outubro de 1986.[8] Além das pegadas de megatério, havia também pegadas de uma macrauquênia, com seus três dedos característicos, de um gliptodonte, de um grande guanaco batizado de

Magalamaichnum tulipensis e de outros animais extintos, junto com o rastro do pássaro ainda existente *Rhea americana*. A idade do sedimento em volta das pegadas foi determinada por datação de carbono radioativo, e descobriu-se ser de 12 mil anos atrás, com uma variação de 110 anos a mais ou a menos.

Os ossos de Pehuen-Co têm idade radiocarbono de 16 mil anos, o que está bem de acordo com a conclusão de Charles, de que eles eram de data relativamente recente. Não está muito claro que condições precisas dominavam o período no qual esse grupo de animais em particular caminhou junto por um

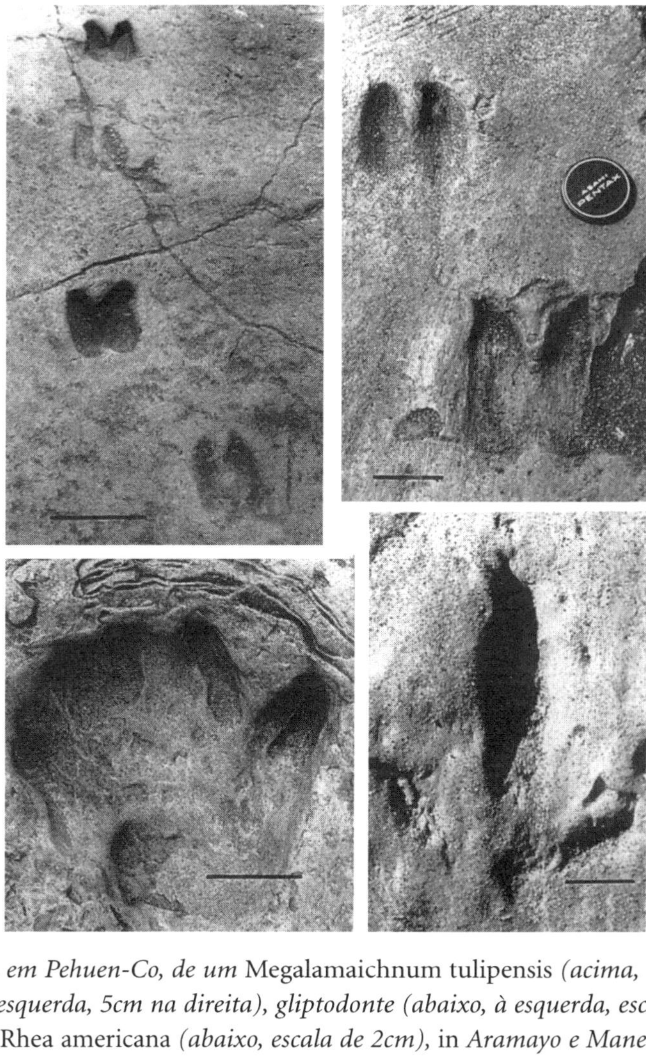

Pegadas, em Pehuen-Co, de um Megalamaichnum tulipensis *(acima, na escala de 4cm na esquerda, 5cm na direita), gliptodonte (abaixo, à esquerda, escala de 5cm)* e Rhea americana *(abaixo, escala de 2cm),* in *Aramayo e Manera*

curto período de tempo há 12 mil anos — com o solo da praia em condições de registrar as impressões fiéis de suas pegadas, que foram então cobertas pela areia, ficando bem preservadas para a redescoberta nos dias presentes. Uma conclusão que se tira desse feliz acidente é que os enormes animais, outrora abundantes na América do Sul, sobreviveram um pouco mais de tempo do que se supunha anteriormente. Naquele dia eles desfilavam em Pehuen-Co, felizmente inconscientes de sua futura extinção. Com certeza devem ter coexistido com os primeiros seres humanos que chegaram à área, e não é improvável que os ancestrais dos araucanos tenham contribuído para sua extinção, embora não exista muita evidência direta para comprovar essa hipótese.

Em seu primeiro encontro com Harris, um mês antes, FitzRoy havia planejado alugar dele suas duas pequenas escunas, *Paz*, de dez toneladas, e *Liebre*, de nove, bem adequadas para realizar, sob a supervisão de Wickham e Stokes, uma pesquisa detalhada da costa leste da Patagônia, entre Baía Blanca e San Blas, enquanto o *Beagle* seguia para a Terra do Fogo e as ilhas Falkland (Malvinas). FitzRoy reconhecia uma série de dificuldades — entre elas não dispor de autorização efetiva do Almirantado para alugar ou pagar por uma assistência daquele tipo —, mas tinha muita confiança nos resultados. De maneira injusta foi penalizado por seu entusiasmo, tendo de arcar à sua própria custa com as despesas realizadas.

Os dois barcos estavam de início cobertos por uma grossa camada de sujeira e empapados de óleo de foca e elefante-marinho. Mas depois que Wickham e um pequeno grupo colocaram novos mastros, cordoalhas e velas e passaram uma mão de tinta, ficaram irreconhecíveis, transformados em elegantes embarcações auxiliares, prontas para sua nova aventura. FitzRoy ficou um pouco amolado ao ver que o piloto do *Liebre* era muito grande em comparação a seu barco, mas Wickham afirmava que o peso do homem era de grande valia para equilibrar o barco, assim como sua força para colocá-lo a prumo quando se enterrava na lama, embora fosse preciso admitir que "ele errou no dia em que, subindo para examinar o horizonte, quebrou o mastro". Os dois barcos, contudo, eram bastante adequados para a nova e importante tarefa.

9

A volta para casa dos fueguinos

1832-1833

O *Beagle* rumou para o norte, chegando a Montevidéu a 25 de outubro, ansioso por encontrar cartas vindas de casa e por um novo carregamento de pão. Seis dias depois Charles fez uma descrição clássica da teia da aranha da família *Linyphiidae*:

> Viajando entre Montevidéu e B. Aires, a 31 de out. A cordoalha estava coberta de teias de aranha: tinha sido um belo dia claro, com uma brisa fresca. Na manhã seguinte as cordas também estavam cobertas por essas longas fitas. Examinando as teias, encontrei grande quantidade de uma aranha pequena. No segundo dia (que foi mais calmo) havia alguns milhares delas no navio. Ao entrar em contato com as cordas, elas [as teias] ficaram só nas mais finas, mas não nos rolos de cabos de algodão. Nestes últimos pareciam estar apenas os fios separados trazidos pelo vento. Pela direção do vento [elas] devem ter viajado pelo menos 60 milhas [96km] desde a costa norte. Havia algumas adultas e de ambos os sexos, e algumas jovens; estas últimas, além de serem de tamanho menor, eram de colorido mais escuro. ... Essas aranhas pequenas, após pousar nas cordas, eram de hábito muito ativas; freqüentemente se deixavam cair de uma pequena altura e então levavam seu fio de novo para cima. Ocasionalmente, quando assim suspensas, o menor sopro de vento carregava-as para fora da vista, em um curso retangular à linha de suspensão. Nunca as vi erguerem-se: elas formavam uma rede irregular entre as cordas. Podiam caminhar com facilidade sobre a água: erguiam-se nas pernas dianteiras, em uma atitude de atenção. Pareciam ter um estoque inextinguível de teias. Com suas maxilas protuberantes, bebiam água sofregamente. ... Os acima mencionados fatos da ocorrência de numerosas (suficientes, acho eu, para explicar as teias) aranhas da mesma espécie, mas de sexos e idades diferentes, em suas teias e a uma grande distância da terra, demonstram, portanto, inequivocamente, que o hábito

de navegar no ar é tão característico de uma divisão de aranhas quanto mergulhar na água para a argironeta [a única aranha d'água do hemisfério norte].[1]

A 2 de novembro o *Beagle* ancorou pela segunda vez em Buenos Aires, onde o guarda-marinha tratou-os com mais respeito do que na ocasião anterior. Charles passou a manhã seguinte fazendo compras e explorando a cidade e seus arredores a cavalo, acompanhado pelo tenente Hamond, que havia sido transferido do *Druid* para o navio. Charles escreveu para a irmã Caroline:

> Nossa principal diversão era passear e admirar as senhoras espanholas. Após observar um desses anjos deslizando pelas ruas, involuntariamente resmungamos: "Como as mulheres inglesas são tolas, não sabem andar nem se vestir." E como *miss* soa mal perto de *signorita*; lamento por vocês todas; faria muito bem à sua tribo vir a Buenos Aires.

Uma semana depois eles foram mais uma vez para o norte, rumo a Montevidéu, mas ventos desfavoráveis atrasaram a chegada até 14 de novembro. Embora o método vagaroso de fazer as coisas por lá não apressasse as providências, até mesmo o tombadilho logo estava cheio de provisões e estoques que deveriam durar até oito meses no cruzeiro para o sul, com uma quantidade extra de ferro e carvão para a forja, em caso de acidente sério.

A 23 de novembro deu-se um grande baile no teatro para celebrar a restauração do presidente, fato no qual os homens do *Beagle* haviam desempenhado seu papel. Charles relatou:

> Era uma cena muito mais alegre do que eu poderia imaginar que este lugar fosse capaz de produzir. O desejo que os habitantes têm de aparecer esplendidamente vestidos nessas ocasiões é excessivo, e, para satisfazê-los, as senhoras não poupam sacrifícios. A música era em ritmo muito lento, e a dança, embora muito formal, tinha bastante graça. O baile aconteceu no teatro; nada me surpreendeu mais do que os arranjos da casa; todas as partes não ocupadas pelos dançarinos estavam inteiramente abertas às classes mais baixas da sociedade, de modo que todas as passagens para os camarotes e as partes traseiras da platéia estavam cheias de pessoas que queriam assistir à cena. E ninguém sequer parecia imaginar a possibilidade de um comportamento desordeiro por parte delas. Como são diferentes os hábitos dos ingleses em tais noites de jubileu!

Na noite seguinte Charles foi ao teatro outra vez, para assistir a uma apresentação de *Cinderela*, ópera de Rossini, mas nada disse sobre a qualidade do canto.

A 26 de novembro o *Beagle* finalmente levantou âncora para sua missão de repatriamento dos fueguinos de FitzRoy, rumando para o sul ao longo da costa da Patagônia, cujo povo havia sido chamado de "patagónes" — "pés grandes de urso" — por Fernando de Magalhães, em 1520, ao ver pela primeira vez em porto San Julian um nativo usando enormes botas de pêlo.

Charles dedicou-se principalmente a coletar em sua rede as muitas espécies de camarão e crustáceos larvares que enchiam a água e a examinar com cuidado a anatomia deles ao microscópio. No entanto, havia outros animais, e um dia ele escreveu no diário:

> 4 de dezembro — A cerca de dez milhas [16km] da baía de San Blas, à noite, o número infinito de lepidópteros formava um espetáculo dos mais curiosos. Eram de várias espécies, mas principalmente de um tipo amarelo. Com eles havia algumas mariposas e *Hymoneptera*, e até um calossomo [um besouro] voou a bordo. Todos os homens gritaram "está chovendo borboletas"; a uma certa distância, esta era a aparência. As borboletas formavam bandos de miríades incontáveis, e até onde o telescópio alcançava, elas pareciam adejar sobre a água. Isso aconteceu à noite; a manhã fora calma, e, no dia anterior, havia ventos variáveis muito fracos. Claro que esses insetos haviam voluntariamente ido para o mar. Era o último dia para a maioria deles, pois uma brisa forte começou a soprar do norte e deve ter destruído grande número. Como vamos explicar esses vôos que outras pessoas também já observaram? É um instinto adquiridos dos animais para descobrir novas terras, quando a sua própria fica superpovoada, em um ano particularmente favorável.[2]

FitzRoy também ficou impressionado com as borboletas, cujo enxame ele estimou não ter menos de 20 metros de altura, um quilômetro de largura e vários quilômetros de comprimento. Mas registrou que eram brancas, e não amarelas.

O *Beagle* aportou em San Blas, onde foi saudado por Wickham, com excelentes progressos a relatar sobre os levantamentos — embora ele e Stokes estivessem muito queimados pelo sol, apesar das barbas cerradas, e tivessem enjoado muito com os movimentos violentos dos pequenos barcos nas marés e correntes das águas costeiras. FitzRoy apresentou então em detalhes o âmbito do trabalho a ser feito. Suas instruções eram explorar a costa até Puerto Deseado (Port Desire) antes de encontrar o *Beagle* em sua volta da Terra do Fogo e das ilhas Falkland, fosse em março no rio Negro, fosse em Baía Blanca, no começo de julho.

Aportaram à costa da Terra do Fogo a 16 de dezembro, um pouco ao sul do cabo San Sebastián, onde a chegada do *Beagle* logo foi assinalada pela fumaça das fogueiras acesas pelos nativos. Da mesma forma, a esquadra de Magalhães, 300 anos antes, chegara primeiro à entrada dos estreitos que levam seu nome e viu muitos fogos nas colinas ao sul, chamando o lugar de Tierra del Fuego. Próximo a cabo Peñas via-se, com a ajuda de lunetas, um grupo de homens altos, a pé, quase nus, acompanhados por grandes cachorros. Para FitzRoy, essa renovada mas distante visão dos aborígines era "profundamente emocionante", mas York Minster e Jemmy Button pediram que se atirassem sobre eles, dizendo que eram "homens-*oen* — homens muito maus". Segundo E. Lucas Bridges, filho do missionário Thomas Bridges — que em 1871 fundou a missão para os fueguinos em Ushuaia, na costa norte do canal Beagle, e que foi criado na Terra do Fogo —, os homens altos que viviam na costa leste da ilha dos Estados eram membros da tribo dos Onas, ou Aush.[3] Nunca estavam em bons termos com os índios Yaghanes, da tribo de Jemmy Button, que viviam do lado sul do canal Beagle.

Após ancorar ao largo por várias horas, tentando fazer algumas medições, o *Beagle* se viu balançando desconfortavelmente nas ondas provocadas por ventos distantes. Foi obrigado a velejar ao longo da inóspita costa da ilha dos Estados, contornando o cabo San Diego, no estreito de Le Maire, e indo ancorar na baía de Buen Suceso. Esse ancoradouro abrigado na ponta sudeste da Terra do Fogo era memorável, por ter sido o porto usado pelo capitão Cook antes de contornar o cabo Hornos (Horn), em sua primeira viagem ao Pacífico no HMS *Endeavour*, em 1768-71.[4] Os botânicos Joseph Banks e Daniel Solander, que o acompanhavam, decidiram escalar a baía de Buen Suceso a 16-17 de janeiro de 1769 e foram pegos por uma tempestade de neve em que dois membros do grupo pereceram.

FitzRoy descreveu a chegada do *Beagle* a 17 de dezembro:

> À medida que navegávamos na baía de Buen Suceso, um berro fueguino ecoou nas arborizadas colinas; e sucederam-se gritos lançados por um grupo de nativos postados em uma elevação, ao norte da baía, onde se viam peles sacudidas ao ar acenando para nós com extrema disposição. Ao verem que não os havíamos notado, acenderam uma fogueira que instantaneamente produziu grande volume de fumaça branca e espessa. Muitas vezes me espantei com a rapidez com que os fueguinos produzem esse efeito (que para eles é um sinal) neste clima úmido, onde às vezes passei mais de duas horas tentando acender fogo.

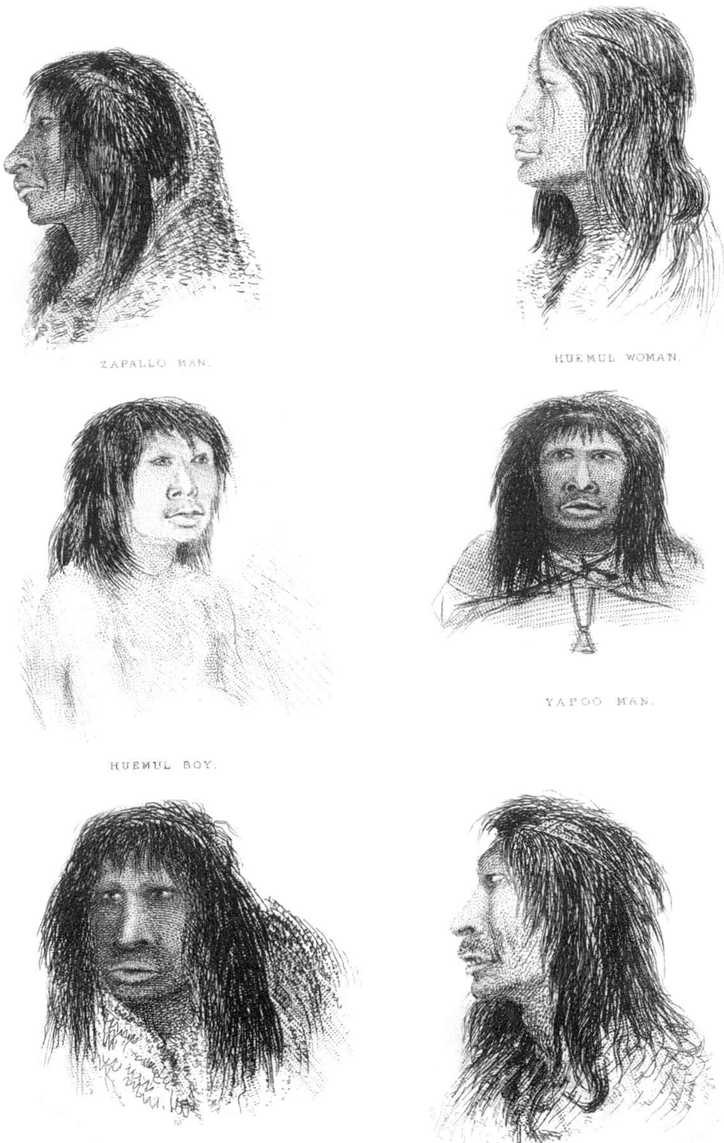

Uma seleção de fueguinos desenhada por FitzRoy

Na manhã seguinte FitzRoy mandou um bote com um grande grupo de oficiais para se comunicar com os fueguinos, e Charles fez seu primeiro contato com eles. Charles escreveu em seu diário particular:

> Assim que o bote chegou ao alcance da voz, um dos quatro homens que haviam avançado para nos receber começou a gritar muito veementemente, ao mesmo tempo que apontava para um bom lugar de desembarque. Todas as mulheres e crianças haviam desaparecido. Quando desembarcamos, o grupo pareceu bastante assustado, mas continuou a falar e a gesticular com muita rapidez. Era, sem exceção, o mais curioso e mais interessante espetáculo que jamais vi. Eu não acreditaria que a diferença entre homens selvagens e civilizados fosse tão completa. É maior do que entre um animal selvagem e outro domesticado, de vez que o homem tem mais capacidade de melhorar. O principal porta-voz era velho e parecia ser o chefe da família; os outros três eram jovens fortes, com cerca de seis pés [1,80m] de altura. Pelas roupas etc, etc., pareciam as representações do demônio no palco, por exemplo, em *Der Freischutz* [*O franco-atirador*, ópera de Weber]. O velho tinha um chapéu de penas brancas e sob ele longos cabelos negros caíam em volta do rosto. A pele era cor de cobre sujo. De orelha a orelha, e inclusive no lábio superior, havia uma lista pintada de vermelho; paralela e acima dela havia uma branca; até as pálpebras e sobrancelhas eram coloridas assim. A única vestimenta compunha-se de um grande couro de guanaco com o pêlo para fora. Ele era simplesmente jogado nos ombros, com um braço e uma perna desnudos; em qualquer exercício os corpos ficavam absolutamente nus.
>
> As atitudes deles eram abjetas, e a expressão, desconfiada, surpresa e assustada. Depois que lhes demos algumas roupas vermelhas, que imediatamente colocaram em volta do pescoço, ficamos bons amigos. Isso era demonstrado pelo velho, que dava tapinhas em nosso peito e produzia um barulho semelhante ao que as pessoas fazem quando alimentam as galinhas. Caminhei com o velho, e essa demonstração foi repetida entre nós várias vezes; depois ele me deu três tapas fortes no peito e nas costas ao mesmo tempo e fez uns barulhos muito curiosos. Então despiu o peito para que eu devolvesse o cumprimento, e quando o fiz, pareceu ficar muito satisfeito. A língua deles não merece ser chamada de articulada: o cap. Cook diz que ela parece um homem limpando a garganta; ao que pode ser acrescentado, parece um homem muito rouco tentando gritar, enquanto um terceiro indivíduo incita um cavalo com aquele ruído peculiar feito com um lado da boca. Imaginem esses sons e alguns guturais misturados, e aí está a melhor imagem que um europeu pode ter da língua deles. A principal ansiedade desses homens era obter facas. Chamavam-nas, em um tom choroso, de *cochillas*, provavelmente corruptela de alguma palavra espanhola.* São excelentes mímicos; se você tosse, boceja ou faz

* *Cuchillo* é a palavra correta para faca.

qualquer movimento estranho, eles imediatamente imitam. Alguns dos oficiais começaram a fazer caretas e a entortar os olhos, mas um dos jovens, com o rosto pintado de preto e com uma faixa branca nos olhos era ainda melhor nas caretas mais horrorosas. Quando começamos a cantar uma música, achei que eles iam cair para trás de susto; e com igual prazer olharam-nos dançar e imediatamente começaram a valsar com um dos oficiais. Eles sabiam o que eram armas, tinham muito medo delas e por nada no mundo punham as mãos em uma.

Jemmy Button veio ao barco conosco; era interessante observar a conduta deles em relação a Button. Imediatamente perceberam a diferença e falaram muito entre si sobre o assunto. O velho então começou uma longa arenga com Jemmy; este disse que o velho convidava-o a ficar com eles, mas como a língua deles era muito diferente, Jemmy não conseguiu dialogar. Se a roupa e a aparência são miseráveis, a maneira de viver é ainda mais. A comida consiste principalmente de moluscos e músculo [*sic*], junto com foca e alguns pássaros; ocasionalmente caçam um guanaco. Não parecem ter qualquer propriedade, exceto arcos, flechas e dardos; a residência deles é sob os arbustos, em uma saliência das rochas; de maneira alguma é suficiente para proteger da chuva e do vento, e agora, no meio do verão, chove diariamente; e também todo dia tem um pouco de granizo. A floresta quase impenetrável chega até a marca da maré alta, de modo que a terra habitável está literalmente reduzida a algumas pedras grandes na praia,; e aí, na maré baixa, seja de dia ou de noite, estes seres de aparência desgraçada vivem do que catam. Acho que se procurarmos pelo mundo inteiro não iremos encontrar gente que esteja em grau mais baixo. Os moradores das ilhas do sul são civilizados em comparação a eles, e os esquimós, em suas cabanas subterrâneas, podem gozar de alguns dos confortos da vida.

Depois do jantar o capitão fez outra visita aos fueguinos. Receberam-nos com menos desconfiança e trouxeram com eles suas tímidas crianças. Notaram York Minster (que nos acompanhava) como haviam feito com Jemmy e disseram a ele que tinha de se barbear; no entanto York não tinha nem 20 pêlos no rosto, enquanto todos nós usávamos barbas hirsutas. Examinaram-lhe a cor da pele; e depois olharam para a nossa. Alguém despiu um braço, e eles expressaram a mais viva surpresa e admiração. Todo o comportamento deles era uma estranha mistura de espanto e imitação, e nada poderia ser mais risível e interessante. O homem alto ficava satisfeito ao ser examinado e comparado ao marinheiro mais alto, e, fazendo isso, tentava ficar ainda maior, subindo em uma pedra ou esticando-se na ponta dos pés: Ele abria a boca para mostrar os dentes e virava o rosto de perfil; para o resto da vida ele vai ser o ideal de beleza da tribo. Dois ou três oficiais mais gordos e mais baixos do que os outros (embora tivessem barbas compridas) eram tomados, acho eu, por mulheres. Gostaria que eles tivessem seguido nosso suposto exemplo e apresentassem suas *squaws* [mulheres]. De noite nos separamos como bons amigos, e acho que foi muito bom, porque a dança e as "brincadeiras" algumas vezes beiravam as competições de força.[5]

No dia seguinte Charles, acompanhado por um marinheiro, dispôs-se a penetrar um pouco o interior, mas descobriu que as colinas eram cobertas por uma espessa e emaranhada massa de árvores praieiras que não ultrapassavam três metros de altura, mas que tornavam muito difícil a caminhada. FitzRoy achava que fora na colina mais próxima que Banks e Solander haviam se metido em sérias complicações. Mas Charles estava decidido a coletar algumas plantas e insetos das montanhas e tentou sair em campo outra vez no dia seguinte. Seguindo o braço de um curso d'água, para evitar a possibilidade de se perder, e aproveitando-se dos caminhos regulares freqüentados pelos guanacos, que ele enxergava de vez em quando, chegou ao pico depois de uma escalada de duas horas e meia. Foi recompensado por uma esplêndida vista, algumas diminutas flores de montanha, um número grande de insetos e, "no geral, gostou muito da caminhada".

A 21 de dezembro o *Beagle* levantou ferro às quatro horas da tarde, dobrou o cabo de Buen Suceso e, com um ótimo vento de leste, "que é uma sorte tão grande e tão rara quanto ganhar um prêmio na loteria", ancorou bem abrigado para passar o dia de Natal na enseada Wigwam, na ilha Hermit, um pouco a oeste do cabo Hornos. Todos os trabalhos a bordo foram dispensados naquele dia. Depois do café da manhã, Charles, Sulivan e Hamond fizeram uma enérgica escalada até o cume do pico Kater, a 500 metros de altura.

Pelo resto do mês o mau tempo obrigou o *Beagle* a ficar ancorado, e embora em tais condições "andar de barco fosse muito desagradável", Charles acompanhou FitzRoy no reconhecimento das baías do outro lado da ilha Hermit. Na maioria delas havia cabanas que tinham sido espasmodicamente ocupadas por muitos anos, até que a oferta local de mariscos se esgotasse. Elas estavam, por conseguinte, encarapitadas em colinas de conchas com manchas verdes brilhantes de aipo selvagem, cocleárias e outras plantas. Havia também muitos pássaros marinhos curiosos, tais como pingüins, que se comportavam mais como peixes do que como pássaros, e um pato extraordinário pela maneira peculiar como espadanava e se movia na água.

A 31 de dezembro, quando parecia haver uma esperança de não ser impulsionado imediatamente para leste, FitzRoy pôs o *Beagle* no mar outra vez. Por 15 dias o navio tentou em vão rumar para oeste, na direção do estreito Christmas, para desembarcar York Minster e Fuegia Basket entre seu próprio povo, e então voltar para leste pelo canal Beagle até a terra de Jemmy Button. Mas quando, a 11 de janeiro de 1833, chegaram a um quilômetro da enseada Christmas, e por um instante conseguiram ver a montanha chamada de York Minster pelo capitão Cook, por sua forma acastelada, uma rajada violenta obrigou-os a colher as velas e voltar ao mar. A fúria do oceano indômito podia ser julgada pelas nuvens de espuma que eram carregadas no topo de ondas formando um precipício — que Charles avaliou em 60 metros de altura. No dia seguinte o vento se transformou em uma tempestade regular, e temendo que a gavetope principal, mesmo bastante colhida, pudesse levar embora o navio, o capitão continuou apenas com as velas de capa e a vela de estai dianteira. Na manhã de 13 de janeiro, Charles escreveu:

> O pior de tudo é não sabermos nossa posição exata; é estranho ouvir os oficiais repetirem para o vigia que olhe bem a sotavento. Nosso horizonte era limitado a uma área pequena, por causa da água carregada pelo vento; o mar tinha um aspecto sinistro; havia tanta espuma que parecia uma lúgubre planície coberta de manchas de neve arrastada pelo vento. Enquanto trabalhávamos pesado, era curioso ver como o albatroz, com suas asas completamente abertas, deslizava vento acima.
>
> Ao meio-dia a tempestade atingiu o máximo, e começamos a sofrer; uma grande onda nos atingiu e invadiu o navio; o cordame do bote de ré se rompeu e, com um machado, eles foram obrigados a soltar imediatamente uma das belas baleeiras. A mesma onda encheu nossos conveses com tanta água que, se viesse outra onda a seguir, não era impossível adivinhar o resultado. Não é fácil imaginar em que estado de confusão estavam os tombadilhos em conseqüência da água; finalmente as vigias foram abertas, e o barco outra vez aflorou o mar. À noite a tempestade aplacou-se, e conseguimos chegar ao cabo Spencer (perto da enseada Wigwam) e ancorar atrás do falso cabo Hornos.

Charles não estava exagerando, como se vê pelo relato de FitzRoy sobre os momentos críticos:

> Um pouco depois de uma hora, o mar cresceu a uma altura muito grande, e fiquei ansiosamente observando as ondas sucessivas, quando três vagalhões se aproximaram, tão grandes e íngremes, que logo vi que nosso navio, embora excelente, seria testado com rigor. Com velocidade mínima de manobra o navio encontrou e se ergueu sobre a primeira [onda] sem problemas, mas seu caminho, claro, estava atalhado; a segunda fechou o caminho completamente, colocando-o fora do vento; e o terceiro vagalhão, pegando-o de través, virou-o tanto que a borda de sotavento, do turco da âncora ao turco de popa, ficaram dois ou três pés [0,60 a 0,90cm] debaixo d'água. Por um momento nossa posição esteve crítica; mas, como um barril, ele rolou de volta, mesmo com água a uma altura de alguns pés em todo o convés. Se outro vagalhão o atingisse naquele momento, o pequeno navio

poderia estar entre os muitos de sua classe que desapareceram; mas a crise passou — ele sacudiu o mar para fora, pelas vigias, e nada de pior aconteceu.

Em uma nota de rodapé, FitzRoy acrescentou que o vagalhão que quase colocara o *Beagle* com a quilha para cima foi o mais alto e mais côncavo que ele jamais vira, excetuando um, na baía de Biscaia, e outro, no Atlântico Sul. Mas como palavras finais sobre este dramático episódio, devemos evocar as memórias do tenente e mais tarde almirante sir Bartholomew Sulivan.[6] Ele disse que o capitão sempre mantinha as escotilhas bem fechadas, mas que ele mesmo jamais gostara dessa ordem e dissera ao carpinteiro para ter sempre à mão uma barra de cabrestante para qualquer eventualidade. Pouco antes de os três vagalhões atingirem o navio, Sulivan havia sido rendido no convés por FitzRoy, mas, quando voltou, vindo de baixo, encontrou o carpinteiro com água até o peito bem na beirada do navio, esforçando-se para abrir com a barra as escotilhas, que por acaso abriram. A lembrança de Charles parece confirmar que as vigias tiveram de ser forçadas para que o navio se endireitasse, de modo que foi evidentemente a contra-ordem de Sulivan que finalmente salvou o dia.[*]

Em sua "Lista de espécimes que não estão em espírito", Charles escreveu: "Todos os espécimes, de 888 a 900, muito danificados pelo vendaval de 13 de jan — 7 números 804 ... 900 passaram a 931 ...937." Em seu diário particular, escreveu: "Descobri que sofri uma perda irreparável com o desastre de ontem,

Cabo Hornos e os rochedos ao largo de cabo Deceit, por Conrad Martens

[*] Os apuros do *Beagle* em 13 de janeiro de 1833 foram vívida e acuradamente retratados pelo artista John Chancellor.

pois meu papel de secagem e as plantas ficaram molhados de água salgada." Mas houve compensações, e os espécimes em espírito de vinho nada sofreram, pois estavam confortavelmente arquivados em suas garrafas de álcool.

Como transpirou que York Minster não fazia objeção a ser repatriado em companhia de Jemmy Button e Fuegia Basket, FitzRoy desistiu das tentativas de voltar a oeste da Terra do Fogo e velejou a nordeste até um excelente ancoradouro na enseada de Goree, perto da entrada leste do canal Beagle. Ele se propôs a ficar várias semanas ali, enquanto os três fueguinos e Richard Matthews, que havia sido enviado pela Church Missionary Society para acompanhá-los, procuravam um lugar para se estabelecer. Não havia qualquer local adequado para se instalar na parte leste da ilha Navarino, de modo que, em 19 de janeiro, um grupo de 28 homens saiu em três baleeiras, uma delas rebocando o escaler do navio pesadamente carregado ao longo do canal Beagle, na direção da terra de Jemmy Button, do outro lado da ilha. O bote estava carregado com uma ridícula variedade de objetos — copos de vinho, batedeiras de manteiga, terrinas de sopa, uma cômoda de mogno, finos lençóis de linho e chapéus de castor — que o bom povo de Walthamstow erradamente acreditava seriam úteis a Matthews em sua missão junto aos fueguinos. Passaram uma noite em um local inabitado, e duas outras em lugares em que fueguinos nus corriam ao lado deles na praia, emitindo urros horríveis, até que a 22 de janeiro entraram na enseada Ponsonby e desembarcaram entre o povo chamado "Yapoo Tekeenica" por FitzRoy.

Como foi posteriormente explicado no dicionário publicado por Thomas Bridges, tratava-se de um nome equivocado.[7] A palavra *iapooh* significava de fato lontra, e *teke uneka* significava "Eu não entendo você"; assim, o informante original de FitzRoy na verdade devia estar falando de sua própria falta de compreensão, e não sobre o nome do lugar. Os nativos do canal Beagle chamavam a si mesmos *Yámana* ("pessoas"), e o grupo particular que vivia em volta do estreito Murray eram os *Yahgashagalumoala*, ou "povo do canal do vale da Montanha", que Thomas Bridge resumiu para *Yahgans*. Depois do primeiro encontro com os europeus, Charles disse que eles só ficaram amigáveis após ganhar pequenos presentes, tais como as fitas vermelhas que foram amarradas às testas, e que suas primeiras e últimas palavras eram invariavelmente *yammerschooner*, que queria dizer "dê-me". Sua interpretação estava correta, pois, no dicionário Yamana-Inglês, *yamask-uma* realmente significa "seja generoso comigo".

Na manhã seguinte, acompanhados por uma flotilha de canoas tendo por remadores os Yahgans pintados de branco, vermelho e preto, como "demô-

Fueguinos em Woollya, por Robert FitzRoy

nios", os barcos continuaram pelo estreito Murray até Woollya, a enseada onde Jemmy Button vivia. Havia uma área descampada de terra rica que parecia adequada ao cultivo de verduras e legumes europeus, na qual rapidamente se construíram três casas, revolvendo-se o terreno onde se plantaram três hortas. As atividades eram observadas por mais de cem Yahgans que ficaram sentados, sem demonstrar grande interesse, exceto quando lhes ofereciam um presente ou quando percebiam a oportunidade para roubar alguma coisa. A mãe, o irmão e um tio de Jemmy Button chegaram, mas, segundo Charles, cumprimentaram-se sem mais excitação do que dois cavalos em um prado. A despeito da total falta de emoção, Jemmy foi capaz de reconhecer a voz do irmão a uma distância espantosa, e a acuidade de visão dos Yahgans era notável. Três dias depois ocorreu um certo alarme, quando todos os Yahgans subitamente partiram, sem qualquer razão óbvia; mas na manhã seguinte instalaram-se de novo pacificamente em seu posto de observação, enquanto, nas canoas, alguns homens se ocupavam fisgando peixes. FitzRoy decidiu que, a despeito do comportamento errático e muitas vezes inexplicável dos fueguinos, era seguro deixar Matthews e seu grupo por conta própria, e uma baleeira e o bote foram mandados de volta para o *Beagle*, enquanto as outras duas baleeiras, comandadas por FitzRoy e Hamond, saíram em uma breve excursão para examinar o braço nordeste do canal Beagle.

O cenário no local em que o canal se dividia era grandioso, com imensas montanhas à direita, cobertas por um manto branco de neve perpétua, cascatas de água jorrando pelas florestas e caindo no canal e magníficas geleiras de cor azul berilo estendendo-se das montanhas até a beira d'água. Enquanto o grupo jantava a três quilômetros de uma dessas geleiras, ocorreu um incidente pitorescamente descrito por FitzRoy:

> Arrastamos nossos barcos para fora da água pela areia e estávamos sentados em volta do fogo, a cerca de 200 jardas [180m] dele, quando um barulho ensurdecedor nos fez tremer: toda a frente do penhasco gelado veio abaixo, e do mar elevou-se um enorme volume de espuma. O eco reverberou em todas as direções na grande montanha que nos cercava; mas toda a nossa atenção imediatamente se dirigiu para as grandes ondas que avançavam tão rapidamente que mal houve tempo para os mais ativos em nosso grupo correrem e agarrarem os barcos antes que eles fossem lançados à praia como cabaças vazias. Graças ao esforço daqueles que os agarraram ou pegaram seus cabos, os barcos foram puxados mais para cima, para fora do alcance de um segundo e de um terceiro vagalhão; e tivemos boas razões para nos alegrar por terem sido salvos a tempo, porque se o sr. Darwin e dois ou três homens não tivessem corrido logo, as embarcações teriam sido arrebatadas irremediavelmente pelo mar. O vento e a maré as teriam levado para além da distância que um homem pode nadar; e aí, que prêmios não seriam para os fueguinos, mesmo se tivéssemos escapado. Na extremidade da ponta arenosa em que estávamos, havia grandes blocos de pedra que pareciam ter sido transportados das montanhas adjacentes, seja sobre massas de gelo, seja pela força de ondas tais como aquelas que havíamos testemunhado. Se nossos barcos tivessem batido nessas pedras, e não na areia macia, nosso dilema não seria menor do que se tivessem sido arrastados. ... No dia seguinte, 30, passamos por uma grande extensão de água que chamei de enseada Darwin — em homenagem a meu companheiro de mesa, que com tanta boa vontade se dispôs ao desconforto e ao risco de um longo cruzeiro em um pequeno e carregado navio.

Em seu próprio relato Charles não deu tanto valor ao episódio, mas, apesar disso, ele foi homenageado dando seu nome à grande montanha rodeada de geleiras que cercava o estreito e cuja altura foi calculada por FitzRoy em dois mil metros. Em carta à irmã Catherine, Charles descreveu Sarmiento como "a montanha mais alta no sul, excetuando-se M.!!Darwin!!", mas lamentavelmente os atlas modernos apresentam Sarmiento com 2.300 metros, enquanto o Darwin tem apenas 2.135 metros.

FitzRoy seguiu para a enseada Whaleboat e para a ilha Stewart, de que tinha más lembranças, pelas experiências que vivera ali em 1830, quando a baleeira fora roubada, e então voltou para o braço sudoeste do canal Beagle, onde viram alguns Alakalufs da parte ocidental da Terra do Fogo. Em Ponta Divide, a ardósia parecia de excelente qualidade e adequada para telhados. Mas quando se iria precisar de telhas de ardósia na Terra do Fogo? FitzRoy especulou que a descoberta acidental de uma mina valiosa poderia provocar grandes mudanças, mas toda a área ainda está desabitada, não desenvolvida, e tende a continuar assim. Na noite anterior à nova entrada na enseada Ponsonby, encontraram um grande grupo de Yahgans de quem compraram uma excelente refeição de peixe, dando em troca botões velhos e alguns pedaços de pano vermelho. Mas ficaram perturbados ao ver que alguns dos índios estavam ornamentados com farrapos de tecido inglês e que uma mulher usava um pano de linho que havia pertencido a Fuegia Basket.

Chegando ao povoamento em 6 de fevereiro, ficaram aliviados quando Matthews apareceu com as roupas de sempre. Jemmy e York também estavam vestidos, com boa aparência e disseram que Fuegia estava em uma cabana. FitzRoy chamou Matthews para interrogá-lo, e Jemmy foi levado para o outro barco. York esperou na praia, e quase todos os fueguinos se puseram de cócoras para observar os acontecimentos, fazendo Charles se lembrar de uma matilha de perdigueiros à espera do esquartejamento da raposa. Matthews relatou que, assim que os barcos partiram, tanto ele como Jemmy e York passaram a ser observados de perto dia e noite e submetidos, embora sem qualquer violência aberta, a uma pilhagem sistemática. Felizmente suas posses mais valiosas estavam escondidas na segurança de uma caverna, e as ferramentas grandes, ocultas no teto da cabana; à parte isso, tudo o mais havia sido roubado. Os homens eram os únicos responsáveis; as mulheres tinham levado Matthews para suas cabanas e dado comida a ele, sem pedir nada em troca. A horta foi pisoteada muitas vezes, embora Jemmy tenha feito o possível para explicar para que ela servia, e só pôde sacudir a cabeça e repetir com tristeza: "Meu povo muito mau; grandes tolos; não sabem nada; tolos muito grandes."

Nessas circunstâncias, FitzRoy decidiu que Matthews teria de ser resgatado o mais rapidamente possível. Espalhando o grupo para criar um certo grau de confiança, a cabana foi esvaziada com sucesso, a caverna também, e Matthews e os marinheiros embarcaram em segurança. Objetos úteis como machados, serras, verrumas, facas e pregos foram distribuídos entre os nativos. Dando adeus a Jemmy e York, e prometendo vê-los de novo em poucos dias, os homens do *Beagle* conseguiram, para grande alívio, separar-se pacificamente da multidão reunida na praia. Para poupar tempo rumaram para o sul, velejaram de volta para o lado de fora da ilha Navarino e encontraram o navio na enseada de Goree, na noite de 7 de fevereiro. O circuito havia coberto cerca de 180 quilômetros e havia dado uma excelente amostra geológica da região.

Charles achou melancólico deixar os três fueguinos entre seus bárbaros conterrâneos. Consolou-se com o pensamento de que não corriam riscos pessoais, mas, embora três anos tivessem bastado para trocar seus hábitos de selvagens por modos europeus, ele temia que, independentemente do resultado de sua excursão à Inglaterra, ela não os faria feliz. FitzRoy visitou brevemente Woollya uma semana depois e encontrou Jemmy reclamando: haviam aparecido estranhos, ele e seu povo tinham trocado "muitas dentadas" com eles, que lhes haviam roubado duas mulheres; em troca, o grupo de Jemmy havia roubado uma mulher do grupo de forasteiros. Estava empenhado em escavar o tronco de uma grande árvore para fazer uma canoa como as que havia visto no Rio de Janeiro. Alguns dos produtos da horta estavam brotando. FitzRoy ficou com "esperanças de que fizessem bons efeitos sobre os nativos", mas seu otimismo afinal não se justificou.

Após realizar várias outras pesquisas na parte sul da Terra do Fogo, o *Beagle* voltou para a baía de Buen Suceso e a 26 de fevereiro largou para as ilhas Falkland.

10

Primeira visita às ilhas Falkland (Malvinas)

1833

Segundo as instruções do capitão Beaufort para o *Beagle,* não se justificava perder tempo com uma pesquisa completa de todas as partes das Falkland, dado o limitado valor prático da operação. Mas, de qualquer forma, as ilhas eram muito freqüentadas por baleeiros, e o conhecimento preciso dos portos onde pudessem buscar ajuda tinha extraordinária importância para um barco que perdesse mastros, âncoras ou grande parte da tripulação. Assim, algum sacrifício de tempo seria aceitável para verificar com rigor quais os portos mais favoráveis nas ilhas, de modo a fornecer instruções claras de como reconhecer e entrar nesses ancoradouros, acompanhadas de uma relação dos "mantimentos" disponíveis em cada um deles. Também seria possível traçar uma série de sondagens em profundidade da região entre as ilhas e o continente sul-americano; isso seria de grande auxílio para retificar a posição de um navio que se encontrasse em dificuldades na área,.

Quando, ao alvorecer do dia 1º de março de 1833, o *Beagle* chegou ao cabo Pembroke, na extremidade leste das Falkland, FitzRoy não conhecia o acesso mais fácil para as ilhas, pelo porto William, próximo à capital atual, Port Stanley. Seguiu assim a barlavento no estreito Berkeley e encontrou na extremidade norte um navio naufragado, mas ainda com os mastros aflorando, e mais dois outros destroços. O *Beagle* lançou âncora perto da angra onde em 1820 o navegador francês Freycinet havia encalhado seu navio *L'Uranie,* depois de bater em um rochedo na entrada do estreito. Soube então por um bote que chegou até ele que a tripulação do baleeiro francês *Magellan* ficaria grata pela assistência do *Beagle,* pois o barco havia se soltado das âncoras, sendo completamente destruído pela tremenda tempestade de 12 e 13 de janeiro — a mesma que o

Beagle enfrentara em cabo Hornos. Tudo isso mostrava o bom senso das palavras do capitão Beaufort.

A notícia mais surpreendente era que, em razão da disputa corrente entre os governos de Buenos Aires e Washington quanto à manutenção de uma ordem aparente nas Falkland, e em benefício da navegação de todos os países que as utilizavam, a Marinha Real Britânica havia mais uma vez resolvido interferir. A legalidade desse ato, como resumiu FitzRoy,[1] vinha do fato de que as ilhas tinham sido avistadas pela primeira vez por um navegador inglês, John Davis, em 1592, e foram redescobertas por Hawkins e Strong um século depois. Na primeira metade do século XVIII navios de St. Malo passavam regularmente próximo às Falkland Leste, chamadas pelos franceses de Les Malouines, nome mais tarde trocado pelos espanhóis para Las Malvinas; em 1764 os franceses estabeleceram um povoado em Port Louis. No ano seguinte a Union Jack (bandeira inglesa) foi içada em Port Egmont, nas Falkland Oeste. Em 1767 os espanhóis reivindicaram a colônia de Port Louis e compraram-na dos franceses. Em 1774 os britânicos retiraram-se de Port Egmont, ponto mal localizado e caro de sustentar, embora se conservasse a bandeira hasteada para indicar o direito continuado de posse. Por alguns anos os espanhóis mantiveram uma pequena guarnição em Port Louis, mas em 1810 já não havia mais ninguém nas Falkland para conservar a ordem, e os muitos barcos de pesca à baleia e de caça às focas em águas atlânticas que aportavam nas ilhas massacravam o gado, os porcos e os cavalos descendentes dos trazidos pelos primeiros colonizadores. O governo argentino, porém, continuou usando as Falkland de vez em quando e enviando para lá condenados que tinham de se arranjar por conta própria.

Em 1828 o governo de Buenos Aires concedeu ao imigrante alemão Lewis Vernet e a seus sócios permissão para o uso de pesqueiro, gado e terra na Falkland Leste, com a finalidade de fornecer mantimentos para a subsistência do porto. Em 1831 Vernet achou necessário deter à força as tripulações de alguns baleeiros norte-americanos que haviam desobedecido a suas instruções, e com isso atraiu para si e para sua desafortunada colônia a ira dos Estados Unidos. A corveta norte-americana *Lexington* zarpou para Port Louis, onde o agente e sócio de Vernet, Brisbane, e outras pessoas inocentes foram presas e levadas a Buenos Aires; muitas propriedades e edificações foram destruídas pelos norte-americanos. Enquanto em Buenos Aires se arrastavam as discussões com um encarregado de negócios dos Estados Unidos a respeito dos direitos e equívocos da situação, o governo inglês, após alguns avisos aos argentinos sobre a

Port Louis, nas ilhas Falkland (Malvinas), por Conrad Martens

importância de manter a navegação nas Falkland sob controle, ordenou ao comandante-em-chefe da estação naval sul-americana que pusesse novamente a bandeira inglesa para tremular nas ilhas.

A 2 de janeiro de 1833 o HMS *Clio* hasteou a Union Jack em Port Louis, enquanto o HMS *Tyne* fazia o mesmo em Port Egmont. Um loquaz paioleiro irlandês chamado Dickson ficou encarregado da primeira bandeira, com a recomendação de hasteá-la aos domingos e sempre que entrassem navios no porto. Ele relatou a FitzRoy, no dia 2 de março, que dispunham de bastante carne de boi, de coelho e de ganso. A 3 de março um comerciante inglês chegou de Buenos Aires trazendo Brisbane de volta. Em seu relato sobre a história dos acontecimentos nas Falkland, FitzRoy lamentou nunca ter encontrado Vernet, mas disse que simpatizava com sua posição. Brisbane ficou muito satisfeito ao encontrar os oficiais do *Beagle*, um dos quais certa vez ajudara a salvá-lo de um naufrágio, e em pouco tempo travou boas relações com eles. No dia seguinte Brisbane levou FitzRoy para visitar a localidade e mostrou-lhe como ela havia sido "arruinada" pelo capitão e pela tripulação do *Lexington* em 1831. Ao voltar ao *Beagle*, FitzRoy soube, para sua grande tristeza, que seu excelente guarda-livros Hellyer havia saído para caçar e se afogara perto da praia, preso nas algas quando tentava recuperar um pato em que havia atirado. Sua sepultura ainda está em Duclos Point, próximo ao ancoradouro do *Beagle*, Johnson Harbour.

Nos dias seguintes Charles explorou a área ao norte do estreito, que verificou ser muito seca, sem nada além de um capim marrom e resistente que crescia na turfa e quase nenhum animal, exceto narcejas e coelhos. Ele coletou o capim, um espécime do que era tido como a maior árvore local — que algumas vezes crescia de meio a um metro de altura —, uma ou duas das narcejas, outros pássaros terrestres comuns e o único falcão que viu, uma espécie de lebréu. Encontrou nas praias, incrustado nas rochas, grande número daquilo que identificou como uma espécie chamada por Lineu de *Corallina inarticulata*, e após cuidadoso exame microscópico da anatomia e do modo de reprodução, concluiu que sem dúvida se tratava de planta, e não de animal.* Também achou uma espécie de lesma do mar, *Doris*, impressionante pela imensa quantidade de ovas, mais de 600 mil em um único indivíduo. Não fez qualquer comentário na época sobre o propósito biológico de tão exuberante produção de ovos, mas aquela era uma das características que por vezes garantia a sobrevivência da espécie; mais tarde, em sua teoria da evolução, Charles reconheceu que esse fato era importante.

Iniciou então um estudo sistemático da geologia da Falkland Leste, lançando mão do método transversal que havia aprendido 20 meses antes com Adam Sedgwick em Gales do Norte, coletando os minerais e examinando os estratos de uma linha irregular que cruzava a ponta do estreito Berkeley de norte para sul.** Após a noite de 10 de março, quando ocorreu outra ventania que pôs em perigo até mesmo os navios ancorados no porto, todos os barcos saíram para fazer levantamentos por uma semana, e Charles ficou sozinho, desfrutando de "um dos lugares mais calmos em que jamais estivemos". Fez em seu caderno algumas breves anotações sobre diversos tópicos:[2]

2 de março

A que animais os vira-bostas da América do S. pertencem. ... Não é a conexão mais próxima de insetos e plantas; o fato também aponta para uma conexão mais próxima do que a migração.

---

* O espécime era realmente um tipo de planta que nasce na água, conhecida como alga coralina, cujo nome moderno é *Amphiroa exilis*; o exemplar coletado por Charles está agora preservado no herbário do Trinity College, em Dublin.

** Em uma conferência na Geological Society, em 1846, ele disse: "Ao cruzar a ilha ao leste, em uma direção N/NO e S/SE, na linha que intercepta a ponta do estreito de Berkeley, descobrimos ao norte vários registros baixos, paralelos, interrompidos, leste-oeste, com estratos inclinando-se um pouco de oeste para sul, em ângulos que variavam entre 20° e 40°. Ao sul do estreito de Berkeley, a primeira camada que encontramos era curta, elevando-se como as outras por uma formação de argila-ardósia."

Escassez de afídios?

Vide *Annales des Sciences* para rio da Prata.

A turfa não está se formando atualmente, e apenas poucas plantas de pântano da Terra do F.; não há musgo; talvez vegetais putrefatos possam lentamente aumentá-lo. Camadas variando de dez [3m]a um pé [0,30m]de espessura.

Grande escassez na Terra del F. de coralinas, suplantadas por fucos; gênero dominante *Clytra*.

Busca de *Trachaea* no planalto.

Quinta, 12 de março

Examinar bálanos na água doce abaixo da marca da maré alta.

Cavalos gostam de pegar gado ... aberração do instinto.

Exame de poços em busca de turfa. Espécime de ... Se existiram ossos encontrados etc. ou madeira.

Existe algum réptil? Ou calcário?

21 de março

Vi um biguá pegar um peixe e soltá-lo oito vezes sucessivamente, como os gatos fazem com os ratos, ou as lontras com os peixes; e extrema selvageria de corvos marinhos.

Li Bougainville.

Em 1784, com os ganhos do gov. Figueroa, os prédios chegavam a 34, a população, incluindo 28 condenados, 80 pessoas, e gado de todos os tipos, 7.774.

22 de março

A leste da bacia, turfa com mais de 12 pés [3,60m] de espessura em cima da argila, e agora comida pelo mar. Partes inferiores muito compactas, mas não tão boas para queimar quanto as superiores; encontrados ossos pequenos, como de ratos ... argumento para habitantes originais; deve estar se formando atualmente de ossos grandes, mas muito lentamente. *Fósseis na ardósia*; pontos opostos de mergulho e erro de estratificação: o que ocorreu com o calcário?

Será interessante observar diferenças de espécies e números proporcionais; o que também parece caracteres de diferentes habitações.

Migração de gansos nas ilhas Falkland conectadas ao rio Negro.

28 de março

Bandos de emberizídeos.

Mandar relógio para consertar.

Perguntar por período de inundação dos r. Negro e Prata.

Será a clivagem de Montevidéu (uma região sem perturbação) em geral vertical, ou qual é a inclinação?

Uma rocha fossilífera (de Armstrong, ver nota 1, capítulo 16)

Nessa época Charles não havia começado a pensar seriamente sobre a evolução de novas espécies e ainda tinha a crença convencional na doutrina de Paley, de um Deus benevolente que havia estabelecido centros de criação específicos. Mas essas notas revelam que seus pensamentos já estavam se voltando para novas direções muito significativas, levando em conta problemas de comportamento e ecologia, e as maneiras pelas quais a separação geográfica podia se relacionar à distribuição de animais.

O ligeiro tédio de Charles nas Falkland foi aliviado pela excitante descoberta que fez um dia, em uma caminhada pelos velhos prédios do povoado de Port Louis. Ele encontrou perto de lá, como escreveu à irmã Caroline e a Henslow, "um grande número de conchas fósseis nas rochas mais antigas, ainda com restos orgânicos". Essas pedras estavam em camadas de arenito micáceo amarelo-vermelho com ardósia, contendo fósseis paleozóicos de conchas (braquiópode), hoje atribuídos ao período devoniano, há cerca de 410 milhões de anos. O agudo contraste entre o atual estado estéril e pobre da terra e o pulsar de vida dos mares que há tanto tempo havia ali não escapou a Charles.

A 26 de março a escuna *Unicorn*, comandada por William Low, juntou-se aos navios ancorados no estreito de Berkeley. A bordo estavam os sobreviventes de outro barco norte-americano, uma embarcação de caça à foca que havia naufragado ao largo da Terra do Fogo com a tempestade de 13 de janeiro. Low era escocês, capitão, comerciante e trabalhava há anos nas águas tempestuosas da Patagônia, ilhas Falkland, Terra do Fogo e costa sul do Chile. Tinha reputação de ser o mais cruel bucaneiro daquelas paragens, "o terror de todos os barcos pequenos". Mas para o *Beagle* foi um piloto e conselheiro de grande ajuda.

FitzRoy estava convencido de que as pesquisas do *Beagle* poderiam ser feitas com maior rapidez e eficiência caso se fizesse acompanhar por um barco que pudesse ser facilmente aparelhado para trabalhar com pouca gente e se adaptasse ao transporte de carga. Ao ver o *Unicorn*, prontamente gostou dele e escreveu:

> Dificilmente eu poderia encontrar um barco melhor, 170 toneladas, feito de carvalho e todo encavilhado em cobre, muito espaçoso, bom veleiro, fácil de manobrar, um barco de mar de primeira ordem. Suas únicas deficiências, eu poderia facilmente resolvê-las, ou seja, algumas folhas de cobre e apetrechos de lona e corda. Passaram-se alguns dias, nos quais ele foi examinado muito cuidadosamente pelo sr. May [carpinteiro do *Beagle*], antes que eu me decidisse a comprá-lo, e então concordei em pagar seis mil dólares (quase 1.300 libras) contra a posse imediata. Sendo parcialmente proprietário, e autorizado pelos outros proprietários a fazer o que achasse melhor com o navio em caso de insucesso, o sr. Low vendeu-o a mim, devendo o pagamento ser feito a seus sócios em Montevidéu.

Para manter as antigas referências, esse acréscimo ao pequeno destacamento de FitzRoy foi chamado de *Adventure*, nome do navio comandado pelo capitão P.P. King em 1826-30. A transação tinha de ser feita rapidamente, como ocorreu com o aluguel dos barcos auxiliares *Paz* e *Liebre*, não cabendo aguardar a demora que o pedido de aprovação em Londres inevitavelmente provocaria. Embora o barco tivesse contribuído materialmente para o sucesso das pesquisas que FitzRoy tinha sido encarregado de fazer, os inamistosos lordes do Almirantado não aprovaram a compra, pois que à época a política daquele augusto órgão era firmemente liberal, enquanto FitzRoy mantinha-se indelevelmente conservador.

Em uma carta particular para Beaufort descrevendo sua última aquisição, FitzRoy começou com um comentário simpático sobre a nova escala Beaufort para a força do vento (ver p.49), que o *Beagle* tinha sido o primeiro a usar:

> Gostei muito de seu acréscimo — ou subtração — ao diário de navegação e adotei-o. Você sorriria ao ouvir alguns de meus marinheiros dizerem no último cruzeiro: "Se o capitão Beaufort estivesse aqui ele chamaria esta de *15* (aludindo aos *números do vento*) — nós certamente tivemos uma grande porção de *11*, no *mínimo*. Os números e letras são agora usados tão familiarmente quanto se poderia desejar, e ninguém de boa vontade retornaria ao antigo método. As abreviações para sondagem etc. eram muito necessárias e são muito bem-vindas.

Após explicar por que comprara a escuna, FitzRoy encerrou com um pedido apaixonado:

> Agora, *por favor, lute a meu lado* e consiga-me *20 marinheiros supranumerários* para o *Beagle* ... *14* AB e *cinco de primeira classe*; vai ajudar *tanto* o meu bolso, e você sabe que eu preciso deles, seja para *Sua Majestade*, seja para *mim*. Acho que agora poderemos ir depressa outra vez, e com muito mais segurança, tendo um barco tão bom para carregar nossa *bagagem, provisões, barcos etc.* Pretendo fazer dele uma *batelão.*[3]

Beaufort sempre se colocou lealmente em defesa de FitzRoy, mas é evidente que teve de travar batalhas duras para obter a tripulação excedente necessária ao *Adventure*. O próprio FitzRoy escreveu para o Almirantado explicando sua ação e dizendo: "Acredito que os senhores aprovarão o que fiz, mas, se estou errado, isso não produzirá qualquer inconveniência para o serviço público, uma vez que sou o único responsável pelo acordo com o dono do barco e posso e estou disposto a pagar a soma estipulada." Mas a minuta subseqüente, no canto de sua carta, dizia: "Não aprovo o aluguel de barcos para este serviço e portanto desejo que sejam dispensados o mais rápido possível."[4] Em Valparaíso, 18 meses depois, FitzRoy passou por um período de depressão aguda quando foi obrigado a vender o *Adventure*, graças à injustiça e completa falta de gratidão com que foi tratado em Londres. O fato de que o segundo-secretário do Almirantado, John Barrow,[5] tivesse claros interesses em outro sentido não deve ter ajudado muito a defesa de FitzRoy.

Combinou-se originalmente que a tripulação de cerca de 30 homens do baleeiro francês que havia naufragado na tempestade de 12 e 13 de janeiro seria levada pelo *Beagle* até Montevidéu; e que FitzRoy compraria as mercadorias salvas do naufrágio. A isso devia-se acrescentar o transporte da tripulação norte-americana do baleeiro salva por Low. Mas era gente demais para o *Beagle* sozinho, de modo que as pessoas tiveram de ser divididas com o *Adventure*, que a 4 de abril zarpou para o rio Negro, ao norte, temporariamente sob o comando do sr. Chaffers, seguido pelo *Beagle* dois dias depois.

11

Coleta perto de Maldonado

1833

O objetivo de FitzRoy era interceptar Wickham antes que ele saísse com Stokes em um cruzeiro de levantamento mais para o sul; porém, era difícil determinar o tempo exato do encontro. Conforme o combinado, o *Adventure* estava na foz do rio Negro a 14 de abril e foi imediatamente despachado para Maldonado, na margem norte do rio da Prata, onde deveria esperar a chegada do *Beagle*. No dia seguinte o barco recebeu de uma escuna que negociava no local a boa notícia de que poucos dias antes tudo ia bem com os dois barcos auxiliares, que haviam partido para o sul, descendo o golfo de San Matias até a baía de San José, um local amplo e bem abrigado no lado norte da península Valdés. Mas, para desapontamento de todos, e mais ainda dos passageiros franceses, não havia sinal de Wickham e seus barcos na baía San José. Charles lançou um cobiçoso olhar de relance às barrancas onde abundavam conchas fósseis, mas não havia tempo de examiná-las adequadamente. Um grande grupo de golfinhos brincando à volta do *Beagle* serviu de consolo, e eles conseguiram arpoar uma fêmea. Depois de Charles medi-la cuidadosamente, o animal foi pintado em aquarela por FitzRoy. O comprimento total era de pouco mais de um metro e meio, e, desse modo, apenas a cabeça pôde ser preservada; mas, pelas medidas tomadas por Charles e pelo retrato feito por FitzRoy, mais tarde foi identificado por George Waterhouse na Zoological Society de Londres, como pertencente a uma nova espécie, que ele denominou *Delfinus fitzRoyii.*

Rajadas e sondagens perigosas no interior da baía San José forçaram FitzRoy a abandonar a busca de Wickham, e eles zarparam para Maldonado. Algumas vezes com vento contra, outras, sob uma ventania na qual "os conveses do *Beagle* faziam jus ao apelido de 'pedra a meia maré', de tal forma a água passava por

O golfinho de FitzRoy

cima deles", chegaram a Montevidéu a 25 de abril. Charles comentou em seu caderno de notas, provavelmente fazendo referência à luta contínua entre *blancos* e *colorados*: "Durante nossa ausência as coisas caminharam bem calmamente, com exceção de uma ou duas revoluções."* Foi então visitar August Earle, que havia permanecido em Montevidéu todo aquele tempo, tentando recuperar a saúde, infelizmente sem qualquer êxito. Depois de se livrar de seus passageiros franceses e pegar as encomendas e a correspondência, levantaram âncora e, sob uma brisa alegre, velejaram para Maldonado, onde encontraram o *Adventure* no ancoradouro, "a salvo e em boa ordem".

A primeira tarefa de Charles foi procurar alojamento na pequena cidade. Mesmo nas casas em que ficou hospedado depois, que algumas vezes pertenciam a homens ricos, donos de muitas centenas de cabeças de gado, os quartos eram desprovidos de qualquer mobiliário, exceto uma cama, e suas mantas de sela tinham de servir como roupa de cama. De início atrapalhado por seu espanhol "vil", contratou dois companheiros de viagem com as necessárias qualificações: estarem bem armados com pistolas e sabres e possuírem muitos amigos e parentes na região. Levando consigo uma tropa de cavalos descansados — luxuosa maneira de viajar que eliminava o perigo de ficar com um cavalo manco ou exausto —, puseram-se a explorar a região em torno da cidade de Las Minas, a norte de Maldonado.

---

* O sarcástico comentário de Charles acabou revelando-se correto, pois o conflito de que o *Beagle* participou oito meses antes (ver p.105-6) continuou a dominar a política uruguaia por muitos anos. Em 1836 irrompeu de novo uma guerra civil, e os *blancos*, ajudados pelas forças argentinas, sitiaram Montevidéu de 1843 até 1852, quando os *colorados*, ajudados pelo Brasil, passaram ao controle do país. Entre 1865 e 1870 as alianças mudaram, e o Uruguai se aliou ao Brasil e à Argentina em uma guerra contra o Paraguai. Com breves interrupções, os *colorados* permaneceram no poder por mais de um século.

Os moradores locais e os gaúchos revelaram-se completamente ignorantes a respeito de geografia, muitas vezes pensando que Inglaterra, Londres e América do Norte eram o mesmo lugar. A pequena bússola de bolso de Charles foi muito admirada em todos os lugares, bem como sua habilidade em acender com os dentes um "prometeu" — um tipo de palito incandescente que fora inventado havia pouco e era usado antes da popularização dos palitos de fósforo. O hábito de lavar o rosto todas as manhãs e a barba eram outros aspectos que davam margem a suspeitas a respeito de Charles. Isso no entanto era mitigado pela capacidade que ele tinha de distinguir entre cobras venenosas e inofensivas; e como pagava pela hospitalidade, seu gosto por quebrar pedras e coletar insetos podia ser perdoado. "Como eu não sabia falar espanhol direito", escreveu Charles, "era olhado com muita piedade, espanto e bastante gentileza."

Nessas primeiras excursões ao interior, que se estenderam até uma *pulperia* (estalagem) a cerca de cem quilômetros de Maldonado, perto do rio Polanco, Charles ficou satisfeito em poder fazer um exame preliminar na geologia do lado montanhoso da região, com alguns quilômetros de largura, e ocupando de leste a oeste a área entre a costa e Las Minas. A zona era formada por ardósia-argila silícica com um pouco de quartzo e calcário; próximo ao acampamento do *Beagle* havia mármore branco do qual se fazia cal. Mais ao norte encontrava-se uma alternância de massas de granito e algumas áreas de mármore bem extensas.

Por toda parte havia planícies infindáveis cobertas de capim, com suas belas flores e pássaros, as mesmas fileiras de cactos e a mesma ausência total de árvores. Embora fosse delicioso cavalgar sobre tanta turfa, Charles algumas vezes pensava com saudades em cavalos ferrados galopando em estradas poeirentas. Até os mendigos, dizia-se, montavam a cavalo, jamais percorrendo a pé nem mesmo as mais ínfimas distâncias. E era maravilhoso ver os meninos montados em pêlo nos potros, perseguindo uns aos outros por montes e vales, com os cavalos corrupiando de um modo que só vendo para crer.

Quando voltou a Maldonado a 20 de maio, Charles tinha uma proposta a fazer ao pai, o que explicou em uma carta para a irmã Catherine:

> O seguinte negócio é para meu pai: ter um criado meu realmente seria um grande acréscimo de conforto. Por isso, primeiro, no momento, o capitão ordenou que um dos homens ficasse sempre comigo, mas não acho justo tirar um homem do navio desta maneira: e segundo, quando estou no mar, sempre me sinto mal e preciso de alguém que me sirva. O homem está disposto a ser meu criado, e todas as despesas seriam menos que 60 libras por ano. Ensinei-o a atirar e a retirar a pele

dos pássaros, de modo que, nessa questão importantíssima, ele é muito útil. Saí da Inglaterra há quase um ano e meio, e minhas despesas não chegam a 200 libras por ano; de modo que, não sendo possível escrever de tempos em tempos pedindo permissão, cheguei à conclusão de que você concordaria com a despesa.

A confiança que tinha na generosidade do pai não estava equivocada, e Syms Covington, que aparece na lista dos supranumerários no início da viagem como servente da cabine de popa, tornou-se criado de Charles e continuou sendo seu assistente, secretário e criado até 1839,[1] quando migrou para a Austrália, onde morreu em 1861. Charles aceitou a responsabilidade de fornecer-lhe roupas desde o início do ano. Contudo, escreveu para Catherine: "Meu criado é um tipo muito esquisito; não gosto muito dele, mas, talvez por sua esquisitice, está muito bem adaptado a todos os meus propósitos." À medida que a viagem avançava, muito da coleta foi sendo delegada a Covington, e nos meses finais ele ficou com a importante tarefa de fazer longas listas dos espécimes em várias categorias. Seus serviços no decorrer dos anos revelaram-se de grande valor para Charles e foram calorosamente apreciados.

Charles dedicou o mês seguinte sobretudo à coleção de vários quadrúpedes, a não menos que 80 tipos de pássaros e a diversos répteis, inclusive nove espécies de cobras. Escreveu muitas páginas de notas pitorescas sobre a aparência e o comportamento característicos dos pássaros da região, que, para os leitores ingleses, tinham a complicação de serem identificados segundo termos próximos aos da família européia conhecida. Em alguns casos isso dava certo — uma coruja é uma coruja tanto na Inglaterra como na Patagônia —, mas, para muitos dos passarinhos (os pássaros canoros menores), não se encontrava qualquer família sul-americana equivalente, embora houvesse muitas espécies que, como Charles tinha o cuidado de mostrar, ocupavam um nicho ecológico muito semelhante aos de seus primos europeus. Um bom exemplo eram os pássaros que haviam adotado hábitos parasitas, como o cuco europeu.

Mais uma vez Charles encontrou ali aquele notável pássaro com o bico em tesoura, o *Rhyncops nigra* Linn., sobre o qual escreveu:

Rhyncops: base do bico e pernas "vermelhão". Esse curioso pássaro foi derrubado em um lago drenado há pouco tempo, onde abundavam peixes pequenos. Eles andam em bandos: vi aqui o que ouvira dizer que acontece no mar: esses pássaros voam rente à água, com os bicos bem abertos, com a mandíbula inferior mergulhada na água. Roçam a água e nela vão fazendo sulcos à medida que voam: a água estava muito calma, e era um espetáculo muito curioso ver o bando, cada qual

> deixando sua marca sobre o mar; muitas vezes eles se contorcem e com destreza conseguem fazer com que a mandíbula inferior cate um peixe pequeno, que é então seguro pela mandíbula superior. Eu vi isso quando voavam perto de mim, para frente e para trás, quando engoliam; ocasionalmente se afastavam da água, e então o vôo era rápido e irregular: também davam um grito alto e áspero. O comprimento dos primeiros remígios deve ser muito necessário para manter a asa seca: a cauda é usada para guiar o vôo. Parece-me que toda a estrutura — bico fraco, pernas curtas, asas longas — parece mais adaptada a esse método de capturar a presa do que para aquilo que afirma M. Lisson:[2] que abrem e comem *Mactrae* enterradas na areia.

Alguns meses depois, acrescentou:

> Afirmei que em Montevidéu, onde esses pássaros vivem em grandes bandos nos bancos de areia, eles parecem sair para o mar todas as noites. Agora, se eu fosse fazer alguma conjectura, imaginaria que pescam à noite, quando seu único método de pegar a presa seria, então, sulcando a água; é provável que comam outros animais além de peixes; e muitos destes, por exemplo, os crustáceos, vêm à superfície sobretudo à noite. Seria curioso observar se a mandíbula inferior é bem equipada com nervos, como órgão de tato. Imagino que seja uma circunstância *extraordinária* esses pássaros voarem de dia em um lago de água doce, dependendo apenas das miríades de peixes diminutos que estejam pulando.

Mais tarde ainda mencionou que o anatomista londrino Richard Owen havia dissecado a cabeça de um espécime trazido por ele em álcool, mas sem encontrar qualquer conjunto nervoso especialmente rico na parte inferior do bico.

Os maiores mamíferos que Charles encontrou e matou foram veados, comuns naquela planície em forma de "mamilo" que rodeava a colina proeminente chamada Pan de Azúcar. A característica mais notável desses animais era o cheiro intoleravelmente desagradável, forte o suficiente para dar náuseas. Cada gamo impregnava o ar a uma distância de 800 metros ou mais. O odor era ainda muito perceptível um ano e meio depois, em um lenço de bolso no qual Charles carregara uma pele desses animais, muito embora tivesse lavado a peça diversas vezes.

Outros mamíferos interessantes eram as capivaras, os maiores roedores vivos, pesando até 50 quilos, abundantes na beira dos lagos na vizinhança de Maldonado. Havia também preás ou cotias, chamados localmente *aperea* e que viviam em grande número nas dunas de areia e nas moitas de cactos, especialmente em lugares pantanosos e cobertos de plantas aquáticas. Ainda outro roedor de

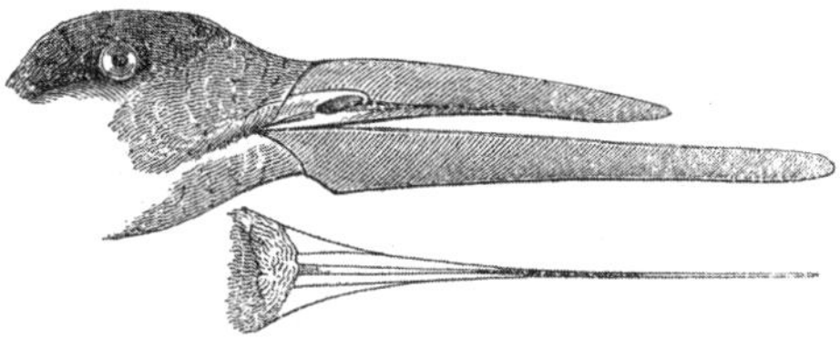

Cabeça do rincopídeo bico-de-tesoura

toca da família *Ctenomydae* era o tuco-tuco, assim chamado pelo peculiar ruído nasal repetido quatro vezes sucessivas, e cujos labirintos de tocas algumas vezes enchiam o solo de tal forma que os cascos dos cavalos afundavam. Para completar o catálogo, foram capturados oito tipos de ratos, em geral em armadilhas com um pedaço de queijo ou de carne como isca; um deles estava em um lugar tão molhado que devia ter hábitos aquáticos; segundo o registro de Charles, outro foi capturado por um pássaro no acampamento do *Beagle*.

Charles deu menor atenção que o normal aos insetos de Maldonado, mas não resistiu a fazer uma nota interessante, muito à frente de seu tempo, sobre aquilo que sempre foi um de seus tópicos favoritos: o papel de vira-bostas como os do gênero que ele chamava de afódios:

> Acostumado ao grande número de insetos coprófagos da Inglaterra, foi primeiro com surpresa que encontrei aqui, quase intocado, o amplo repasto fornecido pelas imensas multidões de cavalos e gado. Afódios (espécime nº 1.225) é a única boa exceção; este inseto que vive no meio das dunas de areia [seu hábitat] cava buracos debaixo do esterco de cavalo; afódios (1.225), só observei uma vez, debaixo de um esterco muito antigo. Todos os outros afódios que capturei estavam perambulando. É curioso investigar a que animal (nº 1.181) pertencia antes da chegada dos cavalos. Todos os animais maiores daqui, como o guanaco, o veado e o capincho [capivara], têm esterco em forma de pelotas que deve ser de natureza muito diferente com relação aos insetos. Montevidéu foi fundada em 1725; diz-se que aí abundavam vicunhas [parentes menores do guanaco]. Gado e cavalos talvez sejam abundantes aqui apenas há cerca de 80 anos. Essa ausência de besouros coprófagos parece-me ser um fato muito bonito; ele mostra uma conexão na criação de animais tão distantes entre si como mamíferos e insetos. Coleópteros [besouros] que, quando um deles é removido para longe de sua zona original, dificilmente podem ser produzidos pelo tempo e pelas mais favoráveis circunstâncias. O mesmo tema de investigação irá aparecer na Austrália. Se faltavam provas para mostrar que cavalo e boi são aborígines da Grã-Bretanha, acho que a mera presença de *tantas* espécies de insetos que se alimentam de seu esterco seria uma comprovação bastante forte.

A 29 de junho Charles voltou à cabine no *Beagle*, com o seu "zoológico" e descobriu que se havia tornado um completo habitante da terra, a ponto de bater com a cabeça no convés e enjoar com o movimento do navio, mesmo no porto. O mês seguinte foi gasto por toda a tripulação adaptando o novo *Adventure* para o próximo cruzeiro ao sul. Por um curioso acaso, o capitão King, do velho *Adventure*, havia enterrado havia poucos anos 30 toneladas de lastro excedente, perto do poço, na ilha de Goritti, próximo de Maldonado. Os brasileiros que estavam de posse daquela parte do país na época tinham tentado encontrar o valioso lastro, mas não pensaram em investigar um local tão público. E lá estava ele em segurança, pronto a ser recuperado para o novo *Adventure*.

A 20 de julho o navio a vapor que carregava o correio disparou seus canhões quando passou pelo *Beagle* e pelo *Adventure*, que se encontravam ancorados, indicando que estava a caminho do Rio de Janeiro. O *Beagle* rapidamente levantou ferros para que as cartas urgentes de FitzRoy e as coleções de Charles pudessem ser transferidas para o paquete. Após os problemas normais com os caprichos do tempo, o *Beagle* pôs-se a caminho, quatro dias depois, novamente rumo à foz do rio Negro, na Patagônia.

12

Um encontro com o general Rosas no caminho entre Patagones, Buenos Aires e Santa Fé

agosto – novembro, 1833

A 3 de agosto o *Beagle* chegou à foz do Negro, um grande rio que corre de sul para leste, vindo da cordilheira dos Andes em direção ao Atlântico. Cerca de 30 quilômetros acima localizava-se Patagones, agora conhecida como El Carmen de Patagones. O vilarejo havia sido fundado pelos espanhóis cerca de 50 anos antes, quando se tornou o local mais ao sul do continente americano habitado por pessoas "civilizadas". Buenos Aires estava cerca de 800 quilômetros ao norte, e os pampas — as infindas planícies cobertas de capim que se espalhavam entre o rio Negro e o rio da Prata, e que antes tinham sido densamente povoadas pelos araucanos e tribos afins, vivendo em aldeias com vários milhares de pessoas — eram agora ocupados por grupos menores e mais esparsos. Os argentinos travavam contra eles uma cruel luta de extermínio, buscando expulsá-los de suas terras tribais, de modo a dispor de novas pastagens para as manadas de gado. Mas os araucanos eram cavaleiros soberbos e adversários formidáveis; assim, a luta era violenta e se travava de maneira ainda mais sangrenta do que o conflito comparável que então acontecia no Meio-Oeste da América do Norte.

As forças argentinas eram então comandadas pelo general Juan Manuel de Rosas (1793-1877). Nascido em Buenos Aires, Rosas tinha acumulado grande riqueza como pecuarista e exportador de carne no período em que a aristocracia argentina estava definindo a independência em relação à Espanha. De 1829 a 1832 foi governador da província de Buenos Aires. Em 1833 foi indicado para chefiar uma campanha contra os índios ao sul da Argentina e estabeleceu seu quartel a cerca de 50 quilômetros da foz do Colorado, outro grande rio. Dois anos depois, tendo alcançado seus objetivos, foi reintegrado em seu cargo de

General Juan Manuel de Rosas

governador de Buenos Aires com poderes ditatoriais; em uma aliança com homens fortes de outras províncias, logo proclamou-se ditador de todo o país. Como veremos, Charles chegou a conhecê-lo e disse a seu respeito: "Fiquei bastante satisfeito com minha entrevista com o terrível general. Vale a pena vê-lo, pois decididamente é o caráter mais famoso da América do Sul." Mas, como outros de sua espécie, o domínio de Rosas sobre os patrícios acabou se esgotando, e em 1852 ele foi destituído do poder. Curiosamente passou o resto da vida no exílio, em Swaythling, Hampshire.

FitzRoy encontrou Stokes e os outros oficiais que o acompanhavam e ouviu um relato muito satisfatório sobre as pesquisas com os pequenos barcos *Paz* e *Liebre*. Charles ficou impressionado ao ver como as duas embarcações, com seus cascos de apenas poucos centímetros de espessura, tinham sido capazes de sobreviver ao temporal que quase afundara o *Beagle*, mas o pequeno tamanho permitia-lhes correr à frente das ondas sem serem atingidos por elas. Charles então desembarcou em Patagones para iniciar a primeira de suas longas cavalgadas, enquanto FitzRoy levava o *Beagle* para pesquisar alguns locais que os barcos auxiliares não podiam atingir, pelas condições especialmente difíceis de vento e mar.

Charles primeiro fez uma longa caminhada pela costa, para ter uma visão preliminar da geologia das planícies estéreis e planas, características da região, que terminavam em um penhasco de 35 metros sobre o mar. O arenito era tão cheio de sal que prontamente se formavam salinas naturais. No inverno, a grande salina próxima à cidade de Patagones não passava de um grande e raso lago de salmoura que secava no verão e se tornava um vasto campo coberto de sal branco como a neve. O sal era recolhido e podia ser usado em couros; mas, paradoxalmente, era puro demais para conservar a carne.* Patagones foi construída sobre o paredão em frente ao rio, e muitas das casas eram escavadas no arenito. Na estrada, Charles viu as ruínas de várias *estancias* (casas de grandes proprietários de terra) belas, o que lhe deu um panorama prévio da violência da luta que ainda se travava na região que iria atravessar. O sobrevivente de um daqueles encontros contou-lhe como várias centenas de índios comandados por um *cacique* (chefe) de nome Pinchera haviam aparecido em dois grupos, em uma colina das vizinhanças, e, após desmontar e despir seus mantos de couro, tinham avançado inteiramente nus e com muita firmeza para atacar a *estancia*, armados de *chusas* (lanças de bambu) enfeitadas de penas de avestruz e com pontas de ferro. A ondulação das lanças, à medida que os índios se aproximavam, era lembrada com horror. Os aborígines detiveram-se, e o *cacique* disse aos espanhóis que baixassem as armas, ou teriam as gargantas cortadas. Como, de qualquer forma, o resultado previsível era esse mesmo, a resposta foi uma saraivada de balas de mosquete, e o ataque recomeçou. O dia foi salvo para os espanhóis porque o curral que cercava a *estancia* era construído com pregos de ferro, e não com tiras de couro, que os índios poderiam cortar. Muitos dos índios feridos eram carregados pelos companheiros, e só quando um *cacique* caiu ferido é que uma corneta soou a retirada. Foi uma interrupção fundamental para os espanhóis, pois, a não ser por alguns cartuchos, a munição havia se esgotado. Em um minuto os índios tinham pulado sobre os cavalos e galopado para longe. Em outra ocasião, a luta foi mais breve, porque o curral era defendido por um canhão carregado com metralha, e, depois que 39 índios foram derrubados, o resto rapidamente se retirou.

Patagones era agora ocupada principalmente por índios puros, espanhóis e alguns poucos mestiços. Uma tribo supostamente amiga, comandada pelo *cacique* Leucane, tinha seus *toldos* (cabanas) do lado de fora da cidade, para protegê-la. O governo ajudava-lhes, dando a eles todos os cavalos velhos, que

* Para consumo humano são preferíveis os sais puros de clorito ou sulfato de sódio, mas, para a preservação de carne ou queijo, é melhor acrescentar sal marinho, que contém gipsita, sulfato de cálcio hidratado.

serviam de comida, mas aquilo que se podia ganhar com uma diminuição da ferocidade do caráter era compensado pela total imoralidade. Tudo o que Charles podia dizer a favor deles era que, surpreendentemente, tinham um admirável gosto para roupas.

Sem se deixar abalar pelas histórias assustadoras, o plano de Charles era conseguir uma tropa de cavalos e rumar para o acampamento do general Rosas no rio Colorado, guiado pelo sr. Harris, dono do *Paz* e do *Liebre*. Cinco gaúchos espanhóis se juntaram ao grupo, preferindo atravessar em comitiva a região desolada e seca. Depois de passar por uma famosa e antiga árvore que crescia em uma elevação e era adorada pelos índios como uma espécie de divindade, os gaúchos avistaram uma infeliz vaca, que foi rapidamente laçada e esquartejada para a ceia.

Charles escreveu:

> Foi a primeira noite que passei a céu aberto, tendo o *recado* (sela) por cama. Há um grande prazer na independência da vida gaúcha, ser capaz de, a qualquer momento, frear o cavalo e dizer: vou passar a noite aqui. A imobilidade mortal da planície, os cães de vigia, o grupo aciganado dos gaúchos fazendo suas camas em volta do fogo, tudo deixou em minha mente um quadro tão forte desta primeira noite que vou demorar a esquecê-la.

Após duas noites iguais a esta, chegaram ao rio Colorado e, depois de esperar uma enorme tropa de éguas nadar de volta pelo rio — pois a única comida que os soldados ingeriam quando se aventuravam pelo interior era carne de égua —, cruzaram-no de canoa. O campo do general era um quadrado de 250 ou 350 metros de lado perto do rio, formado por carroças, artilharia e uma miscelânea de cabanas. Seus soldados eram quase todos de cavalaria, negros, índios e espanhóis — um exército que tinha o maior aspecto de *banditi* que se podia imaginar. Charles procurou o secretário de Rosas para apresentar-lhe a carta de recomendação como naturalista do *Beagle* que lhe fora dada pelo governo de Buenos Aires. Ela foi muito bem recebida pelo general, e o secretário voltou "todo sorrisos e gentilezas".

Charles passou as três noites seguintes no *rancho* (cabana coberta de palha) de um velho espanhol que havia servido com Napoleão na investida contra a Rússia. No primeiro dia sua principal diversão foi observar as famílias dos índios aliados do general, que afirmava serem cerca de 600, quando iam ao *rancho* comprar pequenos objetos, açúcar e ervas. Os homens eram altos, e facilmente reconhecia-se que pertenciam a uma raça aparentada com os fueguinos. Algumas das mulheres jovens, conhecidas como *chinas*, não eram feias, com duas longas tranças de cabelo preto, olhos brilhantes e braços bem torneados. Quando viajavam, duas ou três *chinas* montavam o mesmo cavalo carregado, usando como estribo uma faixa larga presa ao pescoço do animal. Era obrigação delas carregar e descarregar os cavalos e montar as tendas para a noite. Em casa, sua principal ocupação era bater, até ficarem redondas, as *bolas* usadas para laçar a caça, prender os cavalos e atacar os inimigos.

No dia seguinte o general Rosas mandou uma mensagem convidando Charles a visitá-lo. A reputação de ferocidade que tinha era merecida e ajudara-o a tornar-se o mais rico criador de gado e plantador de trigo do país, dono de cerca de 300 mil cabeças e mil quilômetros quadrados de terra, que ele governava estritamente segundo suas próprias leis, com várias centenas de empregados ou *peónes* bem treinados para resistir aos ataques dos índios. O general rivalizava com qualquer gaúcho em equitação e era imbatível na arte de pular sobre as costas de um potro bravo e resistir aos mais extremados esforços feitos pelo animal para derrubá-lo. Geralmente usava roupas de gaúcho, e dizia-se que fora com elas que, cinco anos antes, visitara lorde Personby, ministro britânico em Buenos Aires, argumentando tratar-se de costume do país e, portanto, da roupa mais adequada e mais respeitosa que se podia usar. Era imensamente popular entre seus homens e mantinha-os sob uma disciplina despótica. Quando um dos dois bobos que ele mantinha como um monarca medieval ia longe demais nas importunações, mandava amarrá-lo a estacas ao chão, e o homem lá ficava esticado por muitas horas, como um couro para secar. Jamais atendia a qualquer pedido para relaxar o castigo.

Na conversa, no entanto, Rosas mostrou-se entusiasmado, sensível e muito sério. A entrevista se passou sem um sorriso, mas Charles conseguiu o que queria, um passaporte e ordens para os postos de cavalos do governo, que lhe foram dados da "maneira mais pronta e educada". Quando o general, alguns meses antes, deixou Buenos Aires com seu exército, traçou uma linha reta pela região desconhecida e, em sua marcha, foi deixando, a intervalos amplos, uma *posta* com cinco homens e uma pequena tropa de cavalos, de modo a poder mandar correspondência expressa para a capital. Com a ajuda dessas *postas*, Charles viajou primeiro para Baía Blanca e daí para Buenos Aires.

Na manhã do dia 16 de agosto, bem cedo, Charles deu início à primeira parte de sua viagem, com esperanças de encontrar o *Beagle* em Baía Blanca, mas sem saber ao certo se o barco estaria lá. Infelizmente o sr. Harris não passava bem, e não pôde acompanhá-lo. Charles primeiro seguiu a margem do rio para

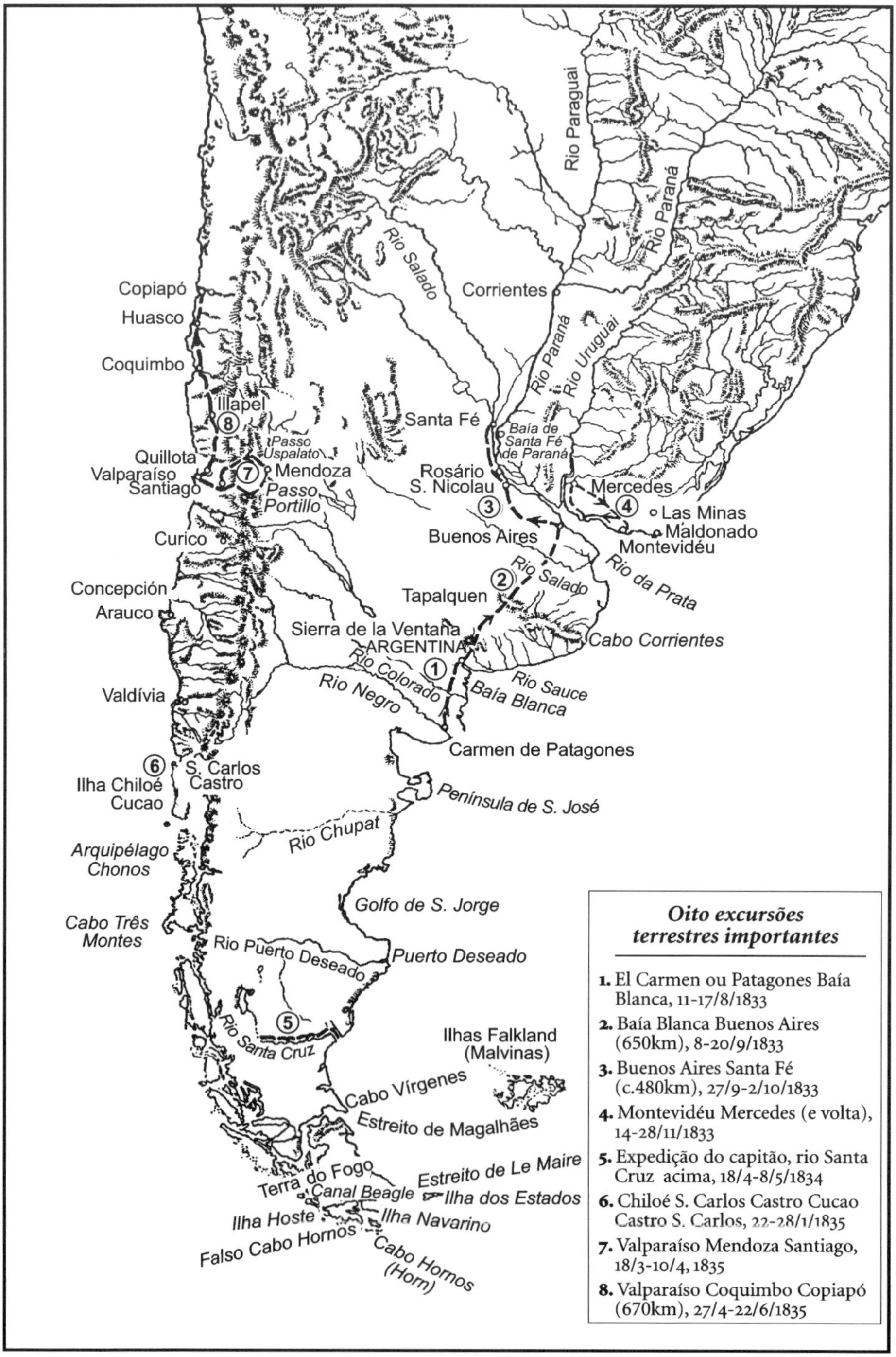
Rio Paraguai
Rio Paraná
Rio Salado
Corrientes
Copiapó
Huasco
Coquimbo
Rio Paraná
Rio Uruguai
Illapel
8
Santa Fé
Baía de Santa Fé de Paraná
Passo Uspalato
Quillota
Valparaíso
Santiago
7
Mendoza
Passo Portillo
Rosário
S. Nicolau
3
Mercedes
4
Las Minas
Maldonado
Montevidéu
Curico
Buenos Aires
Rio Salado
Rio da Prata
2
Concepción
Tapalquen
Arauco
Sierra de la Ventana
ARGENTINA
Cabo Corrientes
1
Rio Colorado
Rio Sauce
Rio Negro
Baía Blanca
Valdívia
Carmen de Patagones
6
S. Carlos
Castro
Ilha Chiloé
Cucao
Península de S. José
Rio Chupat
Arquipélago Chonos
Golfo de S. Jorge
Cabo Três Montes
Rio Puerto Deseado
Puerto Deseado
5
Rio Santa Cruz
Ilhas Falkland (Malvinas)
Cabo Vírgenes
Estreito de Magalhães
Estreito de Le Maire
Terra do Fogo
Canal Beagle
Ilha dos Estados
Ilha Hoste
Ilha Navarino
Falso Cabo Hornos
Cabo Hornos (Horn)
Oito excursões terrestres importantes
1. El Carmen ou Patagones Baía Blanca, 11-17/8/1833
2. Baía Blanca Buenos Aires (650km), 8-20/9/1833
3. Buenos Aires Santa Fé (c.480km), 27/9-2/10/1833
4. Montevidéu Mercedes (e volta), 14-28/11/1833
5. Expedição do capitão, rio Santa Cruz acima, 18/4-8/5/1834
6. Chiloé S. Carlos Castro Cucao Castro S. Carlos, 22-28/1/1835
7. Valparaíso Mendoza Santiago, 18/3-10/4, 1835
8. Valparaíso Coquimbo Copiapó (670km), 27/4-22/6/1835

além dos *toldos* — pequenos fornos redondos cobertos de couro, com uma *chusa* enterrada ao chão e que ficavam ao lado da entrada — dos índios aliados do general Rosas, divididos em pequenos grupos subordinados ao *cacique* que chefiava aquela tribo em particular. A primeira *posta* era nas barrancas do rio Colorado, em uma planície aluvial fértil onde se plantariam salgueiros e campos de trigo. A segunda e terceira *postas* marcavam o começo da grandiosa formação geológica que se estendia para além de Santa Fé.* A cerca de 40 quilômetros ao norte do rio havia um cinturão de dunas de areia vermelha com 12 quilômetros de largura e que se estendia para leste e oeste até onde a vista alcançava. A quarta *posta* estava situada na borda norte, e, como era excepcionalmente bem cuidada, tendo até um pequeno quarto para os viajantes, Charles decidiu passar a noite ali. O comandante, um tenente negro nascido na África, havia cavado uma vala em torno da casa como medida de defesa, embora ele e seus quatro soldados tivessem escapado do massacre, quando um grupo de índios passara por ali pouco tempo antes, porque os adversários não tinham percebido a *posta,* e não por causa da vala. Charles ficou triste ao ver que um homem tão obsequioso recusava-se a sentar e comer com ele e seu grupo.

Após um estimulante galope, chegaram no dia seguinte a um grande pântano que se estendia até Baía Blanca, depois de vários quilômetros de brejos. Próximo ao final dessa extensão enlameada, o cavalo de Charles caiu, encharcando-o com um lodo negro, "acidente muito desagradável quando não se possui uma muda de roupa". Após um alarme quanto a índios hostis, que acabou por se revelar falso, alcançaram o forte em Baía Blanca onde, um ano antes, Charles tinha ganho o apelido, apropriado mas de pouca ajuda, de *naturalista.* O *Beagle* ainda não havia chegado, de modo que, no dia seguinte, Charles "nada tinha a fazer, sem roupas limpas, livros ou alguém com quem falar. Fiquei com inveja até dos pintos que brincavam no chão".

Mais seis dias se passaram, e nada do *Beagle.* Charles fez uma excursão vã até a aguada na boca da baía, enriquecida pela história contada pelo guia, de como, dois meses antes, ele e mais dois outros soldados estavam caçando a poucos quilômetros do forte e um grupo de índios havia laçado e matado seus companheiros, além de feri-lo. O guia conseguira correr dos índios até que

* A vasta planície conhecida como Formação Pampeana que ocupa a parte norte da Argentina era então coberta por um solo avermelhado, limoso e argiloso; a lama pampeana continha muitos traços de conchas e corais. Havia também grande quantidade de um material que basicamente era o mesmo, mas que, endurecido, compunha a chamada rocha *tosca,* que algumas vezes também incorporava areia.

eles desistiram da perseguição, já com o forte à vista. Depois disso, o *comandante* baixara ordens proibindo que se saísse sozinho do forte, e Charles compreendeu por que o guia tinha prestado tanta atenção a um veado que parecia estar assustado com alguma coisa. Os cavalos emprestados pelo forte eram criaturas em um estado tão miserável que Charles e o guia só conseguiram voltar no dia seguinte, tendo para comer apenas um tatu e parte de um cabrito e nada para beber.

Charles comprou um bom cavalo por quatro libras e dez pences e passou o dia cavalgando pelas planícies vizinhas. Cansado de nada fazer, contratou o mesmo guia para visitar Punta Alta, agora mais bem provido de comida e água. Quando já estavam perto do destino, o gaúcho avistou três pessoas a cavalo e resolveu desmontar para olhar mais de perto, dizendo que elas não cavalgavam como cristãos e que ninguém podia sair do forte. Os três vultos se juntaram, e depois dois deles desmontaram, enquanto o terceiro desceu a colina e saiu de vista. O gaúcho disse: "Precisamos chegar até nossos cavalos e carregar as pistolas", e olhou em direção à espada. Charles perguntou: "São índios?". "*Quién sabe?*", replicou o guia. "Se forem apenas três, não tem importância." Charles não achou que isso fosse uma piada, mas produto de uma frieza incomum, e perguntou se não era melhor voltarem para casa. O guia respondeu: "Nós *estamos* voltando, só que por um pântano no qual podemos galopar até onde os cavalos agüentarem, e então confiar nas pernas. Assim não há perigo." Observaram os cavaleiros por mais um tempo, até que o gaúcho, explodindo em uma risada, exclamou: "*Mugeres!* [*sic*]", reconhecendo a mulher e a cunhada do filho do major do forte que procuravam ovos de avestruz. Charles ficou intrigado, sem saber por que o guia levara tanto tempo para perceber o erro, mas perdoou-o, e os dois cavalgaram até o local de Punta Alta no qual, um ano antes, ele tinha desenterrado tantos ossos.

Charles passou algum tempo marcando os lugares onde havia mais ossos, e então os dois companheiros puderam comer sua refeição em paz. Fazia um lindo crepúsculo, e tudo estava deliciosamente quieto e tranqüilo. Mas as aparências eram enganosas, e, uma hora depois de irem para a cama em seus *recados*, começou uma chuva muito pesada. De manhã a tempestade ainda não havia passado, e eles resolveram voltar. Pouco tempo depois viram o rastro de um puma, animal relativamente raro e que, na América do Sul, às vezes era chamado de leão. Passaram a segui-lo, mas os cães aparentemente perceberam as intenções e recusaram-se a cooperar. Por ali havia também alguns gambás, ou *zorillas*, mas os cachorros sabiam muito bem que o cheiro fétido ejetado por estes animais iria deixá-los doentes, com o nariz escorrendo copiosamente, e os gambás também foram deixados em paz.

Quando chegaram ao forte, souberam que Harris, companheiro de viagem no *Beagle*, havia chegado com a notícia de que, poucos dias antes, todos os ocupantes de uma das *postas* haviam sido massacrado pelos índios. Suspeitava-se que os assassinos eram membros de uma tribo chefiada pelo *cacique* Bernantio, que estava indo ao encontro do general Rosas. Harris havia encontrado tanto a tribo como um oficial de Rosas levando uma mensagem sumária, dizendo que, "se Bernantio não trouxesse as cabeças dos assassinos, seria o dia mais amargo de sua vida, porque não sobraria ninguém de sua tribo nos pampas".

No dia seguinte o *comandante* Miranda partiu com 300 homens para perseguir Bernantio e seguir o *rastro* dos assassinos. Seus acompanhantes eram rastreadores altamente qualificados, capazes de seguir vestígios deixados há uma semana ou mais. Se os supostos companheiros de Bernantio fossem culpados, seriam massacrados; se não, o *rastro* devia seguir até o Chile, se necessário fosse. As tropas de Miranda eram compostas em sua maioria de índios, e Charles descreveu a cena extremamente selvagem do acampamento na qual os índios bebiam o sangue quente e fumegante dos bois que seriam servidos no jantar. Transpirou mais tarde que o *rastro* provara que Bernantio era inocente e que os assassinos tinham conseguido escapar nos pampas abertos.

A 24 de agosto o *Beagle* foi finalmente avistado, "sua figura curiosamente alterada pela refração nos bancos lamacentos que se estendiam na amplidão". O vento estava forte demais e não foi possível mandar um bote à terra. FitzRoy sentou-se para escrever uma cartinha para Charles que lança uma vívida luz sobre a fraternidade da relação entre os dois:

> *Beagle*. Ao largo de m. Megatério
> Sábado, 24 de agosto
>
> Meu caro filos*
>
> Confiante de que você não esteja inteiramente esgotado, embora meio morto de fome, ocasionalmente congelado e às vezes semi-afogado, desejo cumprimentá-lo por sua campanha com o gal. Rosas e assegurar-lhe que sempre que o navio embica (o que acontece com *muita* freqüência, como você *bem* sabe) fico extremamente vexado de pensar em quanta *prática de mar* você está perdendo; e de quão infeliz deve estar se sentindo em terra firme.

* Charles era conhecido por todos no navio como "o filósofo".

Sua casa (sobre as águas) permanecerá ancorada perto do monte Megatério até que você retorne para auxiliar no parto de um megaloniquídeo medindo 72 pés [21,6m] da ponta da narina ao fim do rabo — e de um ictiossauro um pouco maior que o *Beagle*.*

Nossos sábios dizem que você não é nenhum Arquimedes para realizar a remoção desse último animalzinho.

Mandei por Chaffers [mestre do *Beagle*], para o comandante, por *sua* conta, e em benefício de *nossos* intestinos, que têm uma estranha inclinação para se interessar por carne de boi.

Se você já partiu para Sierra de la Ventana — *tanto mejor* —, eu vou ficar aqui, no velho negócio — "um quarto-oo-menos quatro".

Sancho segue com Chaffers, caso você exija seus confiáveis e corretos serviços.

Mande dizer quando *você* quer um barco — *nós* vamos mandar, *uma vez* a cada *quatro* dias.

Fique *à vontade* — aqui há ocupação o bastante para *todos* os *sondadores*, de modo que não vamos rosnar para você quando voltar.

Seu, muito sinceramente,

Robt. FitzRoy

P.S.1 Não me alegro com suas extraordinárias e extravagantes peregrinações porque estou com inveja — e ciúmes — e cheio de toda falta de caridade. O que eles vão pensar em casa sobre o "senhor Charles", "realmente, acho que ele ficou louco". ... Peço-lhe, seja *cuidadoso* quando não tiver *medo* — diz o ditado.

P.S.2 (do jeito *irlandês*).** Teve alguma notícia de Henslow — ou das coleções que você mandou para a Inglaterra?[1]

A 26 de agosto mandou-se um barco trazendo Chaffers, e Charles lembrou-se de que "esperamos até a noite, até matarem uma vaca, para levar carne fresca para o navio. Só saímos tarde, mas a noite estava bonita e calma. O navio havia mudado de lugar, e tivemos de persegui-lo por toda parte. Mas finalmente chegamos a bordo meia hora depois da uma hora".

Todo o dia 27 foi gasto "contando minhas histórias de viajante". Charles foi então no bote do *Beagle* até Punta Alta e deixou seu novo criado, Syms Covington, e outro marinheiro escavando por uns dias os ossos que ele já havia marcado. O

---

* Réptil aquático extinto, parecido com o tubarão, cujos ossos, ao contrário do megatério e do megaloniquídeo, Charles não havia encontrado na América do Sul.

** O segundo pós-escrito vem antes do primeiro, no manuscrito.

local era sossegado, "com uma quietude quase sublime, mesmo em meio a barrancas enlameadas e gaivotas, morros de areia e abutres solitários".

Seguiu-se uma semana de frustração, enquanto Charles lutava para achar um *vaciano* ou guia para substituir uma pessoa que o tinha deixado em falta. Isso era de vital importância, porque, como escreveu para a irmã Caroline: "Viajar é muito barato neste país; a única despesa é achar uma companhia de confiança, mas disso depende a nossa segurança, porque não existe em todo o mundo gente que goste mais de cortar pescoços do que esses gaúchos". Ouviu muitas anedotas "curiosas" sobre índios; "assustadoras" seria a palavra adequada, mas ele jamais demonstrou o menor traço de nervosismo sobre o que estava fazendo. Em uma batalha então recém-ocorrida, 200 soldados haviam sido mandados para os distantes contrafortes dos Andes, em perseguição a um grupo de 112 mulheres, crianças e homens que foi quase todo capturado ou morto, em troca apenas de um cristão ferido. Qualquer mulher que parecesse ter mais do que 20 anos era invariavelmente massacrada a sangue-frio. Mas quando Charles insinuou que isso poderia ser considerado desumano, a resposta foi: "Ora, o que se pode fazer, elas vivem parindo." Havia histórias sobre a maneira nobre como os jovens que serviam de mensageiros ou embaixadores de suas tribos enfrentavam a morte sem pronunciar uma sílaba de informação que pudesse prejudicar a causa de seu povo. No entanto, alguns de seus chefes ou *caciques* dispunham-se a salvar suas próprias vidas traindo os planos dos aliados. O projeto do general Rosas era matar todos os desgarrados e empurrar o resto para um só ponto, onde, com a ajuda dos chilenos, poderia atacá-los de uma vez. Isso era para ser feito no verão, quando as planícies estavam sem água e havia muito poucas saídas por onde os índios pudessem escapar. Ao sul do rio Negro, o general fizera um trato com uma tribo chamada Tehuelches, pelo qual eles receberiam uma certa soma de dinheiro a cada índio que atravessasse o rio; se deixassem passar algum, eles seriam exterminados. Lembrando-se de que os amigos de hoje poderiam ser os inimigos do futuro, Rosas providenciou a redução de seus aliados índios, colocando-os na linha de frente das batalhas. O êxito nessa guerra sangrenta e no massacre de todos os índios a leste dos Andes significaria uma grande extensão de terra para a produção de gado e os vales dos rios Negro, Colorado e Sauce para o plantio de trigo. Charles concluiu que o país estaria então nas mãos de gaúchos brancos selvagens, e não de índios cor de cobre, "sendo os primeiros um pouco superiores em civilização, mas inferiores em todas as virtudes morais". Mais tarde anotou no *Diário de campo*: "Depois que nos afastamos da América do Sul, ouvimos dizer que essa guerra de extermínio falhou completamente." A despeito disso, o número de índios reduziu-se drasticamente, completando-se o processo que se havia iniciado em 1535, quando os primeiros colonos do rio da Prata trouxeram o cavalo para os pampas.

Um dia Charles viu um soldado acender fogo com um pedaço de pederneira opaca, cor de creme, que evidentemente já havia sido uma ponta de flecha e era comum na ilha de Churichoel. Tinha entre dois e oito centímetros de comprimento e, portanto, era duas vezes maior do que as ainda usadas pelos fueguinos. Sabia-se que nenhum dos índios dos pampas, excetuando-se uma pequena tribo de uma área florestal da Banda Oriental, ao norte de Montevidéu, usava mais arco-e-flecha; não havia uso para armas tão ineficientes depois que os índios tinham aprendido a montar a cavalo e a pegar animais com a ajuda de laços. Assim, as grandes pontas de flecha eram antigüidades usadas pelos índios para caçar antes de 1535 e tinham caído em desuso depois que o cavalo apareceu. Isso ajudou a convencer Charles de que o cavalo não era um habitante original dos pampas.

A 8 de setembro o guia e o passe para os cavalos do governo finalmente foram enviados pelo general Rosas, e Charles partiu em sua viagem de 640 quilômetros rumo a Buenos Aires. A segunda *posta* era nas barrancas do Sauce, um rio pequeno, mas forte e fundo naquela época do ano, que nascia nos longínquos Andes e às vezes secava quando não havia neve para alimentá-lo. O primeiro objetivo de Charles era Sierra de la Ventana, uma montanha visível do ancoradouro de Baía Blanca, cuja altura foi estimada por FitzRoy, por triangulação, em mil metros. Era um dos refúgios favoritos dos índios nas lutas recentes, mas poucos soldados sabiam alguma coisa a seu respeito, e Charles provavelmente seria o primeiro europeu a galgá-la. Com cavalos descansados e um soldado como guia, ele chegou ao segundo dos quatro picos da serra na tarde seguinte, após uma luta difícil e vários ataques de cãibra. Decidiu então que sua honra estava salva e não havia nada a ganhar em tentar alcançar os outros dois picos, um pouco mais altos. A montanha era uma estrutura bem desabrigada, composta de rochas de quartzo branco associado em placas com ardósia-argila um pouco polida, e a vista do topo não tinha graça. Ao pôr-do-sol estavam de volta ao acampamento, por um caminho mais fácil, e Charles escreveu que, depois de "beber muito mate e fumar várias pequenas cigarrilhas, preparei minha cama para a noite. Ventava furiosamente, mas jamais passei uma noite tão confortável."

De manhã eles "praticamente foram empurrados pelo vento" até a *posta* de Sauce, onde a noite passou entre reminiscências pouco animadoras sobre a ferocidade da recente luta em Sierra de la Ventana.

A viagem para o norte continuou sem incidentes notáveis. Em um ponto encontraram um grupo de índios amigos, da tribo de Bernantio, a caminho de uma *salina*, em busca de sal. Viram a *posta* cujo tenente fora encontrado havia pouco tempo com 18 ferimentos de *chusa*, tendo todos os seus homens mortos. Enquanto esperavam que um grupo de soldados de Rosas a caminho de Buenos Aires fosse ao encontro dele, Charles devotou dois dias a pesquisas geológicas, observação de pássaros e demonstrações de perícia dos gaúchos com as rodopiantes boleadeiras. Passaram por um lugar onde recentemente havia acontecido uma tempestade de granizos do tamanho de uma maçã pequena que matara diversos veados e avestruzes. Quando jantava na oitava *posta* no rio Tapalguén, Charles ficou subitamente "horrorizado, ao se dar conta de que estava comendo um dos pratos favoritos do país, ou seja, o feto de um animal ainda não inteiramente formado, muito antes de nascer. Trata-se de um leão ou puma; a carne é muito branca e tem um gosto muito parecido com o de vitela". A décima segunda *posta* foi a primeira em que viram gado e uma mulher branca, pois estava situada em uma das grandes *estancias* do general Rosas, cobrindo cerca de 960 quilômetros quadrados de terra. Entre a décima segunda e a décima quarta, tiveram de cruzar uma extensão de água que chegava a cobrir os joelhos dos cavalos montados como árabes, com os estribos cruzados e as pernas levantadas. Da décima quinta à vigésima cruzaram uma planície uniformemente rica, com abundância de gado, cavalos, carneiros e, aqui e ali, uma solitária *estancia* com uma árvore *ombu* [que dá sombra].

A 20 de setembro Charles chegou a Buenos Aires e ficou hospedado com o comerciante Edward Lumb, de muita ajuda na obtenção de suprimentos e organização do embarque para a Inglaterra dos espécimes fósseis coletados. Ali Charles "gozou de todos os confortos de uma casa inglesa", descansou bastante e tratou de obter cartas de apresentação e um passe para a viagem ao norte, para Santa Fé, nas margens do rio Paraná. Syms Covington chegou de Montevidéu e foi despachado à estância do sr. Lumb, para matar e empalhar alguns pássaros. A 26 de setembro Charles escreveu a FitzRoy uma carta (que não chegou a nós) perguntando sobre os planos do *Beagle*. Uma semana depois FitzRoy mandou sua longa resposta de Montevidéu, escrita, como a anterior, em um estilo desatento, mas muito amigável:

Beagle, Montevidéu
4 de outubro de 1833

Meu caro Darwin

Duas horas atrás recebi sua epístola datada de 26, e pontual e imediatamente me prontifico a responder às suas indagações (*mirabile*!!)

Mas, antes de tudo, ... meu bom Filo, por que você não me disse nada de suas fugas por um triz e acidentes perigosos. Quantas vezes escapou dos índios? Quantos precipícios pulou? Em quantos pântanos caiu? ... Quantas vezes foi arrastado pela torrente? E quantas vezes assassinaram você? Que você não foi assassinado até a *morte*, eu tenho evidências visíveis na sua letra, bem como em um parágrafo na coluna do pouco amistoso jornal do sr. Love. Você não me disse se recebeu os papéis em branco ... você é um homem informal ... como vou ter certeza de que não assinei coisas que podem arruinar minha *imaculada* reputação? Harris levou o pacote e prometeu entregá-lo direito. Como Sancho, com a ajuda do sr. Hood [cônsul-geral britânico em Montevidéu], conseguiu se enganar a ponto de chegar a Buenos Aires alguns dias depois de Harris. ... *Quien sabe*? Nele havia cinco linhas "parcas", como diria o cap. Beaufort, e uma promessa de melhor comportamento futuro. Desde o dia daquela nota, o *Beagle* passou dois dias em Maldonado — um dia aqui e cerca de uma semana entre aqui e cabo Corrientes. ... Não tendo qualquer triturador de pedras a bordo — nem qualquer pessoa qualificada (o *imediato* estava ausente) —, eu não podia nem pensar em desembarcar, ... de modo que *você* ainda tem uma *chance*, ... *de verus* (*ventava* muito e não conseguimos desembarcar.) Creio que você já soube do sr. Parry [um comerciante britânico de Montevidéu] e já sabe da perda. Se ainda não soube — seu *aliado* (!!famoso como ladrão de ossos) terá informado você. Por mais chocante que tenha sido para ele e a família, mas para ele muito particularmente, tenho esperanças de que nosso bom amigo Parry encontrará tempos melhores, ... porque é um homem solteiro. De bom coração e amigável como ela era — e amigável na máxima extensão de suas possibilidades —, ela tinha sua parcela de fraqueza feminina e falhas de mulher. Robert Parry vai para a escola na Inglaterra, no *Mary Worral*, comerciante, ... para ser internado em uma escola, ... as filhas menores vão para Buenos Aires — também para a escola —, o sr. P. pretende fechar a casa e virar "solteiro, quanto aos alojamentos", ... resolução sábia, embora realmente dolorosa para um pai de família, ... pense que mudança no ciclo doméstico.

Se o sr. P. escreveu a você, como pretendia fazer, você já ouviu falar do sr. Martens — sucessor de Earle — um *artista de primeira* —, que grita *no sono* "*pense em mim*, em um pico dos Andes ... ou desenhando uma geleira fueguina!!!" Minha fé na solavancologia garante que você vai gostar dele, e gostar *muito* — ele é —, ou estou horrivelmente enganado — uma "*rara avis in navibus*, ... Carlo *que simillima* Darwin". Não fique com ciúme, porque só pus no final por causa da métrica — você sabe muito bem que seu grau é "raríssima", que seu verso é assim: *Est avis in navibus* Carlos *raríssima* Darwin, mas você vai pensar que fiquei maluco, de tão cavalheiro, de tão bem informado que ele é, em todos os aspectos. ... As paisagens são *realmente* muito boas (comparadas com as dos londrinos), embora, talvez, quanto às *figuras humanas*, não se possa comparar a Earle. ... Ele é muito industrioso — e de hábitos cavalheirescos, ... (não é pouca recomendação).

Wickham se saiu muito bem ... realmente o "Rapidinho" merece elogios. mais do que *banais* ... o sr. Kent, do *Pilades*, está em Gorriti — pertence a nossa esquadra. Temos muitos homens — e *bons*; tudo vai bem.

...

"Bem, mas as conjunções — as conjunções." Já estou ouvindo você dizer: "Você chegou ao fim da folha sem me dizer nada do que eu queria saber."

Hoje é 4 de outubro, — "*assim diz sua carta*" — bem — hum — se — hum — mas — devemos considerar — então — hum — amanhã vai ser dia 6 — "*Prodigioso*"!! Você sabe o que quero dizer — "*claro*", de modo que — e tal e tal — e hum, hum, hum, e acabou-se!!

Nunca mais vou escrever uma carta depois do chá — esta beberagem verde deixa você um tanto ébrio. Ademais, é um luxo sentir que sua epístola não vai atravessar o vasto Atlântico — basta cruzar o lamacento Prata. É horrível escrever para uma pessoa que está a milhares de milhas — quando sua consciência o repreende por ter sido extremamente negligente e lhe diz que você deve seis ou oito ou (oh, que horror) 12 meses de *história* a seu esperançoso e irado correspondente.

Você ainda não conseguiu resposta alguma: "O que o Beagle vai fazer? Vai me dizer, ou não?"

Filo, não fique com raiva — tenha paciência, eu diria tudo a você.

Amanhã vamos levantar ferro para Maldonado, ali vamos ficar até o meio deste mês, e então voltaremos a Montevidéu e ficar quietos, se possível até o final do mês, ... vou fazer tudo para ir embora do rio da Prata na primeira semana de novembro, mas há tanta coisa a fazer — e não ficaria surpreso se permanecermos até o meio de novembro. No entanto, o tempo é de tal conseqüência, que todo dia ganho será de grande peso. ... Espero e tentarei muito zarpar no *começo* de novembro, ... de modo que não atrase sua chegada aqui até depois dos primeiros dias de novembro, no máximo.

Você nada disse do "Diário da expedição ao rio Negro", nem mandou o mapa da província de Buenos Aires. Peço-lhe que faça a segunda coisa — bem rápido — e investigue a primeira com o sr. Gore [encarregado de negócios britânico em Buenos Aires] e também com aquele outro homem cujo nome me esqueci (*señor*, *don* ou coronel Qualquer Coisa, ou qualquer pessoa). ... Mas quando escrevi para o sr. Gore mencionei isso, de modo que ele vai saber — quero comparar o mapa com nossas cartas — antes de mandá-las — para poder "conspirar" um pouco, como diz seu amigo, o sr. Bathurst.

Roberts ([o piloto] do *Liebre*) passou pela nossa proa *esta manhã* a bordo do *Paz*, rumo ao rio Negro, com uma carga de *tabaco*. Não nos honrou com uma visita — nem perguntou por Chico. Quanto à primeira, ele foi um tanto rude, quanto ao último, bastante sábio, acho eu.

...

Adiós, Filos — Sempre seu

Robt FitzRoy[2]

Auto-retrato de Conrad Martens (Biblioteca Mitchell)

Enquanto isso, no dia 27 de setembro, Charles iniciou sua cavalgada a Santa Fé pelas planícies lisas que, à distância, pareciam ser bons pastos, mas que na verdade eram cobertas de enormes cardos com um metro e meio de altura, de modo que se viam poucos animais e pássaros. Na noite do dia 29 chegou à cidade de San Nicolau e teve a primeira visão do rio Paraná; na manhã seguinte atravessou um pequeno rio chamado Arroyo del Medio, entrando então na província de Santa Fé, limitada ao leste pelo rio Paraná e a oeste pela província de Córdoba. Avisaram-lhe que quase todos os habitantes da província eram "ladrões muito sagazes", o que foi imediatamente comprovado, pois lhe roubaram a pistola.

Chegou a Rosário, onde um espanhol muito hospitaleiro, para quem tinha uma carta de apresentação, teve a gentileza de reabastecê-lo com "este artigo indispensável". Galopou até a cidade, famosa pelo tamanho da igreja — e também pela virtude e hospitalidade de seus frades —, construída em um terreno plano, cercado por colinas com 1.800 metros de altura, algumas vezes verticais e avermelhadas, outras vezes, massas irregulares cobertas de cactos e mimosas, descendo o rio Paraná. Este era caudatário de uma grande região, muito embora seu impressionante tamanho ficasse disfarçado, à primeira vista, pelas muitas ilhas compridas e estreitas nele espalhadas.

Saindo à luz da lua naquela noite, Charles chegou de madrugada ao rio Carcavana, também chamado de Saladillo, porque a água era salobra. Passou o dia à procura de ossos fósseis na barranca e logo encontrou um dente canino do toxodonte, muito grande e perfeito. Havia também dois imensos esqueletos aparecendo na barranca, um perto do outro, mas que se desintegraram em fragmentos quando tentou escavar. No entanto, conseguiu extrair peças suficientes de um dos enormes dentes molares e pôde estabelecer que os restos pertenciam a um mastodonte, outro dos extintos ungulados outrora presentes em grande número nas planícies da América do Sul.* Os homens que levaram Charles à barranca disseram que há tempos estavam intrigados, sem saber explicar como os esqueletos encontravam-se naquele lugar, e tinham concluído que os bichos deviam estar escavando outros animais.

A 2 de outubro Charles passou por uma aldeia muito bonita, chamada Corunda, e entrou em uma região freqüentemente assolada por bandos de índios. Com júbilo o guia de Charles avistou o corpo de um índio pendurado em uma árvore. Após trocar os cavalos em uma *posta* muito bem cuidada, chegaram à cidade de Santa Fé, onde Charles, sentindo-se um pouco febril com o excesso de esforço, ficou feliz ao encontrar um quarto sem mobília em que pôde descansar por uns dois dias. A 5 de outubro passou quatro horas atravessando o Paraná até Santa Fé Bajada, depois conhecida como Paraná, capital da província de Entre Rios. Ainda mal, decidiu voltar o mais rápido possível a Buenos Aires, para chegar a tempo à planejada partida do *Beagle* para o sul. Não conseguiu alugar um barco só para ele, de modo que comprou uma passagem em uma *balandra*, barco de um só mastro e de cem toneladas. Mas a *balandra* parecia não ter pressa de partir, e Charles passou os cinco dias seguintes nas barrancas do Paraná, catando conchas fósseis e admirando os beija-flores que voavam em torno das lindas flores.

A *balandra* seguiu seu caminho de maneira vagarosa Paraná abaixo. Charles passava a maior parte do tempo na cama, porque o teto da cabine era tão baixo que ele não conseguia ficar sentado. Enfrentou novos perigos nessa jornada; quando desembarcou em uma das ilhas, descobriu "os mais indubitáveis

---

* O toxodonte era o mamífero extinto ungulado ou pastador mais comum na América Latina no Plioceno Terciário e Plistoceno Quaternário, há cerca de três milhões de anos. Parecia um rinoceronte de pernas curtas, com cerca de 2,5 metros de comprimento, provavelmente de focinho curto, parecendo-se com um gigantesco preá. O mastodonte era outro ungulado de tamanho semelhante, parente distante do elefante moderno.

e recentes sinais de tigre" e teve de realizar uma retirada rápida. Havia boas razões para temer que os numerosos jaguares habitantes do matagal — e que algumas vezes adicionavam madeireiros e novilhos à sua dieta normal de capivaras — não hesitariam em também incluir *un naturalista* a seu menu. Os mosquitos eram outro perigo; Charles expôs as costas da mão por cinco minutos e logo verificou que havia 50 insetos sugando seu sangue. Felizmente eles não poderiam ser transmissores de malária. Menos perigosos eram os bicos-de-tesoura que voavam rapidamente para cima e para baixo da corrente, sulcando a superfície com as mandíbulas inferiores e ocasionalmente pegando um peixe pequeno. Outros pássaros de interesse eram os pequenos martins-pescadores, não muito diferentes da variedade européia, os papagaios verdes em grandes bandos que algumas vezes devastavam os campos de trigo e pássaros insetívoros de vôo parecido com o da andorinha, em curvas abruptas, com as duas penas da cauda abrindo e fechando, como uma tesoura.

Após uma semana a *balandra* chegou à foz do Paraná, e Charles conseguiu uma canoa para levá-lo até San Francisco, a cerca de 32 quilômetros de Buenos Aires. Sua intenção era cavalgar até lá. Porém, para seu desalento, viu-se mais uma vez no centro de uma revolução, na qual um grupo de homens basicamente simpáticos ao general Rosas havia perdido a paciência com o governador de Buenos Aires e bloqueavam todos os portos e estradas para a cidade. Na manhã seguinte conseguiu convencer o general Rolor, comandante da divisão norte dos rebeldes, a dar-lhe um passaporte para o comandante-em-chefe em Quilmes, do outro lado da cidade. Com muita dificuldade conseguiu alguns cavalos e, fazendo uma grande volta, chegou ao acampamento principal dos

Reconstrução do toxodonte, com cerca de 2,70m de comprimento (ver Romer)

rebeldes, perto de Quilmes. De início eles não foram receptivos, mas o irmão de Rosas estava ali, e quando Charles contou a visita ao acampamento do general no rio Colorado, as coisas logo entraram nos eixos. Charles recebeu permissão para entrar na cidade a pé. Após passar por todos os soldados do governo com um antigo passe, viu-se, com grande alegria, "a salvo nas pedras de Buenos Aires". Alguns dias depois, uma mensagem de Rosas anunciava que, embora desaprovasse a quebra da paz, achava que os rebeldes tinham a justiça a seu lado. Diante disso, o governador e seus ministros renunciaram imediatamente e trataram de desaparecer; elegeu-se um novo governo, e os soldados rebeldes foram adequadamente recompensados por seus serviços. Charles concluiu corretamente que Rosas iria acabar se transformando em ditador absoluto.

Mas os problemas de Charles ainda não haviam terminado, porque Syms Covington, o criado, ainda estava realizando coletas na *estancia* do prestimoso sr. Lumb e um dia "quase perdeu, nas areias movediças, a vida e minha arma". Ele teve de subornar alguém para fazer passar Covington pelas tropas beligerantes, deixando para trás algumas das posses e coleções de Charles, embora, por sorte, elas tenham ido parar em Montevidéu. As condições em Buenos Aires eram das mais desconfortáveis, com todas as lojas fechadas e soldados sem lei roubando as pessoas ao acaso. Assim, em 2 de novembro, Charles embarcou com grande satisfação no paquete para Montevidéu e escapou daquela cidade tão miserável.

13

Despedida de Montevidéu

novembro, 1833

Ao chegar a Montevidéu, Charles subiu a bordo do *Beagle* e teve a surpresa de saber que a partida havia sido adiada até o começo de dezembro, porque as informações reunidas pelas escunas *Paz* e *Liebre* ainda deviam ser registradas nos mapas. Como encontrou a cabine de popa cheia de carpinteiros, alugou um quarto em terra para aproveitar o mês de estada forçada no Uruguai.

A primeira expedição que fez foi um agradável galope para oeste, ao longo da costa do rio da Prata, até as barrancas levemente inclinadas de San Gregório. As pesquisas geológicas mostraram-se decepcionantes, e, para cruzar o rio Santa Lúcia, os cavalos tiveram de nadar pelo menos 500 metros. Todos ficaram surpresos de ver como foi fácil. Depois de cinco dias perdidos por causa de uma "demora verdadeiramente hispânica", à espera de um passaporte e outros papéis, Charles partiu com seu *vaqueano* em uma cavalgada mais longa, para ver o rio Uruguai descer do norte, formando a fronteira ocidental do país, e seu tributário, um outro rio Negro. De início o progresso foi lento, pois tinham de cruzar os rios Canelones, Santa Lucia e San José de barco, ao contrário dos *peónes*, que, quando os cavalos perdiam o pé e começavam a nadar, escorregavam para trás, agarravam as caudas dos animais e eram rebocados pelo rio. Os homens despidos galopando em cavalos em pêlo formavam um lindo espetáculo que fizeram Charles lembrar de Elgin Marbles. Após cruzar o profundo e célere rio Rosário, ele chegou à Colônia de Sacramento, antiga cidade da costa que havia sido o quartel-general do exército uruguaio na então recente guerra contra o Brasil. Para ele esta tinha sido

> uma guerra muito prejudicial a este país, não tanto por seus efeitos imediatos, mas por ter dado origem a uma multidão de generais e oficiais de todos os postos.

Embora não sejam pagos, o número de generais nas províncias reunidas de La Plata é maior do que na Inglaterra. Esses cavalheiros aprenderam a gostar do poder e não fazem objeções a manter algumas escaramuças. Nasce assim uma constante tentação de novas revoluções, que, na mesma proporção em que facilmente se montam, também são prontamente derrotadas. Mas notei aqui e em outros lugares um interesse muito generalizado pelas próximas eleições para presidente; e esse parece ser um bom sinal para a estabilidade deste pequeno país. Os habitantes não exigem muita educação de seus representantes; já ouvi alguns homens discutindo os méritos do pessoal da colônia, dizendo que, "embora não sejam negociantes, todos sabiam assinar seus nomes". Com isso, qualquer homem razoável sente-se satisfeito.[1]

No dia seguinte Charles foi convidado por um cavalheiro local a visitar sua *estancia* perto da cidade. Ficava localizada no que se chamava de *rincón*, com 3.600 metros quadrados de área, um dos lados de frente para o rio da Prata — onde havia um porto para barcos pequenos — e dois outros limitados por riachos intransponíveis. Tinha três mil cabeças de gado, 800 éguas e 150 cavalos domados, excelentes currais e um pomar de pêras. Charles foi informado de que o valor dessa propriedade era pouco mais de duas mil libras. Administrava-se o rebanho dividindo-se o gado em grupos de menos de cem animais, que podiam ser reconhecidos por marcas peculiares. A cada semana reuniam-se e contavam-se os grupos.

O muro externo de Montevidéu, por Conrad Martens

Montevidéu vista do ancoradouro do Beagle; *primeiro desenho feito a bordo do* Beagle *por Conrad Martens*

As florestas baixas e densas à beira do rio abrigavam muitos jaguares, e as árvores tinham sulcos de um metro de comprimento. Charles, no entanto, não conseguiu atrair qualquer jaguar para o espaço aberto. Mais ao norte, na estrada para Mercedes, no rio Negro, o grupo fez pouso em uma *estancia* muito grande, com mais de 140 quilômetros quadrados. Quem a administrava era um sobrinho do dono, que vivia em Buenos Aires, e um capitão que escapara ao exército argentino. O conhecimento que tinham do exterior era como sempre muito limitado, e quando souberam que na Inglaterra os animais não eram capturados a laço, concluíram: "Ah, bom, então vocês só usam boladeiras."

O capitão finalmente disse que tinha uma última pergunta a me fazer e ficaria muito grato se eu respondesse com toda a verdade. Tremi, pensando em como devia ser científica. Era: "Se as mulheres de Buenos Aires não eram as mais bonitas do mundo?". Respondi: "E encantadoras." Ele acrescentou: "Tenho outra pergunta. As senhoras das outras partes do mundo usam pentes tão grandes?". Assegurei-lhe solenemente que não. Os dois ficaram absolutamente satisfeitos. O capitão

> exclamou: "Vejam, um homem que já viu a metade do mundo diz que é assim; nós sempre achamos, mas não sabíamos." Meu excelente julgamento quanto à beleza garantiu-me uma receptividade muito hospitaleira; o capitão obrigou-me a ficar com a cama dele e foi dormir em seu *recado*.[2]

Partindo ao nascer do sol, a comitiva cavalgou lentamente em direção a Mercedes. Ali a região se parecia mais com os pampas do que o resto da província. Imensos tabuleiros de cardos mais altos do que um homem montado a cavalo, além das alcachofras bravas, um pouco mais baixas, desencorajavam a criação de gado. Chegando a 22 de novembro na *estancia* de Berquelo, perto de Mercedes, Charles passou o dia em pesquisas geológicas, até a noite, quando o proprietário retornou. Cavalgaram 32 quilômetros até Sierra del Pedro Flaco, de onde se tinha uma bela vista do rio Negro, com sua correnteza rápida de água azul, quase tão largo quanto seu homônimo da Patagônia. De volta a Mercedes, Charles ouviu falar de alguns ossos gigantes que, ao cabo, eram de um megatério, embora ele só conseguisse escavar alguns fragmentos. Caval-

Perto do Portão Inglês em Montevidéu, por Conrad Martens

gando de volta a Montevidéu pelo caminho de San José, a 26 de novembro encontrou em uma *estancia* uma parte muito perfeita da cabeça de um megatério, que comprou por alguns shillings. Chegou à capital dois dias depois, cruzando uma distância, segundo o que lhe foi cobrado pela carruagem de posta, de 400 quilômetros pelas desinteressantes planícies do rio da Prata.

Os mapas do *Beagle* ainda não estavam prontos, e Charles ficou em terra durante mais quatro dias, fazendo seus preparativos para a viagem ao sul e refletindo sobre o caráter dos habitantes das províncias do norte. Considerava os gaúchos muito superiores aos habitantes das cidades, sendo invariavelmente gentis e hospitaleiros, modestos com relação a eles próprios e, ao mesmo tempo, animados e ousados. Tinha de admitir contudo que derramavam sangue demais, e muitas vidas eram perdidas com brigas de faca por querelas triviais. Seus pontos de vista sobre os moradores das classes mais altas das cidades, pretensamente mais bem-educados, eram intransigentes, pois os classificava como libertinos sensuais que debochavam de qualquer religião, sempre prontos à prática da corrupção mais grosseira e inteiramente sem princípios. Todos os funcionários públicos eram subornáveis, o chefe do posto dos correios vendia selos falsos, o governador e o primeiro-ministro roubavam o Estado abertamente e não se podia esperar justiça onde tivesse ouro. A opinião de Charles era de que em poucos anos o país estaria sob a mão de ferro de um ditador, e desejava que esse período não estivesse distante.

O outro lado da moeda era o excelente gosto para roupas das mulheres, as boas maneiras em todos os níveis e acima de tudo a notável igualdade entre todos os grupos. No Colorado, homens que eram apenas donos de pequenas lojas costumavam jantar com o general Rosas. No exército, muitos homens não sabiam ler ou escrever, e no entanto todos eram tratados em termos de perfeita igualdade. Tudo isso era de se esperar em um país novo, mas a ausência de cavalheiros *par excellence* chocou Charles — para ele era uma novidade.

Montevidéu e o porto, por Conrad Martens

14

Natal em Puerto Deseado e de lá a Puerto San Julián e Puerto Hambre

dezembro, 1833 – janeiro, 1834

Às quatro da manhã do dia 6 de dezembro de 1833, o *Beagle* levantou ferro e, acompanhado pelo *Adventure,* subiu o rio para se abastecer de água. Com um vento bom, saíram no dia seguinte e à noite estavam em águas claras. "Nunca mais vou entrar nas águas lamacentas do Prata", observou Charles.

Algumas mudanças haviam ocorrido entre os oficiais, pois o tenente John Wickham passara a comandar o *Adventure*, levando com ele os srs. Johnstone, Forsyth e o sr. Usborne como sub-hidrógrafo. O sr. Kent, do *Pylades,* juntara-se a Benjamin Bynoe como cirurgião-assistente. Augustus Earle voltara para casa, em péssimo estado de saúde, e Conrad Martens havia ocupado seu lugar como artista oficial do navio.

Depois de uma travessia lenta, por causa dos ventos fracos, o *Beagle* e o *Adventure* chegaram no dia 23 de dezembro a Puerto Deseado [Port Desire], na costa da Patagônia. Aquele era um bom ancoradouro que fora descoberto pelo aventureiro elisabetano sir Thomas Cavendish, segundo inglês a circunavegar o mundo, que também havia passado o Natal ali, em 1586. No mesmo dia Conrad Martens pintou o *Adventure* ancorado, tendo ao fundo as ruínas de um forte espanhol do lado norte do porto. Alguns anos antes os espanhóis haviam tentado fundar uma feitoria no local, mas logo sucumbiram à total falta de água no verão e aos ataques de índios no inverno. No dia seguinte Charles foi à terra e fez uma longa caminhada para o norte, onde encontrou um verdadeiro deserto composto de cascalho, muito pouca vegetação e nem uma gota de água. A secura da região, contudo, era compensada pelo fato de que ali vivia grande número de guanacos, de quem as lhamas são uma variedade um pouco menor; Charles matou um, que foi comido no dia de Natal.

O Adventure *e ruínas espanholas em Puerto Deseado, por Conrad Martens*

Na face da planície, 74 metros acima do nível do mar, segundo as medidas barométricas de Charles, havia camadas de ostras, mexilhões e outras conchas de espécies atualmente encontradas no mar; ficou impressionado ao ver que os mexilhões ainda mantinham a cor azul. "É certo, então", escreveu, "que há poucos séculos toda essa região estava sob o mar." Mas ele estava errado, porque a hipótese atual dos geólogos é de que o terraço a 74 metros de altura em Puerto Deseado pertence ao final do Plistoceno, com uma idade mínima de 120 mil anos.[1] Charles estava certo ao concluir que havia ocorrido uma elevação substancial da costa, mas o processo fora muito mais lento do que supôs a princípio, pois o azul das conchas de mexilhão não era na verdade um indicador confiável da idade.* As festas de Natal começaram com um almoço no refeitório, após o qual os oficiais e quase todos os homens dos dois navios foram à terra para competições atléticas e um jogo naval chamado "Pendurando o macaco" (PRANCHA 3). Normalmente o "macaco" era um barril de rum suspen-

* Como Charles observou em 1845, quando escreveu seu livro *Geological Observations*, na América Latina as conchas de mexilhões não são simplesmente coloridas de azul na superfície externa, mas em toda a espessura, de modo que muitas vezes não perdem a cor até a concha ser inteiramente gasta, após centenas de milhares de anos.

Um guanaco, por Martens

so a um tripé; mas naquela ocasião tratava-se de um membro da tripulação suspenso pelos tornozelos. O capitão distribuiu prêmios aos vencedores das competições de salto, corrida e luta. Charles comentou: "Esses jogos olímpicos foram muito divertidos; era delicioso ver com que animação de meninos de escola os marinheiros participavam deles; velhos de barbas compridas e jovens imberbes brincavam feito crianças; certamente é uma forma melhor de passar o Natal do que a maneira tradicional, em que cada marinheiro fica o mais bêbado possível." Conrad Martens pintou uma aquarela muito vívida da cena, com o *Beagle* e o *Adventure* ao fundo. Traz as iniciais RF no canto, mas não teve a total aprovação de FitzRoy, pois o artista escreveu abaixo: "O mastro principal do *Beagle* um pouco para trás. Inclinar mais o mastro."

Comandado pelo sr. Chaffers, levando meia dúzia de oficiais e marinheiros, Charles, Conrad Martens e provisões para três dias, o escaler foi enviado a explorar as cabeceiras do riacho, em busca das fontes de água mencionadas em um velho mapa espanhol. No primeiro dia nada encontraram, apenas uma pequena fonte de água salobra. Enquanto esperavam a maré subir para seguirem adiante, Charles fez uma caminhada pelo local, e escreveu: "Não há árvore alguma, e, excetuando o guanaco, que fica no topo das colinas como uma vigilante sentinela do bando, quase nenhum animal ou pássaro. Tudo é quietude e desolação."[2]

À noite velejaram mais alguns quilômetros e então montaram as tendas para passar a noite. Lá pela metade do dia seguinte, não dava para continuar no escaler, mas o sr. Chaffers seguiu no bote e encontrou um pequeno rio de água doce vários quilômetros adiante. Charles achou que o riacho poderia nascer nas Cordilheiras, mas FitzRoy julgou mais provável que a água viesse dali mesmo, em estações particularmente chuvosas. Nas cabeceiras do riacho a vista era muito bonita, com as rochas de porfírio,* de cor vermelha, elevando-se da água em barrancas abruptas, formando vértices agudos. Acamparam ali, e Conrad Martens registrou a cena (PRANCHA 5).

De volta a Puerto Deseado, Charles ocupou-se com novos estudos geológicos, nos quais descobriu um túmulo indígena no topo de uma colina distante.

Túmulo indígena em Puerto Deseado, por Charles Darwin

Tratava-se de uma pilha de pedras grandes colocadas com certo cuidado ao pé de uma proeminência da pedra, com cerca de um metro e meio de altura; três metros adiante havia duas imensas pedras apoiando-se uma à outra, cada qual com pelo menos duas toneladas. Na pedra dura do fundo da cova havia uma camada de terra com 30 centímetros de espessura, coberta por um pavimento de pedras chatas e uma pilha de pedras que enchia o espaço entre a proeminência e os dois grandes pedregulhos. Uma imensa pedra havia sido alavancada para fora da saliência e encontrava-se sobre as outras. Restos de pequenas fogueiras e de ossos de cavalo perto do túmulo sugeriam que ele havia sido visitado recentemente; mas escavações feitas sob as pedras não revelaram ossos humanos.

Os animais e pássaros que Charles coletou ao redor de Puerto Deseado eram sobretudo dos grandes, muito embora ele tenha feito uma importante observação a respeito do universo diminuto, quando, um dia, grandes quantidades do que chamava de coralina *Halimeda* foram jogadas na praia. Após exame cuidadoso da anatomia ao microscópio, ele concluiu corretamente que esse grupo particular de organismos, previamente incluído sob a denominação

* Uma pedra formada por solidificação, com o esfriamento da lava vulcânica derretida, que produz uma rocha ígnea contendo uma multiplicidade de grandes cristais em uma matriz delicadamente cristalina. O porfírio vermelho é um importante componente da base dos Andes.

geral de zoófitos, com classificação duvidosa, era definitivamente uma planta, e não um animal.* Um dos pouquíssimos animais adaptados para sobreviver na secura das planícies desoladas era o guanaco, algumas vezes visto a beber água salobra em córregos e salinas. É possível que fossem capazes de poupar água da mesma maneira que os camelos da África e do Oriente Médio — de quem, aliás, os guanacos são parentes distantes —,[3] fazendo com que a temperatura corporal caia bem abaixo dos 37° nas noites geladas, e depois com que subisse bem acima de 37°, nos dias quentes, antes que suassem e, conseqüentemente, começassem a perder água. Embora o problema seja de considerável interesse fisiológico, ainda não haviam sido realizados estudos sobre a maneira pela qual os guanacos dos desertos sul-americanos armazenam água. Charles escreveu a respeito de alguns dos hábitos desses animais:

> Freqüentemente o caçador percebe o primeiro indício de sua presença ao ouvir, de uma grande distância, um relincho agudo denotando alarme; se olhar atentamente talvez veja o bando de pé, em linha reta, em um dos lados de uma colina distante. Quando se aproxima, ouve mais alguns guinchos, e o bando se afasta, em um trote aparentemente lento, mas na verdade bem rápido, por alguma trilha batida e estreita, dirigindo-se a uma colina distante. Se por acaso encontra abruptamente um guanaco sozinho, ou um bando, eles em geral ficam imóveis e olham diretamente para o caçador — e então se afastam um pouco, depois se viram e olham de novo. Qual a causa da especificidade dessa timidez? Será que a distância eles crêem que o homem seja o seu principal inimigo, o puma? Ou a curiosidade vence a timidez? Que eles são curiosos, isso é certo, porque se uma pessoa se deitar no chão e fizer gestos estranhos, como sacudir os pés para cima, quase sempre eles se aproximam aos poucos para examiná-la. Esse artifício foi muitas vezes praticado por nós; ademais, eles têm a vantagem de permitir que se disparem vários tiros, e tudo é considerado parte do espetáculo.[4]

Em outra ocasião Charles atirou em um grande guanaco que pesava mais de 90 quilos. "Dois machos lutavam furiosamente e galopavam como cavalos

---

* *Halimeda* é uma alga marinha, isto é, um tipo de planta inferior que se cria em água salgada, sendo uma variedade verde pertencente ao filo clorofita. A opção de Charles baseou-se em um exame minucioso das articulações nas gêmulas reprodutivas das algas. Na mesma ocasião coletou quantidades menores de outra coralina, uma espécie vermelha da alga chamada *Amphiroa*, pertencente ao filo rodófita. Como mais tarde ficou claro, esta pertencia ao grupo atualmente denominado alga "coralina", porque cresce simbioticamente, ou seja, em parceria com os hidrozoários que se constituem nos recifes e são classificados como animais primitivos. Mas as conclusões de Charles sobre as articulações eram igualmente válidas para ambas as classes.

de corrida, com as orelhas abaixadas e os pescoços para baixo; não me viram e passaram a 30 metros; então eu defini a briga dando um tiro no perseguidor."

Quando Charles esteve no rio Negro, no norte da Patagônia, muitas vezes ouvira os gaúchos falarem de um pássaro muito raro que chamavam de *avestruz petise,* sendo *petiso* uma palavra argentina para designar pessoas muito pequenas. O pássaro era semelhante à ema comum, só que pequeno, mais escuro e com as pernas cobertas de penas até os pés. Os ovos eram mais ou menos do mesmo tamanho dos da ema, mas de formato um pouco diferente e de tom azul pálido. Charles, no entanto, ainda não havia conseguido ver o pássaro.

Em uma carta para o irmão Henry, Conrad Martens mencionou que, quando estavam em Puerto Deseado, "como havia pouco a fazer em termos de desenho, eu costumava pegar minha espingarda; um dia tive a sorte de trazer uma ema, a única que até então tínhamos conseguido matar, embora víssemos muitas. Era bem nova e muito boa de comer".[5] Mas o interesse pelo bicho era mais do que gastronômico, como conta Charles:

> Em Puerto Deseado, na Patagônia (lat. 48°), Martens atirou em uma ema; eu examinei-a e, infelizmente esquecendo a questão dos *petises*, achei que era uma ema de tipo comum que crescera apenas dois terços do tamanho comum. O bicho foi depenado e cozido antes que minha memória voltasse. Mas a cabeça, o pescoço, as pernas, as asas, muitas das penas maiores e uma grande parte da pele haviam sido preservados. Com isso montou-se um espécime quase perfeito, que hoje é exibido no museu da Zoological Society.[6]

O pássaro destinado a ser o espécime-tipo do *Rhea darwinii* (PRANCHA 4) — quando, no começo de 1837, as coleções de Charles foram classificadas pelo ornitólogo John Gould em Londres — tornou-se o primeiro exemplo do importante princípio depois conhecido pelos zoólogos como "espécie representativa". De acordo com esse princípio, a difusão geográfica de espécies recentemente evoluídas para áreas adjacentes de um continente podem resultar, como neste caso, na presença da espécie maior, *Rhea americana*, no norte da Patagônia, e a extensão de seu hábitat se sobrepõe à da *Rhea darwinii,* de tamanho menor, no sul da Patagônia.

Enquanto o *Adventure* permanecia em Puerto Deseado para alguns ajustes nas velas, o *Beagle* manobrou para sair da baía, com o propósito de velejar para o sul, descendo a costa. Nessa manobra ele bateu com força em uma pedra incomodamente situada no meio do canal, exatamente, de acordo com FitzRoy, onde tinha enfrentado dificuldades na visita anterior, em 1829. O tenente Sulivan mergulhou embaixo da quilha para inspecionar o prejuízo, que não parecia grave, embora voltasse sangrando, com vários arranhões causados pela placa de cobre, que se encontrava em estado bastante irregular. Para se certificar, FitzRoy repetiu o mergulho.

O *Beagle* navegou por dois dias examinando a costa, uma continuação do tabuleiro visto em Puerto Deseado, interrompido em alguns lugares por grandes vales de onde a terra havia sido removida. A 9 de janeiro de 1834 FitzRoy ancorou o navio ao largo da entrada de Puerto de San Julián, e Charles desembarcou para explorar a costa, enquanto o capitão fazia sondagens na barra. Conrad Martens ficou a bordo e pintou uma aquarela da paisagem vista da barra (PRANCHA 6).

Puerto San Julián fora palco de dois incidentes históricos, pois ali, em 31 de março de 1520, o grande navegador português Fernando de Magalhães refugiou-se com a esquadra espanhola sob seu comando em muito mau estado, após uma forte tempestde. A 2 de abril dois de seus comandantes subordinados, Luiz de Mendoza e Gaspar Quesada, lideraram uma revolta contra o capitão-geral; Mendoza morreu lutando, e Quesada foi dominado por Magalhães e posto a ferros. O corpo de Mendoza foi então estripado, esquartejado e empalado em um patíbulo na praia, em um lugar que depois ficou conhecido como ponta do Patíbulo. Em uma corte marcial reunida na grande cabine do capitânia *Trinidad,* Quesada foi considerado culpado de traição, decapitado e esquartejado; os pedaços de seu corpo foram empalados ao lado dos de Mendoza. Magalhães ficou em Puerto San Julián por mais seis meses, consertando seus navios e esperando o verão para continuar a viagem. Antes de zarpar erigiu uma cruz na montanha mais alta, a noroeste do ancoradouro, Monte Cristo, que segundo FitzRoy era um excelente ponto de referência para Puerto San Julián e aparece à direita no quadro de Conrad Martens. A 28 de novembro de 1520, após passar pelo estreito que tem o nome do capitão português, os três navios de Magalhães entraram no oceano que ele chamou Pacífico, por estar tão calmo, pelo menos naquele dia. Em março de 1521 descobriu as Filipinas, mas foi morto pouco depois, em uma luta contra os nativos da ilha Mactan. Ironicamente foi o navegador espanhol Sebastián del Cano, que participara da revolta de Mendoza, mas fora perdoado, quem completou a circunavegação, a 6 de setembro de 1522, conduzindo o *Vitória* pelo cabo da Boa Esperança e de volta a Sevilha.

O primeiro circunavegador inglês, sir Francis Drake, encarregado pela rainha Elizabeth de atacar as colônias espanholas na costa oeste da América do Sul, desembarcou em Puerto San Julián a caminho do cabo Hornos, em 1578.

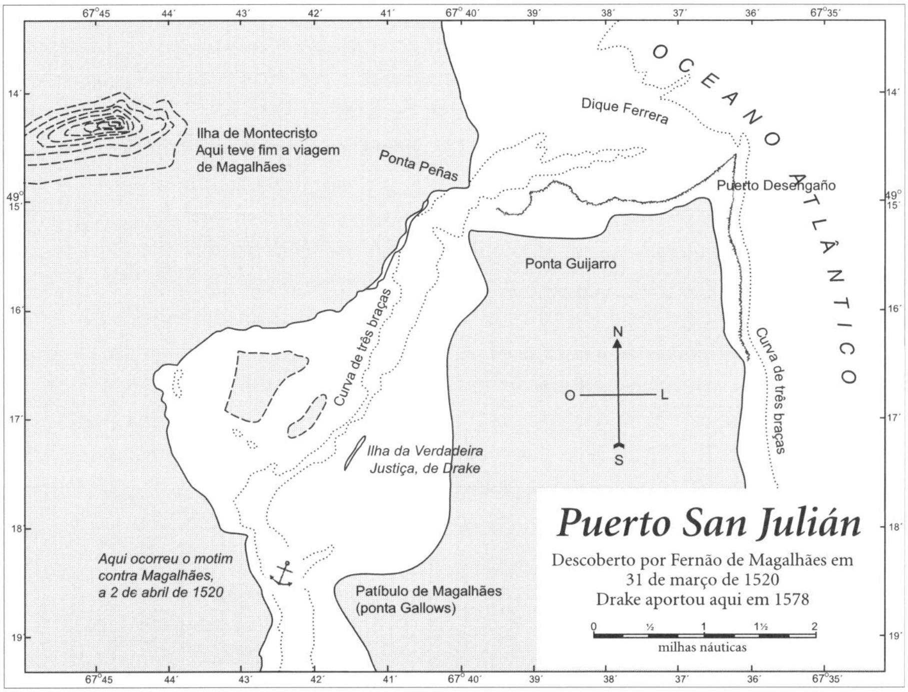

Um dos mais próximos companheiros de Drake, Thomas Doughty, foi acusado de atos de insubordinação e de tentativas de fomentar um motim, e foi julgado diante de um júri de 40 homens da tripulação dos navios de Drake. Consideraram-no culpado e propuseram que escolhesse entre três sentenças: retornar à Inglaterra para ser julgado de novo, ser abandonado em Puerto San Julián ou ser decapitado. Surpreendentemente ele escolheu a execução e foi devidamente decapitado em um bloco aos pés do patíbulo de Magalhães. Drake gravou seu nome em latim em uma pedra na ilha da Verdadeira Justiça, para que "pudesse ser melhor entendido por todos os que vierem depois de nós". Drake seguiu adiante no *Pelican*, mais tarde rebatizado como *Golden Hind*, e retornou à Inglaterra em setembro de 1580, via cabo da Boa Esperança, carregado de especiarias e com um tesouro espanhol roubado.[7]

No primeiro desembarque em Puerto San Julián, a 9 de janeiro, Charles disse ter encontrado fatos geológicos muito interessantes, conforme explicou na carta seguinte para Henslow, escrita em março das ilhas Falkland:

> Desde que deixei o rio da Prata tenho tido algumas oportunidades de examinar a grande formação do sul da Patagônia. Possuo muitas conchas; do pouco que sei

do assunto, devem ser uma formação terciária para algumas das conchas e (coralinas?) que existem atualmente no mar; outras, acredito que não. Essa camada, caracterizada sobretudo por uma grande ostra, é coberta por outra muito curiosa de seixos de pórfiro, que localizei por mais de 700 milhas [1.120km]. O fato mais curioso, porém, é que toda a costa leste da parte sul da América do Sul se elevou do oceano desde o período em que os mexilhões perderam sua cor azul. Em Puerto San Julián encontrei alguns ossos bastante perfeitos de um animal muito grande que acho ser um mastodonte* — os ossos de uma extremidade traseira estão perfeitos e sólidos. Isso é muito interessante, porque a latitude está entre 49° e 50°, e o local é muito distante dos grandes pampas, onde são tão freqüentes os ossos de mastodonte. Aliás, não tenho dúvida de que este mastodonte e o megatério eram companheiros nas planícies antigas. Encontrei restos de megatério a uma distância de quase 600 milhas [960km], em uma linha de NS.

Na Terra do Fogo fiquei interessado em encontrar algum tipo de amonita** (que acho que foram encontradas pelo cap. King) na argila perto de Puerto Famine; na costa leste existem algumas curiosas planícies aluviais, e por isso pode-se claramente contar com a existência de certos quadrúpedes nas ilhas. Existe um arenito com a impressão de folhas de faia, conchas modernas também etc. etc.

Este é o *relatório* de minha *seção geológica!* Para você, meu presidente e mestre. Estou muito encantado com a geologia, mas, como o sábio animal entre dois montes de feno, não sei do que gosto mais, se do velho grupo cristalino de pedras ou das camadas mais macias e fossilíferas. Quando fico intrigado acerca de estratificação etc., sinto-me inclinado a não dar valor às grandes ostras e megatérios maiores ainda. Mas, quando escavo alguns ossos bons fico sem saber como alguém pode cansar os braços martelando granito. Aliás, não tenho qualquer idéia sobre clivagem, estratificação, linhas de elevação da crosta. Meus livros não dizem muita coisa, e o que dizem eu não posso aplicar ao que vejo. Em conseqüência disso, tiro minhas próprias conclusões, e elas são gloriosamente ridículas; algumas vezes acho que vou me convencer de que não existem coisas como montanhas, o que seria uma descoberta muito original a ser feita na Terra do Fogo. Você pode lançar alguma luz sobre meus pensamentos dizendo-me que relação existe entre clivagem e camadas de deposição?

---

* A identificação que fez a partir dos poucos ossos que encontrou estava incorreta. Só após o retorno do *Beagle* à Inglaterra, em 1836, quando foram examinados pelo professor Richard Owen, é que se descobriu que não pertenciam a um mastodonte, mas a um animal extinto e até então desconhecido, chamado macrauquênia. Inicialmente pensou-se que ele era aparentado com as lhamas e os camelos mas depois ele foi identificado como um litopterno, animal de pescoço longo, dotado de três dedos e graminívoro, parente distante do tapir sul-americano.

** Molusco cefalópode extinto, com uma concha espiralada típica, comum no período devoniano, há cerca de 400 milhões de anos.

Na carta que escreveu a seguir para a irmã Catherine, ainda nas ilhas Falkland, Charles encontrava-se sob o encanto de seus estudos geológicos, que elogiou em termos que para ele não poderiam ser mais calorosos:

> Nada é como a geologia; o prazer do primeiro dia da estação da perdiz ou do primeiro dia de caça não pode ser comparado à descoberta de um grupo de ossos fósseis em bom estado que contam sua história de tempos anteriores em uma linguagem quase viva.

Ele achava mais fascinante explicar suas observações sobre a origem da árida planície de cascalho em que havia enormes conchas de ostras com quase 30 centímetros de comprimento e que se estendia por 1.120 quilômetros ao sul da costa da Patagônia, do rio Colorado até o estreito de Magalhães. Como viu em Puerto Deseado, entre as ostras havia conchas, sobretudo de espécies extintas; e também, como antes, mexilhões que de modo desorientador ainda guardavam parte da cor azul.

Charles então se dispôs a examinar a composição dos estratos nos penhascos de 27 metros do lado sul da baía de Puerto San Julián. No topo havia uma

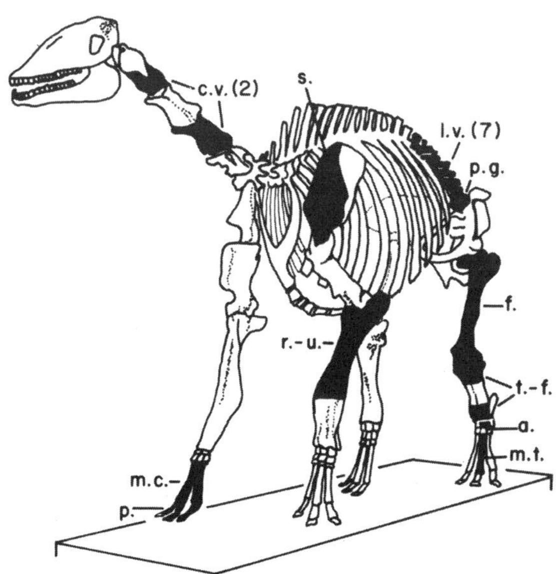

Reconstrução de macrauquênia com os ossos (em preto) recolhidos por Charles em Puerto San Julián

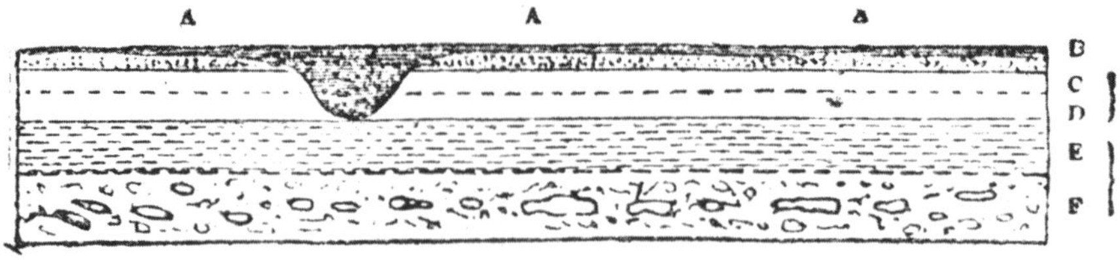

Estrato nos penhascos de 27m de altura em Puerto San Julián

camada de terra (A A A, na figura) que continha os ossos do pretenso mastodonte em um buraco que atravessava a camada (B) com seixos de pórfiro contendo conchas recentes na superfície, até uma camada de 6,60 metros de espessura de um material macio, branco e argiloso (C D) na qual nunca se encontrava fóssil algum. Abaixo dela havia um arenito amarelado e terroso (E), rico em conchas escutelas, e finalmente uma argila arenosa e esverdeada incorporando grandes blocos de arenito gredoso, muitas das grandes conchas de ostras e restos de inúmeras cracas.

Mais para o interior, a terra erguia-se em três ou quatro degraus, algumas vezes com vários quilômetros de extensão, formando uma planície quase horizontal que se estendia até as Cordilheiras. A estrutura era típica do que Charles passou a chamar de grande formação terciária da Patagônia, estendendo-se por cerca de mil quilômetros do rio Colorado até o estreito de Magalhães, com largura entre 160 e 640 quilômetros. Os terraços eram uniformemente cobertos de cascalho composto de seixos redondos de vários tamanhos, evidentemente derivados das rochas porfiríticas da base dos Andes. Sob o cascalho havia uma camada de material macio, branco e argiloso muito semelhante ao feldspato,* mas contendo muita gipsita e copiosos restos de plâncton. Próximo à costa algumas vezes se encontravam conchas no cascalho. Tudo isso se encontrava sobre estratos mais velhos e fossilíferos.

Charles imediatamente enfrentou diversas dificuldades, que tentou resolver ponderando consigo mesmo em suas *Notas de geologia*. A primeira era explicar a uniformidade da camada de cascalho que vinha da base das cordilheiras até o mar, o que só poderia decorrer da ação de marés e por um longo período de tempo, de maneira a formar uma das maiores camadas de seixos do

* Feldspatos são minerais comuns que contêm silicato de alumínio misturado com várias proporções de silicato de potássio, de sódio ou de cálcio.

mundo. Sob os seixos havia uma camada branca de xisto limoso com apenas seis metros de espessura em alguns lugares e algumas centenas em outros. Como era mais leve, talvez a maré o tivesse lavado mais rapidamente do que os seixos, e em quantidades mais variadas. Um ponto importante que Charles enfatizou desde o início foi que toda a formação era estratificada horizontalmente, sem qualquer sinal de falha ou de episódios violentos durante a elevação. Toda a enorme massa havia se elevado de 25 a 120 metros de altura no período das conchas ainda existentes.* Como ele veio a saber depois, as conchas extintas do final do período terciário que encontrou na camada de baixo só poderiam ter vivido em águas com profundidade menor que 60 metros, embora estivessem agora cobertas por estratos de depósitos marinhos com espessura variando entre 250 a 300 metros. Assim, o fundo do mar onde as conchas habitavam devia ter se deslocado para baixo por várias centenas de metros. O movimento para cima foi interrompido por pelo menos oito longos períodos de repouso, durante os quais o mar comeu profundamente a terra, formando longas linhas de penhascos nos níveis sucessivos que separavam as diferentes planícies que se elevavam em degraus, uma atrás da outra. Charles examinou melhor a questão quando subiu o rio Santa Cruz.

Uma expedição até o fundo da baía forneceu evidências pitorescas sobre a aridez das planícies de cascalho, como explicou FitzRoy:

> Um dia eu e o sr. Darwin fizemos uma excursão até o fundo da enseada, em busca de água doce, na direção de um lugar que um velho mapa espanhol assinalava como *pozos de agua dulce*; mas, após uma caminhada muito fatigante não encontramos nem uma gota de água. Deitei-me no topo de uma colina, muito cansado e sedento para seguir adiante, vendo o que achávamos ser dois lagos de água doce a cerca de duas milhas [3.200m]de distância, mas não conseguíamos chegar até lá. O sr. Darwin, mais acostumado do que os marinheiros ou do que eu mesmo a longas excursões por terra, achou que conseguiria atingir os lagos e resolveu tentar a empreitada. Nós ficamos olhando do topo da colina que denominamos no mapa de "colina Sedenta"; vimos como ele se abaixou no lago e imediatamente afastou-se e dirigiu-se para outro lugar, que também logo deixou; sabíamos pelo passo lento, quando voltava, que os supostos lagos eram salinas. Não tínhamos assim outra alternativa a não ser regressar; então descemos para nos encontrar

* Sabe-se hoje que o período de tempo no qual esses movimentos da Terra tiveram lugar cobre mais de um milhão de anos, e que o terraço marinho de 120 metros que se estende pela costa da Patagônia desde o rio Colorado até a Terra do Fogo data do início da época do Plistoceno.

> com ele em um lado da colina, e todos nos arrastamos na direção leste. O dia estava tão quente, que logo nosso pequeno estoque de água se esgotou, e todos estávamos mais ou menos carregados de armas, munição ou instrumentos. Ao anoitecer eu não conseguia me mexer, pois tolamente havia carregado pelo dia todo uma espingarda de dois canos muito pesada, além de instrumentos; então escolhi um lugar que pudesse ser encontrado com facilidade e mandei um grupo seguir adiante, enquanto me deitei para dormir; ficou comigo um marinheiro que também estava muito cansado. Um copo d'água teria me deixado bem refrescado, mas nada havia. Após algumas horas, dois homens da tripulação do bote retornaram com um pouco d'água, e com isso logo revivemos. Pela manhã todos estávamos a bordo, e ninguém sofreu com o excesso de fadiga, exceto o sr. Darwin, que não descansou nada durante todo aquele longo e sedento dia — que agora se tornou motivo de brincadeira, mas na hora era um problema muito sério.[9]

Charles passou os dois dias seguintes de cama, com "muita febre", mas depois se aventurou a sair de novo e encontrou algumas excelentes conchas fósseis, um grande forno espanhol feito de tijolos e, no topo da colina, uma pequena cruz de madeira. Ele não registrou se a colina em questão era o monte Madera; se era, a cruz poderia ser a de Magalhães, pois naquele ambiente excepcionalmente seco a madeira poderia ter resistido mais de 300 anos.

A 19 de janeiro as pesquisas haviam sido completadas, e o *Beagle* velejou de volta a Puerto Deseado para encontrar o *Adventure*, agora equipado com uma nova gavetope quadrada. Três dias depois o *Adventure* partia para completar um levantamento da ilha Falkland Oeste, e o *Beagle* zarpou para o sul, para o estreito de Magalhães; no dia 29 ancorou na baía San Gregório, na costa norte. Ali encontraram uma grande tribo de índios patagones, cujos *toldos* foram pintados por Conrad Martens (PRANCHA 7). Pelos freqüentes contatos com os caçadores de focas, eles falavam bastante bem o espanhol e um pouco de inglês. Os homens chegavam a ter mais de um metro e meio de altura e largura correspondente. Todas as pessoas usavam grandes mantos de pele de guanaco, tinham cabelos pretos e longos, e, com todo o rosto vermelho, preto ou salpicado de branco, eles se pintavam mais do que as tribos que lutavam com o general Rosas. Com grande entusiasmo trocaram peles de guanaco e penas de avestruz por tabaco e açúcar. FitzRoy levou três deles a bordo do *Beagle,* e eles "se comportaram como cavalheiros, usaram garfo e faca e se serviram com colher". Mas Charles observou com simpatia que "estranharam o balanço, e por isso foram desembarcados".

O navio partiu para a ilha Elizabeth, onde Charles coletou algumas orquídeas e uma flor que mais tarde veio a ser chamada de *Calceolaria darwinii*,

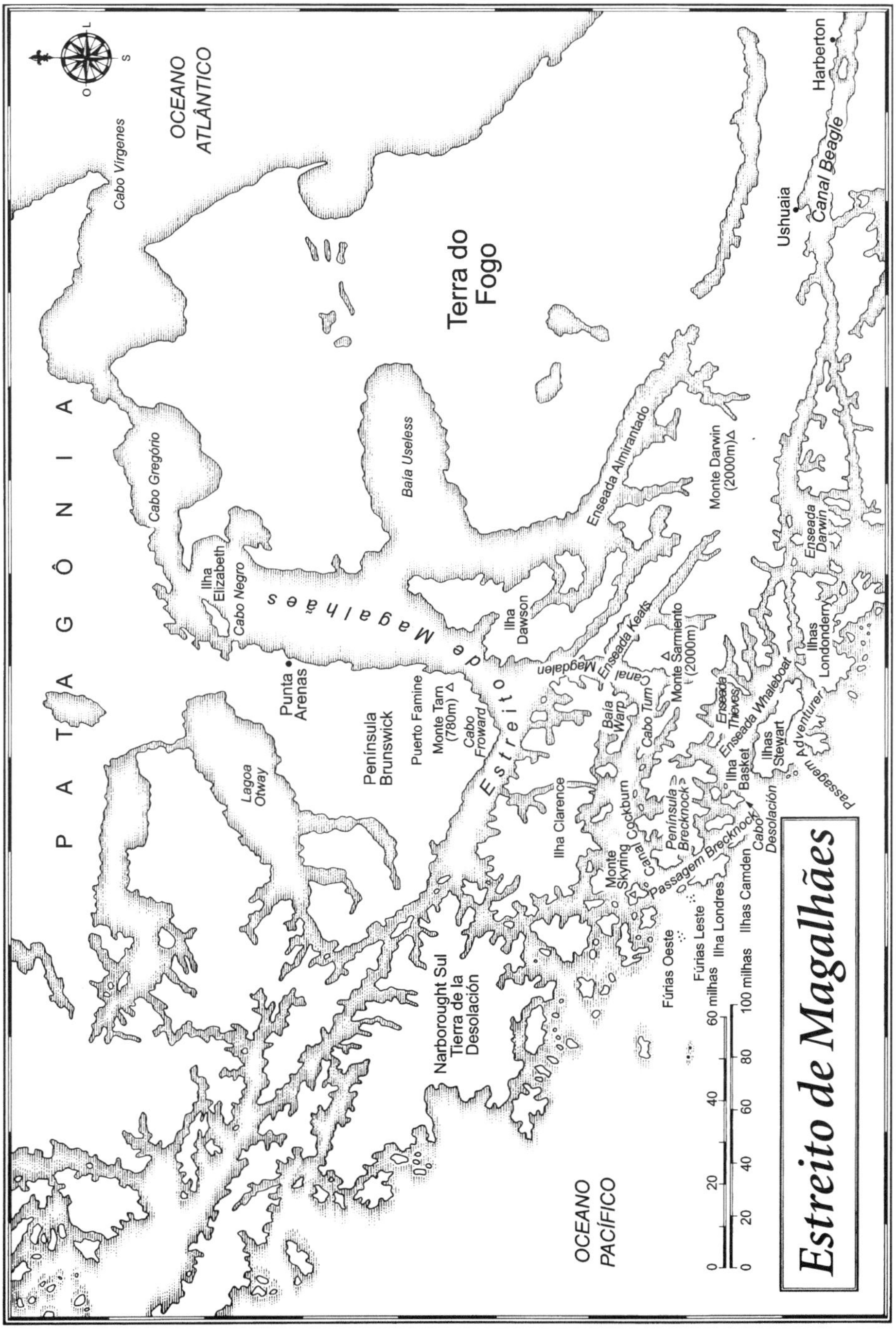
Estreito de Magalhães
P A T A G Ô N I A
OCEANO ATLÂNTICO
OCEANO PACÍFICO
Cabo Virgenes
Terra do Fogo
Cabo Gregório
Baía Useless
Ilha Elizabeth
Cabo Negro
Estreito de Magalhães
Punta Arenas
Lagoa Otway
Península Brunswick
Puerto Famine
Monte Tam (780m)
Cabo Froward
Ilha Dawson
Canal Magdalen
Enseada Almirantado
Enseada Keats
Monte Darwin (2000m)
Monte Sarmiento (2000m)
Baía Warp
Cabo Turn
Ilha Clarence
Canal Cockburn
Monte Skyring
Península Brecknock
Passagem Brecknock
Cabo Desolación
Ilha Basket
Enseada Thieves
Enseada Whaleboat
Ilhas Stewart
Adventurer
Passagem
Ilhas Londonderry
Enseada Darwin
Ushuaia
Canal Beagle
Harberton
Narborought Sul Tierra de la Desolación
Fúrias Oeste
Fúrias Leste
Ilha Londres
Ilhas Camden
0 20 40 60 milhas
0 20 40 60 80 100 milhas
O L S

O Adventure *e as ruínas de Puerto Hambre, por Conrad Martens*

pintada por Martens (PRANCHA 8). Como não encontraram água potável em lugar algum, desceram o estreito até Puerto Hambre [Port Famine], onde não havia escassez de água — pois, quando Charles se preparou para escalar o Monte Tarn, de 780 metros e que ficava ali perto, soprava um vento forte, mas "a água pingava em tudo; nem mesmo os fungos conseguiam florescer". Era impossível passar pelo fundo dos vales, por causa dos imensos troncos de árvores que se desfaziam em pó. Mas Charles foi recompensado no cume com uma "verdadeira vista da Terra do Fogo; cadeias irregulares de colinas, pintadas com manchas de neve; vales verde-amarelados; e braços de mar em todas as direções". Após coletar algumas conchas nas pedras perto do cume, preparou-se para a descida, que foi bem mais fácil, "pois o peso do corpo forçava a passagem pela vegetação rasteira, e todos os tombos e escorregões iam na direção certa".

Havia pouca coisa a ver dos restos do povoado de Puerto Hambre, abandonado pelos espanhóis 240 anos antes. Mas a trágica história do lugar merece ser contada.

Quando Francis Drake, "o flagelo de Deus", desfechou seus ataques contra as ricas e desprotegidas colônias espanholas na costa oeste da América do Sul, em 1579, Felipe II da Espanha decidiu que era necessário tomar medidas para fechar o estreito de Magalhães. Para isso, em setembro de 1581, zarpou de San Lucár uma armada com 3.500 homens sob o comando do almirante *don* Diego Flores de Valdez, melhor político que navegador, tendo como segundo em co-

7. Patagônios em baía Gregório, por Conrad Martens

8. Cariofilácea na ilha Elizabeth, por Conrad Martens

9. Fueguinos e o Beagle *na enseada Portrait, por Conrad Martens*

10. Caça ao guanaco nas barrancas do rio Santa Cruz, por Conrad Martens

11. Monte Sarmiento visto da baía Warp, por Conrad Martens

12. Condores alimentando-se de um guanaco morto, por Conrad Martens

13. Igreja em San Carlos, Chiloé, por Conrad Martens

mando *don* Pedro de Sarmiento y Gamboa, famoso navegador e historiador dos incas peruanos. Desde o começo o tempo ficou contra eles, e apenas 16 navios chegaram ao Rio de Janeiro, onde ficaram por seis meses, à espera do fim do inverno. Seguiram-se outras dificuldades, embora o tempo não fosse pior do que o normal na latitude do rio da Prata; o problema básico era que os navios espanhóis não enfrentavam o vento tão bem quanto os que foram construídos 250 anos depois. Em 1583, restando apenas cinco navios, finalmente a armada entrou no estreito de Magalhães. Uma tempestade empurrou-os de volta para o Atlântico, e depois de um mês de tentativas vãs voltaram ao Rio de Janeiro, embora *don* Diego seguisse para a Espanha.

Feliz por se ver finalmente livre de seu incompetente almirante, Sarmiento juntou mais alguns navios no Rio de Janeiro e dirigiu-se ao estreito pela segunda vez em dezembro de 1583, ainda com cinco embarcações. Mais uma vez o tempo interveio, e depois que um dos navios naufragou, deixando 400 homens e 30 mulheres em terra, em uma tentativa de salvamento, o novo segundo-comandante de Sarmiento escapou para o Brasil com os três navios grandes e a maior parte das provisões, deixando o almirante com um navio pequeno, o *Maria*, todos os homens e mulheres em terra e provisões apenas para oito meses. Ainda determinado e sob feroz ataque dos nativos, o indomável Sarmiento encarregou o tenente Viedma, o último e único segundo-comandante que ainda lhe era fiel, de estabelecer um povoado chamado Ciudad del Nombre de Jesus, na baía

Monte Sarmiento, por Conrad Martens

Possesión, perto de cabo Vírgenes, na entrada do estreito. Sarmiento marchou terra adentro, com cem homens para fundar a Ciudad del Rey Felipe. Planejou um forte que deveria ser protegido com os canhões retirados do navio naufragado, mas a construção estava muito além da capacidade dos homens. Após enfrentar um motim e executar os líderes, Sarmiento velejou de volta no *Maria* para encontrar Viedma na baía Possesión. Mais uma vez as tempestades intervieram e empurraram-no para o mar, onde tudo o que podia fazer, após sobreviver ao naufrágio do *Maria,* era tentar buscar ajuda no Brasil. Mas esta foi-lhe recusada. Em seu caminho para a Espanha, para fazer um apelo a Felipe II, Sarmiento foi capturado por três navios ingleses ao largo dos Açores, transportado para Londres e levado à presença da rainha Elizabeth. Desta vez a sorte pareceu mudar, pois, comovida com a história, a rainha ordenou que ele fosse solto. Assim que foi posto em liberdade, no entanto, Sarmiento foi capturado pelos franceses e só conseguiu pagar o resgate e voltar à Espanha cinco anos depois.

A vicissitude final dessa trágica história foi que Viedma, já no fim de sua capacidade de se agüentar no povoado de fora, Nombre de Jesus, marchou terra adentro com seus homens e mulheres para se juntar ao grupo em Rey Felipe. Os suprimentos eram insuficientes, e 200 homens foram mandados embora, entregues à própria sorte. Quando, ao final do inverno, Viedma fez a chamada, apenas 15 homens e três mulheres estavam vivos. Em janeiro de 1587 sir Thomas Cavendish ancorou em Rey Felipe, depois de tomar um navio espanhol no qual encontrou os últimos sobreviventes de Viedma. O povoado estava deserto, e ele chamou o lugar de Puerto Famine, uma vez que tantos espanhóis haviam morrido ali. Aquele era o último bom ancoradouro para os navios que buscavam atravessar os estreitos de Magalhães antes de alcançar o cabo Forward e virar para noroeste. O papel verdadeiramente heróico de Sarmiento em seus esforços para obedecer ao seu rei, quando fundou Ciudad de Rey Felipe, foi homenageado dando-se seu nome à mais alta montanha da Terra do Fogo, um pico coberto de neve de 2.100 metros de altura, situado 80 quilômetros ao sul de Puerto Hambre.

Algumas pessoas acreditavam que os soldados de Viedma haviam fundado uma cidade rica e perdida ao norte da Terra do Fogo. Este local jamais existiu, mas os espanhóis deixaram um legado muito mais valioso do que ouro, em 1535, quando o capitão Pedro Mendoza soltou sete garanhões e cinco éguas em um lugar perto do local onde hoje está Buenos Aires. Trezentos anos depois, os incontáveis descendentes haviam se espalhado por toda a parte ao sul do continente, fornecendo montarias não apenas para os adversários índios do general Rosas, mas também para Charles.

15

Adeus a Jemmy Button e à Terra do Fogo

1834-1887

A 13 de fevereiro o *Beagle* zarpou do estreito de Magalhães e, depois de passar dez dias investigando a desolada costa leste da Terra do Fogo, dobrou o cabo San Diego, seguiu para o Sul pelo estreito de Le Maire e, na noite de 24 de fevereiro, ancorou perto das ilhas Wollaston, a Nordeste de cabo Hornos, a uma distância confortável.

Na manhã seguinte Charles desembarcou para ir até o topo de algumas das colinas, e a caminho encontrou um grupo de índios *yáganas*, sobre quem fez as seguintes reflexões:

> Rebocamos uma canoa com seis fueguinos. Jamais vi criaturas tão miseráveis; seus corpos atarracados, seus rostos horríveis, lambuzados de tinta branca e todos nus. Uma mulher de idade absolutamente nua, com a água da chuva e das ondas pingando do corpo; as peles vermelhas imundas e oleosas, cabelos emaranhados, vozes dissonantes, gesticulação violenta e sem qualquer dignidade. Olhando tais homens é difícil acreditar que sejam criaturas semelhantes postas no mesmo mundo. Não posso imaginar espetáculo mais interessante e mais digno de reflexão que um desses selvagens indomados. Tema de conjectura comum é pensar que prazeres na vida alguns dos animais menos dotados podem ter. É mais razoável perguntar a mesma coisa a respeito desses homens.
>
> Olho para a cabana deles; escolhem qualquer pequena depressão no solo, sobre ela colocam alguns troncos de árvores apodrecidos e, do lado do vento, alguns tufos de grama. Aí cinco ou seis seres humanos, nus e desprotegidos contra vento, chuva e neve neste clima tempestuoso, dormem no chão molhado, empilhados feito animais. De manhã levantam para pegar conchas na maré baixa; e as mulheres, inverno e verão, mergulham para pegar ouriços; essa comida miserável é completada com frutas silvestres sem gosto e cogumelos. Estão cercados

por tribos hostis que falam dialetos diferentes; e as causas de sua guerra parecem ser os meios de subsistência.

A terra deles é uma massa irregular de rochedos selvagens, colinas elevadas e florestas inúteis, e isso é visto em meio a nevoeiros e tempestades sem fim. Em busca de comida eles se deslocam de um lugar para outro, e a costa é tão íngreme que isso deve ser feito em péssimas canoas. Eles não podem conhecer o sentimento de ter uma casa — e ainda menos o da afeição doméstica, a não ser que se chame assim o sentimento de um senhor para com seu escravo abjeto. Os poderes superiores do espírito não podem entrar em ação: nada existe ali para a imaginação pintar, a razão comparar, o julgamento decidir. Arrancar uma ostra de uma pedra não exige nem mesmo destreza, o mais baixo poder da mente. A habilidade deles, como o instinto dos animais, não é melhorada pela experiência; sabemos que a canoa, a obra mais engenhosa que já fizeram, por mais pobre que seja, permanece a mesma nos últimos 300 anos. Embora essencialmente a mesma criatura, a mente de um destes seres em nada se assemelha à de um homem educado. Que grau de melhoria existe entre as faculdades de um selvagem fueguino e de um sir Isaac Newton!

De onde vêm estas pessoas? Elas permanecem no mesmo estado desde a criação do mundo? O que teria levado uma tribo de homens que vivia nas superiores regiões do norte a viajar ao longo das Cordilheiras, a espinha dorsal da América, a inventar e construir canoas e então a penetrar em um dos lugares mais inóspitos do mundo. Estas e muitas outras reflexões devem ocupar a mente de todos os que

Dois fueguinos pescando em uma canoa, por Conrad Martens

Fueguinos ao largo da ilha Wollaston, perto de cabo Hornos, por Conrad Martens

vêem um desses pobres selvagens. Ao mesmo tempo, no entanto, deve-se estar consciente de que algumas delas são errôneas. Não há razão para supor que a raça dos fueguinos esteja decrescendo, e portanto podemos ter certeza de que gozam de uma suficiente parcela de felicidade (de que tipo seja) para fazer a vida valer a pena. A natureza, ao tornar o hábito onipotente, adaptou o fueguino ao clima e às produções deste país.

Foi só no dia 28 de setembro que Charles registrou[1] haver lido a passagem de Malthus em *Population*, sobre os efeitos da concorrência entre os homens por alimento, que o levou à teoria da seleção natural. Mas sua frase sobre a causa da guerra entre tribos vizinhas de fueguinos certamente antecipa a questão.

O dia 1º de março foi gasto catando lenha e buscando água em uma deliciosa angra onde Charles foi mais benevolente acerca dos nativos do que quando pela primeira vez os encontrou na canoa, dizendo desta vez que eles "eram muito calmos, educados e mais divertidos do que qualquer macaco". Como no ano anterior, a principal ocupação deles era pedir tudo o que viam, dizendo repetidamente *yammer-scooner*. Conrad Martens fez retratos de um deles em uma canoa e de grupos familiares em uma cabana e em uma canoa (PRANCHA 9). Quando FitzRoy usou uma combinação de dois desses desenhos como frontispício de *Narrative 2*, disse ao gravador, como se pode ver no verso da folha, para acrescentar um cachorro. Os fueguinos valorizavam muito os cachorros, treinavam-nos para caçar guanacos e lontras e até mesmo para pescar. Esses animais certamente eram de origem européia e presumivelmente tinham sido trazidos pelos espanhóis quando da fundação de Buenos Aires. Mas embora Charles normalmente tivesse muito interesse em animais introduzidos, surpreendentemente jamais mencionou os cães dos fueguinos.

FitzRoy fez então o que Charles descreveu como uma tentativa ousada contra os ventos oeste, entrando pelo canal Beagle até a terra de Jemmy Button, na enseada Ponsonby. A 5 de março eles ancoraram em Woollya, onde as cabanas que haviam sido construídas para York, Jemmy e Fuegia continuavam vazias e com as hortas pisoteadas, embora houvesse alguns nabos e batatas prontos para serem colhidos. Pouco tempo depois algumas canoas se aproximaram, e nelas estavam Jemmy, o irmão e a mulher. Quando o *Beagle* deixara Jemmy, ele estava muito gordo, muito exigente quanto às roupas e sapatos. Agora mal se podia reconhecê-lo, de tão magro e pálido, com os cabelos compridos até os ombros e um pedaço de cobertor em volta do peito. Mas quando FitzRoy recebeu-o a bordo e vestiu-o, ele se sentou para jantar usando garfo e faca corretamente, falando o mesmo inglês de sempre e se comportando impecavelmente. Ficou muito contente de ver os velhos amigos, especialmente o cirurgião Bynoe e o timoneiro James Bennett, que tinha tomado conta dele na Inglaterra. FitzRoy achou que Jemmy havia estado doente, mas este disse que estava "bem, senhor, nunca estive melhor", e que não ficara doente nem por um dia, estava feliz, satisfeito e não queria mudar de vida. Tinha "muitas frutas", "muitos pássaros", "dez guanacos em tempo de neve" e "muito, muito peixe". Surpreendentemente, os companheiros, os irmãos e as mulheres, além de uma jovem com boa aparência que era mulher de Jemmy, usavam algumas palavras em inglês quando falavam com ele. Jemmy trouxe duas belas peles de lontra de presente para FitzRoy e Bennett, duas pontas de lanças para Charles e um arco e um punhado de flechas para o mestre-escola em Walthamstow, com quem tinha morado. A mulher dele ganhou xales, lenços e um boné com um laço dourado. Após algum tempo, as canoas partiram carregadas de presentes.

Nesse dia Conrad Martens fez um desenho da enseada Ponsonby, com vista para o estreito Murray, na direção da margem norte do canal Beagle, com a ilha Hoste à esquerda. A partir desse desenho Martens desenvolveu uma aquarela que Charles comprou por três guinéus em Sydney, e ela ficou em Down House por muitos anos.

Na manhã seguinte Jemmy tomou café da manhã com FitzRoy e explicou o que acontecera logo depois da partida do *Beagle*, em fevereiro de 1833. Um

Um fueguino com seu cão na enseada Portrait, por T. Lanseer, segundo Conrad Martens

Fueguinos ao lado do navio, por Conrad Martens

grande grupo da tribo Ona, os detestados "homens-*oens*" do leste da Terra do Fogo, havia chegado por terra em Woollya e, depois de roubar tudo o que podiam carregar, obrigou o povo de Jemmy a se refugiar nas pequenas ilhas. York defendeu valentemente a cabana em que morava com Fuegia, e por isso transformou-se em uma figura ameaçadora aos olhos de Jemmy — "York muitos dentes", "pegou pedras grandes", "todos os homens com medo". Mais tarde, depois de construir uma canoa tão grande que se tornava suspeita, York convidou Jemmy e a família para "olhar a terra dele", e levou-os para oeste, para a ilha Devil, na junção dos braços sudoeste e noroeste do canal Beagle. Ali eles encontraram os irmãos de York e outros membros da tribo Alakalufe (no relato de FitzRoy, Álikhoolip) que moravam na ponta ocidental da Terra do Fogo. Quando Jemmy estava dormindo, York e os Alakalufe foram embora com Fuegia no meio da noite, levando tudo o que era dele na canoa grande e deixando-o indefeso e nu. Jemmy então voltou para "sua própria ilha", e não para Woollya, achando que aquele era um refúgio mais seguro contra os predadores homens-*oens*.

FitzRoy ficou com a impressão de que, ao ganharem a confiança dos fueguinos, haviam dado um primeiro passo no sentido de civilizá-los, mas que os esforços do povo local eram em escala muito diminuta. Apesar disso, escreveu:

> Não posso deixar de esperar que algum benefício, por menor que seja, resulte dos contatos entre essas pessoas, Jemmy, York e Fuegia, com outros nativos da Terra do Fogo. Talvez um náufrago venha a receber ajuda e um tratamento gentil por parte dos filhos de Jemmy Button, preparados, como dificilmente deixarão de

estar, pelas tradições que terão ouvido sobre homens de outras terras; e por uma idéia, mesmo que débil, de seus deveres com relação a Deus e ao próximo.

Charles escreveu que

todo mundo a bordo estava tão triste em apertar a mão de Jemmy pela última vez quanto ficamos felizes quando o vimos. Espero e tenho pouca dúvida de que ele vá ser tão feliz quanto seria caso nunca tivesse deixado sua terra; e isso é muito mais do que eu achava antes. Ele acendeu uma fogueira de adeus quando o navio se distanciou da enseada Ponsonby em seu curso para a ilha Falkland Leste.[2]

A conturbada história subseqüente de Jemmy Button já foi muito bem contada em outra parte,[3] e aqui há espaço apenas para lembrar os aspectos principais. Está intimamente ligada à da Patagonian Missionary Society, fundada em Londres, em 1841 por um ex-oficial de marinha, Allen Gardiner, de caráter aventureiro e com aptidão para realizar trabalhos missionários em partes remotas do mundo. Sua primeira tentativa de estabelecer uma missão no estreito de Magalhães foi frustrada, e isso FitzRoy poderia prever, pelo assédio de hordas de fueguinos roubando tudo em que pudessem pôr as mãos. Dez anos depois fez uma tentativa mal planejada de operar ao largo da Terra do

Fueguinos na ilha de Jemmy Button, por Conrad Martens

Fogo em duas barcaças de metal de 26 pés [7,8m], mas ele e todo o grupo morreram quando os barcos naufragaram em uma tempestade. Em sua homenagem, deram seu nome a um navio construído por subscrição e que foi enviado para as ilhas Falkland em 1854, com o objetivo de levar avante a Patagonian Missionary Society. O quartel-general foi estabelecido na ilha Keppel, ao largo da costa norte da ilha Falkland Oeste. Mas o projeto logo enfrentou problemas, por objeções legais quanto à sua própria existência, levantados pelo governador das ilhas em Port Stanley e por graves choques de personalidade entre o capitão do *Allen Gardiner*, William Parker Snow, e os outros missionários.

No começo de novembro de 1855 o *Allen Gardiner* velejou para a Terra do Fogo, atravessando o estreito Murray e ancorando na enseada Ponsonby. Há 22 anos nada se sabia de Jemmy Button, e Snow espantou-se quando um enlameado nativo nu e corpulento ficou de pé em uma canoa e gritou: "Jam-mes Button, eu; onde está a escada?". Ao saber que uma senhora "ingresa" estava a bordo, Jemmy pediu um par de calças e jantou com o capitão e a sra. Snow. Seu inglês era surpreendentemente bom, e soube-se que tinha duas mulheres e vários filhos. Em consonância com a política da sociedade missionária para a conversão dos fueguinos, Snow pressionou Jemmy a voltar para a ilha Keppel com ele, mas recebeu uma firme recusa. De manhã, como sempre em luta com outros fueguinos ansiosos por presentes, o *Allen Gardiner* velejou de volta às Falkland.

Nos dois anos seguintes, a Patagonian Missionary Society continuou a batalhar, enfrentando dissensões em casa, a oposição oficial nas Falkland acerca de seus objetivos e a recusa de Snow em aceitar a política de levar os fueguinos para a ilha Keppel. Posteriormente o reverendo George Peckenham Despard foi designado primeiro superintendente da missão, Snow foi substituído por um novo e rude capitão, Robert Fell, e melhoraram-se as instalações para abrigar os fueguinos na ilha Keppel. Em abril de 1858, Despard partiu para Woollya e, com alguma dificuldade, persuadiu Jemmy Button a levar a mulher e três filhos para a ilha Keppel durante "três luas". A visita, contudo, não foi um grande sucesso, e Jemmy logo decepcionou, porque não era nada prestativo em ajudar os missionários a falar a língua Yamana e jamais se deixou convencer a fazer qualquer trabalho doméstico. No final de novembro a família foi levada de volta para Woollya a bordo do *Allen Gardiner*, e após alguns problemas de mau tempo — que provocaram grandes acessos de cólera da parte de Jemmy — e algumas brigas acerca do número de presentes a serem dados aos fueguinos, o grupo desembarcou.

Despard tinha então de encontrar um novo grupo de fueguinos para voltar à ilha Keppel com ele. Reuniram alguns voluntários, mas logo começou uma disputa com Jemmy, que sabia haver grande estoque de roupas no porão e exigiu que elas fossem dadas a ele e seus parentes. Ofereceram biscoitos aos fueguinos, em pagamento pela ajuda na construção de uma grande cabana na praia, a ser usada como lugar de oração, mas o plano não deu certo, porque a paga de um carregamento de troncos com um biscoito não foi considerada adequada; em vez disso, tiveram de dar-lhes roupas. No dia de Natal a cabana estava pronta, e 51 fueguinos compareceram a uma festa em que foram servidos quatro enormes pudins de passas e uma lata de melaço. Despard então leu a lista dos fueguinos selecionados para ir a Keppel, e todos responderam *ow-a* (sim) e receberam ordens de embarcar dois dias depois, quando então seriam "purificados e vestidos". Seguiu-se no entanto um complicado conjunto de conflitos, decorrentes de uma contínua falta de compreensão mútua entre as partes, e só no dia de Ano-Novo o *Allen Gardiner* finalmente zarpou para as Falkland, com nove fueguinos a bordo. Jemmy Button, que, por sua ajuda nas negociações, recebeu um barril de biscoitos, alguns pedaços de porco salgado e 12 libras de açúcar, deu-lhes adeus.

No novo grupo de fueguinos não havia nenhum com qualquer experiência de vida fora da Terra do Fogo, nem qualquer intérprete, de modo que eles levaram algum tempo até se instalar na ilha Keppel. Submetidos a um trabalho duro no povoado — atividade com a qual na verdade jamais haviam se comprometido —, sob rígida disciplina no que se referia à costumeira dieta de conchas na praia e pássaros no campo, e com estrita supervisão quanto ao comportamento, apesar de tudo pareciam razoavelmente contentes. Os homens, exceto os adolescentes Ookoko e Lucca, se mostraram resistentes à educação; e em abril, depois de apenas três meses no povoado, começaram a ficar ansiosos pela prometida volta ao lar em outubro, para o início da estação de "ovos de pássaros selvagens".

A 28 de setembro de 1859 o *Allen Gardiner* estava pronto para zarpar rumo a Woollya, e os fueguinos se puseram em fila no desembarcadouro, carregados com uma infinidade de trouxas imensas. Despard suspeitou do tamanho da bagagem e ordenou a seus homens que fizessem uma busca; rapidamente revelou-se uma grande seleção de instrumentos valiosos, as perneiras do capitão Fell, as linhas de rede dos missionários, pescoços de ganso, entranhas de animais, potes e latas de biscoitos. O material furtado foi devidamente confiscado, o que deixou os nativos profundamente ressentidos por terem sido descobertos. O mau tempo obrigou o navio a permanecer ancorado por uma semana, durante a qual os ânimos foram se exaltando cada vez mais, e os fueguinos tiveram uma escaramuça com o cozinheiro do navio, Alfred Coles. A 7 de outubro o *Allen Gardiner* partiu para Port Stanley; a despeito da impaciência de seus infelizes passageiros, que queriam ser levados direto para casa, passou seis dias carregando carvão para o povoado. Enquanto as mulheres e crianças eram exibidas em Port Stanley — ganhando presentes de roupas, biscoitos e doces, sem dúvida bem recebidos —, crescia o atrito entre os homens e os missionários, que só aumentava com o tempo cada vez mais tempestuoso e que atrasou a chegada do *Allen Gardiner* em Woollya até quarta-feira, 2 de novembro. Robert Fell registrou no diário que Jemmy Button foi a bordo naquele dia, nu e com o aspecto selvagem de sempre, e logo começou a reclamar da escassez de presentes. Os fueguinos então começaram a desembarcar, mas Fell foi avisado por alguns membros da tripulação de que algumas coisas haviam desaparecido, e ordenou outra busca. Imediatamente começou uma briga em que o próprio Fell foi atacado, e os furiosos nativos partiram em suas canoas, deixando para trás as trouxas onde efetivamente se encontraram os objetos que faltavam.

Nos quatro dias seguintes a tripulação do *Allen Gardiner* desembarcou para completar a construção de uma casa e começar a fazer uma horta. Não houve qualquer interferência positiva dos fueguinos, mas seu número foi crescendo cada vez mais; no sábado já haviam chegado mais de 70 canoas. No domingo, obedecendo às instruções de Despard, a chalupa do navio foi baixada, e toda a tripulação, exceto o cozinheiro Alfred Coles, desceram a terra em suas melhores roupas, com o dístico "Missão Iate" bordado no peito. Do navio Coles viu quando começaram a cantar um hino. E então um grande grupo de nativos armados com paus e pedras correram em um assalto violento à casa; logo oito homens jaziam mortos ao chão. Pegando uma arma e três fatias de pão, Coles remou em segurança para longe do massacre em um pequeno bote e conseguiu sobreviver pelos quatro meses seguintes entre os Yáganas, na vizinhança de Woolya, onde lhe roubaram tudo, como sempre; mas foi tratado com gentileza pelas mulheres, por Ookoko, Lucca e por Jemmy Button e seus irmãos, que haviam estado na ilha Keppel.

Em fevereiro de 1860 ficou claro que algum infortúnio havia acontecido com o *Allen Gardiner*, e Despard encarregou William Smyley, um rude navegante norte-americano que comandava um barco chamado *Nancy*, de procurar a escuna perdida. Chegando a Woollya a 1º de março, Smyley encontrou o *Allen Gardiner* ancorado, despido de tudo o que podia ser retirado. Uma canoa com um homem branco encostou ao lado do *Nancy*, e Alfred Coles subiu a bordo, com Jemmy Button em seus calcanhares. Jemmy imediatamente se dirigiu à cozinha em busca de pão, e após dar a Coles alguma comida e enrolá-lo em um cobertor, Smyley ouviu sua trágica história. Então rapidamente cortou a corda da canoa de Jemmy e zarpou com suas duas testemunhas de volta a Port Stanley.

As notícias do massacre da tripulação do *Allen Gardiner* em Woollya e o relato do governador das Falkland sobre o interrogatório de Jemmy Button despertou consternação e grande controvérsia, tanto em Port Stanley como em Londres. As tentativas de Jemmy de pôr toda a culpa nos homens-*oens* não foram aceitas, nem ele pôde ser claramente inocentado do que acontecera. Com razão a sociedade missionária foi criticada pela maneira como levara os fueguinos à ilha Keppel sem qualquer avaliação real de suas reações. Após um inquérito formal realizado pela Patagonian Missionary Society, em 1861, Despard deixou as Falkland, foi para a Inglaterra e depois para a Austrália. Seu posto de superintendente foi ocupado com sucesso pelo antigo secretário Waite Stirling, assistido de modo competente pelo enteado de Despard, Thomas Bridges. Em fevereiro de 1864 Stirling e Bridges visitaram Woollya no *Allen Gardiner* e lá receberam a notícia de que uma doença maligna – provavelmente sarampo ou outro vírus qualquer — havia atingido a população, e que Jemmy Button estava morto.

Três anos depois foram dados os primeiros passos para o estabelecimento de uma missão nas margens do canal Beagle, em frente ao estreito Murray, no que, tempos depois se tornaria a moderna cidade de Ushuaia. Voltando da Inglaterra, onde havia se ordenado, Thomas Bridges desembarcou com a mulher e uma filha pequena em Ushuaia, a 1º de outubro de 1871. Ali ele trabalhou com notável sucesso por 16 anos, conseguindo afinal se comunicar adequadamente com os fueguinos, sobretudo com o auxílio de seu dicionário inglês-*yámana* contendo nada menos que 32 mil palavras. Aquela era uma língua sofisticada, em que uma única letra ligada a uma palavra podia significar uma frase adicional. Um dos primeiros desentendimentos esclarecidos por Bridges foi que *yammer-scooner* não significava o pedido "dê-me", mas sim "seja gentil comigo". Outro equívoco que se desfez foi a reputação de canibalismo dos fueguinos, cuja disseminação foi injustamente imputada a Charles e que se originou com os índios de FitzRoy — que respondiam às perguntas de acordo com o que julgavam se esperar deles; na verdade em circunstância alguma comiam carne crua. Finalmente Bridges descobriu que a afirmação de Despard de que havia ao menos ensinado os índios a louvar a Deus em sua própria língua não era correta. Buscando uma tradução para a palavra "louvar", Despard cumprimentou um fueguino por seus progressos lingüísticos e ao mesmo tempo deu um tapinha em seu ombro. Em conseqüência, as primeiras palavras do culto cantadas inicialmente pelos fueguinos foram "dê uma palmada em Deus".

Em reconhecimento a seu trabalho pioneiro, em 1887 Thomas Bridges ganhou do governo argentino 50 mil acres de terra nas margens do canal Beagle, a cerca de 64 quilômetros de Ushuaia, onde fundou uma fazenda, dando emprego para uma comunidade de fueguinos nativos. Foi chamada de Estância Herberton, nome da casa de sua mulher em Devonshire, e ali ele morou até morrer em 1898; depois disso seus filhos, que haviam nascido e crescido entre os fueguinos, continuaram a tradição que Bridges havia estabelecido. Um deles, E. Lucas Bridges, mudou-se para o norte, em Viamonte, na costa leste da Terra do Fogo, lá viveu com os índios Ona e escreveu um relato clássico[4] sobre a maneira pela qual, após o trágico resultado das truculentas tentativas iniciais da Patagonian Missionary Society de converter os fueguinos, a abordagem simpática e compreensiva de seu pai havia se mostrado muito mais efetiva

Dos quatro fueguinos levados para a Inglaterra por FitzRoy em 1830, Fuegia Basket era a mais nova e a que viveu mais tempo. Depois de ajudar York Minster a trair Jemmy Button em 1833, ela voltou com York para as Alakalufes, a oeste da Terra do Fogo, e teve dois filhos dele. Pouco tempo depois York foi morto em retaliação por ter assassinado um homem. Em 1841 um navio inglês que cruzava o estreito de Magalhães encontrou uma nativa que perguntou "Como vai? Eu estive em Plymouth e Londres." Em 1842 Charles ouviu de Bartholomew Sulivan, então capitão e encarregado de pesquisas nas ilhas Falkland, que um caçador de focas que navegava por aquelas mesmas águas havia encontrado uma nativa que sabia falar um pouco de inglês e que devia ser Fuegia Basket. Por dois dias ela viveu — um termo que Charles achou que provavelmente tinha duplo sentido — a bordo.

Em 1873 um grupo de Yáganas da costa ocidental da Terra do Fogo visitou Thomas Bridges em Ushuaia, e entre eles estava Fuegia Basket. Bridges achou que ela estava forte e saudável, corpulenta como sempre e sem muitos dentes em uma boca que, mesmo para um fueguino, era bem grande. Testando sua memória, ela se lembrava de Londres e da mulher do mestre-escola Jenkins, que tomou conta dela, e também do capitão FitzRoy e do bom navio *Beagle*. Lembrava-se de poucas palavras em inglês, além de "faca", "garfo" e "contas", e quando a sra. Bridges mostrou-lhe seus filhos mais velhos, Mary e Despard,

Fueguinos pegando peixes com uma lança à beira d'água, por Conrad Martens

Fuegia ficou muito contente e disse "garotinho, garotinha". No entanto havia esquecido a arte de sentar em cadeiras, e quando lhe ofereceram uma, ela se escarrapachou no chão. Afirmava ter mais de 50 anos de idade e estava acompanhada por um novo marido, de 18 anos, discrepância de idades que os Yáganas consideravam ser um arranjo muito prático e sensato.

No dia 19 de fevereiro de 1883 Thomas Bridges encontrou Fuegia Basket pela última vez, em uma visita à ilha Londres, perto da península Brecknock. Ela estava com 62 anos, muito fraca e perto do fim. Voltara ao convívio de sua própria família, os dois irmãos e seus filhos, e Bridges ficou satisfeito porque achou que ela não seria vítima da prática fueguina da *tabacana* (apressar o fim dos idosos estrangulando-os). Aquela era uma forma de eutanásia com boas intenções, realizada abertamente com a aprovação de todos, exceto da vítima inconsciente. Será que este era o costume equivocadamente mencionado por Jemmy Button a FitzRoy e que dera origem à idéia errada de que algumas vezes se praticava o canibalismo na Terra do Fogo?

Em 1833 o número total de índios fueguinos provavelmente estava em torno de oito mil. Setenta anos depois eles eram menos de 200, principalmente por causa das devastações de sarampo e outras doenças transmissíveis introduzidas pelos brancos. Hoje em dia é duvidoso que exista algum índio com sangue puro na Terra do Fogo.

16

Segunda visita às ilhas Falkland (Malvinas)

março, 1834

A 10 de março de 1834 o *Beagle* chegou no meio do dia ao estreito Berkeley, após uma rápida passagem pela enseada Ponsonby, deslizando rapidamente à frente de um vento forte. FitzRoy já havia sido avisado de que iria encontrar uma situação muito diferente da que deixara no ano anterior, embora a Marinha Real já tivesse restaurado a ordem. O tenente Smith, que fora nomeado governador em exercício em Port Louis, foi a bordo e contou a trágica história.

Na manhã de 26 de agosto de 1833, William Low, o capitão escocês de quem FitzRoy havia comprado o *Adventure* e que estava morando em Port Louis, na casa de Lewis Vernet, com o amigo comum Brisbane, saiu com quatro homens para uma caça às focas. No momento em que o barco sumiu de vista, os gaúchos e três prisioneiros índios destacados pelos argentinos como guarnição do povoado se amotinaram, assassinaram o oficial e logo se entregaram à revolta. Atacaram e mataram Brisbane, Dickson, que ficara tomando conta do armazém, e mais três homens. O resto dos colonos, 13 homens, três mulheres e duas crianças, permaneceram com os assassinos por alguns dias e depois escaparam para uma pequena ilha no estreito, onde sobreviveram alimentando-se de ovos de pássaros e peixes, até a feliz entrada em cena, um mês depois, do HMS *Challenger*, sob o comando do capitão Seymour, trazendo o tenente Smith e quatro voluntários do HMS *Tyne* dispostos a ficar nas Falkland.

Verificando que o *Challenger* era um navio de guerra bem armado, os gaúchos assassinos rapidamente deixaram as ruínas da casa do governador onde haviam acampado, e fugiram para o interior, levando com eles os 50 cavalos mansos. O tenente Smith foi imediatamente despachado com quatro aspirantes e uma dúzia de fuzileiros, guiados por um gaúcho chamado Luna, que se dispôs a ir atrás dos companheiros em troca do perdão. Mas após quatro dias de chuva pesada e depois de quase pegar alguns dos revoltosos, Smith foi obrigado a voltar a Port Louis. Deixando os fuzileiros como proteção suplementar para Smith, o capitão Seymour zarpou com o *Challenger* para o compromisso seguinte. Quando o *Beagle* chegou, o tenente Smith havia capturado todos os assassinos, menos um, e havia restaurado alguma ordem na casa do governador, com duas vacas que produziam cerca de dois galões de leite por dia. Charles comentou que, "cercado como está por tal bando de vilões, o sr. Smith parece se dar admiravelmente bem".

FitzRoy escreveu:

> Quando visitei o povoado, ele parecia mais melancólico do que nunca; e a 200 jardas [180m] de distância da casa em que o pobre Brisbane havia vivido, achei, para meu horror, seus pés saindo do chão. Tão rasa era sua cova que os cães haviam profanado seus restos mortais e se alimentado do cadáver. Este era o destino de um homem honesto, trabalhador e muito fiel: um homem que não temia qualquer perigo e desprezava as agruras. Foi assassinado por canalhas, porque defendeu a propriedade do amigo; foi desfigurado por eles para satisfazer-lhe o ódio infernal; arrastado na ponta de uma corda pelos cascos de um cavalo, levado para longe das casas e deixado para ser comido pelos cães.

Bem cedo na manhã de 16 de março Charles saiu para explorar a região a sudoeste do estreito Berkeley, com seis cavalos e os dois únicos gaúchos não envolvidos diretamente com os assassinatos, embora se suspeitasse que à época eles soubessem muito bem o que iria acontecer. Fez diversas anotações sobre a complicada estrutura geológica da região e os singulares matacões angulares de quartzo que atravessavam inúmeros vales.[1] Mas o tempo estava atroz, e havia pouca vida selvagem, exceto narcejas, alguns bandos de gansos, rebanhos de bois e, ao norte, uma tropa de cavalos selvagens. Os gaúchos mostraram sua técnica laçando vacas e até um imenso e agressivo touro, e Charles ficou muito impressionado com a habilidade deles para acender rapidamente uma fogueira com os ossos de um novilho que haviam acabado de matar. A carne assada com o couro (*carne con cuero*) era deliciosa e faria boa figura em um banquete londrino. O lugar onde acamparam, no istmo que atravessa o final do estreito Choiseul, era perto dos povoados atualmente chamados de Darwin e Goose Green.

De volta ao estreito Berkeley, o *Adventure* zarpou para continuar em seus levantamentos, mas o *Beagle* ficou retido por mais dez dias, até que chegou um baleeiro francês com uma tripulação revoltosa, um rombo no casco e o leme

Estreito Berkeley e Port Louis, nas ilhas Falkland (Malvinas), por Conrad Martens

avariado; com alguma dificuldade, foi obrigado por FitzRoy a concordar em transportar para o Rio de Janeiro os dois assassinos e o gaúcho Luna, que deveria testemunhar contra eles. Mas ao final os franceses foram poupados da tarefa, com a oportuna chegada de um navio de guerra que se encarregou de todos os prisioneiros.

Charles passou o tempo "muito regularmente. Um dia martelando as pedras; o outro arrancando as raízes das grandes algas em busca das pequenas e curiosas coralinas agarradas a elas". Foi um dos fundadores do importante ramo da biologia que 40 anos mais tarde seria chamado de "ecologia", a ciência da relação entre os organismos vivos e o ambiente. A prova disso está em escritos tais como sua esplêndida e sagaz descrição da florescente comunidade de diferentes animais dependentes dos tufos de algas gigantes nos oceanos ao sul:

> A zoologia do mar é, creio eu, geralmente a mesma aqui e na Terra do Fogo. Sua característica mais marcante é a imensa quantidade e o número de espécies de seres orgânicos intimamente conectados com as algas gigantes. Esta planta (o *Fucus giganticus* de Solander) está *universalmente* agarrada a pedras. Aquelas que ficam

à flor d'água, em águas rasas, e aquelas que estão em águas fundas *freqüentemente* se agarram a pedras redondas na lama. Dado o grau em que essas terras do sul são cortadas pela água, e a profundidade na qual as algas nascem, pode-se muito bem imaginar, mas não exagerar, a quantidade existente. Não posso deixar de comparar essas grandes florestas marinhas às terrestres, nas mais prolíficas partes dos trópicos; no entanto, se elas fossem destruídas, em qualquer país creio que pereceriam menos animais do que se fossem destruídas as algas gigantes. Todos os quadrúpedes pescadores e pássaros (e homens) caçam ali, atraídos pelo infinito número de pequenos peixes que vivem entre as folhas (os tipos não são muito numerosos, creio que meus espécimes mostram quase todos).

Mencionarei os invertebrados em ordem de importância. Pululam os crustáceos [lagostas, caranguejos e camarões] de todas as ordens; minha coleção não dá uma boa idéia, especialmente quanto aos menores. Coralinas e *clytias* [animais da lama, briozoários] são excessivamente numerosas. *Todas as folhas* (exceto as da superfície) são *brancas* como coralinas [algas coralinas], leques-do-mar [gorgônias] e ascídias compostas [tunicados]. Examinando com um microscópio poderoso, pode-se ver um mundo infinito de diminutos crustáceos. O número de ascídios compostos e simples é um fato muito observável, assim como, em grau menor, as

> holotúrias [pepinos-do-mar] e astérias [estrelas-do-mar]. Quando sacudimos as grandes e emaranhadas raízes, é curioso ver as variedades de peixes, conchas, caranguejos, ovos-do-mar, sibas, estrelas-do-mar, planárias e nereidas [vermes poliquetas] que caem. Esse último grupo deixei de lado. Misturados aos gasterópodes [caramujos], os ctenóforos são comuns: mas as trocóforas e conchas pateliformes abundam em todas as folhas. Uma única planta é um imenso e intensíssimo jardim zoológico. Se essas fucáceas deixassem de viver, muitos iriam desaparecer com elas: as focas, os biguás e certamente os peixes pequenos; e então, mais cedo ou mais tarde, os fueguinos também. Um grande número de invertebrados igualmente pereceria, mas é difícil conjecturar quantos.[2]

Charles deu continuidade ali aos estudos que havia muito tempo começara com Robert Grant no estuário do Forth e que prosseguira na Patagônia e na Terra do Fogo, coletando muitas espécies novas dos briozoários que cobriam os sargaços. Mas não negligenciou os animais terrestres, pois estudou cuidadosamente se os coelhos pretos das Falkland eram uma espécie nativa, concluindo corretamente que deviam ser alóctones. Comentou também que, por outro lado, isso não tinha acontecido com as raposas das Falkland, cuja excessiva docilidade colocava-as em risco de exterminação pelos colonizadores — como de fato mais tarde aconteceu.

Os estudos comportamentais foram outro campo da biologia em que Charles foi um dos pioneiros, como deixou claro ao enfatizar a importância do comportamento na distinção dos diferentes pássaros predadores. Também registrou o comportamento divertido de um pingüim arrastando-se pelo capim com a ajuda de suas pequenas asas, como se fosse um animal de quatro patas, jogando a cabeça para trás e zurrando exatamente como um jumento. E um pássaro muito curioso era o pato de cabeça comprida, conhecido por seu extraordinário método de remar na água e que coaxava como um sapo-boi tropical.

17

A subida do rio Santa Cruz

abril – maio, 1834

O *Beagle* zarpou de volta para o continente, e a 13 de abril lançou âncora na foz do rio Santa Cruz, próximo ao estreito de Magalhães. FitzRoy preparou-se para carenar o navio, de modo a verificar se a pedra em Puerto Deseado não havia estragado o revestimento de cobre a ponto de permitir que os famintos vermes do Pacífico alcançassem as tábuas desprotegidas. Verificou-se que vários centímetros da falsa quilha da proa do *Beagle* haviam efetivamente sido arrancados, mas consertou-se rapidamente o estrago. Charles coletou algumas cracas e algas marinhas que estavam agarradas ao casco, e Conrad Martens por uma única vez desenhou o navio de perto. Logo o *Beagle* estava flutuando de novo em sua amarração fixa.

FitzRoy decidiu então que, como nada se sabia sobre o rio, valia a pena repetir o feito do capitão Pringle Stokes, que em 1829 debalde tentara subir o Santa Cruz, por estar com um barco muito pesado. Assim, a 18 de abril, um grupo de 25 homens comandados pelo capitão FitzRoy partiu em três baleeiras. Carregavam provisões para três semanas e estavam armados para enfrentar um bando de índios, embora ao final não tivessem visto pessoas, mas apenas sinais de sua passagem. Excetuando a parte mais baixa, sujeita às marés, o rio tinha largura entre 270 e 360 metros até o ponto mais alto a que chegaram, e suas belas águas de cor azul leitosa corriam de quatro a seis nós por hora em toda a extensão. Contra uma corrente tão forte, remos e velas eram ineficientes. Os barcos foram então amarrados um ao outro, com dois homens ao leme em cada um deles, e foram puxados corrente acima por um cabo ao qual foi atada uma série de argolas. *Todo* o grupo, como Charles teve o cuidado de frisar, foi dividido em dois, cada qual puxando por uma hora e meia. Os oficiais comiam

O Beagle *a seco no rio Santa Cruz, gravura a partir de Conrad Martens*

a mesma comida e dormiam na mesma tenda que os marinheiros. Com uma rotina bem organizada, a distância média percorrida a cada dia era de cerca de 16 quilômetros em linha reta, embora a distância trilhada fosse muitas vezes o dobro disso.

Quando não se ocupava na tarefa de reboque, Charles muitas vezes ia até as elevações ao lado do rio, junto com outro marinheiro, munido de um rifle, em busca de guanacos; à parte grande número de raposas, algumas emas e alguns pumas ocasionais, estes eram os únicos animais grandes à vista. Provavelmente era Charles a figura de casaco desenhada por Conrad Martens na tarde de 2 de maio (PRANCHA 10), com "uma luz brilhante nas montanhas distantes", próximo ao ponto mais a oeste a que chegaram na subida do rio. Os pássaros mais comuns que coletaram foram desde bandos de pardais (*Fringilla gayi*), tentilhões (*Chlorospiza melanodera*) e calhandras (*Sturnella militaris*), até tordos (*Mimus patagonicus*) cantando entre arbustos espinhosos. Havia também algumas narcejas de bico curto (*Tinochorus rumicivorus*), três tipos de furnarídeos (*Eremobius phoenisurus, Opetiorhynchus vulgaris, O. patagonicus*), aves trepadeiras (*Synallaxis*), uma cambaxirra (*Troglodytes*), um pequeno pássaro canoro (*Muscisaxicola*), condores e carcarás.

O rifle de Charles não foi contudo o único instrumento utilizado no rio Santa Cruz, porque um de seus objetivos principais era prosseguir nos estudos sobre a elevação das extensas planícies cobertas de cascalho da costa ocidental da Patagônia. Para tal propósito, precisava de seu fiel martelo geológico e dos

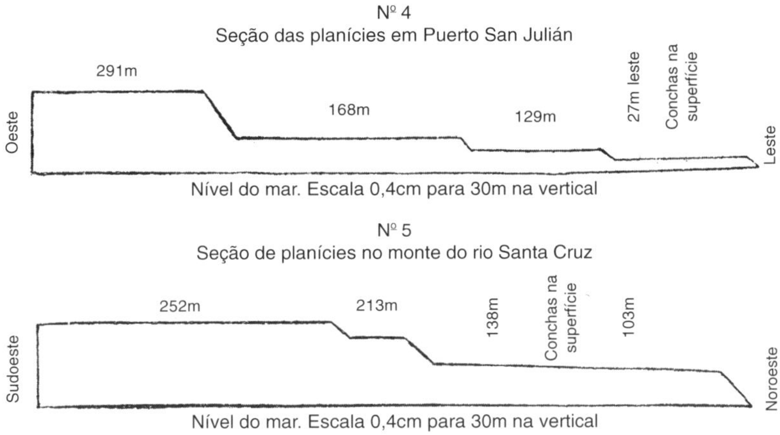

Seção das planícies em Puerto San Julián

dois barômetros aneróides, para medir a altura do rio acima do nível do mar e dos sucessivos terraços e colinas vizinhos acima do nível do rio. A partir da foz do Santa Cruz, logo descobriu que a planície de 130 metros em Puerto San Julián (ver p.188) continuava sem interrupções pelos 80 quilômetros do lado norte da foz do rio Santa Cruz, embora a altura caísse para cem metros, elevando-se para 110 do lado sul.

No segundo dia encontraram na margem do rio um velho croque com a marca real, e um dos membros da tripulação que havia estado no *Beagle* em 1829 lembrou-se que ele havia sido perdido à época. De noite ocorreu uma violenta geada, e o orvalho congelou tão depressa na cobertura do horizonte artificial do sextante de FitzRoy, quando ele tentou observar a altitude meridiana da Lua, que o índice de erro deslocou-se. Na manhã seguinte a rede de pescar de Charles, guardada no fundo do barco, estava gelada demais para se usar. A subida continuou pela região sem muitos atrativos, pois "as planícies de cascalho árido davam sustento às mesmas plantas agrestes e anãs, nos vales crescem os mesmos arbustos mirrados e em todas as partes vemos os mesmos pássaros e insetos".

FitzRoy escreveu no diário:

> À medida que prosseguimos ao longo das barrancas do rio, vimos alguns animais de cor escura cruzando a corrente a alguma distância, mas ninguém conseguia adivinhar o que era, até que os primeiros alcançaram a margem e, pondo-se eretos sobre suas pernas em feitio de estaca, vimos que se tratava de emas. Vários

desses pássaros atravessaram o rio a nado. Eu não tinha idéia de que um pássaro de pernas tão compridas e não palmípedes pudessem, por vontade própria, entrar na água e cruzar uma corrente tão forte. Eram cinco ou seis, um atrás do outro.

A distância eles viram fumaça, e dois dias depois chegaram a um lugar enlameado, onde pouco tempo antes houvera fogo; pegadas muito pequenas mostravam que mulheres e crianças acompanhavam um grupo de índios que viajavam para o sul. Era um enigma saber como as crianças haviam atravessado o rio, mas na baía Gregório um espanhol que vivia com os índios disse a Charles que provavelmente haviam usado o que os gaúchos chamavam de *pelota*, uma espécie de barco feito de couro de boi puxado por um cavalo, em cujo rabo os passageiros se agarravam.

A 26 de abril chegaram a uma região de maior interesse para Charles, na qual as planícies eram encimadas por um campo de lava vulcânica que "em algum período remoto, quando estas planícies formavam o fundo de um oceano, escorreram dos Andes". Era um fenômeno impressionante, pois acima do rio a espessura do campo de lava era de mais de 90 metros, embora ainda ficasse longe da fonte. Além disso, as rochas vulcânicas mais ao sul da região até então conhecida estavam 480 quilômetros ao norte. A descrição feita por FitzRoy do "estreito vale de basalto" pintado por Martens foi a seguinte:

> Uma ravina de aspecto selvagem cercada por penhascos de lava negra. Uma corrente de excelente água serpenteia entre o capim alto, e uma espécie de selva, no fundo. Leões (pumas) nela se abrigam, assim como nos indicaram os restos recentemente dilacerados de um guanaco. Os condores habitam os penhascos. Colunas imperfeitas de natureza basáltica dão a um pico rochoso a aparência de um velho castelo. É uma cena de selvagem solidão, própria para servir como criadouro de leões.[1]

Quando o "estreito vale de basalto" de Martens foi usado para ilustrar o relato de FitzRoy, os pumas foram devidamente retratados pelo artista.

Charles recordou no dia seguinte que:

> Atirei em um condor; ele media 8,5 pés [2,5m] de ponta a ponta das asas e quatro pés [1,2m] do bico à cauda. São pássaros magníficos; quando sentados em um píncaro sobre um precipício, examinam as planícies abaixo como sultões. Creio que esses pássaros jamais são encontrados fora de locais em que haja penhascos perpendiculares. Mais acima no rio, onde a lava está entre 800 e 900 pés [240 a 270m] acima do leito do rio, descobri um criadouro; era uma bela coisa ver entre

dez e 20 desses condores se lançarem pesadamente de seu lugar de descanso e então girar em círculos majestosos.[2]

Mas FitzRoy fez um comentário menos elogioso sobre os condores:

Dois guanacos foram mortos pelo sr. Darwin e pelo sr. Stokes. Cobriram-nos com arbustos e correram aos barcos, para pedir ajuda. Algumas pessoas os acompanharam para trazer os animais, mas os condores haviam comido toda a carne de um deles. O outro estava intocado e foi trazido para os barcos. Quatro horas bastaram para os condores limparem todos os ossos. Quando nosso grupo chegou ao local, vários dos grandes pássaros estavam tão pesados que tiveram dificuldade de voar para longe dali.[3]

Enquanto isso Conrad Martens dedicava-se pintar um dos condores predando um guanaco morto (PRANCHA 12).

A subida continuou firme, e logo eles "saudaram com alegria os cumes nevados das cordilheiras, vistas ocasionalmente através de seu penumbroso envoltório de nuvens". Conrad Martens fez vários desenhos da coluna de homens rebocando os barcos, um dos quais, mais bem-acabado, vendeu a Charles em Sydney por três guinéus; mais tarde o desenho foi pendurado em Down House. Mas o rio era muito tortuoso, e em muitos lugares havia enormes blocos de ardósia e granito que devem ter deslizado dos Andes. A 4 de maio a

Vale de basalto no rio Santa Cruz, gravura de T. Landseer segundo Conrad Martens

Barrancas do rio Santa Cruz, por Conrad Martens

longa cadeia de montanhas que se estendia de norte a sul, íngreme e coroada de neve, estava totalmente à vista, mas como as rações começavam a escassear, FitzRoy decidiu que não era possível seguir adiante. Acompanhado por um grande grupo, resolveu caminhar mais alguns quilômetros para oeste; porém, após cruzar as planícies desérticas das cabeceiras do vale do Santa Cruz, as bases das montanhas ainda não eram visíveis. Naquele ponto, eles estavam a cerca de 200 quilômetros do Atlântico, e talvez a 90 do mais próximo braço de mar do Pacífico. E provavelmente encontravam-se perto do lago Argentino, que liga os lagos Viedma e San Martin.

Charles havia completado assim sua pesquisa naquela região da grande formação terciária da Patagônia e estava em condições de desenhar um plano dos terraços de cada lado do vale do Santa Cruz. Considerando que a planície na cabeceira do vale era razoavelmente nivelada — embora dotada de muitas dunas de areia, como na costa do mar —, e com escarpas que se abriam como duas grandes baías em frente às montanhas, concluiu que pouco tempo antes o curso do rio Santa Cruz havia formado um estreito cruzando o continente, com dois estreitos semelhantes ao sul, cruzando a Terra do Fogo. A constatação apoiava-se na descoberta de uma concha muito velha e muito gasta de uma espécie em geral existente no leito do rio, a uma altitude de 120 metros. Outras conchas semelhantes foram encontradas mais abaixo, no vale, a 170 quilômetros do Atlântico.

Antes do sol nascer, a 5 de maio, eles começaram a descida do Santa Cruz. Levados pela corrente, em três dias haviam percorrido a mesma distância que avançavam em 15 dias de exaustivo reboque na outra direção; estavam de volta ao estuário do rio. A maior parte do grupo achava que se tinha conseguido muito pouco, embora provavelmente fossem os primeiros europeus a terem visto a parte mais ao sul das cordilheiras; haviam matado dez guanacos, vários condores, um puma muito grande e um gato selvagem. E, além da caça, Charles havia feito importantes estudos geológicos.

Puxando os barcos pelo rio Santa Cruz com os Andes ao longe, por Conrad Martens

18

Pelo estreito de Magalhães até Valparaíso

maio – junho, 1834

A 12 de maio o *Beagle* pôs-se ao mar, rumo à entrada do estreito de Magalhães, onde se juntou ao *Adventure*, que havia completado suas pesquisas nas Falkland. Charles lamentou muito ver o tempo sempre seco da Patagônia ser substituído, 190 quilômetros ao sul, por igualmente constantes nuvens, chuvas, granizo, neve e vento; mas alegrou-se ao descobrir, a 18 metros de profundidade, ao largo do cabo Vírgenes, uma nova espécie de briozoário, vermelho e com um novo tipo de órgão em movimento contínuo, como as inclinações nas cápsulas do bico de um abutre que ele já observara (ver p.110).

Em suas notas, fez uma vívida descrição dessa importante descoberta:

> O extraordinário órgão, a cerda, está ereto em (H) [ver desenho p.221]. Tem cerca de 1/20 de polegada [0,125cm] de comprimento; arqueado, serrilhado na borda externa, apoiado em lado basal côncavo por aresta; conectado à sua célula por um gínglimo e tem um apêndice membranoso ou vaso (K) levando a célula ou pólipo:* Essas cerdas são eretas, em ângulos retos, na beirada externa das células. Fiquei completamente atônito quando vi pela primeira vez todas as cerdas de um ramo, subitamente e com grande rapidez, se recolherem ao mesmo tempo no ramo e, uma depois da outra (aparentemente por sua elasticidade), reocupar os seus lugares.

* Os briozoários, tal como os hidrozoários (como as águas-vivas), são animais minúsculos que vivem em grandes colônias. Consistem de uma grande quantidade de células ou zoóides separados, entre os quais os autozoóides, que cuidam de alimentação e digestão, têm um pólipo retrátil coroado por tentáculos ou cerdas para agarrar as partículas de alimento. Um heterozoóide com uma cerda montada em músculos que controlam seus movimentos é conhecido como lofóforo, enquanto um heterozoóide equipado com uma cápsula em bico de abutre é aviculário.

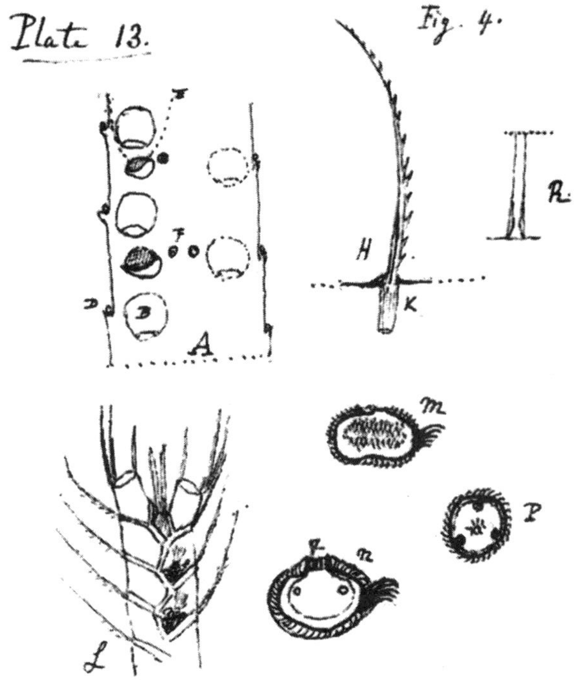

Desenhos da estrutura do briozoário Caberea minima *com lofóforo móvel*

Logo outros ramos começaram, até que toda a coralina, levada por esses longos remos, estremeceu de um lado a outro no vidro. O movimento da coralina e das cerdas era visível a olho nu: sequei um pedaço da coralina em um mata-borrão e mesmo assim, por um curto espaço de tempo no ar, ela moveu as cerdas. A irritação quase sempre causava o movimento em um ramo, e quando um deles começava, *geralmente* os outros acompanhavam-no. Também se moviam espontaneamente (mesmo depois de guardadas por um dia). Forçando-se qualquer cerda, ela retomava sua posição e se movia por si mesma. A coralina, quando colocada sobre um dos lados, embaralha as cerdas, que muitas vezes fazem esforços violentos para se libertar: Geralmente as cerdas de cada lado de um ramo movem-se juntas, mas um lado às vezes fica encolhido mais tempo do que o outro; isso geralmente durava apenas um segundo ou dois. A cerda nunca ficava recolhida muito menos do que o ângulo rt: quando recolhido no ramo, o lado côncavo e macio ficava no ramo, e nas células extremas as cerdas se misturavam com as espinhas. Uma cerda, quando arrancada, jamais se movia; a força deve estar no gínglimo. Os pólipos algumas vezes estendem os braços durante o movimento das cerdas. Os fatos acima são muito importantes por mostrarem uma co-sensação e uma co-vontade sobre toda a coralina. Acho que a cerda não está diretamen-

> te conectada com o pólipo. Qual é o seu uso? Como a borda serrilhada é externa, não pode ser o de coletar alimento; como o movimento é muito vigoroso e necessariamente se dá primeiro na direção do ramo, não pode ser para afastar inimigos ou impurezas. O movimento deve provocar fluxos. Será que ele avisa ao pólipo que há algum perigo próximo? Quando recolhido, ele *não* protege a boca da célula.[1]

O espécime cujo comportamento e estrutura Charles descreveu com tanta elegância foi identificado alguns anos depois como um briozoário pertencente à espécie *Caberea minima*, e ainda pode ser visto, com as cerdas imobilizadas pela morte, em sua garrafa de álcool no museu do Departamento de Zoologia da Universidade de Cambridge. A cerda móvel é hoje conhecida como "lofóforo", e Charles estava correto ao sugerir que a força que o movia encontra-se no que chamou de gínglimo, pois abaixo dele estão localizados músculos giratórios diminutos, abdutores e adutores. Também estava certo ao rejeitar a idéia de que os lofóforos pudessem servir para afastar inimigos, embora atualmente se aceite que, em algumas espécies, eles têm o papel de evitar que se acumule lixo na parte traseira da colônia; enquanto em outras eles podem gerar correntes de água externas e guiar partículas de alimento para os autozoóides. Sua observação mais perspicaz foi de que todo o animal devia ter uma "co-sensação" e uma "co-vontade", ou, em outras palavras, um sistema nervoso capaz de receber informação acerca da situação da vizinhança e iniciar uma resposta adequada dos lofóforos. Mais tarde na viagem[2] Charles discutiu evidências semelhantes, supondo que vários outros invertebrados marinhos também deviam possuir sistemas nervosos primitivos; mas na época ele evidentemente não podia avaliar a importância crucial desse passo na evolução de animais superiores.

O *Beagle* e o *Adventure* ancoraram na baía Gregório para se abastecer de água. Seus velhos amigos, os índios patagônios, não estavam lá; ao passar ao sul do cabo Negro, contudo, pegaram dois marinheiros que haviam abandonado um caçador de focas e se juntado aos patagônios, por quem haviam sido tratados com "a usual hospitalidade desinteressada e nobre". Por acidente perderam-se dos aborígines, e os dois estavam descendo a costa em busca de um navio que pudesse ir em seu socorro, vivendo de mariscos e frutas selvagens e expostos dia e noite à chuva e neve constantes. "O que o homem não suporta!", escreveu Charles.

Os dois navios passaram uma semana em Puerto Hambre para ajustar seus cronômetros, com a névoa somando-se à chuva e ao vento. Como havia homens em terra com instrumentos e bens que poderiam interessar aos fueguinos, FitzRoy julgou aconselhável fazer uma exibição de força que os mantivesse afastados. Um grande canhão foi disparado a uma distância de 2.500 metros, a que os fueguinos responderam com pedras que caíram muito perto, e continuaram a avançar. Foi enviado um barco com mosquetes cujas balas caíram muito longe; eles responderam com flechas que também chegaram perto, e quando riram deles, "sacudiram seus mantos com fúria". Só quando viram as balas de mosquete acertar e cortar as árvores é que recuaram. No dia seguinte construíram uma barricada de árvores podres e, com um bom estoque de pedras para as fundas, avançaram ainda mais. Cada vez que um mosquete lhes era dirigido, eles apontavam um arco em resposta. No entanto, como o confronto só poderia terminar em inútil derramamento de sangue, deu-se afinal a ordem de retirada.

Os navios saíram do estreito de Magalhães por uma rota recentemente descoberta por William Low, que os levou, a 9 de junho, pelo canal Magdalen abaixo, passando pelo monte Sarmiento. Conrad Martens fez um desenho soberbo, mais tarde reproduzido em aquarela (PRANCHA 11), abaixo da qual escreveu: "A grande geleira, monte Sarmiento. A montanha eleva-se cerca de três vezes a altura vista daqui, mas tudo está oculto por nuvens escuras e sombrias — um raio de sol muito fraco ilumina a parte superior da geleira, dando à superfície nevada um tom que parece quase cor-de-rosa pelo contraste com o azul de seus penhascos gelados; um arco-íris fraco também é visível à direita da geleira, mas o todo era, pelo contrário, muito cinzento e tristonho." Charles observou que "várias geleiras desciam em um curso tortuoso da pilha de neve até o mar, podem ser comparadas às grandes Niágaras geladas; e talvez essas cataratas de gelo sejam tão bonitas quanto as cataratas móveis de água". No dia seguinte o *Beagle* virou-se para barlavento, para descer o canal Cockburn. Mas quando se descobriu ao anoitecer que o único abrigo onde seria possível ancorar era muito pequeno — e foi deixado para o *Adventure* —, foram obrigados a passar uma noite ansiosa, indo para frente e para trás em uma área bastante limitada. Ao amanhecer o *Adventure* emergiu de seu abrigo. Juntos os dois barcos velejaram pelo monte Skyring e pelos rochedos Tower; com um bom vento de nordeste, surdiram no Pacífico com todas as velas abertas.

A 27 de junho o comissário George Rowlett, que aos 38 anos era o oficial mais velho a bordo, morreu de complicações provocadas por diversas doenças. Ele havia servido no *Adventure* na viagem anterior e era um antigo e respeitado amigo de todos. No dia seguinte as orações fúnebres foram lidas pelo capitão no convés, e o corpo de Rowlett foi entregue ao túmulo do marinheiro, "sempre mutante e misterioso".

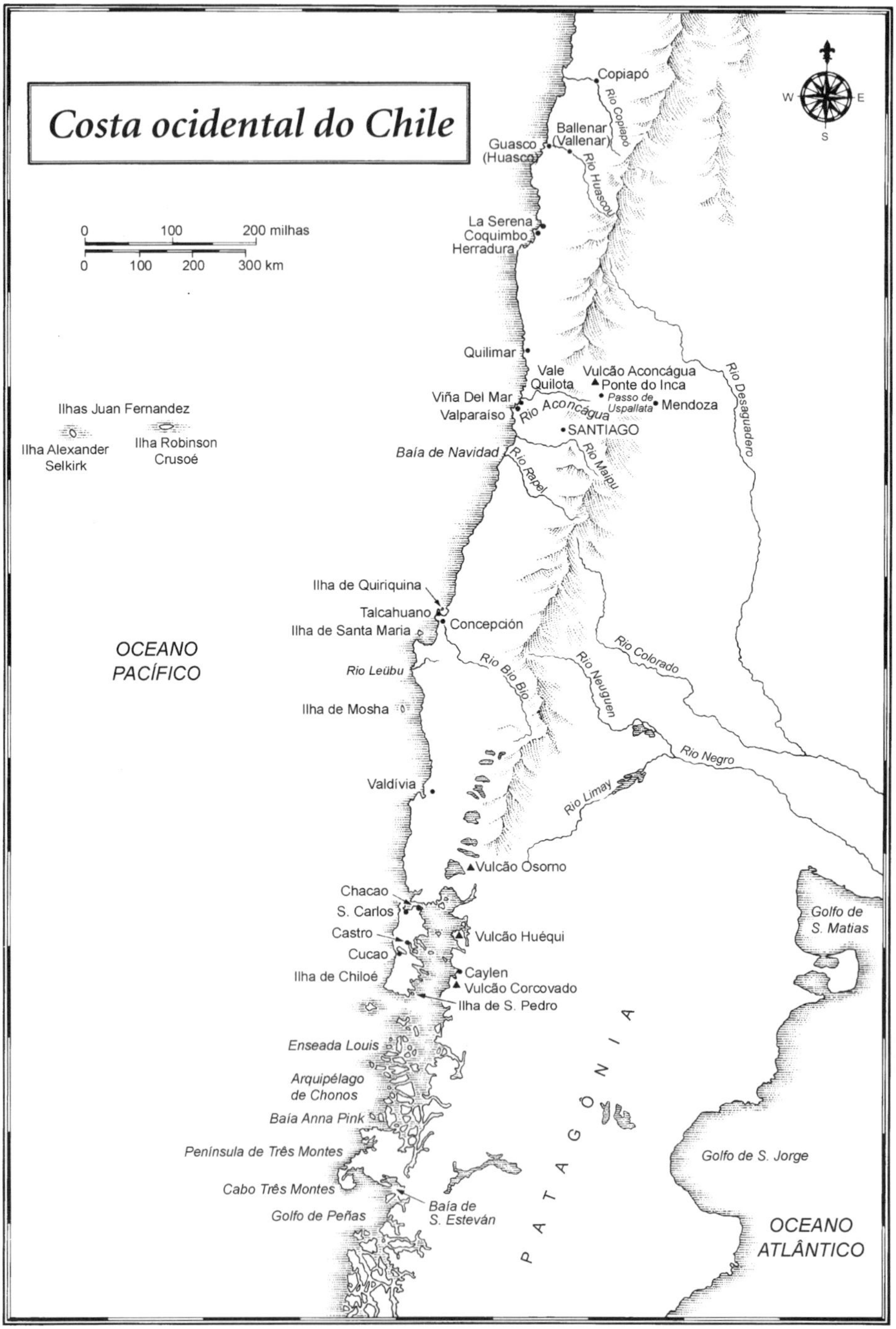
Costa ocidental do Chile
0 100 200 milhas
0 100 200 300 km
Copiapó
Rio Copiapó
Ballenar (Vallenar)
Guasco (Huasco)
Rio Huasco
La Serena
Coquimbo
Herradura
Quilimar
Vale Quilota
Vulcão Aconcágua
Ponte do Inca
Passo de Uspallata
Mendoza
Rio Desaguadero
Viña Del Mar
Valparaíso
Rio Aconcágua
SANTIAGO
Ilhas Juan Fernandez
Ilha Alexander Selkirk
Ilha Robinson Crusoé
Baía de Navidad
Rio Rapel
Rio Maipu
Ilha de Quiriquina
Talcahuano
Concepción
Ilha de Santa Maria
OCEANO PACÍFICO
Rio Leübu
Rio Bio Bio
Rio Neuguen
Rio Colorado
Ilha de Mosha
Rio Negro
Rio Limay
Valdívia
Vulcão Osomo
Chacao
S. Carlos
Castro
Cucao
Ilha de Chiloé
Vulcão Huéqui
Caylen
Vulcão Corcovado
Ilha de S. Pedro
Golfo de S. Matias
Enseada Louis
Arquipélago de Chonos
Baía Anna Pink
Península de Três Montes
Cabo Três Montes
Golfo de Peñas
Baía de S. Estevân
PATAGÔNIA
Golfo de S. Jorge
OCEANO ATLÂNTICO
W
E
S

Arando com o peito em Chiloé, *gravura segundo P.P. King e Conrad Martens*

Mais tarde, naquele dia, o *Beagle* ancorou em San Carlos, atualmente conhecido como Ancud, na parte norte da ilha de Chiloé, ao largo da costa sul do Chile (PRANCHA 13). A intenção original de FitzRoy era navegar diretamente para fazer reparos em Coquimbo, um porto a 1.300 quilômetros ao norte. Mas uma sucessão infindável de rajadas vindas do norte obrigaram-no primeiro a pensar em prosseguir até Concepción e finalmente a entrar em San Carlos. Ali permaneceram por dez dias, enquanto consertavam a retranca principal do *Adventure*, conseguiam provisões frescas, realizavam novas medidas para os cronômetros, e os homens descansavam após os rigores do Pacífico em tempo tão inamistoso.

Charles fez algumas caminhadas pela ilha e passou alguns dias em San Carlos, onde o tempo, para espanto dos habitantes, estava "muito bom", chegando-se a vislumbrar o vulcão Osorno. Normalmente a chuva era incessante e nada se via das cordilheiras. Charles comentou sobre a população local:

> Eles parecem ter uma grande mistura de sangue índio e diferem muito de quase todos os outros conjuntos de espanhóis, por não serem gaúchos. O país é tão densamente coberto de florestas, que cavalos e bois não podem crescer muito. Batatas, porcos e peixe são os principais itens da alimentação; obtê-los exige trabalho, e conseqüentemente deu origem a um conjunto de maneiras diferentes de tudo o que se encontra em outras partes da América do Sul.[3]

Maria Mercedes e don *Manuel, de Chiloé, por Conrad Martens*

Uma mulher tecendo em Chiloé, por Conrad Martens

Cabanas de Chiloé negras da fumaça que sai dos telhados, por Conrad Martens

Chiloé tinha uma temperatura uniforme e uma atmosfera saturada de umidade. O solo vulcânico era muito fértil — com árvores, sempre verdes e muito densas, típicas da floresta das zonas temperadas —, coberto por uma espécie de capim arborescente com nós semelhantes aos dos bambus, altura de dois a cinco metros, cercado por grandes samambaias, o que dava às florestas um ar verdadeiramente tropical. A única estrada para o interior da ilha, ligando San Carlos à antiga capital, Castro, havia sido feita pelos antigos espanhóis com troncos de árvore grosseiramente aparados e colocados lado a lado. Afora isso, o país era habitado apenas na costa, com estradas tão ruins que a comunicação era feita por barcos. San Carlos era uma pequena aldeia suja e esparramada, com as casas construídas inteiramente de tábuas cortadas de troncos de alerce (um membro da família dos ciprestes, mais tarde classificado por Joseph Hooker como *Fitzroya patagonica*), vegetação que crescia na região e nas encostas dos Andes. Essas tábuas eram o principal item de exportação da ilha, junto com a batata e o presunto; de modo que, infelizmente, as florestas descritas por Charles há muito foram cortadas.

Conrad Martens fez desenhos do lugar de desembarque em Punta Arenas, das florestas densas e das casas de San Carlos, descritas como "negras de fumaça (PRANCHA 15). As casas não têm chaminé, e a fumaça sai por todas as partes do telhado". Desenhou também as mulheres tecendo.

19

Valparaíso e Santiago

julho – novembro, 1834

Após uma lenta travessia a partir de San Carlos, o *Beagle* e o *Adventure* ancoraram em Valparaíso tarde da noite de 23 de julho. FitzRoy estava tão atrasado nos cálculos e desenhos de seus mapas que decidiu começar imediatamente a trabalhar nisso em Valparaíso. Wickham, que falava espanhol e já havia estado no Chile, foi mandado a Santiago para mostrar às autoridades chilenas as instruções de Beaufort e obter sua aprovação para a inspeção das costas sob sua jurisdição. A licença foi cordialmente concedida, e o *Beagle* recebeu todas as atenções oficiais no restante de sua visita ao Chile. Stokes, King, Usborne e FitzRoy, que teriam ocupações sedentárias e precisavam de mais espaço, luz e calma do que poderiam ter a bordo do navio, instalaram-se em terra, enquanto os outros oficiais cuidavam do aprovisionamento e dos consertos do *Beagle*.

Charles explorou Valparaíso, cidade que, depois da Terra do Fogo e Chiloé, julgou ter o clima mais delicioso, com "o céu tão claro e azul, o ar tão seco e o sol tão brilhante que toda a natureza parecia explodir de vida". Depois que o Chile conquistara a independência, em 1818, Valparaíso tornara-se um importante porto para os navios que dobravam o cabo Hornos antes da abertura do canal do Panamá, e muitos comerciantes lá se instalaram, negociando com produtos ingleses e bens de exportação, especialmente minério de cobre. A cidade era construída ao pé de uma cadeia de montanhas com 480 metros de altura, cuja "superfície é erodida em inúmeras pequenas ravinas que expõem um solo vermelho particularmente brilhante, entre manchas de grama e arbustos verde-claro". O porto não era muito grande, e os navios estavam apinhados. A nordeste entreviam-se os Andes, com o Aconcágua especialmente belo. Charles escreveu no diário:

A cidade de Valparaíso é bem esparramada; sempre que há um pequeno vale descendo até a praia, as casas empilham-se umas sobre as outras; fora isso, consiste de uma rua que corre paralela à costa. Todos nós a bordo ficamos muito impressionados pela grande superioridade dos residentes ingleses, comparados aos de outras cidades da América do Sul. Encontrei várias pessoas que já leram obras sobre geologia e outros ramos da ciência e que realmente se interessam por assuntos que nada têm a ver com fardos de mercadorias, libras, xelins e pences. Foi tão surpreendente quanto agradável ter de responder à pergunta sobre o que eu achava da geologia de Lyell. Além disso, todos são muito amigáveis conosco, e nós achamos que vamos passar os próximos dois meses de maneira muito agradável.[1]

Uma cena perto de Valparaíso, por Conrad Martens

Charles também se mudou para a casa de Richard Corfield, um dos muitos negociantes ingleses que então viviam em Valparaíso e que, em 1818-19, havia sido seu contemporâneo na escola em Shrewsbury. Corfield tinha uma atraente casa térrea, com todos os aposentos dando para um quadrilátero ajardinado que recebia pequena corrente de água dos Andes durante seis horas toda semana. Estava situada no Almendral, um subúrbio construído em uma planície arenosa que já havia sido uma praia de mar. Conrad Martens foi morar na Quebrada Elias com outro pintor altamente competente, um alemão chamado Johann Moritz Rugendas, e juntos pintaram a vista da baía de Valparaíso, na direção de Viña del Mar (PRANCHA 14). Martens também traçou esboços dos navios no cais do porto e na baía e cenas da cidade.

Charles fez longas caminhadas na região e teceu um comentário revelador:

> A vegetação aqui tem um aspecto peculiar; isso se deve ao número e à variedade de arbustos que parecem ser as únicas plantas; muitos têm flores bem bonitas e comumente todo arbusto tem um forte cheiro resinoso ou aromático. Quando subimos pelas colinas, as mãos e mesmo as roupas ficam fortemente perfumadas. Com esse tipo de vegetação, fiquei surpreso ao descobrir que os insetos não são nada comuns; na verdade, a mesma escassez é verdadeira para algumas das ordens superiores de animais; existem poucos quadrúpedes e os pássaros não são muito abundantes. Já encontrei camadas de conchas recentes que ainda mantêm a cor a uma altitude de 400 metros; abaixo desse nível, a região está coberta delas. Não parece uma conjectura muito improvável afirmar que há falta de animais porque nenhum foi criado desde que a região se elevou do mar.[2]

Tanto na edição de 1839 como na de 1845 do *Diário de campo*, a evidência da elevação relativamente recente da terra foi descrita em termos semelhantes, mas a frase final foi omitida. À época Charles evidentemente estava determinado a esconder as direções não-ortodoxas que seus pensamentos sobre a geração de novas espécies já vinham desenvolvendo.

Após uma breve expedição costa acima, para visitar a *hacienda* Quintero, que na época pertencia ao almirante escocês lorde Cochrane — que havia comandado a Marinha chilena em 1818-22 na luta pela independência —, Charles visitou o belo vale de Quillota, repleto de pomares de frutas e olivais. De lá

Quebrada Elias, Valparaíso, desenhada do balcão da casa em que residia Conrad Martens

A baía de Valparaíso vista de um promontório, por Conrad Martens

subiu até o pico do monte Campana, onde ficou um dia inteiro — fato hoje relembrado por uma placa e pelo comentário: "Jamais desfrutei tão inteiramente de um dia, pois ninguém pode deixar de admirar a força maravilhosa que sublevou aquelas montanhas; e mais ainda as idades sem conta que devem ter sido necessárias para que elas rompessem, removessem e nivelassem imensas massas." Passou a noite conversando em volta do fogo com os dois *guassos* chilenos que o haviam acompanhado e registrou uma brilhante comparação entre eles e os gaúchos argentinos, com quem tanto havia cavalgado pelos pampas:

> O Chile é o mais civilizado dos dois países; em conseqüência, seus habitantes perderam muito de seu caráter individual. As gradações hierárquicas são muito mais marcadas; o *huasso** de maneira alguma considera qualquer homem seu igual; fiquei muito surpreso ao descobrir que meus companheiros não gostavam de comer ao mesmo tempo que eu. Isso é uma conseqüência necessária da existência de uma aristocracia de riqueza; diz-se que alguns poucos dos maiores proprietários de terra possuem [uma renda] de cinco a dez mil libras esterlinas por ano. Esta é uma desigualdade de riqueza que, acho eu, não acontece em nenhum dos países criadores de gado a leste dos Andes. O viajante de maneira alguma encontra aquela hospitalidade sem limites que recusa qualquer pagamento; mas de todo

* Pronúncia espanhola de *guasso.*

> modo ela é oferecida de maneira tão gentil que ele não pode ter qualquer escrúpulo em aceitá-la. Quase todas as casas no Chile acolherão você para passar a noite, mas espera-se que pela manhã você ofereça uma ninharia qualquer; mesmo um homem rico aceitará dois ou três xelins. O gaúcho, embora possa ser um corta-gargantas, é um cavalheiro; em alguns poucos aspectos o *huasso* é melhor; mas, ao mesmo tempo, é um sujeito vulgar, comum. Embora a ocupação dos dois seja bastante semelhante, eles são diferentes nos hábitos e nas roupas; e as peculiaridades de cada um são universais em seus respectivos países. O gaúcho parece parte do seu cavalo e despreza qualquer esforço se não estiver montado. O *huasso* pode ser contratado para trabalhar nos campos. O primeiro vive inteiramente de alimentos animais, o último quase só vive de vegetais. Aqui não vemos as botas brancas, as amplas ceroulas e a *chilipa* encarnada, as roupas pitorescas dos pampas; aqui, calças comuns são protegidas por perneiras pretas e verdes de lã penteada; o poncho, no entanto, é comum a ambos. O principal orgulho do *huasso* está nas esporas, absurdamente grandes; eu medi uma que tinha seis polegadas [15cm] no diâmetro da roseta, e a própria roseta tinha para mais de trinta pontos: os estribos são na mesma escala, cada um deles consistindo de um bloco de madeira escavado, mas mesmo assim pesando de três a quatro libras [1,3 a 1,8kg]. O *huasso* talvez seja mais hábil com o *lazo* que o gaúcho, mas, pela natureza do país, eles não conhecem o uso das boladeiras.[3]

Charles em seguida visitou as minas de cobre de Jajuel, no alto dos Andes. Eram administradas por um sagaz mas inculto mineiro da Cornualha, casado com uma espanhola e que não tinha a menor intenção de voltar para a Inglaterra, a despeito da intensa admiração pelas minas de sua região de origem. Ele perguntou quantos da família ainda permaneciam vivos, agora, que George Rex estava morto. Charles observou que este Rex certamente era um conhecido de Finis que fazia a contabilidade. Todo o cobre extraído era embarcado para Swansea, para ser fundido, de modo que a mina era um lugar relativamente pacífico, sem grandes máquinas a vapor para perturbar a paz do lugar. Charles gostou de subir pelas montanhas em que havia um caos de imensos fragmentos redondos ou angulares de uma argila porfírica atravessada por camas de diorito;* os estratos inclinavam-se bastante, sendo muitas vezes verticais. O chão era pontilhado por numerosos e grandes cactos.

Após deixar Jajuel, eles cruzaram a bacia de San Felipe e tomaram a estrada principal para Santiago, capital do Chile, construída segundo o mesmo mode-

* Diorito é o termo geral para qualquer pedra ígnea rica em ferro, magnésio e clorito, cuja estrutura original foi reorganizada por pressão ou temperatura.

lo de Buenos Aires, mas não tão bonita nem tão grande. Ali Charles encontrou Corfield, "que se dispõe a admirar as belezas naturais sob a forma de *signoritas*, enquanto eu espero admirá-las no meio dos Andes"; ambos se hospedaram na Fonda Inglese. A 28 de agosto escreveu para FitzRoy, que estava em Valparaíso:

> Meu caro FitzRoy
>
> Cheguei a esta alegre cidade tarde da noite e estou agora instalado muito confortavelmente em um hotel inglês. Meu pequeno circuito por Quillota e Aconcágua foi extremamente agradável. A dificuldade de subir o Campaña é absurdamente exagerada. Cavalgamos 5/6 da altura até uma fonte chamada Aqua del Guanaco e ali acampamos por duas noites, em uma bela moita de bambus. Passei um dia inteiro no próprio cume; a vista não é mais interessante do que pitoresca e dá um panorama excelente de toda a região, dos Andes até o mar — acho que jamais gostei tanto de um dia de vagabundagem. De Quillota fui até uma mina de cobre além do Aconcágua, situada em uma ravina nas Cordilheiras. O administrador é um mineiro de coração simples nascido na Cornualha — Sulivan iria gostar de ouvir sua constante exclamação: "Quanto a Londres, o que é Londres? Na minha terra se faz qualquer coisa." Gostei de escalar as montanhas, para minha própria satisfação; no entanto, a neve agora impede que se alcance qualquer elevação. ... Na segunda-feira meu amigo da Cornualha e eu mesmo por pouco não fomos soterrados. Metemo-nos em uma profusão de bancos de neve, e poucas horas depois aconteceu uma tempestade de neve muito forte, que nos teria pego. ... Na manhã seguinte vim para cá. Nunca vi nada tão gloriosamente belo quanto a vista das montanhas, com sua fresca e brilhante roupagem de neve. ... Estou completamente encantado com o Chile — o país. Os chilenos me parecem uma raça muito pouco interessante. ... Eles perderam muito de seu caráter individual em uma *tentativa de aproximação* da civilização.
>
> Minha viagem capacitou-me a entender um pouco da geologia — não há nada de particular interesse; todas as rochas foram fritas, derretidas e torradas de todas as maneiras possíveis. Mas aqui também os "malditos franceses" estiveram em ação. Um sr. Gay deu-me hoje uma cópia de um artigo com alguns detalhes interessantes sobre a geologia desta província, publicado por ele mesmo nos *Annales des Sciences*. ... fiquei muito ocupado o dia inteiro e vi um mundo de gente. Fui à casa do cel. Walpole, mas ele estava de cama — ou disse que estava. Corfield levou-me para jantar com um sr. Kennedy, que fala muito do *Adventure* e do *Beagle*; disse que encontrou com você em Chiloé ... encontrei um gênio estranho, um tal de major Sutcliffe. Ele disse-me que, logo que ouviu falar que havia dois navios de pesquisa ingleses em Valparaíso, mandou um antigo livro de viagens pelo estreito de Magalhães para o sr. Caldcleugh [ver p.261], para ser entregue ao oficial comandante, pois eles poderiam ser úteis. ... Ele não sabe se o sr. Caldcleugh mandou para você. ... Eu disse que mencionaria a circunstância quando escrevesse. O

major tende a ser muito educado — não sei o que fazer dele. Está cheio de histórias maravilhosas; e para a surpresa de todo mundo aqui e ali, provou-se que algumas eram verdadeiras.

Minha cabeça está cheia de esquemas; não vou ficar por muito tempo aqui, embora, do pouco que já vi, esteja muito inclinado a gostar. Como é belo e impressionante o local da cidade. ... Sentei-me por uma hora olhando em volta de mim, na pequena colina de Santa Lúcia. Gostaria que você estivesse aqui para admirar a gloriosa perspectiva. De maneira alguma consigo achar qualquer tipo de mapa. Você seria extraordinariamente gentil comigo se conseguisse que King desenhasse, a partir de Miers [1826], um pequeno pedaço da região de Valparaíso a um grau sul do r. Rapel — sem qualquer montanha. Não creio que seja mais do que meia hora de trabalho. Tenho algumas intenções de voltar a Valparaíso pelo Rapel. Se você me mandasse isso *logo*, mais meia dúzia de linhas, mencionando alguma coisa que saiba sobre os movimentos do Samarang, isso me ajudaria muito em meus esquemas.

Adiós, caro FitzRoy
seu amigo filos.

C.D.[4]

Como chegou a Santiago por um circuito feito pelo norte, Charles decidiu voltar a Valparaíso a 5 de setembro, por uma estrada mais longa, pelo sul. No primeiro dia seguiu por uma das famosas pontes suspensas que consistia em feixes de paus amarrados por couros seguindo a curvatura das cordas suspensas. Não estava em bom estado e oscilava de maneira alarmante com o peso de um homem puxando um cavalo. De noite hospedou-se em uma *hacienda* muito bonita, onde algumas *signoritas* encantadoras troçaram dele, dizendo-lhe que entrasse em uma igreja e perguntando por que não se tornava cristão. Charles garantiu-lhes que era uma espécie de cristão, mas elas não quiseram saber e disseram: "Os padres de vocês, os próprios bispos, não casam?". Elas achavam particularmente chocante e absurdo um bispo ter uma esposa e não sabiam se achavam graça ou ficavam horrorizadas com tal atrocidade.

Charles cavalgou pelo Rancágua e ficou cinco dias nos banhos termais de Cauquenes — celebrados por suas propriedades medicinais —, retido pela chuva forte que o impedia cruzar o rio. Em San Fernando tomou a direção do mar, para visitar as minas de ouro de Yaquil, que pertenciam a um norte-americano chamado Nixon; embora chocado com a severidade do trabalho imposto aos mineiros em troca de salários muito baixos, concluiu que os trabalhadores rurais provavelmente encontravam-se em situação ainda pior. O minério era mandado para os moinhos em mulas; nas estradas planas, os animais carregavam

180 quilos. Charles achou surpreendente que "um híbrido possuísse muito mais razão, memória, obstinação, poderes de digestão e resistência muscular do que qualquer um de seus pais. Pode-se pensar que aqui a arte sobrepujou a natureza".

Na casa do sr. Nixon estava hospedado um alemão chamado Renous. Charles divertiu-se com uma conversa entre ele e um velho advogado espanhol, quando Renous perguntou o que o advogado achava do fato de o rei da Inglaterra "mandar-me para o país deles coletar lagartos e besouros e quebrar pedras. O velho cavalheiro pensou por algum tempo e disse 'não está certo, *hay un gato encerrado aqui* (há um gato escondido aqui); ninguém é tão rico que possa mandar pessoas catar esse lixo; não gosto disso; se um de nós fosse e fizesse essas coisas na Inglaterra, o rei logo estaria nos mandando embora do país dele'." No entanto, o velho advogado pertencia a uma das classes mais inteligentes. Poucos anos antes o próprio Renous havia deixado por algum tempo certo número de lagartas em uma casa de San Fernando, esperando que elas se transformassem em borboletas. Comentou-se isso pela cidade, e os padres e o governador concluíram que havia alguma heresia envolvida na história. Quando Renous voltou, foi imediatamente preso.

Charles estava começando a se sentir bastante doente e acelerou a viagem de volta a Valparaíso pelas planícies costeiras cobertas de capim. A despeito da doença, no entanto, conseguiu coletar, em camadas de rochas terciárias com 250 metros de espessura próximas ao rio Rapel, algumas conchas fósseis que só poderiam ter vivido em águas rasas, confirmando assim que, no passado, devia ter ocorrido uma lenta sedimentação do fundo do mar. A 26 de setembro chegou a Casa Blanca, onde conseguiu uma carruagem para levá-lo de volta à casa do sr. Corfield em Valparaíso, onde ficou de cama até final de outubro.

Um de seus motivos de ansiedade foi rapidamente resolvido quando soube que FitzRoy havia acabado de mandar para Portsmouth, pelo HMS *Saramang*, uma encomenda de espécimes muito valiosos, dois barris com ossos e pedras, uma caixa com seis garrafas pequenas e um jarro grande.

Em uma carta para a irmã, em 13 de outubro, Charles disse:

> Estive péssimo, de cama, na última quinzena, e agora mal consigo ficar sentado e só por pouco tempo. Como preciso me ocupar, vou tentar terminar esta carta. Voltando de minha excursão pelo país, passei algum tempo em algumas minas de ouro e lá bebi um pouco de *chichi*, um vinho fraco, ácido, e isso me deixou meio envenenado. Demorei um pouco até achar que estava bem; mas nos primeiros dias a cavalo, em uma viagem que era muito longa, logo meu estômago se revoltou, e depois não consegui me sentir bem; perdi o apetite e fiquei muito fraco. Eu

tinha um longo caminho a percorrer e sofri muito; finalmente cheguei aqui completamente exausto. Mas Bynoe, com uma boa dose de calomelano e descanso, já me deixou quase bom; agora estou apenas um pouco fraco. Acho que tenho muita sorte por ter chegado até aqui; se não tentasse, teria julgado impossível; as pessoas têm mais força do que pensam ter quando não estão bem...

Você vai ficar triste ao saber que a escuna, a *Adventure*, foi vendida; o capitão não teve qualquer tipo de apoio do Almirantado e achou que a despesa com um barco grande era tão imensa que decidiu abrir mão dele imediatamente [ver p.240]. Estamos agora em estado igual ao que quando deixamos a Inglaterra, com Wickham como primeiro-tenente, o que, de qualquer forma, é uma boa coisa. Vamos ficar com problemas de espaço; e eu vou ter dificuldade para guardar minhas coleções. De todos os pontos de vista é uma situação horrorosa em nosso pequeno mundo; uma triste queda para alguns dos oficiais, de primeiro-tenente da escuna para o beliche de aspirante, e muitas degradações semelhantes. E também é necessário deixar o nosso pintor, Martens, perambular pelo mundo. Graças a Deus, no entanto, o capitão afirma que essa mudança não vai prolongar a viagem — que em menos de dois anos estaremos em Nova Gales do Sul...

Tenho um novo correspondente muito esquisito; é o sr Fox, o ministro no Rio de Janeiro. (O sr. Fox, em uma de suas cartas a lorde Byron, diz que ficou tão diferente após uma doença que seus *mais antigos credores* não o reconheceriam.)[5]

Essa foi a mais longa doença registrada por Charles em toda a viagem. A causa precisa não ficou estabelecida, mas supõe-se que uma doença de seis semanas, embora incaracterística, provavelmente fosse febre tifóide.[6] Ele sentiu-se muito desapontado por ter de ficar de cama daquela maneira, pois nutria a esperança de coletar muitos animais; mas o tempo não foi totalmente desperdiçado, e Charles conseguiu redigir uma longa série de anotações sobre os pássaros que vira no Chile até então. Entre elas, as principais eram algumas observações sobre condores:

Tendo oportunidade de ver muitos deles em um jardim, observo que todas as fêmeas têm olhos vermelhos brilhantes; mas os dos machos são marrons amarelados. Descobri no entanto que uma jovem fêmea (verificada por dissecação, já que isso aconteceu na primavera [no hemisfério sul], o animal devia ter pelo menos um ano de idade), cujo dorso era marrom e o pescoço ainda não era branco, tinha os olhos marrons escuros. O jovem macho também tem o dorso e o pescoço marrons, e a crista simples. Estes eram alimentados apenas uma vez por semana. Os *guassos* afirmam que eles podem muito bem passar seis semanas sem comida. São capturados em *corralitos* ou quando se empoleiram aos cinco ou seis em uma árvore. Têm o sono muito pesado (como eu já vi), e portanto uma pessoa facilmente trepa na árvore e laça-os. São capturados apenas no inverno e na primavera; diz-se que no verão eles retiram-se para os Andes. Trazem tantos pássaros que um condor vivo foi vendido por seis pences. O preço normal são dois ou três dólares. São maravilhosamente esfaimados. Um deles, trazido em um laço, muito ferido e cercado por pessoas, no instante em que a corda que amarrava o bico foi afrouxada, começou a rasgar um pedaço de carniça.

Os condores aparecem subitamente em grande número no lugar em que um animal morre, da mesma inexplicável maneira como fazem os abutres carniceiros. Eu embrulhei um pedaço de carne em um papel e passei a três jardas [3m] de uma fila deles; não se interessaram. Joguei a carne a uma jarda [1m], e um velho macho olhou e não deu atenção; ao colocar ainda mais perto, o condor tocou-o com o bico e *então* rasgou o papel com fúria. Em um instante todo o bando estava pulando e batendo as asas. Creio ser certo que o condor não sente cheiro a uma distância maior do que alguns centímetros. Menc.: Audubon em *Wern*: transações, observação semelhante [ver p.27].

[Três notas acrescentadas mais tarde] As pessoas do país informam que o condor põe dois ovos brancos e grandes em novembro e dezembro; eles não fazem ninho e deixam os ovos em alguma pequena saliência. Garantiram-me que os condores jovens não voam por um ano inteiro. Em Concepción, a *5 de março* [1835], vi um condor jovem, embora praticamente adulto; mas estava coberto por uma penugem quase preta, precisamente como um ganso novo. Tenho certeza de que aquele pássaro não seria capaz de voar ainda por muitos meses. Depois que os pássaros jovens sabem voar aparentemente tão bem quanto os mais velhos, pelo que vi na costa da Patagônia, parece que ficam por algum tempo com os pais. Eles caçam separados, antes que o anel no pescoço fique branco. No rio Santa Cruz, nos meses de abril e maio, dois pássaros velhos em geral ficavam pousados nos rochedos ou voavam com um jovem pássaro *totalmente* coberto de penas, sem colar branco. Agora creio ser certo que ele não poderia ter saído da casca no mesmo verão: se assim fosse, o condor provavelmente poria ovos apenas uma vez a cada dois anos. É muito singular que o nome condor se aplique *apenas* aos jovens, antes do aparecimento das penas brancas; os pássaros velhos são chamados *el buitre*, termo espanhol para abutre.

Os condores atacam cabritos e carneiros jovens; já vi cachorros adestrados para os perseguirem. É bonito ver vários condores girando em volta de algum ponto. Mesmo que você nunca afaste os olhos de um dos pássaros, por um quarto de hora não se vê o menor movimento de asas. Creio que um condor pode ficar voando em curvas, subindo e descendo, durante qualquer tempo, sem bater as asas. Quando o pássaro quer descer rapidamente, fecha as asas por um segundo. Quando se eleva acima do observador, não se vê qualquer movimento trêmulo

O Beagle *e o* Mary Walker, *de Glasgow, ancorados ao largo de Valparaíso, por Conrad Martens*

ou alguma aparência indistinta nas penas que ficam na ponta das asas. A cabeça e o pescoço são movimentados freqüentemente e em aparência com força, como o leme de um navio, tanto perpendicular como lateralmente. Pelo primeiro movimento, todo o corpo parece alterar sua inclinação em relação ao horizonte; e pela ação da corrente de vento contrária, para se elevar. O pássaro *vê* o solo.

Pouco antes de qualquer condor morrer, todos os piolhos que o infestam arrastam-se para o lado de fora das penas.[7]

Enquanto isso FitzRoy estava passando por maus momentos com os lordes do Almirantado em Londres. Com fortes e injustos preconceitos políticos, eles haviam se recusado peremptoriamente a dar aprovação oficial para a compra do *Adventure* com recursos próprios e a pagar pelos 20 homens a mais necessários para equipá-lo. Em cartas particulares datadas de 26 e 28 de setembro para o sempre simpático mas, infelizmente, não tão poderoso capitão Beaufort, do Departamento Hidrográfico, ele escreveu:

Minha escuna foi *vendida*. Nosso pintor, o sr. Martens, foi *embora*. Os mapas etc. estão indo lentamente. ... Ainda não ficaram prontos para serem mandados. ... Estou muito abatido. É um trabalho pesado — só trabalho e nenhum divertimento —, como o *seu* escritório, um pouco — embora provavelmente não seja nem a metade tão ruim...

Problemas e dificuldades assediam-me e oprimem tanto que acho impossível dizer ou fazer o que desejo. Peço-me que me desculpe se atualmente minhas cartas são tão curtas e insatisfatórias. ... Logo minha mente estará mais à vontade. Cartas dos amigos. ... Ter sido obrigado a vender minha escuna e a empilhar tudo de novo a bordo do *Beagle*. ... Desapontamento com respeito ao sr. Stokes — e também ao cirurgião interino e ao mestre interino. ... Trabalho com afinco sem parar — e muitas despesas. ... Isso e muitas outras coisas deixaram-me doente e muito infeliz.

O *Beagle* passou por um conserto, enquanto a papelada ia avançando bastante. Quando olho para trás, para o tempo que estamos em Valparaíso, fico aborrecido com a demora, mas não consigo ver de que maneira poderia ser mais rápido. Muito material já foi coletado e deve ter sido reunido em algum lugar. Não tenho esperanças de terminar antes do meio ou do final de outubro. Afrontei e quase briguei com muita gente, trancando-me e recusando-me a visitar ou ser visitado. Como capitão de um navio em um movimentado porto de mar, é coisa difícil ficar suficientemente quieto para avançar tanto com o trabalho quanto se deseja. No entanto, um navio *tem* de vir a esse porto se quiser suprimentos. Além disso, depois de um longo cruzeiro comendo carne salgada, é absolutamente necessário para a tripulação comer carne fresca e verduras por um bom tempo, para afastar qualquer tendência escorbútica.[*]

Vendi minha escuna há 15 dias, por mais do que paguei, mas nem próximo de cobrir o que foi posto nela, ou o que custaram a tripulação e as provisões.[8]

Ao voltar da casa de Corfield para o *Beagle*, quando o barco ainda estava sendo reparado em Valparaíso, Charles encontrou FitzRoy em péssimo estado mental:

O pobre FitzRoy está com trabalho demais e com o espírito desanimado; queixou-se amargamente comigo de que deveria dar uma grande festa a todos os habitantes do lugar. Discordei e disse que não via tal necessidade da parte dele, em tais circunstâncias. Então explodiu em um acesso de fúria, declarando que eu era o tipo de pessoa que recebia todos os favores e não prestava nenhum em troca. Levantei-me, saí da cabine sem dizer uma palavra e voltei para Concepción, onde estava hospedado [ele queria dizer Valparaíso, e não Concepción]. Depois de alguns dias voltei ao navio e fui recebido pelo capitão com a maneira cordial de

[*] Ou seja, um surto de escorbuto provocado por carência de vitamina C na alimentação.

sempre, pois então a tempestade já havia se aplacado. O primeiro-tenente, no entanto, disse a mim: "Diabos o levem, filósofo, gostaria que você não brigasse com o capitão; no dia em que você saiu do navio eu estava meio morto (o navio estava sendo consertado), e ele me fez caminhar pelo convés até meia-noite, xingando você o tempo todo." A dificuldade de viver em bons termos com o capitão de um navio de guerra aumenta muito pelo fato de que é quase um motim responder-lhe como se responde a qualquer pessoa; e pelo terror que ele inspira — ou inspirava na época a todos a bordo.[9]

Mas na carta seguinte que Charles escreveu para a irmã Catherine, de 8 de novembro, sua descrição da situação era melhor:

Minha última carta foi muito melancólica, porque eu não estava muito bem quando a escrevi. Agora tudo brilha como um raio de sol. Estou muito bem outra vez, depois de ficar de cama de novo por duas semanas. O capitão FitzRoy muito generosamente atrasou o navio por dez dias por minha causa, e ao mesmo tempo sem dizer a razão. Tivemos procedimentos muito estranhos a bordo do *Beagle*, mas que terminaram de maneira ótima para todos. Nos últimos dois meses o capitão FitzRoy tem trabalhado de maneira *extremamente* árdua e ao mesmo tempo se aborrece constantemente com interrupções pelos oficiais de outros navios: a venda da escuna e suas conseqüências são muito vexatórias; a maneira fria pela qual o Almirantado (acredito que apenas porque ele é tóri) tratou-o, e mil outras etc., deixaram-no muito magro e nada bem. Isso foi acompanhado por uma mórbida depressão de espírito e uma perda de toda decisão e resolução. O capitão ficou com medo de que sua mente estivesse ficando desajustada (estando consciente de sua disposição hereditária),* e nada que Bynoe dissesse adiantava, [alegando] que era apenas o efeito de fraquezas do corpo e da exaustão após tanto trabalho; ele se declarou enfermo, e Wickham foi designado comandante. Pelas instruções, Wickham deveria terminar o levantamento da parte sul e então deveria voltar direto para a Inglaterra. O desgosto a bordo do *Beagle* com essa decisão do capitão foi universal e profundamente sentido. Uma das grandes fontes de seu aborrecimento era saber que seria impossível realizar todas as instruções; em seu estado mental, nunca lhe ocorreu que as próprias instruções ordenavam-lhe que fizesse na costa oeste *o que tivesse tempo para fazer*, e então prosseguisse pelo oceano Pacífico. Wickham (desistindo de sua promoção de maneira muito desinteressada) insistiu muito com ele, afirmando que, se assumisse o comando, nada faria com que fosse para a Terra do Fogo outra vez; e então perguntou ao capitão o que ele ganharia com essa desistência. Por que não fazer a parte mais útil e voltar,

* Lorde Castlreagh, tio de FitzRoy pelo lado materno, havia cometido suicídio poucos anos antes.

como fora ordenado, pelo Pacífico? O capitão finalmente, para alegria de todos, consentiu; e o pedido de afastamento foi retirado.

Hurra! Hurra! Está decidido que o *Beagle* não irá mil metros ao sul da península Três Montes (cerca de 200 milhas [320km] ao sul de Chiloé), e deste ponto até Valparaíso tudo estará terminado em cerca de cinco meses. Vamos examinar o arquipélago Chonos, inteiramente desconhecido, e o curioso mar interior atrás de Chiloé. Para mim é glorioso. A península T. Montes é o ponto mais ao sul com algum interesse geológico, já que ali terminam as camadas modernas. O capitão fala então em atravessar o Pacífico; mas acho que conseguiremos persuadi-lo a acabar a costa do Peru, onde o clima é delicioso; o país é horrivelmente estéril, mas abundante dos mais altos interesses para um geólogo. Pela primeira vez desde que deixei a Inglaterra agora vejo uma perspectiva clara e não muito distante de voltar para vocês todos; atravessar o Pacífico e de Sydney até aí não vai levar muito tempo.[10]

Construções à beira do cais em Valparaíso, por Conrad Martens

20

Chiloé e o arquipélago Chonos

dezembro, 1834 – janeiro, 1835

O *Beagle* zarpou para Chiloé a 10 de novembro, chegando ao porto de San Carlos dez dias depois. O bote e a baleeira foram imediatamente despachados, sob o comando do tenente Sulivan, para verificar a correção dos mapas da costa ocidental de Chiloé. Charles alugou cavalos para encontrá-los em Chacao, outrora principal porto da ilha, localizado no lado nordeste, que fora abandonado por causa dos perigosos rochedos e das correntes à sua volta. Alguns dos habitantes tinham a esperança de que os dois barcos pertencessem a uma esquadra espanhola vinda para resgatar a ilha das forças patriotas que libertaram o Chile da Espanha em 1810. Mas as autoridades haviam sido informadas sobre a visita do *Beagle*, e o governador de Chacao polidamente fez uma breve visita ao pequeno grupo de Sulivan na hora do jantar. Havia sido tenente-coronel do exército espanhol, mas agora era miseravelmente pobre. Deu-lhes duas ovelhas e aceitou em troca dois lenços de algodão, algumas bugigangas de latão e uma pitada de rapé.

Velejaram costa abaixo sob as usuais torrentes de chuva, e quando as nuvens clarearam um pouco, tiveram uma esplêndida vista do nevado vulcão Osorno, ao norte, cuspindo imensos rolos de fumaça, com dois outros vulcões de 2.100 metros, o Huequi, a leste, e o Corcovado, ao sul. Após cinco dias chegaram a Castro, antiga capital da ilha, onde encontraram uma típica cidade espanhola ordenadamente disposta de maneira retangular, com a praça e uma grande igreja (PRANCHA 13), mas totalmente deserta; as ovelhas comiam a linda grama verde que crescia nas ruas e na praça. A maioria da população, mais de 40 mil pessoas, era composta de pequenos homens cor de cobre de sangue mestiço, mas originários de diversas tribos indígenas e falando um grande nú-

O vulcão Osorno visto de Chiloé, por Conrad Martens

mero de línguas. Muitos descendiam de índios que haviam sido mandados para o norte *en nomiendas commendo*, ou seja, para aprender a religião cristã, e em troca trabalhar como escravos para os primeiros colonizadores espanhóis, antes de voltar para casa. Quando no entanto desmatavam algum pedaço de terra, ela era imediatamente tomada pelo governo. Mantinham seus próprios *caciques*, que tinham pouco poder; as autoridades chilenas haviam dado terras para os *caciques*, suas famílias, para qualquer homem que houvesse servido na milícia e os idosos. Eles viviam principalmente de peixe, marisco e batata, e alguns poucos possuíam galinhas, carneiros, cabras — e mais raramente porcos, cavalos e vacas. Mas a pobreza era universal, e até mesmo o governador, um homem calmo e bem velho, tinha aparência e modo de vida pouco superiores aos de um camponês da Inglaterra.

A 1º de dezembro chegaram à ilha de Lemuy, onde Charles queria examinar, nos arenitos terciários de que as ilhas eram compostas, uma suposta mina de carvão que afinal era de linhita pouco valiosa. Mas seu caderno registra uma descoberta de significativo interesse geológico:

> *Finalmente* encontrei no arenito amarelo um grande tronco (com a estrutura lindamente clara) com ramos: o caule principal era muito mais espesso que meu corpo e estendia-se cerca de dois pés para fora do ressalto de pedra — as partes centrais em geral pretas e vasculares e com estrutura não visível. É uma curiosa ação química — um arenito como este no mar — contendo sílex em solução: vasos de quartzo transparente. Esta observação é muito importante como com-

> provação geral de petrificação da madeira; porque aqui os habitantes acreditam firmemente que o processo está em curso.[1]

Quatro meses depois ele iria encontrar árvores fossilizadas no alto dos Andes.

Os marinheiros logo foram cercados por um grande grupo de índios quase puros, muito surpresos, e que diziam uns aos outros: "É por isso que vimos tantos papagaios ultimamente; o *cheucau* não ia gritar 'Cuidado!' por nada." O *cheucau* era um pássaro pequeno e muito estranho, *Pteroptochos rubecula*, que Charles descreveu da seguinte maneira:

> Ele freqüenta os lugares mais sombrios e afastados nas florestas úmidas. Algumas vezes, embora seu grito possa ser ouvido bem de perto, por mais atentamente que olhe, a pessoa não consegue ver o *cheucau*; em outras ocasiões, se ela ficar imóvel, o pequeno pássaro de peito vermelho se aproxima muito, da maneira mais familiar. Então salta ativamente pelo emaranhado de galhos e ramos apodrecidos, com seu pequeno rabo virado para cima. Abri a moela de alguns espécimes: era muito muscular e continha sementes duras, brotos de plantas e fibras vegetais, misturadas com pequenas pedras. O *cheucau* desperta um medo supersticioso nos habitantes de Chiloé por conta de seus estranhos e variados gritos. Existem três tipos muito distintos de avisos — um é chamado *chiduco*, e é um bom sinal; outro, *huitreu*, é extremamente desfavorável; e um terceiro, que esqueci. Essas palavras são imitações dos gritos, e os nativos em alguns aspectos são absolutamente governados por eles. Sem dúvida alguma escolheram como profeta uma pequena criatura muito cômica.[2]

Sulivan e seu grupo continuavam a trabalhar em direção ao sul e chegaram a Caylen, Puerto Quelón em um mapa moderno, o chamado *fin de la Christianitad*, embora Charles achasse que não chegava a tanto. No dia seguinte pararam por alguns minutos em uma casa na extremidade norte da ilha de Laylec, um casebre miserável que realmente correspondia à extremidade sul da cristandade sul-americana. À noite estavam em ilha de San Pedro, na extremidade sudeste de Chiloé. Ao dobrar a ponta do porto, Stuart e Usborne desembarcaram para fazer algumas medições. Uma raposa sentou-se por ali e ficou tão absorvida olhando as manobras deles que Charles chegou por trás dela e matou-a com seu martelo geológico. E assim o animal ganhou o seguinte epitáfio: "Esta raposa, mais curiosa ou mais científica, porém menos sábia do que a generalidade de seus irmãos, está agora montada no Museu da Geological Society."[3]

Cena de floresta em Chiloé, por Conrad Martens

O *Beagle* havia chegado no dia anterior, sem conseguir, graças ao mau tempo, completar o levantamento da costa externa de Chiloé, embora tivesse estabelecido que os levantamentos existentes tinham atribuído 48 quilômetros a mais para o arquipélago, de modo que a ilha principal deveria ser reduzida em um quarto. A 8 de dezembro FitzRoy chefiou um grupo que tentou chegar ao pico de San Pedro. Charles fez uma vívida descrição das dificuldades de penetrar na floresta virgem temperada:

> Aqui as florestas têm um aspecto diferente das do norte, há uma proporção muito maior de árvores com folhas caducas. E também, como as rochas são uma ardósia primitiva micácea, não há praia, e os lados das colinas, muito inclinados, mergulham diretamente no mar; por conseguinte, toda a aparência é muito mais a da Terra do Fogo do que a de Chiloé. Em vão tentamos chegar ao cume; a floresta é tão intricada que quem nunca a viu não é capaz de imaginar uma massa tão confusa de troncos mortos ou morrendo. Tenho certeza de que muitas vezes nossos pés não tocavam o solo por um quarto de hora, ficando em geral 10 a 20 pés [3 a 4m] acima dele; outras vezes, um após outro, andávamos de gatinhas como as raposas debaixo dos troncos podres. Na parte mais baixa das colinas, árvores nobres com cascas invernais e sassafrás *Laurus* (?), com folhas fragrantes, e outras cujos nomes não sei, misturavam-se com bambus ou canas. Aqui nosso grupo se parecia mais com peixes lutando em uma rede do que com qualquer outro animal. Nas partes mais elevadas os arbustos tomavam o lugar de árvores mais altas, e aqui e ali havia um cipreste ou um alerce. Também fiquei muito interessado

> quando encontramos nossa velha amiga, a faia da Terra do Fogo, *Fagus antarticus*; eram umas pobres árvores franzinas e a uma altura pouco superior a mil pés [300m]. Este deve ser, depreendi de sua aparência, quase que seu limite norte. Acabamos por abandonar a subida, desesperançados.[4]

Deixando um grupo com Sulivan no bote e outro com Stokes na baleeira — encarregados de examinar as costas ocidentais de Chiloé e do grupo Chonos —, FitzRoy levou o *Beagle* até à península Três Montes, na extremidade sul do arquipélago. Ali encontraram um porto próximo à mais perfeita colina cônica que Charles jamais vira, rivalizando com o Pão de Açúcar no Rio de Janeiro, de modo que naturalmente se dispôs a escalá-la até o pico. A subida era tão íngreme que teve de usar as árvores e as grandes moitas do que ele chamava de "fushza" — presumivelmente *Fuchsia magellicana* — como escada; ao final foi recompensado por uma magnífica vista que, por um curto espaço de tempo, acreditou ser o primeiro homem a descortinar. Mas perto dali havia um pequeno pedaço de madeira com um prego, e seus pensamentos se dirigiram para o pobre marinheiro naufragado, tentando chegar até a costa, que deve tê-lo deixado ali e ao final nada mais pudera fazer além de se deitar para morrer.

O *Beagle* passou o Natal preso naquele lugar melancólico, encharcado de chuva, atormentado pelos ventos e sem sequer despertar o interesse da população, pois nem ouviram vozes ou encontraram qualquer traço dos nativos. Então, a 28 de dezembro, o ventou diminuiu e eles exploraram a costa até a baía de San Estebán. Enquanto ferravam as velas, viram alguns homens em um lugar na terra, perto do navio, fazendo sinais "de maneira muito enérgica". Recolhidos a bordo, verificou-se serem marinheiros norte-americanos que, em outubro de 1833, ao largo da península Três Montes, haviam desertado de um baleeiro de New Bedford a bordo de um pequeno barco, com a intenção de subir a costa até Chiloé. Mas no primeiro desembarque abriram um rombo na embarcação e logo descobriram que era impossível fazer qualquer progresso efetivo a pé ao longo da costa cheia de precipícios e coberta de florestas espessas. E assim não tiveram alternativa a não ser acampar perto de San Estebán pelos 14 meses seguintes, vivendo de carne de foca, mariscos e aipo selvagem, dieta que os manteve com uma saúde surpreendente.Todos os navios que passavam ao largo da costa mantinham-se a sotavento, bem longe da costa cheia de pedras e perigos, e o *Beagle* foi o primeiro cuja atenção conseguiram atrair. Haviam encontrado traços de náufragos anteriores, mas não avistaram nativo algum.

Cena de floresta em Chiloé, por Conrad Martens

O grupo do tenente Sulivan passara um Natal mais alegre na costa ocidental de Chiloé. De San Carlos ele escreveu para casa a 9 de janeiro de 1835:

> Vou diverti-los com algumas histórias. Por exemplo, quando vasculhamos uma pequena ilha habitada por índios, na manhã de Natal, de 9 às 12 horas, debaixo de vento forte e de tremenda chuva, procurando ovos para fazer nosso pudim de passas, ou um carneiro para comer. Instalamo-nos na casa do padre, junto à igreja, com nossas tendas, roupas e cobertores totalmente molhados, e às 4 da tarde tínhamos uma metade de carneiro assada, outra metade cozida, 12 libras [1,20kg]de rosbife inglês quente e dois imensos pudins de passas prontos. Nada mal para 12 homens! Você acharia graça se pudesse nos ver em um quarto sujo com um tremendo fogo no meio e todos os cobertores e roupas pendurados no alto, sendo defumados ao mesmo tempo em que eles secavam, enquanto todas as mãos estavam ocupadas durante quatro horas matando um carneiro, catando passas, batendo ovos, misturando pudins tão grandes que, a despeito de dois terços do grupo ser de gente do oeste, tínhamos o suficiente também para a ceia. No entanto passamos um dia agradável, a despeito do vento e da chuva, e foi um feriado para nós, já que podíamos matar o trabalho; chovia tanto que não conseguíamos nos mover, o que aconteceu no dia de Natal e no dia de Ano-Novo. Todos os outros dias, por oito semanas, trabalhamos loucamente. É muito curioso que eu ainda tenha a melhor das saúdes quando estou em um barco, porque jamais gozei de saúde tão perfeita por dois meses desde que deixei a Inglaterra.[5]

O *Beagle* subiu o arquipélago. Charles não viu nada de grande interesse geológico, embora na ilha Yuche tenha se consolado ao refletir sobre a importância do granito:

> A maior parte da cadeia é composta de grandes massas sólidas e abruptas de granito que parecem ter sido coevas com o próprio começo do mundo. O granito é coberto de gnaisse com ardósia, e isso, ao longo das eras, foi desgastado em pontas com formato de dedos. Essas duas formações diferindo tanto em seus contornos no entanto são quase destituídas de vegetação; essa ausência tem a nossos olhos uma aparência ainda mais estranha, por estarmos acostumados à vista de uma quase universal floresta de árvores verdes escuras. Tive muito prazer em examinar a estrutura dessas montanhas. As amplas e complicadas cadeias têm um nobre aspecto de durabilidade — igualmente inútil, no entanto, para o homem e para todos os outros animais. O granito é para o geólogo um terreno clássico: por seus limites amplos, pela textura bela e compacta, poucas rochas foram reconhecidas há mais tempo. Talvez o granito tenha dado margem a um maior número de discussões a respeito de sua origem do que qualquer outra formação. Vemos nele

> geralmente a rocha fundamental; e qualquer que seja a formação, sabemos que ele é a camada mais profunda na crosta deste globo em que o homem é capaz de penetrar. O limite do conhecimento do homem sobre qualquer aspecto possui um alto interesse, talvez acrescido por sua vizinhança com os reinos da imaginação.[6]

A 4 de janeiro, levado por um forte vento de noroeste, o *Beagle* ancorou na baía onde o pequeno navio mercante de popa estreita *Anna* havia se refugiado em abril de 1741, para fazer alguns consertos — depois que fora seriamente danificado durante uma tempestade ao dobrar o cabo Hornos com a esquadra de sir George Anson, ocasião em que dois navios afundaram. Anson prosseguiu, capturou dois galeões carregados de tesouros de Manilha e retornou à Inglaterra em 1744, após circunavegar o globo. Um barco com o capitão levou Charles até a boca da baía, sobre a qual ele escreveu:

> O número de focas era verdadeiramente espantoso; qualquer pedaço de pedra chata ou praia estava coberto delas. Pareciam ter uma disposição adorável e ficavam deitadas, empilhadas uma sobre a outra, dormindo profundamente, como porcos; mas até mesmo porcos se envergonhariam da sujeira e do fedor que as cercava. Muitas vezes no meio do rebanho se encontrava um bando de gaivotas pacificamente paradas: e elas eram observadas pelos olhos pacientes mas inamistosos do bútio. Esse asqueroso pássaro, com a cabeça vermelha e calva formada para chafurdar na podridão, é muito comum nesta costa oeste. Sua freqüência junto às focas mostra de que animal morto elas dependem.

Como os índios certamente haviam em alguma época morado na região — e ali ainda havia abundância de seu alimento preferido —, Charles ficou intrigado ao descobrir que não havia mais traços deles. Seu temor era de que, como o resto de suas tribos, os nativos estivessem condenados à extinção na América do Sul.

O *Beagle* tinha um encontro com o sr. Stokes em uma baía perto da ponta norte do arquipélago de Chonos, muitas vezes usada por William Low. Charles observou com mau humor que a semana seguinte se passou de maneira "bem pesada"; na verdade, representou a ocasião em que suas coleções em Chiloé e no arquipélago Chonos — formada de rãs, platelmintos turbelários, sifonóforos e outros hidrozoários, alguns dos quais novas espécies, tal como uma lesma marinha lindamente colorida recentemente renomeada *Thecacera darwinii* — foi coroada por uma importante descoberta. Na praia da baía Low ele encontrou uma variedade de cirrípedes excepcionalmente pequenos que perfuravam as grossas conchas do molusco *Concholepas peruviana* e viviam no interior dessas infelizes criaturas.

O cirrípede[7] estava dentro de um receptáculo em forma de garrafa e de cor alaranjada, com menos de um 0,25cm de comprimento (ver na figura o desenho 2), que se prendia na cavidade da concha de seu hospedeiro por tiras longitudinais. O corpo ficava nesse receptáculo com três cirros duplos protuberantes na parte posterior (ver na figura o número 3). A respeito do estado final de seu desenvolvimento pupal, Charles pensou: "Quem reconheceria um jovem bálano nesse pequeno monstro deformado? As duas *fortes* pernas (com placas espinhentas capazes de movimentos rotatórios e outros) servem para cavar buracos nas conchas?[*]

Sempre frustrado pela chuva incessante, o *Beagle* retornou à costa oeste de Chiloé, e a 19 de janeiro ancorou de novo em Punta Arenas, perto de San Carlos.

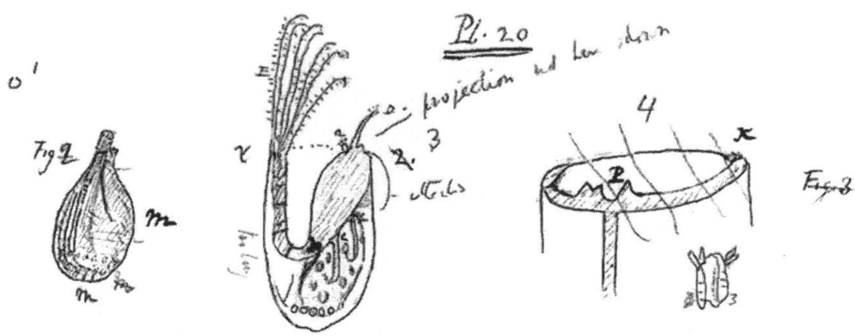

A anatomia do menor cirrípede, a criptofícea

[*] Quando, dez anos depois, resolveu seguir o conselho do amigo Joseph Hooker — segundo o qual, para deixar uma marca como biólogo, era preciso realizar algum trabalho sério de taxonomia na classificação de espécies desconhecidas —, Charles dedicou-se a uma série de estudos intensivos em Down House, sobre cirrípedes, descritos em sua monografia sobre os *Cirripedia* publicada em 1854. Um de seus pontos de partida foi este, o menor de todos os cirrípedes, que batizou de *Cryptophialus minutus*, e mais tarde foi classificado formalmente como um crustáceo da ordem acrotorácica, uma craca perfurante que vive parasitariamente em conchas e corais. As pesquisas de Charles em Down House revelaram que todos os adultos que havia dissecado no *Beagle* eram fêmeas sem testículos ou vesículas seminais, enquanto os machos eram criaturas diminutas, com pouco mais que um milésimo de comprimento, sem órgão algum exceto testículos e vesículas seminais e um "pênis proboscidiforme maravilhosamente alongado". Quatro ou cinco desses minúsculos machos estavam agarrados a cada fêmea. O sistema reprodutivo único deu-lhe muito o que pensar.

De noite o vulcão Osorno entrou em erupção, e às três da manhã todos os oficiais estavam no convés observando o cone brilhante produzir uma longa lista vermelha na água, enquanto uma sucessão constante de objetos escuros eram lançados para cima e rolavam em cascata. Mas pela manhã o vulcão parecia ter-se recomposto.

FitzRoy estava ansioso para fazer novas marcações na costa externa de Chiloé e despachou Philip Gidley King para ir a cavalo com Charles até o centro da ilha, e daí para a *capella* de Cucao, na costa oeste. Alugaram cavalos e contrataram um guia; a eles juntaram-se uma mulher e dois meninos, pois nessa estrada a regra era que todos agissem assim, "que bom encontrá-lo, companheiro", e tivessem o raro privilégio, na América do Sul, de viajar sem armas de fogo. Embora pertencesse a uma das melhores famílias de Castro, a mulher cavalgava montada com um homem e sem sapatos e meias, e impressionou Charles pela ausência de orgulho social. A estrada era construída com grandes tábuas longitudinais ou pequenas madeiras transversais; como era verão, não estava muito escorregadia e não era difícil passar. "O número de árvores em floração perfumava o ar; no entanto, nem mesmo isso dissipava a desagradável umidade da floresta. A grande quantidade de troncos mortos em pé, como grandes esqueletos brancos, nunca deixa de dar a essas florestas primitivas um caráter de solenidade que falta nas de países civilizados há mais tempo, como a Inglaterra."

Chegaram a Castro na tarde seguinte e foram recebidos com muita gentileza pelo novo governador, *don* Pedro. Era um chileno que estava então muito mais pobre do que antes, mas mostrava um grau de desinteresse hospitaleiro que Charles atribuiu a um sangue espanhol puro. Forneceu-lhes cavalos descansados e acompanhou-os pelo caminho. Em Vilèpille, *don* Pedro pediu ao *comandante* militar da região um guia para Cucao. Embora o velho cavalheiro imediatamente oferecesse seus próprios serviços, achou muito difícil entender por que os dois ingleses queriam ir a um lugar tão fora de mão. "Mas aonde vocês estão indo *realmente*?", perguntou ele repetidamente; e quando *don* Pedro respondeu, "A Cucao", o *comandante* disse: "*A los infiernos, hombre*; por que você quer me enganar?". E assim, escoltados pelos dois homens mais importantes do lugar, como ficou claro pelo abjeto respeito com que o grupo era saudado por todos os índios, eles cavalgaram pela floresta e por clareiras ocasionais em que se cultivavam trigo e batata até chegarem ao grande lago de Cucao, que se estendia por 20 quilômetros até a costa. Ali o *comandante* colocou-os em um pequeno barco toscamente construído, chamado *periagua*, em que os seis índios mais feios que Charles jamais vira serviam de remadores; a despeito da aparência física, levaram o barco contra um vento forte a uma velocidade de cinco quilômetros por hora. Uma vaca foi alavancada com eficácia, metendo-se os remos por baixo de sua barriga; depois foi passada sobre a beirada do barco. Em Cucao hospedaram-se com razoável conforto em uma cabana usada pelo padre quando visitava a *capella*.

Naquela época Cucao era o único lugar habitado em toda a costa oeste de Chiloé, e 30 ou 40 índios viviam ali, sem a companhia de qualquer espanhol. Charles ficou chateado ao ver que essas pessoas eram tratadas por seus governantes — tão educados com ele e com Philip King — como se fossem escravos, e não homens livres. Fez amizade com os índios, deu-lhes cigarros, folhas de mate e açúcar e observou que terminavam todas as queixas dizendo: "E isso é só porque nós somos pobres índios e não sabemos nada, mas não era assim quando tínhamos um rei." Charles concluiu que um punhado de homens com a bandeira espanhola desfraldada poderia tomar a ilha de Chiloé de um só golpe.

Após o café da manhã ele e King cavalgaram um pouco para o norte pela praia, onde, mesmo depois de vários dias de tempo bom, ondas enormes continuavam a quebrar. Queriam voltar para Punta Arenas pelo litoral, mas os índios garantiram que ninguém jamais havia feito esse caminho. E assim reembarcaram na *periagua*, cruzaram o lago, recuperaram os cavalos e, após jantar com o amigável *comandante*, chegaram a Castro naquela noite e a Punta Arenas na noite seguinte. Uma chuva pesada manteve o *Beagle* ancorado por mais uma semana, até que finalmente puderam fazer vela para Valdívia. Todo mundo estava feliz em dar adeus a Chiloé — embora, se não fosse a melancolia da incessante chuva de inverno — aquela pudesse ter sido uma estada encantadora.

21

O grande terremoto de 1835 atinge Valdívia e Concepción

fevereiro – março, 1835

O *Beagle* ancorou no porto de Valdívia a 8 de janeiro; na manhã seguinte Charles subiu o rio até a calma cidadezinha, cujas casas eram inteiramente construídas com tábuas de alerce. Como Chiloé, a região cobria-se inteiramente de florestas, embora possuísse menos coníferas escuras e, portanto, tivesse a aparência mais clara. Uma espécie de bambu com cerca de seis metros de comprimento fornecia as longas e aguçadas *chusas*, ou lanças usadas pelos índios araucanos que, mais ao norte, lutavam contra o general Rosas na Argentina. Mas as 26 tribos que viviam em torno de Valdívia eram de *reducidos e cristianos* subordinados aos residentes espanhóis, e os *caciques* de várias delas recebiam pensões de 30 dólares ao ano para permanecer quietos. O frade do distrito disse que eles respeitavam a religião católica, mas não gostavam muito de ir à missa e resistiam à cerimônia de casamento — talvez porque a posição mais desejada fosse ser uma das dez mulheres do *cacique* e, por turnos, morar com ele durante uma semana. As macieiras haviam se adaptado bem à região, produzindo cidra e um álcool mais forte; lamentavelmente a embriaguez era o principal pecado entre os índios.

A população da cidade era sobretudo espanhola, e na quinzena em que o *Beagle* passou ali, a alegria na embarcação cresceu muito. Um dia, o prefeito levou um barco cheio de senhoras para visitar o navio; por causa do mau tempo, elas foram obrigadas a passar a noite a bordo. Como compensação, organizou-se um baile, a que compareceu com muito gosto quase toda a tripulação. Charles observou que "todos declararam que as *signoritas* são encantadoras; e, o que é mais surpreendente, elas não se esqueceram de como corar, arte atualmente esquecida em Chiloé".

Charles atravessou a baía até o lado oposto ao ancoradouro do *Beagle* para visitar um forte chamado Niebla. Estava arruinado, e quando John Wickham disse ao oficial comandante que as carretas dos canhões iriam se desmanchar após um tiro, ele respondeu: "Não, senhor, tenho a certeza de que elas agüentarão dois!". Outrora os espanhóis haviam tentado tornar o forte inexpugnável; mas quando, em dezembro de 1819, lorde Cochrane comandava a Marinha chilena, ele desembarcou em Valdívia com apenas 300 homens e dominou a base com muito poucas baixas.

A 20 de fevereiro de 1835 Charles escreveu em seu diário:

> O dia foi notável nos anais de Valdívia, pelo terremoto mais forte de que os moradores mais velhos se recordam. Alguns que também estavam em Valparaíso no terrível terremoto de 1822 dizem que este foi igual. Não posso acreditar e acho que com os terremotos ocorre o mesmo que com as ventanias: o último sempre é o mais forte. Eu estava em terra, deitado na floresta, descansando. Ele veio subitamente e durou dois minutos (parecia muito mais). O tremor era muito sensível; tanto eu como meu criado achamos que a ondulação vinha de leste. Não era difícil ficar de pé, mas o movimento me deixou zonzo. Era como patinar no gelo muito fino, ou o movimento do navio em um mar um tanto encrespado.
>
> Um terremoto como este imediatamente destrói as associações mais antigas; o mundo, o próprio emblema de tudo quanto é sólido, move-se sob nossos pés como uma crosta sobre um fluido; em um segundo nossa mente fica dominada por uma idéia de insegurança que horas de reflexão jamais criariam. Na floresta, uma brisa movia as árvores, eu sentia a terra tremer, mas não via qualquer conseqüência. Na cidade, onde quase todos os oficiais estavam, a cena foi mais assustadora; como todas as casas eram feitas de madeira, nenhuma caiu de verdade, mas algumas ficaram estragadas. Todo mundo achava que a igreja iria se transformar em ruínas. As casas foram violentamente sacudidas e estalaram muito, arrancando-se alguns pregos. Tenho certeza de que essas circunstâncias, e o horror estampado nos rostos de todos os habitantes, é que comunicam o medo sentido por quem *viu* e sentiu um terremoto. Na floresta foi muito interessante, mas de maneira alguma era um fenômeno que provocasse horror. O efeito das marés foi muito curioso; o grande choque ocorreu no momento da maré baixa; uma velha que estava na praia disse-me que a água fluiu rapidamente, mas não em ondas grandes, até a marca mais alta, e de maneira igualmente rápida voltou ao nível normal; isso era também evidente na areia molhada. Ela disse que subia como uma maré comum, só que bem mais velozmente. Esse tipo de irregularidade na maré aconteceu dois ou três anos depois, por ocasião de um terremoto em Chiloé, e causou muito alarme sem razão. Durante a noite ocorreram outros choques mais fracos; todos eles pareciam provocar as mais complicadas correntes, algumas com muita força na baía.[1]

O *Beagle* velejou para o norte costa acima, dando prosseguimento aos levantamentos. A 4 de março entrou no ancoradouro de Concepción, onde foi saudado com a notícia — que eles podiam ver com os próprios olhos — de que o grande terremoto não havia deixado quase casa alguma de pé, tanto em Concepción como no porto, Talcahuano. Quase todos os moradores haviam escapado ilesos ao choque principal, mas imediatamente depois foi dado o alarme de que o mar estava recuando, exatamente como se recordavam haver acontecido em 1751, no primitivo porto de Concepción, Penco, destruído por um terremoto e uma onda que a ele se seguiu. Nas palavras de FitzRoy:

> Cerca de meia hora depois do tremor, quando a maior parte da população já havia chegado ao alto, o mar havia recuado tanto que todos os barcos ancorados estavam em terra, até mesmo os que se encontravam a uma profundidade de sete braças [12m], e todas as pedras e bancos de areia na baía ficaram à vista; então viu-se uma enorme onda forçando a passagem pela entrada oeste que separa a ilha Quiriquina de terra firme. Essa onda terrível passou rapidamente pelo lado oeste da baía de Concepción, varrendo tudo o que era móvel nas margens íngremes, a uma distância de 30 pés [9m] (verticalmente) da marca da maré alta. Ela quebrou, arremeteu e fez rodopiar os navios como se fossem pequenos barcos; inundou a maior parte da cidade e então recuou em uma torrente tão forte que tudo o que era móvel e que o terremoto não havia enterrado sob montes de ruínas foi carregado para o mar. Em poucos minutos os barcos estavam outra vez em terra, e viu-se uma segunda onda se aproximar, com mais ruído e impetuosidade do que a primeira; mas embora esta fosse mais poderosa, os efeitos não se tornaram tão consideráveis — simplesmente porque havia menos o que destruir. Mais uma vez o mar recuou, arrastando para longe grandes quantidades de madeira e de materiais leves das casas e deixando os navios em terra.
>
> Após alguns minutos de horrível incerteza, viu-se uma terceira onda enorme entre Quiriquina e a terra firme, aparentemente maior do que qualquer uma das anteriores. Rugindo ao se chocar contra os obstáculos com força irresistível, ela correu — destruindo e derrubando tudo — ao longo da costa. Retirando-se rapidamente, como se repelida pela base das colinas, o refluxo da onda arrastou tal quantidade de objetos domésticos, cercas, mobílias e outras coisas móveis, que, depois que o tumulto cessou, o mar ficou coberto de destroços. Terra e água tremeram: e uma exaustão seguiu-se a esses poderosos esforços.
>
> Muitos moradores correram então para as ruínas, ansiosos para avaliar a extensão de suas perdas e para salvar algum dinheiro ou artigos valiosos que, tendo escapado ao movimento do mar, haviam ficado expostos aos depredadores.
>
> Pelo resto do dia e pela noite seguinte a terra não ficou quieta por muitos minutos seguidos. Tremores freqüentes, quase incessantes, choques ocasionais mais ou menos severos e ruídos subterrâneos distantes mantiveram todos em ansiosa

Escombros da catedral de Concepción, por J.C. Wickham

expectativa. Alguns achavam que a crise ainda não havia chegado e não quiseram descer das colinas até a cidade destruída. Os que catavam coisas nas ruínas assustavam-se a cada tremor, por mais leve que fosse, e quase duvidavam de que o mar não estivesse mais uma vez subindo para esmagá-los.[2]

Charles ficou profundamente impressionado ao ver as ruínas de Talcahuano e Concepción, que descreveu da seguinte forma:

Foi um espetáculo dos mais terríveis, porém dos mais interessantes. Em Concepción cada casa ou fila de casas era um monte de ruínas; em Talcahuano, por causa da grande onda, sobrou pouco mais que *uma* fileira de tijolos, telhas e madeira, e aqui e ali um pedaço de parede ainda estava de pé. A cidade de Concepción é construída, como sempre, com todas as ruas em ângulos retos; um bloco segue (SO por O e NE por L) o outro (NO por N e SE por S). As paredes na primeira direção certamente ficaram em melhor estado do que as que formavam ângulo reto com elas. Se, como parece provável, Antuco for considerado o centro, como ele fica ao norte de Concepción, as linhas concêntricas de ondulação seriam quase coincidentes com as paredes NO por N e SE por S: sendo este o caso, toda a linha foi tirada de seu centro de gravidade ao mesmo tempo e teria mais probabilidade de cair do que as que ficam de ponta na direção do choque. A resistência diferente oferecida pelos dois conjuntos de paredes é claramente vista na grande igreja. Essa

> bela edificação ficava de um dos lados da praça; era de tamanho considerável e tinha as paredes muito grossas, de quatro e seis pés [1,2 a 1,8m], inteiramente de tijolos; a frente voltada para o NE forma a maior pilha de ruínas que jamais vi; grandes massas de parede rolaram para a praça, como os fragmentos de pedra que se vêem na base das montanhas. Nenhuma das paredes laterais caiu inteiramente, mas elas ficaram extremamente fraturadas; são apoiadas por grandes arcobotantes, cuja inutilidade está exemplificada pelo fato de que foram seccionados das paredes, como se fosse por um formão, enquanto elas propriamente ditas permaneceram de pé. Deve ter havido um movimento rotatório na terra, porque os objetos quadrados colocados no topo dessas paredes ficaram de lado.

Mas o que aconteceu não foi simplesmente um terremoto cujo epicentro estava em algum lugar a leste de Valdívia, como Charles imaginava. O recuo da água após o choque, seguido em Concepción pela chegada, pouco depois, de uma série de três imensas ondas do tipo que no Japão se chama *tsunami*, eram típicos de um terremoto subaquático "tsunamigênico", com deslocamentos de placas ocorrendo a alguma distância sob o mar. O governador da ilha de Juan Fernandez — a legendária ilha de Robinson Crusoé, localizada no Pacífico, 600 quilômetros a nordeste de Concepción — relatou que em 20 de fevereiro ela foi sacudida ainda mais violentamente do que a terra firme, quando, mais ou menos na mesma hora, um vulcão submarino próximo à ilha, a uma profundidade de 124 metros, iniciou uma erupção. Quando, a 7 de março de 1838, Charles apresentou na Geological Society de Londres um artigo intitulado "Sobre a conexão de certos fenômenos vulcânicos na América do Sul; e a formação de cadeias de montanhas e vulcões como o efeito da mesma força pela qual os continentes são elevados", ele listou três grupos de terremotos e erupções aparentemente conectados, por terem ocorrido na mesma parte da América do Norte ou do Sul em períodos de tempo relativamente pequenos. O terceiro grupo incluía tanto os terremotos de Concepción como de Juan Fernandez, a 20 de fevereiro de 1835, embora ele não avaliasse que os choques fossem sentidos nos dois lugares aproximadamente ao mesmo tempo — a eles seguiram-se as grandes ondas em Concepción, com atraso apreciável. Na edição de 1845 do *Diário de campo*, Charles observou corretamente que, também no terremoto de 1751, tanto a ilha de Juan Fernandez como Concepción estiveram envolvidas, o que "parece indicar alguma conexão subterrânea entre esses dois pontos". Dessa forma, ele e FitzRoy estiveram na verdade entre os primeiros europeus que, sem saber, testemunharam um dos *tsunami* mais altamente destrutivos que se originam ao longo da borda ocidental da placa de Nazca; hoje sabe-se que eles inundam as costas do Chile e do Peru a intervalos de mais ou menos 30 anos.*

Outra questão que despertou o interesse tanto de FitzRoy como de Charles era saber até que ponto o terremoto havia resultado em qualquer elevação do nível da costa. FitzRoy registrou que por alguns dias o mar subiu entre um metro e um metro e meio abaixo das marcas normais de maré; dois meses depois, porém, a diferença havia diminuído para apenas 60 centímetros. Mas na pequena ilha de Santa Maria, poucas milhas ao sul de Concepción, as medidas cuidadosas e as sondagens da altura de várias marcas que FitzRoy fez — com a ajuda de Anthony Vogelborg, um inteligente hanoveriano que morava na ilha havia dois anos —, juntamente com as evidências de mariscos mortos espalhados bem acima do nível do mar, levaram-no a afirmar com precisão que a parte sul da ilha havia se elevado permanentemente cerca de 2,50 metros, enquanto o centro elevou-se 2,70 metros, e a parte norte, três metros.

Quando o *Beagle* chegou na baía de Concepción, tinha apenas uma âncora grande, tendo perdido ou quebrado todas as outras. Em Talcahuano não havia nenhuma de tamanho adequado, de modo que a 7 de março o navio deixou as melancólicas ruínas e seus desconsolados habitantes e velejou de volta a Valparaíso.

---

* Como foi explicado por Edward Bryant em *Tsunami: The Underrated Hazard* (Cambridge, Cambridge University Press, 2001), a fenda Peru-Chile no Pacífico oriental é uma falha importante, de 960 quilômetros de extensão, onde a pequena placa Nazca sofre uma subdução sob a grande placa sul-americana, o que freqüentemente resulta na geração sísmica de *tsunami*. Em um grande evento desse tipo, acontecido a 21 e 22 de maio de 1960, o primeiro terremoto submarino aconteceu de manhã cedo, no dia 21 de maio, no mar a oeste de Valdívia, provocando um *tsunami* que destruiu a área em torno de Concepción. Seguiram-se grandes choques acompanhados por deslizamentos de placas submarinas durante as 33 horas seguintes, culminando em um terremoto submarino muito forte, com epicentro mais ou menos no mesmo lugar que o primeiro, provocando um *tsunami* que arrasou todas as cidades costeiras até o sul de Chiloé. A onda inicial foi registrada em medidores de marés pelo Pacífico até no Japão, mostrando que ela viajou no oceano profundo com uma altura de apenas cinco metros e uma velocidade de até 700 quilômetros por hora. Ao chegar na água costeira mais rasa, a frente da onda reduziu em muito a velocidade e aumentou bastante de altura, sofrendo refração e interferência em uma extensão que dependia do perfil preciso da costa, com outras complicações representadas por deslizamentos submarinos. Em Concepción, a existência da ilha Quiriquina na barra da baía ajudou a formar a sucessão de ondas com cristas cada vez maiores, como as relatadas por FitzRoy; enquanto em Valdívia, o perfil da costa, com uma borda muito inclinada, era tal que não gerou qualquer grande onda. A velocidade de propagação de uma onda de choque através da crosta terrestre é da ordem de mil quilômetros por hora, de modo que no *tsunami* relativamente pequeno de 1835, com epicentro próximo à ilha de Juan Fernandez, a defasagem esperada entre a chegada do choque em Concepción e a chegada do pico do primeiro *tsunami* seria mais ou menos de 40 minutos. Assim, a estimativa do informante de Fitzroy, de "cerca de meia hora", não estava muito longe da verdade.

22

A cavalo de Santiago a Mendoza e de volta pelo passo Uspallata

março – abril, 1835

Depois de ficar uma noite ou duas com Richard Corfield no Almendral, em Valparaíso, Charles tomou um *birloche* (diligência) para Santiago, onde Alexander Caldcleugh, negociante, dono de minas, colecionador de plantas e membro da Royal Society, ofereceu-se para ajudá-lo na preparação de uma longa viagem para examinar a geologia das cordilheiras. Nessa expedição Charles levou seu antigo companheiro Mariano Gonzáles e um tropeiro com sua *madriña* e dez mulas, das quais seis para montar e quatro para carregar a comida e a bagagem. A *madriña* era uma égua que portava um sino ao pescoço e tinha as funções de manter unida a pequena tropa de mulas e agir de maneira mais efetiva como guia das outras.

Deixando Santiago na manhã de 18 de março, eles cavalgaram pelas planícies secas em volta da cidade até chegarem à boca do estreito vale do rio Maipu, cercado pelas altas montanhas das primeiras cordilheiras. Ali as casas eram cercadas por vinhedos e árvores frutíferas pesadamente carregadas de maçãs maduras, nectarinas e pêssegos. De noite, as caixas que Charles estava mandando para a Inglaterra foram examinadas na Alfândega, onde os funcionários mostraram-se extremamente educados, em parte, sem dúvida, porque Charles tinha um importante passaporte emitido pelo presidente do Chile. Mas ele ficou também muito impressionado com a educação de todos os chilenos, que comparou favoravelmente à dos funcionários ingleses. Nos distritos habitados o grupo dormia em casas onde alugavam pasto para os animais, compravam um pouco de lenha, organizavam panelas e utensílios em algum canto e comiam a ceia sob um céu limpo, sem maiores problema.

Na manhã seguinte chegaram à última e mais alta casa do vale. Ali o Maipu descia furiosamente por uma planície estreita coberta de cascalho, com montanhas de 900 a 1.500 metros, de encostas íngremes, cor de púrpura e impressionantemente estratificadas. O grupo cruzou vários rebanhos de gado trazidos dos vales mais altos, sinal do inverno que se aproximava, e apressou o passo "mais do que era conveniente para a geologia". Passaram a noite seguinte onde o Maipu dividia-se nos rios do Vale do Yeso e do Vulcão, ao pé de uma montanha de três mil metros coroada pelas minas de San Pedro de Nolasko, onde ainda havia algumas manchas de neve no pico.

No alto do vale, a vegetação escasseava, embora ainda existissem algumas plantas alpinas muito bonitas; não se via quase nenhum pássaro ou inseto. Tudo estava cheio de imensas quantidades de cascalho brilhante e colorido pelo qual os rios escavavam canais. Charles reconheceu, pelo que já vira da geologia, que esse cascalho e outros depósitos aluviais haviam sido originários do oceano, em uma era anterior, quando a terra estava imersa na água. Naquela noite chegaram ao vale do Yeso, que outrora deveria ter sido um grande lago, mas que agora continha uma camada de quase 600 metros de gipsita (sulfato de cálcio) branca e em diversas partes muito pura.

Na manhã seguinte, a até então boa estrada degenerou em uma trilha íngreme e ziguezagueante do lado oeste das duas principais cadeias que formavam a cordilheira naquela latitude. Tratava-se da cadeia Peuquenes, separando as águas que desciam pelo oeste até o Pacífico e pelo leste até o Atlântico, e que se podia cruzar por um passo a quatro mil metros acima do nível do mar. Naquela altitude as mulas tinham alguma dificuldade (conhecida como *puña* pelos chilenos) em respirar o ar rarefeito, e a cada 50 metros deviam descansar um pouco. Charles não levou a dificuldade a sério, mas foi obrigado a admitir que gostou quando a excitação de encontrar impressões abundantes de conchas fósseis na parte mais alta da cadeia fez com que esquecesse o desconforto da *puña*.

Escreveu em seu caderno:

> Quando chegamos à crista e olhamos para trás, uma vista gloriosa se apresentava. A atmosfera, resplandecente de tão clara, o céu de um imenso azul, os vales profundos, as formas tão abruptas, os montes de ruínas empilhadas durante o lapso das eras, as rochas brilhantemente coloridas contrastando com as quietas montanhas de neve, tudo isso produzia uma cena que eu jamais poderia ter imaginado. Nem planta nem pássaro, exceto uns poucos condores circulando em torno dos píncaros mais altos, distraía a atenção das massas inanimadas. ... Fiquei feliz por estar ali, era como olhar uma trovoada, ou ouvir a orquestra e coro do *Messias*.[1]

Desceram pelo lado mais afastado da cadeia e pernoitaram a uma altitude de não menos de três mil metros. Durante a noite o céu carregou-se de nuvens

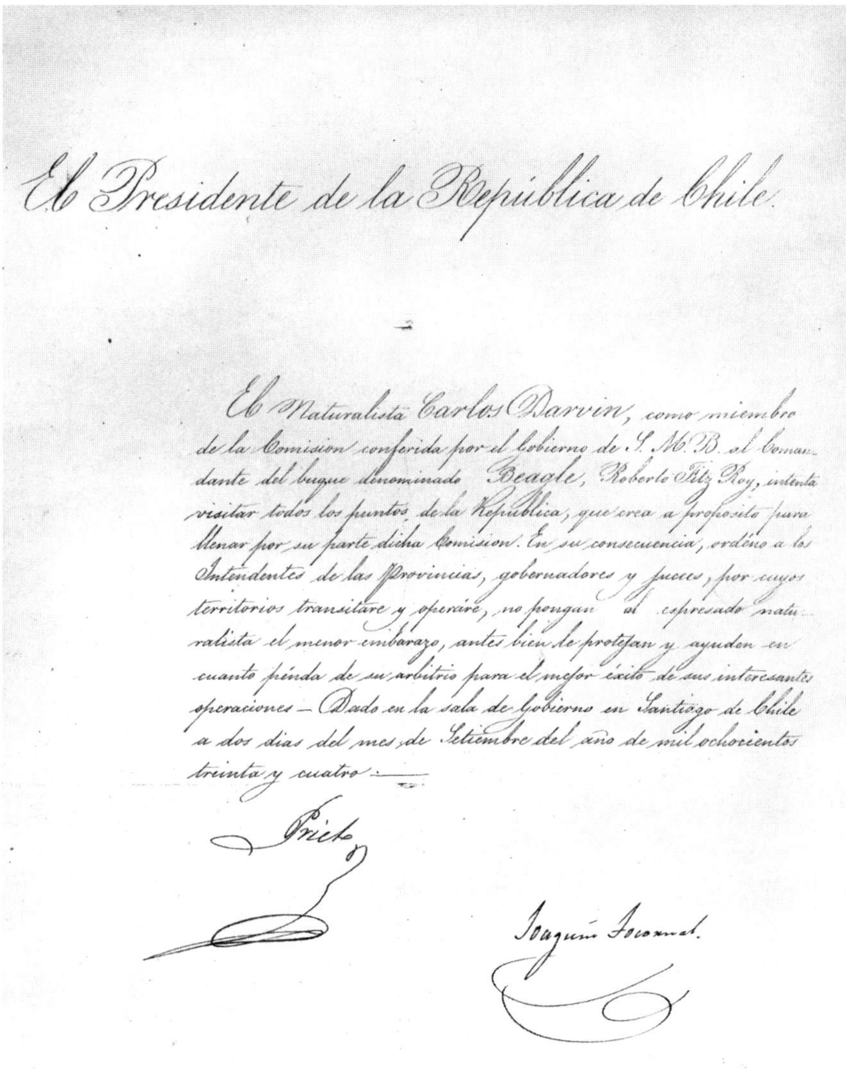

El Presidente de la República de Chile.

El Naturalista Carlos Darvin, como miembro de la Comision conferida por el Gobierno de S. M. B. al Comandante del buque denominado Beagle, Roberto Fitz Roy, intenta visitar todos los puntos de la República, que crea a propósito para llenar por su parte dicha Comision. En su consecuencia, ordeno a los Intendentes de las Provincias, gobernadores y jueces, por cuyos territorios transitare y operare, no pongan al espresado naturalista el menor embarazo, antes bien le protejan y ayuden en cuanto penda de su arbitrio para el mejor éxito de sus interesantes operaciones — Dado en la sala de Gobierno en Santiago de Chile a dos dias del mes de Setiembre del año de mil ochocientos treinta y cuatro. —

Prieto

Joaquin Tocornal.

Passaporte de Charles assinado pelo presidente do Chile

de tal forma que Charles achou ameaçadora, mas ficou aliviado quando o tropeiro garantiu-lhe que, sem trovões e relâmpagos, não havia sério risco de tempestades de neve. Alexander Caldcleugh, ao cruzar o passo na mesma época do ano, havia sido pego por uma tempestade destas e ficara preso por algum tempo em uma desconfortável caverna, único refúgio disponível.

De manhã, como as batatas ainda estivessem duras após ferver por toda a noite naquela pressão e temperatura reduzidas, Charles achou graça ao ouvir os companheiros concluírem que "a maldita panela (que era nova) havia decidido não cozinhar as batatas". Depois do café da manhã sem batatas, cruzaram a área intermediária, em que o gado era levado a pastar no meio do verão, mas de onde — como os guanacos haviam feito por vontade própria — fora removido, por medo das prematuras tempestades de neve. A partir daí eram longas escaladas por áreas de neve permanente, colinas áridas e pontas de granito vermelho de ambos os lados; chegaram ao passo Portillo, a uma altitude de 4.300 metros. Após cruzarem o passo, desceram até o nível da primeira vegetação e pernoitaram no abrigo confortável de algumas pedras grandes. Dois dias e outra cadeia de montanhas depois — e dois mil metros abaixo —, Charles teve a primeira vista panorâmica dos pampas estendendo-se para leste, mas ficou bastante desapontado ao descobrir que de maneira alguma o cenário era superior ao da crista da Sierra de la Ventana, que ele avistara dois anos antes no lado da Argentina.

Charles ficou interessado ao descobrir que as estruturas geológicas das duas principais cadeias que havia atravessado diferiam em alguns aspectos significativos. A cadeia Peuquenes e as cadeias menores que a flanqueavam a oeste eram compostas de uma vasta pilha de muitas centenas de metros de espessura de pórfiros que haviam fluído como lavas submarinas, misturados com fragmentos angulares e redondos das mesmas pedras, lançadas das crateras submarinas. Os centros dessas massas haviam sido cobertos, em uma espessura considerável, por material sedimentar, compreendendo arenito vermelho, pórfiros fundidos pelo calor e pela pressão e uma mistura de argila e ardósia, passando por imensas camadas de gipsita formada pela evaporação da água do mar. Nas camadas superiores, não raro encontravam-se conchas de fósseis que outrora haviam se arrastado pelo fundo do mar; desse modo, a terra se elevara 4.200 metros desde o período secundário, há cerca de 300 milhões de anos. E mais: as conchas em questão haviam se acostumado a viver em águas muito profundas, de modo que a montanha devia então ter baixado vários milhares de metros para que os estratos submarinos necessários se acumulassem sobre as conchas; a isso seguiu-se uma nova elevação final.

A formação da cadeia de Portillo era muito diferente. Consistia principalmente de grandes pináculos nus de um granito de potassa vermelho, coberto no flanco oeste por um arenito que havia sido aquecido o suficiente para se transformar em quartzo. Por cima do quartzo havia um conglomerado constituído por uma mistura de seixos e conchas da cadeia das Peuquenes, com o granito vermelho de potassa da cadeia de Portillo. Era evidente que ambas as cadeias haviam se elevado quando o conglomerado estava se formando, mas como ele havia sido expulso a um ângulo de 45° pelo granito vermelho de potassa, o grosso da injeção ocorrera após a acumulação do conglomerado e muito depois da elevação da cadeia Peuquenes. A cadeia mais alta dessa parte da cordilheira, portanto, era na verdade mais jovem do que a cadeia mais baixa da Peuquenes; e as águas, fluindo para leste, continuaram a abrir caminho por ali durante os últimos estágios de elevação. Com esse tipo de argumento Charles concluiu que, na maior parte da cordilheira, se não em toda ela, cada uma das linhas paralelas havia sido formada por sublevações e injeções em épocas diferentes. "A cada dia", escreveu ele, "o geólogo é forçado a ver que nada, nem mesmo o vento que sopra, é tão instável quanto o nível da crosta desta terra."

Embora durante a viagem — que em termos geológicos foi a mais frutífera de todas as que fez na América do Sul — sua atenção estivesse voltada sobretudo para as pedras que encontrava, a biologia jamais foi inteiramente negligenciada. Nos montes de neve, em ambas as cadeias, ele observou que as pegadas das mulas estavam manchadas de vermelho claro, como se os cascos estivessem sangrando um pouco. Não era essa a explicação, como também não havia possibilidade de que se tratasse de uma poeira vermelha de pórfiro soprada das montanhas. Charles esfregou a neve em um papel e, usando lentes, verificou que a cor estava contida em grupos de pequenas bolas com 0,0025 centímetros de diâmetro que pareciam ser "os ovos de pequenos moluscos". Mandou amostras para Henslow, e mais tarde "a neve vermelha" foi identificada como o produto de uma alga familiar aos exploradores do Ártico e que Charles chamou de *Protococcus nivalis.*

Após descer o passo Portillo, fez um comentário muito significativo sobre o papel das cordilheiras na distribuição geográfica das espécies, assunto sobre o qual vinha pensando havia algum tempo (ver p.231). Essa importância fora destacada pelo geólogo Charles Lyell — que mais tarde se tornaria um dos melhores amigos de Charles — no segundo dos três volumes que escreveu sobre princípios de geologia — e que Charles tinha no *Beagle.*[2] No *Journal of Researches* ele escreveu Charles:

Fiquei muito impressionado com a marcante diferença entre a vegetação desses vales ocidentais e os do lado chileno: no entanto, o clima, assim como o tipo de solo, é quase o mesmo, e a diferença de longitude é insignificante. A mesma observação é verdadeira para os quadrúpedes e, em grau menor, para pássaros e insetos. Posso dar como exemplo os ratos, de que obtive 13 espécies nas margens do Atlântico e cinco nas do Pacífico, nenhuma delas sendo idêntica. Devemos excluir todas as espécies que habitualmente ou ocasionalmente freqüentam montanhas elevadas; e certos pássaros, com âmbito de ação tão ao sul quanto o estreito de Magalhães. Este fato está em perfeito acordo com a história geológica dos Andes; pois essas montanhas existiam como uma grande barreira desde que os animais atuais apareceram; e portanto, a menos que suponhamos que as mesmas espécies foram criadas em dois lugares diferentes, não devemos esperar semelhança maior entre os seres orgânicos de lados opostos dos Andes do que de margens opostas do oceano. Em ambos os casos devemos deixar de fora os tipos que foram capazes de cruzar a barreira, seja de pedra sólida, seja de água salgada.

Nota. Esta é meramente uma ilustração das admiráveis leis, primeiramente estabelecidas por Lyell, a respeito da distribuição geográfica de animais sob a influência de mudanças geológicas. Todo o raciocínio, é claro, está baseado na suposição da imutabilidade das espécies; caso contrário, a diferença nas espécies das duas regiões pode ser considerada como superinduzida durante certo período de tempo.

Um grande número de plantas e animais é absolutamente o mesmo, ou muito próximo ao da Patagônia. Temos aqui cotias, chinchilas, três espécies de tatu, emas, certos tipos de perdizes e outros pássaros, nenhum dos quais se vê no Chile, mas que são animais característicos das planícies desertas da Patagônia. Da mesma forma temos muitos dos mesmos (aos olhos de quem não seja botânico) arbustos agrestes e raquíticos, capins secos e plantas anãs. Até mesmo os besouros pretos que se arrastam lentamente são muito semelhantes, e alguns, acredito eu, após um exame rigoroso, absolutamente idênticos. Para mim sempre foi um motivo de pena termos sido obrigados a desistir da subida do rio Santa Cruz antes de chegar às montanhas: sempre tive a esperança de encontrar alguma grande mudança nos aspectos da região; mas agora tenho a certeza de que seria o mesmo que seguir as planícies da Patagônia, só que em uma subida montanhosa.[3]

A nota explicando o argumento de que as espécies eram imutáveis foi, é claro, acrescentada pouco depois de Charles ter iniciado seu primeiro e estritamente privado caderno sobre a transmutação das espécies, em julho de 1837; mas em 1845 ele ainda tinha o cuidado de não dar qualquer indicação da mudança drástica de seus pontos de vista, que só seriam revelados com a publicação de *A origem das espécies*, em 1859.

Charles e os companheiros continuaram andando em suas mulas, primeiro para o leste e depois para o norte, até a aldeia de Luxan, onde ele viu pela primeira vez o enxame de gafanhotos das planícies estéreis do sul descerem para comer as folhas das árvores. E naquela noite escreveu em seu caderno:

> a noite foi boa para experimentar tudo pela primeira vez — *chiches*, os besouros gigantes dos pampas; horrível sentir numerosas criaturas de quase uma polegada [2,5cm] de comprimento, negras e moles se arrastando em toda parte pelo seu corpo — empanturradas com o seu sangue.[4]

A palavra *chinches* era o termo espanhol de uso geral para percevejos, embora no diário Charles se referisse a eles como besouros *benchucas*. O inseto *Triatoma infestans,* conhecido hoje em dia como *vinchuca*, ou barbeiro, é o vetor do *Trypanozoma cruzi*, o agente causador da doença de Chagas, que então, como hoje, era endêmica naquela e em outras partes da América do Sul.

Três meses e meio depois Charles escreveu no diário:

> Eles [besouros *benchuca*] também são encontrados na parte norte do Chile e do Peru: peguei um em Iquiqui que estava bem vazio; colocado na mesa, e embora cercado de gente, quando se mostrava um dedo ele estendia sua pequena tromba, e o ousado inseto começava a sugar sangue. Era curioso observar a mudança de tamanho no corpo dos insetos em menos de dez minutos. [Aquilo] Não provocava dor. Essa única refeição mantinha o inseto gordo por quatro meses; em uma quinzena, porém, está pronto para sugar mais sangue, se tiver oportunidade.[5]

A pessoa mordida na segunda ocasião não foi Charles, mas um de seus companheiros.

Já se sugeriu que o mal crônico — produzindo repetidos problemas digestivos — que acometeu Charles tão gravemente a partir de 1839, depois que ele se casou e foi morar em Down House, era doença de Chagas, que poderia ter contraído em Luxan. O diagnóstico no entanto não combina com a ausência de registro sobre qualquer período da febre que caracteriza a fase inicial da infecção. Além do mais, uma forte razão para afastar a doença de Chagas como causa de sua doença é que durante os últimos anos de vida os sintomas diminuíram apreciavelmente, em vez de aumentar, como ocorreria se estivesse sofrendo de tripanossomíase. Várias sugestões foram apresentadas como origem da doença, das quais a mais plausível parece ser alguma forma de psiconeurose, talvez provocada por uma alergia alimentar, embora as evidências não descartem totalmente outras possibilidades.[6] O contraste entre o jovem incrivelmente enérgico do *Beagle* e o semi-inválido de Down House, e que tanto conseguiu fazer apesar da doença crônica, continua sendo um enigma.

De Luxan, Charles e o grupo seguiram para Mendoza, onde as pastagens para o gado e os pomares cheios de frutas floresciam graças à irrigação artificial; mas os habitantes eram "vagabundos bêbados" que nada faziam além de "comer, dormir e vadiar". Continuaram por uma planície muito seca e empoeirada até o "solitário galpão que tem o imponente nome de Villa Vicencio e é mencionado por todos os viajantes". A uma milha da casa havia torrentes de água tépida e levemente mineral em que nadavam alguns besouros d'água. A noite seguinte ele passou na miserável aldeia de Hornillos, e então seguiu-se um dia memorável.

Embora a cadeia de Uspallata tivesse apenas metade da altura da principal cadeia ocidental de montanhas, as duas eram geologicamente muito semelhantes, com seu núcleo de granito e grandes camadas de rochas cristalinas, exatamente semelhantes às que Charles vira nos estratos terciários superiores da Patagônia, Chiloé e Concepción. Ele portanto não esperava encontrar as conchas que jamais ocorriam nessa formação, mas sim o linhito, ou a argila xistosa carbonácea, e particularmente as árvores petrificadas que vira em Chiloé (ver p.246). De modo que, com a convicção de que estava mais uma vez nos estratos terciários, iniciou uma busca em aparência desesperançada. Como explicou na carta seguinte a Henslow, foi esplendidamente recompensado:

> O que você acha que aconteceu? Em uma escarpa de arenito esverdeado compacto, encontrei uma pequena floresta de árvores petrificadas em posição vertical, ou melhor, as camadas estavam inclinadas em cerca de 20-30° para um ponto, e as árvores, 70° para o ponto oposto. Quer dizer, elas estavam bem na vertical antes do descaimento. O arenito consiste de *muitas* camadas e é marcado pelas linhas concêntricas do córtex (tenho espécimes).* Onze estão perfeitamente petrificadas e se assemelham às dicotiledôneas que encontrei em Chiloé e Concepción: as outras 30-40, só por analogia de forma e posição é que identifiquei como árvores; consistem de colunas brancas de neve como a mulher de Lot,** de cristal grosseiro.

* O botânico Robert Brown ficou muito impressionado com os espécimes, que identificou como coníferas com características das araucárias atualmente comuns no Chile e com afinidades com o teixo.

** Segundo o livro do Gênese, quando Lot e sua mulher estavam fugindo do fogo e do enxofre que o Senhor fez chover em Sodoma e Gomorra, a mulher desobedeceu às instruções de não olhar para trás e foi transformada em coluna de sal.

Carb. de cal. A haste maior tem sete pés [2,10m]. Todas estão juntas, em um raio de cem jardas [90m] e mais ou menos no mesmo nível; em nenhum outro lugar encontrei parecidas. Não se pode duvidar de que as *camadas* de arenito fino foram lentamente depositadas entre um grupo de árvores que estavam fixadas pelas raízes. O arenito descansa sobre lavas e é coberto por uma grande camada, aparentemente de mil pés [300m] de espessura, de lava augítica negra;* e sobre isto há pelo menos cinco grandes alternações de tais rochas e depósitos aquosos sedimentares, com espessura de vários milhares de pés. Tenho muito medo da única conclusão que posso tirar desse fato, ou seja, que deve ter havido uma depressão na superfície da terra com essa extensão. Mas, deixando de lado tal consideração, [esta] era uma base muito satisfatória à minha suposição da era terciária desta cadeia ocidental (quero dizer com terciária que as conchas daquele período eram muito próximas, e algumas idênticas, às que hoje existem em camadas mais baixas da Patagônia).[7]

No *Diário de campo* Charles escreveu:

Não era preciso muita prática geológica para interpretar a maravilhosa história que essa cena revelava; embora eu confesse que de início fiquei tão espantado que mal podia acreditar em suas claras evidências. Vi o local onde um grupo de belas árvores outrora balançou seus ramos nas margens do Atlântico, quando aquele oceano (agora recuado 700 milhas [1.120km]) estava perto da base dos Andes. Vi que elas haviam brotado de um solo vulcânico que se elevara acima do nível do mar, e que esta terra seca, com suas árvores eretas, havia depois sido levada para as profundezas do oceano. Ali ela foi coberta por material sedimentar e, mais uma vez, por enormes correntes de lava submarina — e essa massa alcançou a espessura de mil pés [300m]; estes dilúvios de pedra derretida e depósitos aquosos haviam se espalhado por cinco vezes alternadamente. O oceano que recebeu essas massas deve ter sido profundo; porém, mais uma vez as forças subterrâneas exerceram seu poder, e eu agora contemplava o leito daquele mar formando uma cadeia de montanhas com mais de sete mil pés [2.100m] de altura. Essas forças antagônicas não ficaram dormentes, elas sempre estão em ação, gastando a superfície da terra em um só nível: as grandes pilhas de estratos haviam sido interceptadas por muitos vales amplos; e as árvores, agora transformadas em sílex, estavam expostas, projetadas do solo vulcânico, agora transformado em rocha, de onde anteriormente, verdes e em botão, elas ergueram suas grandes copas. Hoje tudo está profundamente incultivável e deserto; nem os líquens podem aderir aos moldes empedrados de árvores primitivas. Por mais vastas e incompreensíveis que tais mudanças possam parecer,

* Consiste principalmente de sílica, magnésio, ferro e cal.

contudo, todas elas ocorreram em um período recente quando comparado à história da cordilheira; e a própria cordilheira é moderna quando comparada a alguns outros estratos fossilíferos da América do Sul.[8]

Hoje em dia os remanescentes das árvores petrificadas ainda podem ser vistos perto de Villa Vicencio, no cume do passo Uspallata, ao lado da estrada principal de Mendoza a Santiago, embora apenas as bases das conchas de arenito que cercam os troncos tenham sobrevivido ao massacre dos caçadores de souvenirs nos últimos cem anos. Uma placa erigida em 1959 comemora "a visita de Carlos R. Darwin em 1835". Cerca de 50 anos atrás, quando a estrada moderna estava sendo reconstruída, os engenheiros acharam necessário dinamitar as proximidades do local e tiveram de destruir uma das árvores.

Isso produziu uma grande peça de madeira petrificada que atualmente se juntou ao espécime muito menor levado por Charles para o *Beagle*, preservado no Museu Sedgwick, em Cambridge.

Após cruzar a cadeia Uspallata e passar uma noite na *estancia* de mesmo nome, onde a Alfândega era o último lugar habitado no lado argentino das cordilheiras, Charles cavalgou por algumas passagens que tinham a reputação de serem das piores das cordilheiras. Cruzaram a famosa Ponte del Inca, onde terra e pedras caídas em um canal estreito haviam formado uma ponte natural ao encontrar uma parte projetada do lado oposto. Charles não ficou impressionado e achou que a ponte não merecia o nome dos grandes monarcas. Próximo dali situavam-se as ruínas de Tambillos, o limite sul da imensa área governada pelos incas antes de serem conquistados pelos espanhóis em 1533, onde ainda se podiam ver os restos de um caminho pavimentado e no qual as construções de três estações de posta incas haviam sido escavadas pouco antes. Charles ouvira falar de construções semelhantes em outras partes das cordilheiras, muitas vezes em lugares distantes de fontes d'água, de modo que elas não poderiam ter tido uma ocupação regular. Foi levado a especular se não teria havido uma redução das chuvas nos últimos 300 anos. Mas após conversar com um engenheiro civil em Lima, sobre o número de ruínas abandonadas e as áreas de terra agrícola que se viam no Peru, convenceu-se de que o mais provável era que os extensos sistemas de irrigação muitas vezes estabelecidos pelos incas tivessem sido abandonados.

Continuaram descendo o vale do rio Aconcágua e então voltaram-se para o sul, por uma planície fértil na qual, "como o outono estava bem avançado, as folhas de muitas das árvores frutíferas caíam, e os trabalhadores se ocupavam

A base de uma das árvores fossilizadas tal como é vista atualmente no alto do passo Uspallata

secando figos e pêssegos nos telhados das cabanas, enquanto outros catavam as uvas dos vinhedos. Era uma bela cena. Mas faltava aquela tranqüilidade pensativa e a música do tordo ao entardecer que faz com que o outono na Inglaterra seja na verdade o entardecer do ano". Charles estava começando a sentir saudades depois de quase três anos e meio de ausência. Chegaram a Santiago a 10 de abril, após uma viagem de 24 dias cujo incômodo bem valeu a pena.

Charles voltou para a casa de Richard Corfield em Valparaíso a 17 de abril. Seis dias depois o *Beagle* ancorava na baía, tendo completado sua pesquisa da costa sul de Concepción, e FitzRoy mandou um barco a terra. Charles subiu a bordo muito bem equipado para enfrentar o capitão em um de seus humores difíceis, pois levava a informação de que FitzRoy finalmente havia sido promovido. Mas o prazer da notícia foi diminuído pelo fracasso em obter dos superiores qualquer recompensa para Stokes e Wickham por sua contínua aplicação.

23

Uma última viagem pelos Andes, de Valparaíso a Copiapó

maio – junho, 1835

O *Beagle* subiu a costa rumo ao norte, enquanto Charles partia, em 27 de abril de 1835, para a mais longa de suas cavalgadas pelos Andes: 350 quilômetros em linha reta até Coquimbo, distância muito maior hoje pela estrada agora existente, e de lá a Copiapó, onde FitzRoy havia combinado encontrá-lo. De novo estava acompanhado de Mariano Gonzáles, mas desta vez comprara quatro cavalos de montaria e duas mulas para carregar as bagagens em dias alternados. Os seis animais custaram-lhe apenas 24 libras e foram vendidos em Copiapó por 23. Eles viajaram de modo autônomo, como antes, cozinhando suas próprias refeições e dormindo ao ar livre, embora às vezes as noites fossem geladas.

Com propósitos geológicos, fizeram uma volta inicial até o sopé da montanha Campaña, cuja altura havia sido determinada no *Beagle* por triangulação em 1.860 metros, à semelhança de outras naquele país verdadeiramente alpino, embora todas fossem anãs perto dos 6.900 metros do Aconcágua, ao longe. Charles achou que a vista do vale Quillota, nas cordilheiras, espessamente coberto de neve, era uma das mais belas do Chile.

A 3 de maio eles passaram pelo porto de Quilimar, na costa, onde o *Beagle* realizara um levantamento. Todos os habitantes do local estavam convencidos de que aquele era navio de contrabandistas. Queixavam-se da completa falta de confiança demonstrada pelo capitão ao não realizar qualquer tipo de negócio e desconfiavam que ele escondia algum segredo. Mostravam-se impermeáveis a qualquer argumento, e Charles comentou como até mesmo as classes superiores pouco sabiam de bons modos, pois, como disse, "Uma pessoa que podia confundir o capitão FitzRoy com um contrabandista jamais perceberia qualquer diferença entre lorde Chesterfield e seu criado de quarto".

Julgando que a região ao longo da costa era de pouco interesse geológico, partiram rumo ao interior, para um *mineral*, ou distrito mineiro chamado Los Hornos, onde a montanha principal era de tal forma perfurada com escavações que parecia um formigueiro ampliado. Os mineiros eram uma raça de homens que, em alguns de seus hábitos, não diferia muito dos marinheiros de navios de guerra: depois de trabalhar durante semanas nos lugares mais desolados, desciam para as cidades em dias de festa e gastavam seus ganhos — algumas vezes consideráveis — o mais rapidamente possível, em bebida e roupas extravagantes, para depois voltar às suas moradias miseráveis. No *mineral* de Punitague extraíam-se muito cobre e ouro, e havia minas de mercúrio ainda não exploradas.

A 12 de maio visitaram as minas de cobre de Panuncillo, que pertencia ao amigo de Charles, Alexander Caldcleugh, de Santiago. Haviam sido compradas por uma ninharia, pois o minério era pirita de cobre, um sulfito difícil de reduzir. Charles lera — mas não quis acreditar nele — um relato sobre o tamanho imenso das cargas de minério que os trabalhadores chilenos conhecidos como *apires* eram capazes de transportar diariamente de uma mina profunda. Mas confirmou que era possível levar diariamente 12 cargas, cada qual com 90 quilos em média, de uma profundidade de 72 metros. Aquele era "um exemplo maravilhoso do volume de trabalho que o hábito, pois não há de ser outra coisa, pode ensinar um homem a suportar".

Charles ficou interessado em ouvir do *mayor-doño* das minas, *don* Joaquin Edwards, um jovem descendente de ingleses, como, em alguns lugares de Coquimbo, a reputação de heresia, impureza e maldade dos bucaneiros ingleses ainda persistia. Não se havia esquecido o feito de um deles, que, depois de levar a Virgem Maria da igreja, voltou no ano seguinte para pegar o são José, pois achava uma pena que a Senhora não tivesse um marido. E o sr. Caldcleugh contou como certa vez uma velha senhora, durante uma refeição em Coquimbo, havia observado que era notável jantar na mesma sala que um inglês, pois quando ela era menina o grito de *los ingleses* por duas vezes havia feito todo mundo correr para as montanhas com seus objetos de valor.

A dois dias de cavalgada para o norte eles encontraram o *Beagle* no pequeno porto de Herradura, poucas milhas ao sul de Coquimbo, com a tripulação dormindo em barracas na praia, enquanto o navio era inteiramente reparado para sua longa viagem pelo Pacífico, rumo ao lar. Charles achou alojamento, que dividiu com FitzRoy, e passou alguns dias explorando a vizinhança. Quando ali chegou, a terra estava completamente seca; mas na manhã seguinte caiu a primeira chuva da estação, e ele ficou impressionado ao ver que apenas dez dias depois todas as colinas estavam cobertas por 30 centímetros de capim. Certa vez, jantando com *don* Joaquin, sentiram o tremor inicial de um terremoto, mas com os gritos das senhoras, a correria dos criados e a pressa dos cavalheiros em direção à porta, não pôde distinguir o movimento real. Ele deu uma volta vale acima para examinar as planícies em degraus cobertas de cascalho que haviam sido descritas no terceiro volume dos *Principles* de Lyell, que havia acabado de receber,[1] e ficou feliz ao confirmar por si mesmo que provavelmente elas haviam sido produzidas por uma elevação da costa em degraus sucessivos, do tipo que ele e FitzRoy tinham observado em Concepción. Com *don* José Maria Edwards, um agradável anglo-chileno, subiu o vale do Elque para visitar as famosas minas de prata do pai de *don* José, viagem especialmente agradável, porque a 900 metros de altitude não havia moscas nos quartos. Deixando *don* José na confortável *hacienda* de um parente, Charles cavalgou mais acima pelo rio Elque, até o ponto de encontro com o rio Claro, em um belo vale famoso pelos figos e uvas. Haviam-lhe dito que ali encontraria conchas petrificadas, o que realmente aconteceu, e feijões petrificados, que na verdade eram pequenos seixos de quartzo branco. Depois de ver tudo o que queria, voltou à *hacienda* para pegar *don* José, e na noite de 27 de maio estavam de volta a Coquimbo, o lugar infestado por moscas.

Em alguns dias o *Beagle* estaria pronto para velejar de volta a Valparaíso e de lá a Copiapó, para pegar Charles e seguir até Lima. FitzRoy alugara um pequeno barco que, sob o comando de Sulivan, deveria pesquisar o norte da costa do Chile antes de encontrar o *Beagle* em Lima. Charles partiu para o vale de Guasco (Huasco, em um mapa moderno), escolhendo a estrada mais próxima da costa, porque no interior não haveria forragem para os animais. A chuva recente chegara até a metade do caminho, dando à região um leve tom verde. Ali mais uma vez ele se lembrou nostalgicamente da Inglaterra e escreveu: "Viajar por esses países, como um prisioneiro trancado em pátios escuros produz um desejo constante de presenciar essas cenas." Na verdade, a parte norte do Chile não era fácil para os viajantes. Um deserto com montanhas e pedras estendia-se até as cordilheiras, em geral desabitado, exceto por multidões de pequenas lesmas que só apareciam ao alvorecer, quando o chão ficava úmido com o orvalho das nuvens que se estendiam baixas pela maior parte da costa do Chile e do Peru nos meses de inverno. Em alguns lugares havia bandos de guanacos, que, como Charles observara nas grandes planícies cobertas de cascalho do sul da Patagônia, eram os únicos grandes mamíferos capazes de sobreviver em tais ambientes áridos. Mesmo onde a planície desértica era cruzada por rios, a área molhada nas margens estreitava-se, não fornecendo pastagem para os animais. A grande maioria das cidades e vilas pelas quais passaram dependia de uma mina próxima, e a área mais produtiva em termos agrícolas de toda a região era Guasco Alto, acima do vale, perto das cordilheiras, famosa pelas frutas secas. Entre Coquimbo e Guasco, no primeiro dia só conseguiram comprar para os animais um pouco de milho e palha em uma pequena vila; no segundo, uma braçada de palha suja de um velho cavalheiro muito educado que tomava conta de um forno de derreter cobre.

No vale do Guasco, Charles passou dois dias, "por conta de meus animais", com o sr. Hardy, dono de minas de cobre em Freyrina. A vista do vale havia sido descrita como impressionantemente bela, mas Charles achou que melhorariam caso fossem pintadas com um pouco de tinta em tons neutros, pois as colinas eram completamente nuas. Não chovia há um ano, e os moradores, com inveja, tiveram notícia da chuva em Coquimbo. Pela aparência do tempo, no entanto, achavam que a sorte poderia estar chegando, o que logo aconteceu. Charles encontrava-se então em Copiapó, e as pessoas falavam com igual inveja da chuva abundante em Guasco.

Uma noite ele foi à casa do *gobernador* de Freyrina. A *siñora* era de Lima e tinha uma pose "sabichona e superior" em relação aos vizinhos. No entanto, aquela senhora culta jamais havia visto um mapa, e quando um dia viu um atlas colorido sobre o piano da casa do sr. Hardy, exclamou: "*Esta es una contradança? Que bonita!*"

Depois de passar uns dias em Ballenar (hoje Vallenar), uma bela cidade bastante grande e que devia sua prosperidade inteiramente a algumas minas de prata, Charles decidiu não tomar a estrada direta para Copiapó (atualmente parte da estrada Pan-Americana) e cruzar as colinas para chegar ao vale do rio Copiapó, voltando na direção sudeste. Como antes, a região era extremamente estéril, e a oferta de forragem para os animais, muito limitada. Na primeira noite encontrou um vale no qual um pequeno riacho corria mais à noite do que de dia, por causa da evaporação. Como na fonte havia muita lenha, aquele era um bom lugar para acampar; mas nada havia para os animais comerem. De qualquer forma, encontraram duas cabanas de índios com uma tropa de jumentos usados para carregar lenha e outros bens para as minas; o único alimento dos animais eram evidentemente os galhos secos dos arbustos.

Na noite seguinte chegaram a um local que havia sido um forno e onde havia água e lenha; porém, mais uma vez, nada de comida para os animais. Ao meio-dia de 12 de junho finalmente chegaram à *hacienda* de Potrero Seco, no vale do Copiapó, pelo que Charles ficou muito grato, pois "é muito desagradável ouvir, enquanto você come uma boa ceia, seu cavalo roer o poste em que está amarrado, sabendo que você não pode aliviar a fome dele". Mas os cavalos tinham a aparência descansada e não mostravam qualquer sinal de que nada haviam comido durante dois dias e meio.

A fazenda pertencia a alguns negociantes ingleses cujo agente, o sr. Bingley, encontrava-se presente na época. O negócio principal era transporte de minério de cobre, e o sucesso dependia inteiramente do cultivo de trevo suficiente para a pastagem de mulas na parte irrigável da propriedade de 40 quilômetros de extensão em cada lado do rio. Naquele ano a água chegara à atura da barriga dos animais na *hacienda*, onde a corrente tinha 13 metros de largura e era muito forte; um pouco de água conseguira chegar ao mar, pois houvera uma boa nevada nos Andes. Mas não se podia confiar nisso, e algumas vezes passavam-se 30 anos sem que uma gota chegasse ao Pacífico. Quando chovia na região baixa a situação se resolvia, pois as mulas e o gado eram levados até lá para pastar; mas muitas vezes isso também falhava. As companhias de mineração que não tinham terra suficiente para pastagem de mulas arruinavam-se quando o rio ficava muito baixo.

Continuando pelo vale até as cordilheras, Charles almoçou com *don* Eugenio Matta — "o cavalheiro mais agradável que conheci no Chile" — e encontrou o general Aldunate, primeiro governador de Chiloé após a independência; o general conhecera bem o capitão P.P. King e seus oficiais na viagem anterior do *Adventure* e do *Beagle*. Naquela noite Charles abrigou-se com *don* Benito Cruz, outro cavalheiro gentil e hospitaleiro — "na verdade desafio um viajante a fazer justiça à gentileza com que os estrangeiros são recebidos neste país" —, na *hacienda* de Los Amolanos.

Na manhã seguinte alugou mulas e contratou um guia para penetrar um pouco mais na região desolada e árida no alto de um dos ramos do vale do Copiapó; não encontrando nada de interesse, voltou para a *hacienda* de *don* Benito, onde a geologia era mais de seu agrado. Primeiro, como vinha fazendo sistematicamente por onde passava, coletou as conchas fósseis que abundavam nos estratos de calcário amarelado ou de ardósia gredosa, pois a identificação da espécie era uma informação valiosa para datar a origem. Segundo, procurava a grande pilha acima dessa camada, com 600 ou 900 metros de espessura, de conglomerado vermelho brilhante misturado com camadas de arenito vermelho e camadas de porfírio verde e outras cores, em que se encontravam engastados milhares de grandes troncos petrificados de árvores coníferas. Encontrou um tronco de 2,50 metros de comprimento, e outro com 5,50 metros de circunferência. Achava "maravilhoso" que todos os recipientes em uma massa de árvores tão densa se convertessem em silicato. Acima do conglomerado havia arenito vermelho com 60 a 90 metros de espessura e mais ardósia gredosa, contendo conchas que identificou como da espécie *Gryphoea darwinii* e *Turritella andii*, cuja presença ali comprovava que toda a pilha de estratos, com nada menos que 240 metros de espessura, pertencia à mesma era. As conchas haviam provavelmente vivido em uma profundidade inferior a 60 metros; desse modo, na época em que se formaram, o fundo do mar havia baixado muitas centenas de metros para receber os estratos submarinos que eventualmente jaziam sobre ele. Charles chegou assim a uma conclusão sobre a maneira como a terra havia se elevado e baixado várias vezes em eras anteriores, confirmando o que descobrira no passo Uspallata.

A 22 de junho estava de volta a Copiapó, onde ficou na casa do sr. Bingley. O *Beagle* ainda não chegara, e assim ele contratou um tropeiro e oito mulas para outra breve viagem às cordilheiras, onde escalou a primeira cadeia de montanhas até quase a crista, a ponto de sofrer a *puña*. Mas a extrema secura naquela extremidade sul do deserto de Atacama — com um céu sem nuvens, temperatura muito baixa e um vendaval furioso — tornou as condições menos do que confortáveis, de modo que ele se voltou com alívio para o cheiro de trevo fresco de Copiapó, onde o *Beagle* havia ancorado a 3 de julho, sob o comando temporário de Wickham. Na noite de 5 de julho Charles deu *adiós* com boa vontade comovida a Mariano Gonzáles, com quem havia cavalgado tantas léguas pelos Andes. Na manhã seguinte o *Beagle* velejava para Iquique, no Peru.

24

O naufrágio do HMS *Challenger*

maio – agosto, 1835

Mais tarde, naquele mesmo mês, Charles escreveu à irmã Caroline:

> É um trabalho muito difícil e cansativo cavalgar tanto por países como o Chile, e fiquei muito contente quando minha viagem chegou ao fim. Excluindo-se o interesse decorrente da geologia, a viagem seria positivamente um martírio. Mas com este tema em mente, nas grandes cenas circundantes há alimento para contínua meditação. Quando alcancei o porto de Copiapó, lá encontrei o *Beagle*, com Wickham como capitão temporário. Pouco depois de ancorar em Valparaíso, chegaram notícias de que o HMS *Challenger* havia se perdido em Arauco, e que o capitão Seymour, grande amigo de FitzRoy, e sua tripulação estavam em má situação entre os índios. O velho comodoro do *Blonde* estava muito lento de movimentos, em suma, com medo de ir àquele litoral a sotavento no inverno; de modo que o capitão FitzRoy teve de instigá-lo e finalmente se oferecer para ir como piloto. Ouvimos dizer que eles haviam conseguido salvar quase todos, mas que o capitão e o comodoro tiveram uma briga tremenda; o primeiro insinuou alguma coisa acerca de uma corte marcial para o velho comodoro, pela lentidão. Suspeitamos que uma pessoa como o capitão deve ter aberto os olhos de todo mundo no *Blonde* da maneira mais surpreendente. Esperamos o navio chegar em poucos dias e todos estamos muito curiosos para saber das novidades; nenhuma mudança de política de Estado jamais provocou nesse círculo mais conversa do que essa maravilhosa briga entre o capitão e o comodoro.[1]

Segundo FitzRoy[2] o *Challenger*, comandado pelo capitão Michael Seymour — que servira na estação da América do Sul da Marinha Real Britânica em 1827-29 e 1833-35 —, zarpou do Rio de Janeiro com destino ao Chile a 3 de abril de 1835. Enfrentou tempo ruim ao largo do cabo Hornos, o que atrasou em muito a travessia; a 19 de maio, com chuva pesada, forte vento de nordeste e pouca visibilidade, estimou sua posição muito ao largo, ao sul de Concepción. Às cinco horas da tarde, por precaução, fez-se uma sondagem que não encontrou fundo a 380 metros, embora na verdade estivessem a apenas 20 quilômetros ao norte da ilha de Mocha, não muito longe do continente. Por insistência do mestre, e contra o parecer do capitão, tomou-se um curso norte por leste para a entrada da baía de Concepción, até que, pouco antes das oito horas da noite, a água subitamente ficou mais rasa, e os homens de vigia viram ondas de arrebentação. Logo se ouviram as ordens de "Virar leme", "Virar de bordo" e "Arriar vela principal", mas era tarde demais. O navio já estava na arrebentação e bateu pesadamente a popa nas rochas próximas à foz do rio Leübu, a cerca de 32 quilômetros ao sul de Concepción. Ali as ondas logo reduziram o *Challenger* a um destroço inútil que jamais flutuaria novamente. Nos dias seguintes todos os artigos de valor transportáveis foram removidos do navio para um acampamento na costa. Logo se juntou uma grande quantidade de índios, muitos deles a cavalo, que foram de grande ajuda puxando as jangadas para a terra, enquanto as mulheres também a cavalo enfrentavam as furiosas ondas e traziam os rapazes na garupa. Que grande lição, pensou FitzRoy, para os salteadores de algumas outras regiões da costa em que os habitantes são chamados de civilizados.

A 21 de maio o tenente Collins e o cirurgião-assistente do *Challenger* conseguiram chegar a Concepción e pedir ajuda. Rouse, o excelente cônsul britânico, respondeu imediatamente partindo para o local do naufrágio com cavalos e mulas, e carregando os poucos utensílios úteis de que podia dispor, entre eles duas pequenas barracas que o *Beagle* lhe havia emprestado depois do terremoto de fevereiro. De Concepción o tenente Collins seguiu para Talcahuano a fim de alugar um barco, mas o dono da única embarcação adequada no porto, a escuna norte-americana *Carmen*, pediu um preço tão absurdo por seus serviços que Collins foi obrigado a voltar de mãos vazias. Ali ele soube que o capitão Seymour havia decidido mudar o acampamento do local do naufrágio para um outro, mais conveniente, sob os picos Tucapel, na foz do rio Leübu. A 8 de junho tudo havia sido transferido para o novo acampamento, erguera-se um mastro e a bandeira tremulava. Ali os oficiais e a tripulação do *Challenger* prepararam-se para esperar, enfrentando uma verdadeira praga de camundongos, mas com uma oferta abundante das mais deliciosas batatas que jamais haviam experimentado.

Enquanto isso o *Beagle* voltara de Herradura, chegando a Valparaíso a 14 de junho. A 16 de junho um negociante inglês recebeu uma carta de Santiago relatando a perda total do HMS *Challenger*. FitzRoy imediatamente pôs-se em ação e localizou um navio sueco que a 20 de maio avistara um barco em dificuldades na costa sul de Concepción — poderia ser o *Challenger*. No dia seguinte FitzRoy interceptou na agência dos correios uma carta para o comodoro Mason com a etiqueta "Despachos pelo *Challenger*", entregando-a pessoalmente no *Blonde*. O oferecimento de ajuda foi imediatamente aceito pelo comodoro. Após instruções a Wickham quanto ao *Beagle*, que deveria ir a Copiapó pegar Charles antes de prosseguir até Iquique e Callao, onde ele iria se encontrar com o navio, FitzRoy embarcou no *Blonde* com o mestre-assistente Usborne, o timoneiro James Bennett e uma baleeira. Chegando a Talcahuano, na baía de Concepción, a 21 de junho, pegou um barco e foi a terra para procurar um guia e cavalos, seguindo as ordens do comodoro de ir por terra até o acampamento do capitão Seymour e tomar as medidas necessárias ao resgate da tripulação e do que restava do navio. Com esse propósito FitzRoy recrutou outro assistente, conhecedor de mestiços índios da fronteira, o hanoveriano Anthony Vogelborg, que lhe havia ajudado a medir a elevação da terra em Santa Maria após o terremoto.

FitzRoy e seu grupo não conseguiram naquela noite cruzar o primeiro obstáculo em sua jornada, o rio Bio Bio, com 800 metros de largura, porque não conseguiram encontrar a tripulação da balsa. Na madrugada de 22 de junho, contudo, já atravessavam o rio e galopavam pelas colinas, passando pela ponta Coronel e pelas praias arenosas chamadas *playa* Negra e *playa* Blanca, com Santa Maria ao fundo, até chegarem a Arauco, onde ficaram hospedados com o comandante local, o coronel Valenzuela. Este forneceu-lhes cavalos descansados, e no dia seguinte eles continuaram por uma região cheia de árvores e uma infindável série de ravinas lamacentas e íngremes encharcadas por chuva pesada. No relato que publicou sobre essa corrida desesperada, FitzRoy achou que um breve episódio tirado da história de Arauco poderia "encurtar nossa jornada e divertir-nos por algum tempo da lama, da chuva e do vento"; mas a lenda das explorações do grande chefe araucano Colocolo no final do século XVI não produz no leitor exatamente o efeito que ele esperava. Chegaram tarde da noite às margens do Leübu, onde FitzRoy gritou o mais alto que pôde, "Alô, do *Challenger*", não obtendo qualquer resposta. Tentou outra vez, e um fraco "Alô" recompensou-o de todas as dificuldades. Logo ele estava a bordo no bote do *Challenger*, o único que se salvara, e encontrava o capitão Seymour no local de desembarque. No acampamento todos se juntaram para ouvir a boa nova de que o *Blonde* se encontrava em Talcahuano e vinha buscá-los. Com a tripulação do *Challenger* estava o cônsul, sr. Rouse, que respondera tão prontamente ao anúncio do naufrágio e fora de grande ajuda para manter as boas relações com os araucanos e no fornecimento diário de suprimentos.

Na manhã seguinte (dia 24) bem cedo, FitzRoy foi com o capitão Seymour para os picos de Tucapel, de onde se via o rio e uma grande extensão do mar. A imagem do acampamento era impressionante, com suas 14 ou 15 barracas cercada por uma paliçada com um fosso; a aparência era tal que até um grande grupo de índios hesitaria antes de atacá-los. Ansioso para voltar o mais rápido possível a Talcahuano, para dizer ao comodoro como seria fácil para o *Blonde* recolher as pessoas e as mercadorias na foz do Leübu, FitzRoy cruzou outra vez o rio e cavalgou com dois companheiros, sem "poupar chicote ou espora", na esperança de chegar a Arauco por volta da meia-noite. Por causa da chuva incessante e de um erro do guia que conduzia o segundo conjunto de cavalos — erro que aumentou em dois o número de rios a serem cruzados —, foram obrigados a passar a noite em uma velha sede de fazenda, onde as moscas eram horrivelmente agressivas. Na manhã seguinte continuaram para Arauco e tomaram o café da manhã com o coronel Valenzuela, a quem encontraram surpreso, por eles terem conseguido passar a noite no acampamento de Leübu, e preocupado com as informações de que quase três mil índios possivelmente hostis marchavam para o norte. Continuaram adiante com os bons cavalos que haviam trazido de Concepción três dias antes, mas de novo enfrentaram problemas com as balsas, cujos barqueiros relutavam em atravessar os rios cheios, e com as estradas, cujas condições eram ainda piores do que na viagem de ida. Somente às dez horas da manhã do dia 26 de junho FitzRoy conseguiu entregar a carta do capitão Seymour ao comodoro Mason a bordo do *Blonde*.

O comodoro porém havia contratado a escuna norte-americana *Carmen*, pela qual se havia pedido uma quantia exorbitante um mês antes, para ir em busca da tripulação do *Challenger*. A bordo estava Usborne, o timoneiro de FitzRoy, com o segundo-mestre, três tripulantes do *Blonde* e a baleeira do *Beagle*. Mas o *Carmen* não era um bom barco, e ao final mostrou-se mais um estorvo do que uma ajuda. O *Blonde* zarpou da baía de Concepción a 27 de junho. O mau tempo e uma ventania de norte manteve-o no entanto ao largo; por toda aquela semana e a seguinte a tripulação sequer conseguiu ver os picos de Tucapel, que os deveria guiar ao acampamento na foz do Leübu. Finalmente, a 5 de julho o tempo melhorou e o *Blonde* se viu em meio a calmaria, a oito mil metros da costa, embora avistando as bandeiras do *Challenger* desfraldadas nos picos. Três barcos foram baixados, mas uma corrente ao longo da costa impediu-os de alcançar o local de desembarque na foz do Leübu antes da noite, quando FitzRoy desceu a terra e avisou o capitão Seymour de que qualquer operação teria de esperar até o dia seguinte. Às nove da manhã o *Blonde* estava devidamente ancorado a cerca de 1.500 metros do local; todos os botes foram baixados, e o embarque se fez rapidamente. Às seis da tarde o capitão Seymour foi a bordo com o último grupo da tripulação, e às oito o *Blonde* levantou âncora e fez vela para Talcahuano com uma favorável brisa de sul.

Às 11 da manhã de 7 de julho, um barco sem mastros com o estandarte inglês foi visto a oito mil metros ao norte do *Blonde*; depois de ter sido identificado como o *Carmen*, foi rebocado. O sr. Osborne explicou que no dia 29 de junho, enquanto investigava uma fogueira avistada nos picos Tucapel, quatro marinheiros estavam ferrando a vela da gávea quando a escuna deu um súbito mergulho em uma onda alta que derrubou o mastro de proa, o mastro dianteiro e a verga da vela da gávea, seguidos pelo mastro principal. Os quatro homens foram salvos, embora James Bennett ficasse seriamente machucado; o navio ficou à deriva e sem socorro na direção sul; praticamente não havia ferramenta alguma a bordo para fazer qualquer conserto. Na latitude de Valdívia, o vento sul começou a soprar; depois que o sr. Usborne empregou os conhecimentos resultantes de suas pesquisas recentes, o navio foi salvo de se espatifar na costa e levado para o norte, onde encontrou o *Blonde*. Este então rumou para o norte, com o *Carmen* a reboque, até ancorar em Talcahuano pouco antes da meia-noite do dia 8 de julho.

Após cuidar da papelada oficial, agradecer às autoridades pela assistência prestada e dizer adeus ao sr. Rouse, FitzRoy embarcou no *Blonde* rumo a Valparaíso, onde chegou a 13 de julho. Quatro dias depois prosseguiu para Coquimbo, onde o *Conway* estava ancorado à espera para levar os oficiais e dois terços da tripulação do *Challenger* de volta à Inglaterra. De Coquimbo o *Blonde* velejou para o norte, pelas costas do Chile e do Peru, parando em Cobija, Arica e Ilo — "lugares infelizes e áridos como nunca vi para homens e animais" —, até FitzRoy encontrar o *Beagle* em Callao, a 9 de agosto.

E assim FitzRoy concluía seu relato caracteristicamente entusiástico do resgate do velho amigo Michel Seymour e sua tripulação após o naufrágio do *Challenger*. O que permanece obscuro, no entanto, é como realmente aconteceu a violenta briga com o comodoro, descrita tão vividamente por Charles. Como disse FitzRoy, as notícias do naufrágio chegaram primeiro a Valparaíso via Santiago, quase um mês depois de ele ter acontecido. Quando o próprio FitzRoy levou os despachos do *Challenger* em carta escrita de Santiago para o comodoro, a 17 de junho, sem dúvida pediu muito energicamente para que alguma coisa fosse feita, e sua solicitação foi imediatamente atendida. Depois disso ele não tinha qualquer motivo para acusar o comodoro de nada além de alugar um barco inadequado para ajudar no salvamento. O naufrágio no entanto já devia ser do conhecimento das autoridades em Concepción desde 21 de maio, quando Rouse se dirigiu ao local; e as notícias, era de se presumir, foram transmitidas ao comodoro em Valparaíso pouco depois. Assim, as principais razões de queixa de FitzRoy, bastante razoáveis, eram que o comodoro não dera qualquer passo efetivo entre 24 de maio e 17 de junho. No entanto, por tato, pareceu-lhe melhor omitir este detalhe da história publicada em 1839, o que pôde fazer sem falsear totalmente o caso.

Na corte marcial a que foi submetido a bordo do *Victory*, em Portsmouth, três meses depois, Seymour apresentou em sua defesa um documento de FitzRoy sugerindo que mudanças nas correntes oceânicas produzidas pelo terremoto haviam sido responsáveis pelo erro na estimativa de cálculo da distância em relação à costa no momento do naufrágio. Ele foi inocentado, altamente elogiado por sua conduta e ganhou o comando de outro navio.[3]

25

De Copiapó a Lima

julho – agosto, 1835

A 12 de julho o *Beagle* ancorou em Iquique, no Peru, cidade construída em uma faixa de areia ao pé de um penhasco com 600 metros de altura. Toda a água e as provisões para os mil habitantes tinham de vir de Arica, porto vizinho onde havia um pequeno rio, ou de outros lugares. Antes existiam nas proximidades duas minas de prata extremamente ricas, mas elas já se haviam esgotado. Com alguma dificuldade Charles arrumou um guia e duas mulas para levá-lo até as minas de salitre que eram o sustento de Iquique, embora não produzissem nitrato de potássio puro, componente essencial na manufatura da pólvora, mas misturado com nitrato de sódio e sal comum. Após subir até o topo do penhasco por uma trilha ziguezagueante, a estrada — por onde se espalhavam ossos e couros de mulas e jumentos mortos — levava a um deserto coberto por espessa camada de sal sobre arenito salgado. As únicas criaturas vivas eram um ou dois abutres se alimentando das carcaças; afora isso, não se viam sequer insetos. Charles no entanto ficou satisfeito ao observar esse exemplo típico de grande parte da costa do Peru.

Uma semana depois o navio ancorou no porto de Callao, que servia a Lima. Charles descreveu-o de maneira pouco lisonjeira como um porto de mar miserável, imundo, mal construído, onde os habitantes exibiam todas as misturas possíveis de sangue europeu, negro e índio. O clima era famoso pela proverbial falta de chuva, embora em geral existisse uma garoa espessa ou um nevoeiro de tipo escocês por toda a costa, chamado orvalho peruano, que mantinha tudo levemente úmido. Charles caminhou pela pequena e deserta ilha de San Lorenzo, onde a face da montanha de 360 metros diante do porto havia sido desgastada em três terraços cobertos por toneladas de conchas de espécies ainda existentes, uma prova da elevação relativamente recente da terra. Ficou interessado ao encontrar, no interior da camada de 25 metros de conchas, um pedaço de fio de algodão, outro de palha trançada e a ponta de um talo de milho, as mais antigas descobertas de grãos naquele lugar.[1] Embora não encontrasse cerâmica, achou alguns fragmentos de louça rústica de barro em terra firme, do lado oposto à ilha, mais ou menos à mesma altura, sugerindo que a elevação até 25 metros acima do nível do mar havia ocorrido em um período de cerca de dois mil anos.

Charles tomou uma carruagem até Lima, onde passou cinco dias muito agradáveis, observando que "viver alguns anos em contato com os polidos e formais espanhóis certamente melhora as maneiras dos negociantes ingleses". Outro de seus comentários foi:

> Existem duas coisas em Lima a que todos os viajantes se referiam; as senhoras *tapadas*, ou escondidas na *saya y manta*, e uma fruta chamada *chilimoya*.* Em minha lembrança, as primeiras são tão bonitas quanto as últimas são deliciosas. O vestido apertado e elástico se ajusta bem à pessoa e obriga as senhoras a caminharem com pequenos passos, o que fazem com muita elegância, mostrando meias muito brancas e pés bem bonitos. Elas usam um véu negro de seda, fixado atrás das costas, colocado sobre a cabeça e preso com as mãos diante do rosto, deixando apenas um olho a descoberto. Mas este olho é tão negro, brilhante e tem tais poderes de movimento e expressão que seu efeito é muito poderoso. No todo, as senhoras são tão metamorfisadas [*sic*] que de início tive tanta surpresa quanto se tivesse sido apresentado a belas sereias ou outros animais igualmente bonitos. E certamente vale mais a pena olhar para elas do que para todas as igrejas e construções de Lima. Quanto à *chilimoya*, é uma fruta muito gostosa, mas com um sabor tão difícil de descrever quanto seria para um cego descrever um tom particular de cor; não é uma fruta tão nutritiva quanto a banana, ou uma fruta primitiva como a maçã, ou refrescante quando a laranja ou o pêssego, mas é muito boa e grande, e isso é tudo que tenho a dizer sobre ela.[2]

Syms Covington fez um quadro de uma das senhoras de Lima (PRANCHA 16) que se encaixa muito bem na descrição de Charles.

---

* A *saya* era uma sobressaia com várias pregas rígidas; o *manto* de seda negra era uma capa sem mangas presa ao peito que cobria a cabeça e o busto; eram usados pelas mulheres de Lima apenas quando iam à cidade ou à igreja. O costume vinha desde os primeiros dias de colônia, cerca de 1560, e fez com que as mulheres fossem chamadas de *tapadas*, ou mulheres que ocultavam os rostos. A *chilimoya* é a *Anana cherimola*, a fruta-do-conde peruana.

A 9 de agosto o *Blonde* chegou a Callao trazendo FitzRoy, que então foi a Lima por algum tempo para examinar certos mapas velhos e documentos que lhe interessavam. A estrada de Callao para Lima era infestada de bandos de ladrões a cavalo, de modo que Charles ficou a bordo do *Beagle* escrevendo suas *Notas de geologia* sobre o Chile. Ele achou muito aborrecido o atraso na partida, tendo de rumar para oeste e para a Inglaterra, passando pelas Galápagos, mas FitzRoy escreveu tranqüilizando-o: "Não resmungue. ... Vamos compensar o tempo perdido. O bem foi feito sem a companhia do mal — ergo — estou mais feliz do que de hábito."

No mês de maio, em Herradura, FitzRoy havia tomado emprestado de *don* Francisco Vascuñan uma escuna de 35 toneladas chamada *Constitución*, na qual o tenente Sulivan, Philip Gidley King, Stewart e Forsyth se apresentaram como voluntários para completar o levantamento da costa norte do Chile e depois encontrar o *Beagle* em Callao. Com um pequeno bote e uma tripulação do *Beagle*, além de um nativo com sua *balsa* (uma jangada de pesca feita de junco), eles realizaram o levantamento de maneira muito satisfatória e ancoraram pontualmente a 30 de julho. Sulivan relatou que o *Constitución* era fácil de manobrar e um excelente barco de mar. Depois de pensar alguns dias, FitzRoy decidiu, apesar de sua infeliz experiência com o *Adventure*, comprar o *Constitución* por 400 libras tiradas de seu próprio bolso, conforme a combinação com *don* Francisco, e equipá-lo em Callao para realizar um levantamento semelhante na costa do Peru. O tenente Sulivan não devia se afastar outra vez do *Beagle*, mas Usborne e Forsyth poderiam fazer o serviço e depois voltar em um navio mercante para a Inglaterra. Embora o hidrógrafo apoiasse completamente o pedido que FitzRoy fizera ao Almirantado, pedindo permissão para a compra e afirmando que o barco subsidiário ajudaria o levantamento do ponto de vista material, os comentários escritos em sua carta aos lordes referem-se a "documentos anteriores proibindo-o de alugar um barco" e afirmam: "Informe ao capitão FitzRoy de que os lordes desaprovam firmemente seu procedimento, especialmente após as ordens que anteriormente recebeu sobre o assunto."[3] No entanto, graças ao zelo de FitzRoy de completar seu levantamento da maneira mais eficiente possível, ele jamais se deixou inibir pela evidente má vontade dos lordes.

Antes de partir para as Galápagos, Charles escreveu uma nota para Alexander Usborne pedindo-lhe que procurasse conchas ao longo da costa do Peru, nas antigas praias remanescentes elevadas a uma altura de algumas centenas de metros acima do nível do mar. Ele deveria "marcar em um papel o nome do lugar e estimar cuidadosamente a altura vertical. Sempre seria bom apresentar os motivos (e as razões) de sua convicção a respeito da origem dessas conchas.[4] Não há registros de que Usborne tenha seguido as cuidadosas instruções de Charles para a coleta de conchas no Peru. Porém, muitos anos depois, quando lhe perguntaram a respeito de suas lembranças do *Beagle*, ele se recordou de que Charles era invariavelmente uma pessoa muito amável, e acrescentou: "Ele sofria de terríveis enjôos e às vezes, quando eu era oficial do dia, diminuía as velas do navio, o que reduzia o balanço e dava-lhe algum alívio; então dizia que eu era 'um bom oficial' e voltava às suas observações microscópicas na cabine de popa. Era querido por todos a bordo e tinha o apelido de 'filósofo'; mas nunca imaginamos que iria ser uma pessoa tão célebre."[5]

26

As ilhas Galápagos

setembro – outubro, 1835

A 7 de setembro o *Beagle* abriu velas para as Galápagos, com um vento moderado e firme e um céu sombrio. O dia 15 eles passaram em rápido levantamento da costa exterior da ilha Chatham (San Cristóbal), a sudeste do arquipélago. Na manhã seguinte deixou-se uma baleeira na ilha Hood (Española) para o mestre Edward Chaffers e o imediato Arthur Mellersh examinarem o local e os ancoradouros em volta dela, e o escaler, sob o comando do tenente Sulivan, com Stewart e Johnson e dez marinheiros, foi fazer o levantamento da parte central do arquipélago. De tarde FitzRoy e Charles estiveram em terra durante uma hora, a sudoeste de Chatham, e a primeira impressão de Charles foi:

> A distância essas ilhas têm um contorno inclinado uniforme, exceto onde é quebrado por colinas arredondadas e outeiros. Tudo é de lava negra, *completamente* coberta por pequenos arbustos sem folhas e árvores baixas. Os fragmentos de lava, onde são mais porosos, são avermelhados e como cilindros; as árvores mirradas dão poucos sinais de vida. As rochas negras, aquecidas pelos raios do sol vertical como um forno, dão ao ar uma sensação de confinamento e abafadura. As plantas também cheiram desagradavelmente. Toda a região pode ser comparada ao que se pode imaginar como as partes cultivadas do inferno.[1]

FitzRoy escreveu:

> Esta parte da ilha é baixa e muito irregular. Desembarcamos em pilhas de lava negra de triste aparência, estilhaçada, formando uma costa adequada para o pandemônio. Inúmeros caranguejos e iguanas horrorosos corriam em todas as direções enquanto trepávamos de pedra em pedra. Poucos animais são mais feios do

que estas iguanas; têm o formato de lagartos, com cerca de três ou quatro pés de comprimento; a cor é de um preto sujo; com uma boca grande e um papo pendurado sob ela; uma espécie de crina córnea no pescoço e nas costas; unhas longas e rabo comprido. Estes répteis nadam com rapidez e facilidade — e só então usam os rabos. A poucas jardas da água encontramos vegetação abundante, embora o solo seja de terra solta e areenta, espalhada sobre e entre a lava. É extremamente difícil caminhar.[2]

A 17 de setembro o *Beagle* deslocou-se para o lado oeste da ilha e ancorou um pouco ao sul de Kicker Rock, em um lugar hoje conhecido como Puerto Grande.[3] A baía fervilhava de animais, e os peixes, tubarões e cágados punham a cabeça para fora em todos os lugares. Charles coletou diversos peixes que mais tarde, em Swafham Bulbeck, foram devidamente identificados por Leonard Jenys como pertencentes a novas espécies. Em terra, os tordos (PRANCHA 19) receberam-no bicando seus sapatos, como ainda fazem com os visitantes, pois

Ilha Chatham e o local de aguada na costa sul, por P.G. King

ele escreveu em seu caderno de anotações: "O *tenca* é muito manso e curioso nessas ilhas. Sem dúvida reconheço a América do Sul na ornitologia. E na botânica? Três quartos das plantas em flor."

Escreveu em seu diário particular:

> As rochas de lava negra na praia são freqüentadas por grandes (2-3 pés [60 a 90cm]), desagradáveis e desajeitados lagartos. São negros como as rochas porosas sobre as quais se arrastam e buscam suas presas vindas do mar. Alguém chamou-os de "filhos da escuridão". Sem dúvida alguma combinam com o lugar onde habitam. Em terra fiz pesquisas botânicas e obtive dez flores diferentes; mas tão insignificantes, florzinhas tão feias que mais combinariam com um país ártico, e não tropical. Os pássaros são estranhos ao homem e acham que ele é tão inocente quanto seus patrícios, os imensos cágados. Pássaros pequenos a uma distância de três e quatro pés [0,90 a 1,20cm] pulam tranqüilamente nos arbustos e não se assustaram com as pedras jogadas neles. O sr. King matou um com o chapéu e com a ponta de minha espingarda puxei um grande falcão de um galho.[4]

Mais tarde Charles descreveu as iguanas marinhas *Amblyrhynchus* em maiores detalhes e revisou sua opinião inicial de que elas se alimentavam de animais marinhos, e não de algas:

> O lagarto que tem este nome aparece na viagem do *Blonde*[*] descrito a partir de um espécime trazido das costas do Pacífico. O animal é excessivamente abundante nas ilhas de todo o grupo. Jamais se afasta muitas jardas da praia rochosa. Ali, nos grandes fragmentos de lava negra, vêem-se grupos aquecendo-se ao sol, com as pernas esticadas [sic]. São animais horríveis de se ver; estúpidos e lerdos de movimentos. A cor é preta, o tamanho geral é maior que dois pés de comprimento [60cm]. Na ilha Albermale [sic] parece que são muito maiores do que em qualquer outro lugar; um deles pesava 20 libras [9kg]. Vi *muito poucos* pequenos, de modo que suponho que a estação de procriação está chegando: nada soube a respeito de suas maneiras de procriação. Estes animais já foram vistos algumas vezes [sic] a algumas centenas de jardas no mar, nadando. A estrutura do corpo aponta para hábitos aquáticos. Mas é notável que, quando os espantamos nas pedras que aparecem com a maré, é muito difícil levá-los para a água. Por essa razão é fácil pegá-los pelo rabo, depois de encurralados. Eles não sabem morder;

[*] A caminho do Havaí em 1825, o HMS *Blonde*, então comandado pelo lorde naval George Byron, primo do poeta lorde George Byron, encontrou na ilha Narborough (Fernandina) um "bando inumerável de lagartos-do-mar".

14. Baía de Valparaíso na direção de Viña del Mar, por Conrad Martens

15. *Rua com casas de madeira em San Carlos, por Conrad Martens*

16. *Vestidos de passeio das mulheres de Lima, por Syms Covington*

17. Tentilhão de Darwin, Geospiza magnirostris, *por John Gould*

18 . Tentilhão de cacto, Cactornis scandens, *por John Gould*

19. Tordo das Galápagos Mimus parvulus, *por John Gould*

20. Vista do vale Jamieson em Wentworth Falls, por Conrad Martens

Retrato de uma iguana-do-mar e de uma iguana-da-terra em poses características, por Thalia Grant

apenas, quando assustados, espirram um pouco de fluido pelas narinas.* Peguei um bem grande pelo rabo e joguei-o várias vezes a uma boa distância, em um poço fundo deixado pela maré vazante. Invariavelmente ele voltava na mesma direção em que fora jogado até o lugar onde eu estava. Seus movimentos eram rápidos, nadando à flor d'água e ocasionalmente ajudando com os pés nas pedras. Assim que chegava perto da margem tentava se esconder entre as algas ou entrava em algum buraco ou rachadura. Logo que julgava não haver mais perigo, arrastava-se até as pedras secas e preferia ser agarrado outra vez do que entrar na água voluntariamente. Qual será a razão disso? Seus inimigos [sic] habituais são tubarões ou outros animais *marinhos*? A maneira de nadar é singular, consistindo apenas de um movimento coleante de rabo e corpo, e as pernas ficam imóveis, dobradas e esticadas para trás.

Abri o estômago (ou melhor, o duodeno) de vários deles, e era muito distendido por grandes quantidades de pequenos pedaços de algas, do tipo que cresce em expansões foliáceas *finas* de cor verde brilhante e vermelho opaco. Nem traço de matéria animal: o sr. Bynoe, no entanto, encontrou um pedaço de caranguejo

* O lagarto-do-mar livra-se do excesso de sal de sua dieta por uma glândula nasal cujas secreções explicam esse fluido.

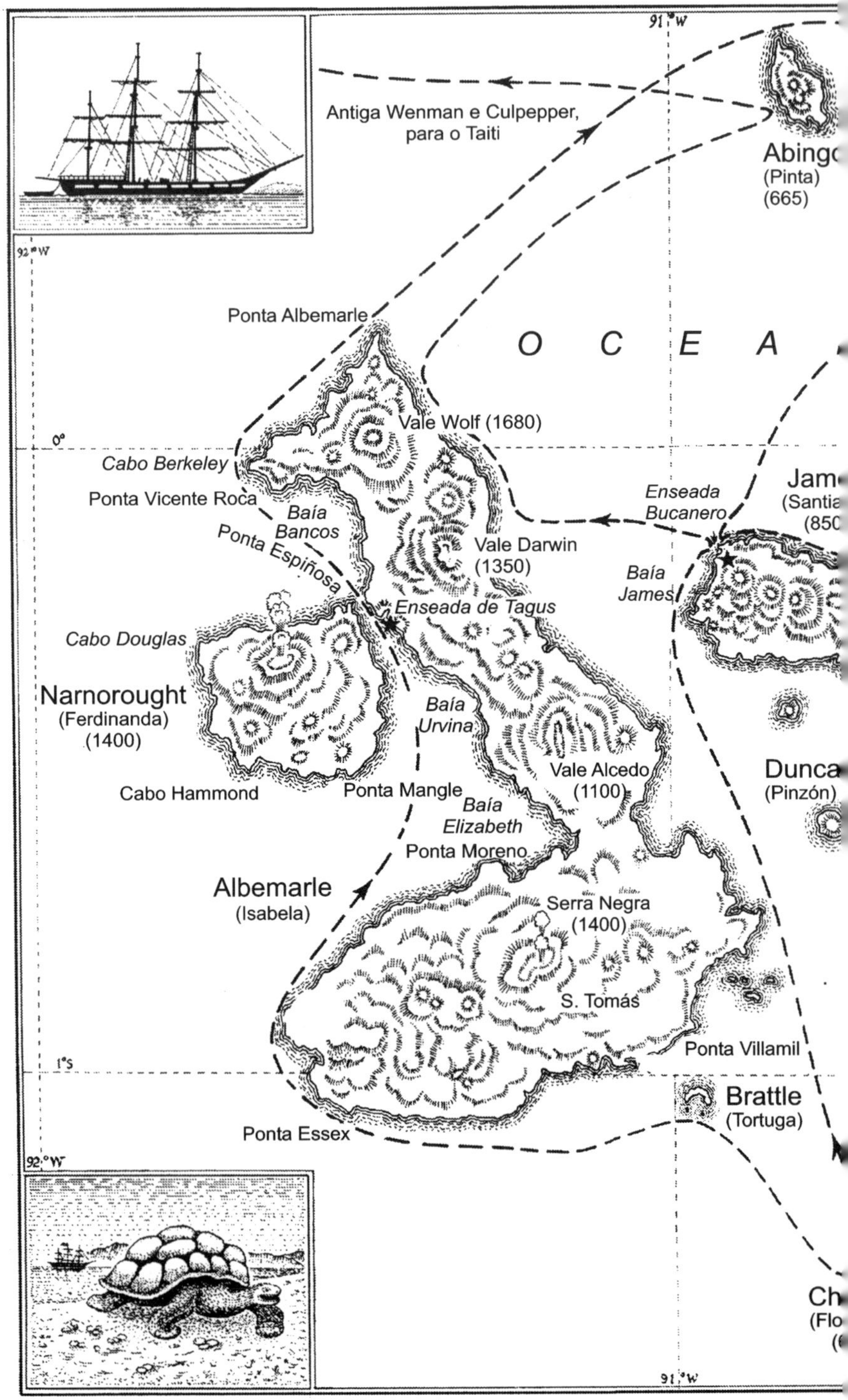
91°W
Antiga Wenman e Culpepper, para o Taiti
Abingd
(Pinta)
(665)
92°W
Ponta Albemarle
O C E A
Vale Wolf (1680)
0°
Cabo Berkeley
Ponta Vicente Roca
Baía Bancos
Ponta Espiñosa
Enseada Bucanero
Jam
(Santia
(850
Vale Darwin (1350)
Baía James
Enseada de Tagus
Cabo Douglas
Narnorought
(Ferdinanda)
(1400)
Baía Urvina
Vale Alcedo (1100)
Dunca
(Pinzón)
Cabo Hammond
Ponta Mangle
Baía Elizabeth
Ponta Moreno
Albemarle
(Isabela)
Serra Negra (1400)
S. Tomás
Ponta Villamil
1°S
Brattle
(Tortuga)
Ponta Essex
92°W
Ch
(Flo
91°W

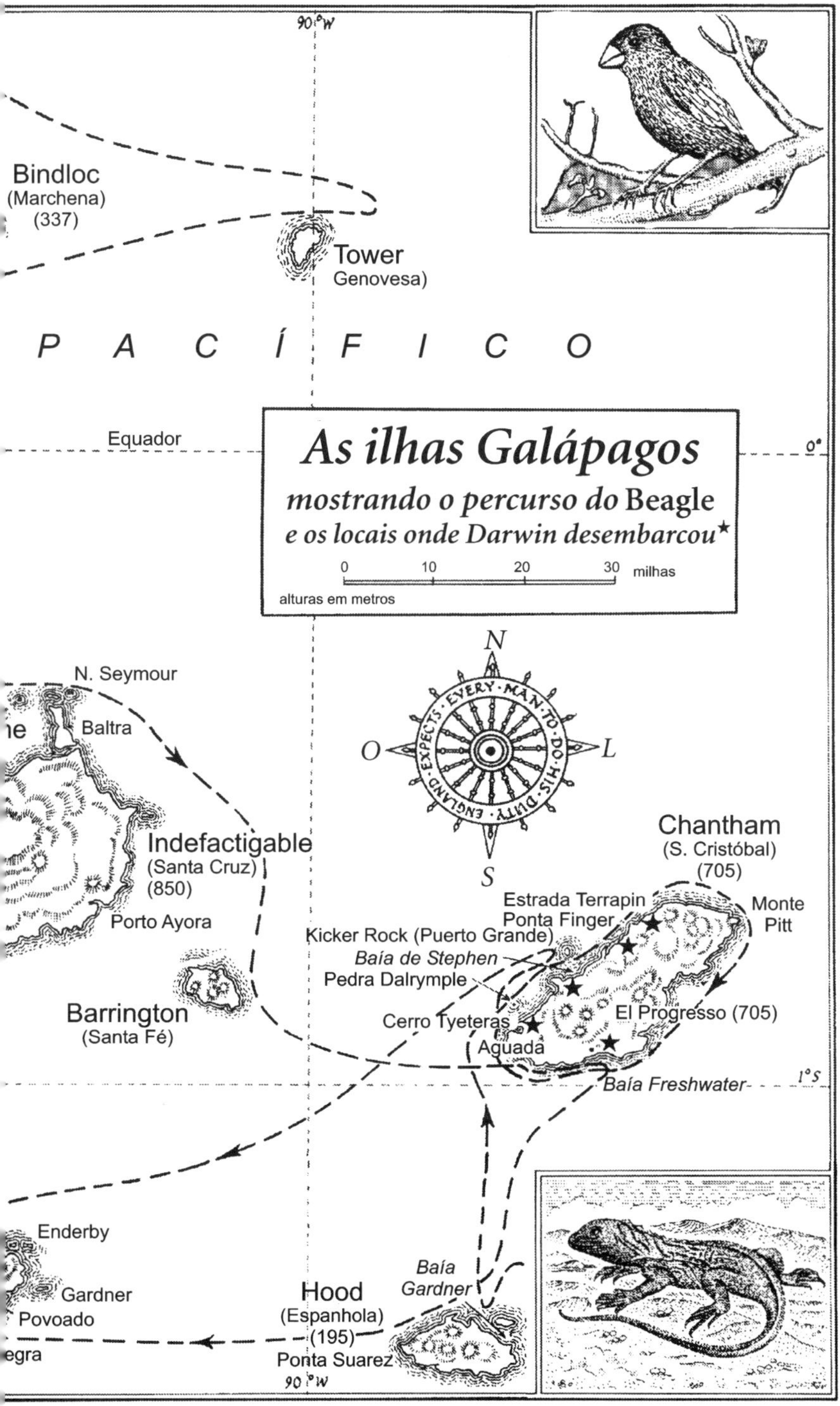
As ilhas Galápagos
mostrando o percurso do Beagle
e os locais onde Darwin desembarcou★
0 10 20 30 milhas
alturas em metros
90°W
Bindloc
(Marchena)
(337)
Tower
Genovesa)
P A C Í F I C O
Equador
0°
N
O
L
S
EVERY MAN TO DO HIS DUTY ENGLAND EXPECTS
N. Seymour
Baltra
Indefactigable
(Santa Cruz)
(850)
Porto Ayora
Barrington
(Santa Fé)
Chantham
(S. Cristóbal)
(705)
Estrada Terrapin
Ponta Finger
Monte
Pitt
Kicker Rock (Puerto Grande)
Baía de Stephen
Pedra Dalrymple
El Progresso (705)
Cerro Tyeteras
Aguada
Baía Freshwater
1°S
Enderby
Gardner
Povoado
Baía
Gardner
Hood
(Espanhola)
(195)
Ponta Suarez
90°W

em um deles: provavelmente entrou acidentalmente, da mesma forma como vi uma lagarta no estômago de um cágado. Concebo que a extensão do intestino está em perfeita concordância com o apetite herbívoro. ... O cap. Colnett* afirma que eles saem para o mar em cardumes para pescar; não posso crer que seja este o objetivo, nem é muito claro qual possa ser. Será que essa alga cresce mais abundantemente a uma pequena distância da costa? Eles parecem conseguir sobreviver muito tempo sem respirar. Um deles foi enfiado na água amarrado a um peso por quase uma hora e depois ficou muito ativo de movimentos. Os membros são bem adaptados para trepar nas pedras de lava rachadas e ásperas, e já mencionamos que com o rabo e o corpo eles nadam bem.[5]

A 21 de setembro Charles e Syms Covington foram deixados em terra algumas milhas a nordeste, em uma área cheia de cones vulcânicos e grandes poços circulares com até 24 metros de profundidade e que não eram cones verdadeiros, mas haviam se formado pelo colapso dos tetos de imensas cavernas cheias de gás durante uma erupção. A idade das várias correntes de lava podia ser avaliada pela quantidade de vegetação que nelas havia crescido, e em uma das mais antigas Charles encontrou dois cágados imensos.

Um estava comendo um cacto e calmamente se afastou. O outro deu um silvo profundo e alto e então recolheu a cabeça. Eram tão pesados que mal consegui levantá-los do chão. Cercados pela lava negra, arbustos sem folhas e grandes cactos, pareciam animais antigos e antediluvianos; ou melhor, habitantes de outro planeta.[6]

Provavelmente por razões práticas Charles não levou em suas coleções uma iguana marinha inteira, nem tampouco um cágado inteiro. Mas era relativamente simples coletar os parasitas que os infestavam, de modo que em sua "Lista de espécimes que não estão em álcool" o primeiro registro para a ilha Chatham era "Ácaro [um micuim ou carrapato] de uma grande iguana-do-mar ou lagarto", e o sexto registro era "Ácaro dos órgãos genitais de um grande cágado comum da terra". Não foi registrado precisamente quando foram coletados.

Charles passou mais dois dias catando espécimes e examinando a geologia dos fluxos de lava. O *Beagle* dirigiu-se para o lado norte da ilha Charles

* O capitão James Colnett disse, em seu relato da visita às Galápagos no HMS *Rattler*, em 1792, que os "lagartos-do-mar vão pescar em bandos e se esquentam ao sol sobre as pedras, como focas, e podem ser chamados de crocodilos em miniatura". Provavelmente foi Colnett quem erigiu o marco na costa norte da ilha Charles.

Ilha Charles, por P.G. King

(Floreana) e ancorou na baía Post Office. No topo da ilha, entre junho e novembro, caía uma chuva leve trazida pelos ventos de sul; nas áreas limpas floresciam batatas-doces e bananas-de-são-tomé. Em 1832 fora criado ali um estabelecimento penal, com 200 a 300 prisioneiros da República do Equador; um inglês, Nicholas Lawson, era então o diretor. Por sorte Lawson havia descido até a baía Post Office a 24 de setembro para visitar um navio baleeiro e guiou Charles e FitzRoy até o estabelecimento. Ele explicou que as pessoas sob seu comando levavam uma vida que Charles descreveu como uma espécie de vida de Robinson Crusoé, com farta oferta de verduras, florestas cheias de porcos e cabras selvagens. Mas a principal fonte de carne ainda eram os cágados, embora seu número houvesse caído drasticamente nos últimos anos, e a tripulação de uma fragata já não conseguisse capturar 200 cágados em um só dia. Os animais mais velhos eram muito grandes — um deles, capturado em 1830, exigiu seis homens para erguê-lo até o barco, e dois homens não conseguiam virá-lo de costas. Alguns, grandes demais para serem carregados, tinham datas entalhadas no casco, e Lawson vira um no qual haviam escrito "1786". Ele achava que a oferta desse tipo de carne duraria mais 20 anos, porém já estava mandando gente para a ilha James, onde havia uma mina de sal, para capturar cágados e salgar a carne.* Finalmente a informação mais importante sobre os cágados dada por Lawson foi a respeito da constância de

* O cágado de Floreana, cujo nome em latim é *Geochelone elephantophus galapagoensis*, foi extinto no final do século XIX.

seus diferentes formatos e tamanhos nas diversas ilhas, como Charles registrou devidamente em suas notas:

> Este animal, creio eu, é encontrado em todas as ilhas do arquipélago; certamente em grande número. Os cágados freqüentam de preferência as partes altas e úmidas, mas também ocorrem nos distritos baixos e áridos. Diz-se que as pequenas variações na forma do casco são constantes segundo a ilha que habitam — e também o tamanho médio parece variar de acordo com a localidade. O sr. Lawson garante que, ao ver um cágado, é capaz de afirmar com certeza de que ilha foi trazido. Os cágados crescem até um tamanho muito grande; existem alguns que exigem oito a dez homens para levantá-los; os machos velhos são os maiores. As fêmeas raramente crescem até um tamanho tão grande. O macho é facilmente distinguido das fêmeas pelo maior comprimento do rabo. Os cágados que habitam as ilhas onde não há água, ou nas partes secas de outras, vivem principalmente do cacto suculento; já vi os que vivem nas partes mais altas comendo principalmente um líquen filamentoso e verde pálido que fica pendurado como velas dos galhos das árvores, várias folhas e especialmente os frutos de uma árvore (chamados *guyavitas*) que são ácidos e mirrados.
>
> O cágado gosta muito de água, de que bebe grandes quantidades, e chafurdam na lama. Mesmo os que freqüentam distritos muito distantes da água ocasionalmente viajam até ela; ficam dois ou três dias perto das fontes e depois voltam. Meus informantes diferem amplamente quanto à freqüência dessas visitas. Parece, no entanto, que viajam muito mais rápido do que a princípio se pode imaginar. Baseiam a opinião no exame da distância que algum animal marcado viaja em um determinado tempo. Acham que eles podem percorrer oito milhas [12km] de distância em dois ou três dias. Um deles bem grande, eu verifiquei, caminhava à velocidade de 60 jardas [50 metros] em dez minutos, ou 360 [300m] por hora. A esse ritmo, o animal caminharia quatro milhas [6.400m] por dia e teria algum tempo para descansar. Quando se dirigem para as fontes, viajam por trilhas largas e bem batidas que se abrem para todos os pontos da ilha. Eu deveria ter dito antes que nestas ilhas existem poucos locais de água que ficam apenas nas partes mais altas e centrais. Quando primeiro desembarquei na ilha Chatham, o objetivo dessas trilhas era inexplicável para mim. O efeito — ao ver um número tão grande desses imensos animais encontrando-se uns com os outros nessas estradas, um deles com sede e o outro tendo acabado de beber — foi muito curioso. Quando os cágados chegam na água, sem prestar atenção aos espectadores começam gulosamente a beber; com esse propósito enterram a cabeça até acima dos olhos na lama e na água e engolem cerca de dez goles por minuto. Os habitantes, quando muito sedentos, algumas vezes matam os animais para beber a água da bexiga deles, que é muito ampla. Provei um pouco, ela fica apenas um tanto mais amarga. Dizem que a água no pericárdio é ainda mais límpida e pura.

A fêmea geralmente coloca os ovos em grupos de quatro e cinco e cobre-os com terra. Quando a terra é rochosa, ela deixa-os indiscriminadamente. O sr. Bynoe achou sete ovos deixados em uma espécie de rachadura. O ovo é bem esférico, branco e duro, a circunferência de um deles era de algumas polegadas. O cágado jovem, no começo da vida, freqüentemente é presa do carcará [falcão de Galápagos], muito comum nessas ilhas. Os mais velhos ocasionalmente encontram a morte caindo de precipícios; mas os habitantes jamais encontraram nenhum deles morto de causas naturais. Os machos copulam com a fêmea à maneira de um sapo. Ficam unidos por algumas horas. Durante este tempo o macho emite um rugido roufenho ou um bramido que pode ser ouvido a mais de 100 jardas [90m] de distância. Quando é escutado nas florestas, sabe-se com certeza que os animais estão copulando. Em nenhum outro momento o macho usa a voz; a fêmea, jamais. Agora, no começo de outubro, existem ovos pelo chão e na barriga. As pessoas acham que os animais são completamente surdos; sem dúvida, quando se passa por um cágado, ele só nota se realmente vê a pessoa; então recolhe a cabeça e os membros e, emitindo um silvo profundo, cai ao chão com um som pesado, como se tivesse morrido.

As pessoas usam muito a carne, comida tanto fresca como salgada, e é muito boa. Tem uma gordura amarela que, levada ao fogo, produz um óleo claro e sabo-

Cágados com cascos em forma de domo e de sela, por Thalia Grant

> roso. Quando pegam um animal, fazem um talho na pele perto do rabo, para ver se a gordura na placa dorsal é espessa; se não é, ele é solto e recupera-se da ferida. Se é espessa, ele é morto cortando-se a placa peitoral de cada lado com um machado e removendo do animal vivo as partes utilizáveis da carne e o fígado etc. Para pôr um cágado em segurança não basta virá-lo, como se faz com a tartaruga, pois muitas vezes eles conseguem retomar a posição certa.[7]

Infelizmente Charles não captou imediatamente todas as implicações da observação do sr. Lawson sobre o fato de cada ilha ter seu próprio tipo de cágado, pois se assim fosse certamente teria coletado um dos cascos dos cágados de Floreana, agora infelizmente extintos — e que, como FitzRoy observou, estavam sendo usados "em um simulacro de jardim, cobrindo as plantas novas, e não como vasos de flores". Talvez isso tenha acontecido porque nas ilhas que visitou Charles não viu aqueles exemplos extremos ilustrados pelos desenhos de Thalia Grant de cágados com cascos em forma de sela e pescoços compridos — adaptados para alcançar a vegetação mais alta das ilhas mais baixas e secas — e outros em forma de cúpula, com pescoços curtos e que viviam nas ilhas mais altas, com extensas áreas úmidas, onde havia plantas baixas para se alimentarem.

Quando o navio estava no Chile, porém, Charles vinha pensando muito sobre a distribuição de pássaros e mamíferos que evidentemente eram parentes próximos e que encontrou do lado leste e oeste dos Andes; ele ponderava as razões possíveis para os padrões de migração desses animais, além do fato de terem sido criados para ocupar áreas particulares. Seus pensamentos também haviam começado a se mover em novas direções, para explicar as relações próximas entre os enormes animais extintos que havia encontrado e os ainda existentes, muito menores. Suas anotações sobre o primeiro desembarque nas Galápagos — quando escreveu "Eu cuidadosamente coletei todos os animais, plantas, insetos e répteis desta ilha. Será muito interessante descobrir, em uma comparação futura, a que distrito ou 'centro de criação' os seres organizados deste arquipélago devem estar ligados"[8] — sugerem que ele ainda não estava pronto naquele momento para abandonar a teoria da criação. Mas quando, nove meses depois, escreveu a famosa passagem nas *Notas de ornitologia* (ver p.342), em que pela primeira vez admitiu a suspeita de que as espécies poderiam afinal ser mutáveis, uma das evidências que citou foi a variabilidade dos cágados nas diferentes ilhas Galápagos, embora creditasse a informação aos "espanhóis", e não ao sr. Lawson.

Ilha Albermale (Isabela), por P.G. King

O *Beagle* a seguir velejou a oeste, passando pela ilha Brattle (Tortuga), o maior exemplo nas Galápagos de uma cratera de tufo,* cujo formato, um crescente perfeito, resultava de uma erosão demorada do vento sul. Após examinar a ponta sul da ilha Albermale (Isabela), velejaram para o norte, passando pela costa leste e oeste da ilha, onde Charles se impressionou com a disposição dos enormes vulcões. Bem no alto, de um dos lados do vulcão agora conhecido como Sierra Negra, viu uma cratera de onde saía um jato de vapor e lembrou-se de que, quando o *Beagle* estivera nas Galápagos em 1825, haviam observado atividade vulcânica. Ele queria muito ir à terra e escalar um dos vulcões, mas este foi um desejo nunca satisfeito. Na noite de 30 de setembro o *Beagle* ancorou no estreito Banks (Tagus), uma velha cratera vulcânica espremida entre as ilhas Albermale e Narborough (Fernandina). Contavam encontrar água fresca, mas se desapontaram. A sul do estreito, Charles encontrou uma bela cratera de forma elíptica com quase 1.500 metros no eixo maior e 150 metros de profundidade. O fundo estava coberto de água azul e clara, mas salgada como uma salmoura. A estrutura da cratera era incomum, pois ela consistia inteiramente de arenito vulcânico, e Charles encheu as *Notas de geologia* com uma descrição detalhada de suas características especiais.

A 2 de outubro o *Beagle* rodeou a parte norte da Albermale e, após uma luta feroz contra uma corrente, chegou à enseada Bucanero, na ilha James (San-

* O tufo é um material vulcânico produzido pela consolidação de cinzas vulcânicas e outros materiais produzidos na erupção, após esfriar. Charles observou que muitas das crateras nas Galápagos apresentavam um tufo de cor marrom.

Ilha James

tiago), no dia 8. Charles, Syms Covington, o sr. Bynoe e H. Fuller desembarcaram com provisões para esperar a volta do navio, que ia buscar água em Chatham. Ergueram as barracas em um pequeno vale perto da praia, após uma certa briga por lugar com as iguanas-da-terra, iguais às que haviam visto em Albermale. Charles escreveu nas *Notas de zoologia*:

> Este animal claramente pertence ao mesmo gênero que o outro, sendo terrestre, enquanto o outro é uma espécie aquática. São encontrados apenas na divisão central das ilhas, ou seja, Barrington, Indefatigable, Albermale e James. Nunca ouvi falar deles nem nunca os vi ao norte, em Charles, Hood ou Chatham, e ao sul, em Tower, Bindloes e Abingdon. Nas ilhas acima eles freqüentam tanto a parte alta, central e úmida como os distritos mais baixos e estéreis: neste último tipo de solo são especialmente abundantes. Para dar uma idéia disso, basta dizer que tivemos dificuldade em encontrar um pedaço de chão que não tivesse tocas e fosse de tamanho suficiente para levantar nossas barracas. São animais feios, e a parte de baixo de suas caras tem uma aparência singularmente estúpida. Os espécimes do capitão FitzRoy dão uma boa idéia do tamanho. As cores são: barriga, patas dianteiras e cabeça, "açafrão A e laranja holandês";* parte de cima da cabeça quase branca. As costas, atrás das patas dianteiras, parte de cima das patas traseiras e rabo "V Jacinto". Estas têm partes mais opacas, partes mais brilhantes, passando para o "V telha". Vi alguns indivíduos, especialmente os mais jovens, com todo o lado de cima do corpo bastante enfarruscado.
>
> São animais entorpecidos e lerdos, que, quando não estão assustados, se arrastam com a barriga e rabo no chão. Freqüentemente cochilam no chão quente, com os olhos fechados e as patas traseiras esticadas para fora. Em nenhum de seus movimentos existe a celeridade e atenção que são tão comuns nos verdadeiros lacertas [lagartos] e iguanas. Têm hábitos diurnos; raramente se afastam das tocas; quando assustados, correm para elas com um modo de andar muito desajeitado; exceto quando descem as colinas, o movimento, graças à posição lateral das

* As cores entre aspas são, mais uma vez, tiradas do livrinho de Symes.

pernas, não é rápido. Não são temerosos. Quando observam atentamente um intruso, curvam o rabo e, elevando-se nas patas dianteiras, como em desafio, sacodem a cabeça verticalmente em movimento rápido. Já vi pequenos lagartos muscívoros realizarem os mesmos gestos. Isso dá-lhes um aspecto bastante feroz; mas na verdade são bem o contrário. No entanto, quando capturados e cutucados com um pau, mordem-no positivamente. Quando se colocam dois juntos no chão eles brigam e se mordem até sair sangue.

Como eu disse, todos habitam tocas, que algumas vezes fazem nos fragmentos de lava; mas em geral constroem-nas no chão composto de arenito vulcânico. As tocas não parecem profundas, e a entrada tem um ângulo pequeno; assim, quando caminhamos nas áreas mais superpovoadas, a terra está sempre cedendo. Quando eles escavam esses buracos, os lados opostos do corpo trabalham alternadamente; uma pata dianteira raspa o chão por algum tempo e joga [o que cavou] para a traseira. Esta última fica colocada de modo a atirar a terra para além do buraco. Aí o lado oposto se encarrega da tarefa. Esses indivíduos — e eles são em grande número — que habitam a terra muito árida jamais bebem água durante quase o ano todo. Comem muito do cacto suculento, que evidentemente é apreciado. Quando se joga um pedaço perto deles, cada um tenta pegá-lo e carregar para longe, como os cachorros fazem com um osso. Comem sem mastigar os pedaços. O cacto é cobiçado por todos os animais; vi passarinhos bicando o lado oposto de um pedaço que um lagarto estava comendo. Sempre encontramos nos estômagos fibras vegetais e folhas de diferentes árvores, especialmente a mimosa. Na região mais alta e úmida o principal alimento é a fruta chamada *guayavita*; é a mesma que os cágados comem e tem um gosto ácido e adstringente. Diz-se que aqui eles bebem água. Para obter as folhas, trepam em pequena altura nas árvores; freqüentemente os vi agarrados aos galhos da mimosa. Desta forma, seus hábitos são tão herbívoros quanto os do tipo marinho. A carne cozida é branca e considerada boa pelos que conseguem obrigar o estômago a um regime destes. Observei que os poros no lado de baixo das coxas traseiras são muito grandes. Sob pressão, um órgão cilíndrico de alguns décimos de polegadas se protrai.

Existe algum outro gênero herbívoro entre os sáurios [lagartos]? Suspeito que esse gênero, cujas espécies são tão bem adaptadas a suas respectivas localidades, é peculiar a este grupo de ilhas.[9]

Na enseada Bucanera encontraram um grupo dos homens do sr. Lawson salgando carne de cágado; ele ajudou-os a encontrar a preciosa água. Mais tarde, quando as ondas chegaram até a fonte e estragaram a água doce, foram salvos por um baleeiro norte-americano que generosamente lhes deu três barris de água e uma cesta de cebolas. Os homens de Lawson levaram os viajantes por alguns dias para o "telheiro", em uma elevação de 600 metros, onde viviam os caçadores de cágados. Lá experimentaram carne de cágado frita no óleo transparente obtido da gordura. Sempre pronto para novas experiências gastronômicas, Charles comentou que "a placa peitoral, com carne grudada nela, é assada como os gaúchos fazem com a *carne con cuero*. É muito boa. Cágados novos dão uma sopa excelente — de outras formas a carne é, para meu gosto, um repasto indiferente."

Coletaram espécimes de todos os tipos durante a última semana nas Galápagos, e Charles resumiu as realizações no que dizia respeito a pássaros pequenos com uma confiança que se mostrou um tanto equivocada:

> Creio que as coleções de pássaros formada pelo sr. Bynoe, pelo capitão FitzRoy e por mim mesmo resultarão em uma série quase perfeita de pássaros. Nesta época do ano (final de setembro e começo de outubro), pelo estado em que os pássaros

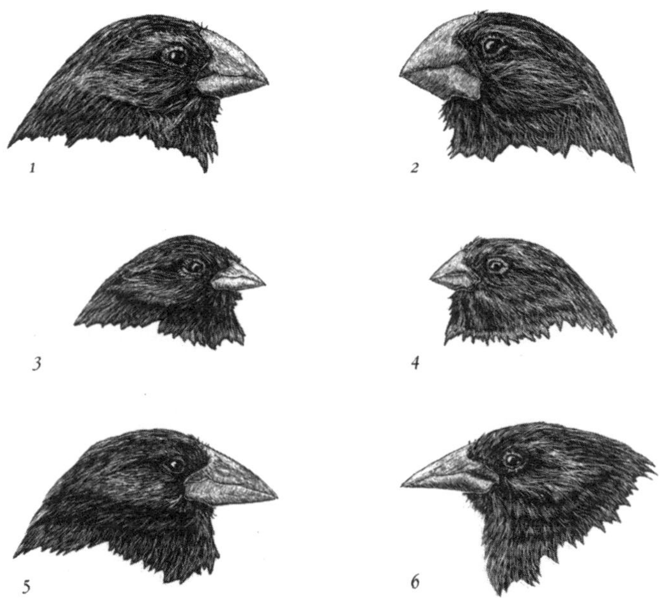

Bicos de seis espécies dos tentilhões de Darwin, por Thalia Grant

parecem ter, imagino que estejam com a plumagem perfeita. Em nenhuma fêmea dos pássaros menores os ovos no ovário estavam muito desenvolvidos. A ornitologia é manifestamente sul-americana. De longe o número preponderante de indivíduos pertence aos tentilhões e curiós. Parece haver muita dificuldade em estabelecer as espécies. Minha série tenderia a mostrar que apenas os machos velhos possuem uma plumagem negra: mas Bynoe e Fuller possuem, cada um deles, uma pequena fêmea preta. Certamente o número de pássaros marrons e escuros é imensamente maior do que os perfeitamente negros. Espécies marginais são bem caracterizadas. Só os vi na ilha James e mesmo assim em determinado lugar. Mas eram numerosos, alimentando-se das várias outras espécies. O sr. Bynoe tem um espécime muito mais negro. Posso afirmar que todas as espécies (e pombos) se alimentam juntas, em grande número, indiscriminadamente, e seu lugar favorito é o capim comprido e seco das partes baixas e secas da ilha, onde muitas sementes jazem ao solo. O tentilhão amarelo tem hábitos distintos: prefere estar pulando e trepando nos cactos, pegando as flores e os frutos com o bico afiado. No entanto, não é raro que voem para o chão e se alimentem junto com os bandos das outras espécies. Dos *muitos* espécimes que vi deste pássaro, obtive por sorte o único preto. O sr. Bynoe tem outro. Não tenho dúvidas a respeito de sua identidade: pois atirei nele, perto de outros, no cacto. Esta é uma ilustração da raridade comparativa dos tipos negros. Os curiós são muito nocivos. Eles atingem sementes e plantas enterradas a alguma profundidade.

Os pássaros insetívoros são comparativamente raros: encontram-se tanto nas partes baixas e secas como nas altas e úmidas. Fiquei espantado ao ver que, na luxuriante vegetação úmida, havia uma extraordinária escassez de insetos (ainda mais porque o fato é muito notável). Sendo este o caso, não é de se espantar que a ordem de pássaros acima seja escassa.[10]

Quase todos os pássaros em questão pertencem à família *Geospizinae*, nome dado por John Gould a uma nova família quando classificou os espécimes de Charles pouco depois da volta do *Beagle* à Inglaterra. Mas a despeito do considerável interesse científico, eles claramente não eram muito encantadores quando vistos no campo. Um erro imediato cometido por Charles foi supor, como se pode ver acima, que a cor negra dos indivíduos fosse um aspecto importante, quando de fato ela simplesmente varia com a idade. Além disso demorou a perceber que a característica vital distintiva dos diferentes membros da família era o tamanho e o formato dos bicos, de modo que, tal como o formato dos cágados mencionado pelo sr. Lawson, a aparência dos pássaros variava significativamente entre as diferentes ilhas. Em conseqüência disso, ele viu-se com um problema sério quando deixou de rotular imediatamente todos os seus espécimes de modo adequado com o nome da ilha em que haviam sido mor-

Daphne Major, por Thalia Grant

tos, e teve de pedir a FitzRoy e aos outros alguns de seus pássaros, felizmente mais bem rotulados.

Quando escreveu a edição de 1839 do *Diário de campo*, Charles se aproveitou do que havia aprendido com a classificação de Gould e disse:

> nas 13 espécies de tentilhões do chão, pode ser traçada uma quase perfeita gradação, de um bico extraordinariamente espesso, a um tão fino que pode ser comparado ao da toutinegra. Tenho a forte suspeita de que certos membros da série estão confinados em diferentes ilhas; portanto, se a coleção tivesse sido feita em *qualquer uma* das ilhas, ela não apresentaria gradação tão perfeita. É claro que, se várias ilhas têm cada qual sua espécie peculiar dos mesmos gêneros, quando essas espécies são colocadas juntas apresentarão uma variedade mais ampla de caráter. Mas no presente trabalho não há espaço para entrar neste curioso assunto.

A visão de FitzRoy sobre os pássaros da família *Geospizinae* era um pouco diferente. Como, desde seu casamento, em 1836, ele fora tomado por uma fé inabalável na Bíblia, escreveu: "Todos os passarinhos que vivem nestas ilhas cobertas de lava têm bicos pequenos, muito espessos na base, como o de um pisco-chilreiro. Parece ser uma das admiráveis providências da Sabedoria Infinita, pela qual cada coisa criada se adapta ao lugar ao qual estava destinada."

Na edição de 1845 do *Diário de campo* Charles desenvolveu um pouco mais suas idéias ainda estritamente particulares sobre o processo de fixação das espécies e admitiu que, "vendo essa gradação e diversidade de estrutura em um grupo de pássaros pequeno e intimamente relacionado, se pode realmente imaginar que, de uma pobreza original de pássaros neste arquipélago, uma espécie foi tomada e modificada para diferentes fins".

Afinal de contas os *Geospizinae* não ocuparam um lugar tão central no pensamento de Charles quanto supunha a lenda que quase um século depois se construiu acerca deles.* Foi David Lack[14] quem primeiro popularizou os *Geospizinae* como "tentilhões de Darwin" e fez um relato admirável da pesquisa sobre a evolução dos bicos desses pássaros. A palavra final foi dada recentemente por Peter Grant[15] ao descrever as observações feitas com a ajuda da mulher e das filhas na pequena ilha conhecida como Daphne Major, no centro das Galápagos. Vivendo em Daphne existem algumas centenas de tentilhões de solo, *Geospiza fortis* (PRANCHA 17), e de tentilhões de cactos, *G. scandens* (PRANCHA 18); colocaram-se anéis identificadores em toda a população, que foi pesada; fizeram-se amostras dos papos e tiraram-se as medidas dos bicos, em uma longa sucessão de ciclos de chuva determinados pelo El Niño, com as conseqüentes variações na disponibilidade de sementes de que os pássaros se alimentavam, com diferentes tamanhos e dureza. O efeito da seleção natural sobre o número de cada espécie e a evolução dos bicos com tamanho apropriado foi assim testado com sucesso para 27 gerações de tentilhões estudados sob condições estritamente naturais. É possível apenas admitir que aquele Charles um tanto indeciso começou a realizar o que se fez com êxito 166 anos depois: a triunfante demonstração do modo de evolução dos tentilhões observados em tempo real.

Apesar de tudo Charles avaliou que, no caso dos tordos com que havia se familiarizado na Argentina e no Chile, havia variações consistentes entre as diversas ilhas, e escreveu nas *Notas de zoologia*:

* A origem e o destino da lenda popular segundo a qual, assim que viu os *Geospizinae* nas Galápagos, a teoria da evolução de Charles lhe veio como um relâmpago à cabeça foi discutida com muita autoridade por Frank Sulloway em dois importantes artigos.[11,12] Uma análise detalhada da rotulação dos espécimes coletados pelo próprio Charles, complementados pelos de FitzRoy, Bynoe, Fuller e Covington, revela o que só pode ser descrito como um pesadelo de taxonomista. Charles invariavelmente insistia em ter muitas evidências de apoio a qualquer teoria, talvez por haver coletado relativamente poucos *Geospizinae* e somente de algumas ilhas é que eles não foram especificamente mencionados em *Transmutation Notebooks*[13] nem em *A origens das espécies*.

Este pássaro que é um aliado tão próximo do tenca do Chile (calandra de Buenos Aires) torna-se singular em relação aos existentes como variedades ou espécies distintas nas diferentes ilhas. Tenho quatro espécimes de quatro ilhas. Veremos que eles são de duas ou três variedades. Cada uma delas é constante em sua própria ilha.

O tenca da ilha de Albermale é o mesmo da ilha Chatham. Trata-se de um fato paralelo ao mencionado acerca dos cágados. Esses pássaros são abundantes em todas as partes; muito mansos e curiosos; hábitos exatamente semelhantes aos do tenca. *Corre* rápido, ativo, ligeiro; canta toleravelmente bem, gosta muito de pegar carne perto das casas, faz um ninho simples e aberto. Creio que seu grito é diferente do tenca chileno.[16]

Nas *Notas de ornitologia*, escritas nove meses depois (ver p.342), esta significativa passagem foi consideravelmente ampliada.

Charles observou que também havia sido coletado um número apreciável de pássaros marinhos, mas estes eram de menor interesse, à parte a fragata, com seu vôo espetacular, sobre a qual mais tarde ele especulou[17] a respeito da habilidade que tinha para não molhar os pés; estaria ligada ao escoamento da água na pele entre os dedos.

Há também o pássaro fragata. Existe uma parte dos hábitos deste pássaro que ainda não foi suficientemente descrita: é a maneira pela qual pega peixes ou pedaços de carne da superfície da água sem sequer molhar os pés. Nunca vi algum deles boiando na água. Como uma flecha o pássaro desce de grande altura com a cabeça esticada; com a ajuda da cauda e das longas asas, vira com extraordinária destreza no momento de pegar os objetos com o bico comprido. É um pássaro nobre no vôo, seja quando plana em bandos, a uma altura estupenda, seja quando mostra sua destreza perfeita em evoluções, quando muitos se lançam sobre a mesma coisa flutuante. Se o pedaço de carne afunda mais de 6 polegadas [15cm], está perdido.[18]

O extenso memorando de instruções do capitão Beaufort para a viagem do *Beagle* incluía a seguinte passagem:

Existem também alguns fenômenos notáveis, que serão anunciados nos almanaques náuticos e ocorrerão durante a viagem do *Beagle*. Alguns deles serão muito interessantes para astrônomos; e, se não atrapalhar muito as operações, é aconselhável buscar algum ancoradouro conveniente para desembarcar os instrumentos.

Se for descoberto algum cometa quando o *Beagle* estiver no porto, sua posição deve ser determinada toda noite, observando-se seu trânsito sobre o meridiano,

> sempre acompanhado pelas trajetórias das estrelas conhecidas mais próximas e por altitudes circumeridionais, ou medindo com um sextante a distância angular com relação a três estrelas bem situadas. Este último processo pode ser efetuado mesmo no mar, e a média de várias observações pode resultar em avaliações muito próximas da posição real.[19]

O cometa de Halley[20] faria uma de suas aparições com intervalos de cerca de 76 anos com uma passagem periélia (quando está mais próximo do Sol) em novembro de 1835, e portanto poderia ser visível quando o *Beagle* estivesse nas Galápagos naquele outubro. Mas nem no diário de bordo nem em qualquer outro lugar FitzRoy fez menção de tê-lo observado, talvez porque na posição geográfica do *Beagle* o cometa estivesse muito baixo com relação à linha do horizonte.

Enquanto isso o *Beagle* havia se abastecido de água na ilha Chatham e acrescentado mais 30 cágados aos 18 capturados em setembro. À parte os dois pequenos que por algum tempo Charles e Syms Covington guardaram como animais de estimação, foram todos comidos na viagem de volta. A 17 de outubro mandou-se um barco para pegar Charles e seu grupo; no dia 19 foram buscar o escaler na ilha Abingdon (Pinta); e no dia 20, após examinar as duas pequenas ilhas que ficam 160 quilômetros ao norte do grupo — Wolf (Wenman) e Culpepper —, o *Beagle* abriu velas para sua passagem de cinco mil quilômetros até o Taiti.

27

Pelo Pacífico até o Taiti

novembro – dezembro, 1835

Com as varredeiras abertas a cada lado e os ventos alíseos soprando com constância, o *Beagle* viajou para oeste a 240 ou 260 quilômetros por dia, de uma forma que Charles achou muito satisfatória. A 3 de novembro uma gaivina passou voando pelo navio, indicando que a terra não estava distante; aproximavam-se do arquipélago conhecido como ilhas Low, ou "Perigosas", um extenso grupo de ilhotas e atóis de coral poucos centímetros acima da água, embora em algumas delas houvesse coqueiros. Dez dias depois finalmente se afastaram do arquipélago, e a 15 de novembro ancoravam na baía Mataiva, no Taiti, nas ilhas Society.

Imediatamente foram cercados por canoas e, ao desembarcar na ponta Vênus, onde o capitão Cook e Joseph Banks haviam observado o movimento da estrela de mesmo nome* a 3 de junho de 1769,[1] foram saudados por uma grande multidão de rostos alegres e risonhos. Por sorte não era domingo, como apontava o calendário, pois desde os dias de liberdade e licenciosidade nas ilhas dos Mares do Sul testemunhados pelo *Endeavour* e pelo *Bounty*, na década de 1770, os missionários haviam imposto novos padrões de comportamento e um preceito estrito contra se lançar uma canoa à água em dia santo. Mas o

* O propósito original da viagem do HMS *Endeavour* aos Mares do Sul, de 1768 a 1771 — na qual o capitão Cook descobrira a Austrália — era observar no Taiti o trânsito do planeta Vênus pela face do Sol, o que deveria ocorrer em 1769, e depois só em 1874. Tratava-se de uma observação importante para determinar a distância entre a Terra e o Sol. O observatório de Cook no Taiti tornou-se o centro-padrão no Pacífico Sul para determinação da longitude; portanto, o plano Beaufort para a viagem do *Beagle* dava instruções a FitzRoy para verificar os cronômetros na ponta Vênus.

Beagle ainda não havia cruzado a linha internacional de data, e no Taiti a segunda-feira já chegara. Assim, no diário de bordo do *Beagle*, o dia seguinte foi registrado como terça-feira 17, e não segunda-feira 16, "de acordo com o nosso acompanhamento até então bem-sucedido do Sol".

Em uma carta para a irmã Caroline, Charles escreveu: "Com respeito a Otaheite, o paraíso *decaído*, não creio que haja muito o que ver." Ficou satisfeito com os habitantes, pois havia uma candura na expressão de seus rostos que de imediato afastava a idéia de selvageria. Mas, ao contrário do que seria de se esperar, desaprovou vigorosamente a resistência em adotar um estilo de roupa mais europeu e a "rídicula" nudez. Preferiu os homens às mulheres, pois a maioria deles era tatuada, e "os ornamentos seguiam tão graciosamente a curvatura do corpo que realmente têm um efeito muito elegante e agradável". Mas não gostou das tatuagens femininas, que comumente iam até os dedos, nem da moda quase universal de raspar os cabelos "da parte superior da cabeça, deixando apenas um anel em volta. Os missionários tentaram persuadir as pessoas a mudar este hábito, mas é a moda, e isso é uma resposta suficiente tanto no Taiti quanto em Paris". Embora Charles gostasse do costume que as mulheres tinham de usar uma flor na parte de trás da cabeça ou em um pequeno orifício em cada orelha, concluiu que, ainda mais do que os homens, elas precisavam de roupas adequadas.

Na manhã seguinte decidiu fazer uma excursão pelas montanhas e desembarcou com algumas provisões e dois cobertores, para Syms Covington e para ele próprio, amarrados na ponta de um pau. Pediu ao sr. Wilson, o missionário encarregado do distrito em volta de Mataiva, que arranjasse dois guias acostumados a carregar paus bastante pesados, a quem deu ordens categóricas para levar comida e roupas. Mas os guias afirmaram que havia muita comida nas montanhas e que suas peles constituíam cobertura suficiente. Charles e Covington subiram o vale do rio Tia-auru, que se origina na base das montanhas de 5.100 metros no centro da ilha e deságua no mar perto da ponta Vênus. O vale logo se estreitava, ficando pouco mais largo que o leito do rio, com paredes praticamente verticais de várias centenas de metros de altura formando uma garganta espetacular. Em um penedo abaixo do penhasco de lava os guias providenciaram uma refeição de peixinhos e camarões de água doce habilidosamente capturados no rio. Mais acima a água dividia-se em três correntes menores, das quais duas desciam em cachoeiras intransponíveis. A terceira, no entanto, oferecia um acesso precário a partes menos íngremes, situadas um pouco acima, trepando-se de uma pedra para a outra com a ajuda das cordas

Vista da baía de Papeete, Taiti, por Conrad Martens

que um dos guias amarrou usando o tronco de uma árvore morta como escada. E assim subiram, algumas vezes pelos penhascos, outras por saliências estreitas, com profundas ravinas de cada lado. Charles havia visto montanhas muito maiores nos Andes, mas nenhuma tão abrupta quanto aquelas.

À noite os guias rapidamente construíram uma excelente cabana de bambus e folhas de bananeira, usando as folhas de bambu como amarras. Depois de acender uma fogueira em poucos segundos, esfregando vigorosamente um pau no orifício feito em uma madeira branca e muito leve, esquentaram pedras do tamanho de uma bola de críquete, que foram enterradas com pequenos embrulhos feitos de folhas contendo pedaços de carne, peixe, bananas maduras e verdes e ramas de copos-de-leite. Em um quarto de hora estava pronta uma deliciosa refeição, acompanhada por água fria do riacho servida em cascas de coco. Em frente ao acampamento havia uma moita de cana-de-açúcar selvagem, e perto dela encontraram inhames selvagens (batatas-doces) e um lírio do mato chamado *ti*, com grandes raízes marrons doces como melado, e esta foi a sobremesa. Nenhum dos guias tocou na comida sem antes rezar uma breve oração, e antes de dormir o taitiano mais velho caiu de joelhos e fez uma longa reza em sua língua nativa. Charles comentou: "Os viajantes que acham que um taitiano só reza quando os olhos do missionário estão postos nele deveriam ter dormido conosco aquela noite na montanha."

Os bancos do rio eram sombreados pelos caules verde-escuros de uma planta liliácea chamada *ava*, muito apreciada pelos nativos por seus efeitos embriagadores (e possivelmente alucinógenos), mas que havia sido banida pelos missionários para aquelas ravinas remotas. Charles mascou um pedaço, de gosto acre e desagradável. Ele tinha levado uma garrafa de aguardente e observou que, quando os guias foram persuadidos a desistir de sua firme recusa e a aceitar um gole, eles colocaram os dedos na boca e murmuraram a palavra "missionário". A explicação era que, após a proibição da *ava*, o álcool tomara o seu lugar, e a alcoolismo passou a ser um problema. No entanto os missionários haviam convencido todos os chefes e a própria rainha a entrar em uma sociedade de temperança; com esse apoio influente, a proibição passou a incluir o álcool, pelo menos por enquanto.

No domingo, dia 22, alguns oficiais e parte da tripulação do *Beagle* compareceram a um serviço religioso em Papawa, uma pequena enseada perto de Mataiva, onde o missionário sr. Nott — o mais antigo do Taiti e que havia acabado de completar uma tradução da Bíblia completa em taitiano — construíra uma capela. FitzRoy levou um grupo a Papeete, capital da ilha e situada a sete milhas de Mataiva, onde compareceram a um serviço religioso na capela inglesa, uma grande construção espaçosa de madeira, com cerca de 15 metros de comprimento e nove de largura, teto alto e bem inclinado, lotada de pessoas de todas as idades e de ambos os sexos. A cerimônia foi conduzida primeiro em taitiano e depois em inglês pelo sr. Pritchard, missionário-chefe da ilha, de impressionante fluência em taitiano e em cuja casa depois encontraram três

A velha capela do sr. Nott em Papawa, por P.G. King

filhas de outros missionários que pareciam falar taitiano ainda melhor do que inglês. Tanto Charles como FitzRoy estavam preocupados com a veemência com que as atividades dos missionários haviam sido publicamente atacadas em anos recentes e mostravam-se ansiosos para formar sua própria opinião a respeito. Em um artigo conjunto publicado na África do Sul,[2] apoiados em vários trechos do diário particular de Charles, colocaram-se firmemente do lado dos missionários, negando que os taitianos houvessem se tornado uma raça melancólica e vivessem com medo. Certamente sentiam respeito pelos missionários, como Charles observara em sua expedição pelas montanhas, mas ele não viu traço de temor, e FitzRoy, no seu relato bem mais longo da visita ao Taiti,[3] concordava inteiramente com isso. Sobre a muito debatida questão da falta de virtude das mulheres, Charles observou que as cenas descritas por Cook e Banks 66 anos antes — quando a rainha Oberea foi encontrada na cama, saciada e sem pudores, com o amante de 25 anos — eram a conseqüência de uma moralidade ensinada às filhas pelas mães, em consonância com os preceitos religiosos da época. Ele acrescentou: "É inútil argumentar contra tais homens; creio que, desapontados por não encontrar o campo de licenciosidade tão aberto quanto antes, eles não dão crédito a uma moralidade que não desejam praticar, ou a uma religião que não valorizam ou mesmo desprezam."

No dia seguinte Charles contratou uma canoa e homens para levá-lo aos bancos de coral que cercavam a ilha do Taiti, a uma distância entre 800 e 1.600 metros da costa. Registrou que:

> Remamos por algum tempo em volta dos recifes, admirando os bonitos ramos de coral. É minha opinião que, além da confessada ignorância a respeito dos minúsculos arquitetos de cada espécie individual, pouco se sabe, a despeito do muito que já se escreveu, sobre a estrutura e origem das ilhas de coral e recifes.[4]

Na verdade aquela era a primeira ocasião em que ele via um recife de coral, embora fosse claro, pelos registros em seus cadernos de notas, que seus pensamentos haviam primeiro se voltado para eles nos meses que passou trabalhando sobre a elevação e depressão alternadas da costa oeste do Chile em épocas passadas. Conhecia o capítulo sobre a origem da forma das ilhas de coral no segundo volume dos *Principles*[5] e a idéia de Lyell de que os atóis circulares do Pacífico eram simplesmente crateras de vulcões submarinos que se elevavam acima do mar, em cujas bordas cresciam os corais. Charles, no entanto, preferia a conclusão oposta: mais provavelmente um rebaixamento gradual do fundo

Casa da rainha Pomare, por Conrad Martens

do oceano, enquanto os corais cresciam rapidamente na superfície do mar, era a explicação melhor para a formação não apenas dos pequenos atóis circulares, mas também dos recifes que circundavam ilhas muito maiores. O que viu naquele dia no Taiti, e que também podia ser observado na ilha vizinha de Eimeo (Moorea), confirmou que ele estava certo. Charles voltou ao assunto quatro meses depois, quando o *Beagle* chegou às ilhas Coco Keeling.

FitzRoy havia sido incumbido pelo comodoro Mason, em Valparaíso, de uma tarefa oficial no Taiti: encaminhar negociações a respeito de um incidente ocorrido cinco anos antes. O *Truro*, um pequeno navio de bandeira inglesa, fora saqueado, e o capitão e o imediato tinham sido assassinados pelos habitantes das ilhas "Paamotu", ou Low (arquipélago de Tuamotu em um atlas moderno), que à época eram formalmente governadas pela rainha do Taiti. O governo britânico havia exigido compensação, e a rainha concordara em pagar o equivalente a 2.853 dólares antes de 1º de setembro de 1835. FitzRoy recebeu instruções para descobrir quando e como a dívida seria paga.

A 23 de novembro a rainha Pomare foi de Eimeo a Papeete, sentada na amurada de uma baleeira e sem qualquer comitiva. Ao saber que ela estava disposta a conceder-lhe uma audiência, FitzRoy, tendo o sr. Pritchard como intérprete, foi à casa dela, onde a encontraram ressabiada e evidentemente à espera de uma severa preleção a respeito do *Truro*. A mãe, o marido e o padrasto da rainha entraram no aposento e sentaram-se ao chão, e FitzRoy entregou-lhes a carta do comodoro Mason. Concordaram em fazer no dia seguinte uma reunião com os chefes, a que ela presidiria, e FitzRoy e Pritchard se despediram, depois de apertarem as mãos do grupo real. FitzRoy ficou feliz por não ter de cumprir a cerimônia local de esfregar os narizes, mas achou uma pena que os missionários não tivessem feito mais no sentido de encorajar os taitianos a cercar sua rainha "com algumas das distinções rituais que, em todas as idades e nações, acompanham a autoridade principal".

No dia seguinte Charles e todos os oficiais que podiam se afastar de suas obrigações no *Beagle* foram levados por FitzRoy a Papeete, encontrando o sr. Wilson, o sr. Henry (filho de outro missionário, que havia nascido no Taiti) e Hitote (um conhecido chefe local) na casa do sr. Pritchard.

Quando um mensageiro disse-lhes que a rainha e outros chefes haviam chegado, eles se dirigiram à capela inglesa. Esperavam encontrar Pomare na área reservada da igreja próxima ao púlpito, do lado leste, mas ela e os chefes estavam sentados humildemente nos bancos rudes do lado oeste. Depois de apertar a mão de todos, Pomare aceitou o sr. Pritchard como intérprete, e os procedimentos foram abertos. FitzRoy leu a carta do comodoro Mason. Quando lhes perguntaram por que o dinheiro ainda não havia sido pago, os chefes replicaram que não tinham entendido como e a quem o pagamento deveria ser feito, e que pretendiam remediar a omissão imediatamente. FitzRoy advertiu Pomare com firmeza que, se isso não fosse feito, a reputação dela aos olhos do governo britânico iria sofrer, pois ele recebera instruções de tomar uma atitude firme, porque as ilhas Paamotu eram ricas em ostras perlíferas, e havia suspeitas de que os parentes de Pomare haviam se aproveitado da juventude da rainha, na época do incidente do *Truro*, para monopolizar o comércio de pérolas. Ficou decidido que o débito seria pago de imediato, usando-se 36 toneladas de ostras que pertenciam a Pomare e estavam em Papeete e recolhendo o restante entre os amigos. FitzRoy observou que não seria feita justiça se os taitianos inocentes pagassem pelos malfeitos dos moradores de Paamotu. Essa era uma questão a respeito da qual os chefes estavam divididos, mas no final chegou-se a um compromisso satisfatório, com um reajuste do valor das ostras. Pomare queria saber se o próximo navio de guerra não iria se queixar de que os assassinos não haviam sido entregues, mas FitzRoy garantiu que a questão seria vista como se eles tivessem sido julgados pelas leis do Taiti, e que ela havia exercido seu direito legal de perdoá-los.

Depois de cuidar da questão do *Truro*, FitzRoy fez então uma censura moderada a Pomare, por estar dando mais atenção às opiniões dos jovens do que

Casas no Taiti, por Conrad Martens

às dos conselheiros mais velhos e confiáveis que estavam ali presentes. Isso levou a uma pergunta de um dos sete chefes sobre o complicado caso de um baleeiro inglês, o *Venilia*, do qual pouco tempo antes 13 homens haviam desembarcado na ilha, provocando sério aborrecimento. Os taitianos haviam sido aconselhados pelo sr. Hill, outro capitão que freqüentava muito aquelas águas, a pedir 390 dólares ao governo inglês como compensação pelos prejuízos, mas não tiveram ajuda do cônsul britânico mais próximo, nas ilhas Sandwich (hoje Havaí). E assim eles haviam escrito para seu amado rei da Grã-Bretanha, pedindo que o capitão Hill — ou, não sendo ele, o reverendo Pritchard — fosse designado cônsul no Taiti. O resultado temporário foi a nomeação de Pritchard. Charles registrou que ficara muito bem impressionado nesse encontro pelo extremo bom senso, poder de raciocínio, moderação, franqueza e pronta resolução dos taitianos.

Terminados os assuntos oficiais, FitzRoy convidou a rainha a visitar o *Beagle* no dia seguinte. Quatro barcos foram enviados para buscá-la, o navio viu-se embandeirado, e os homens ocuparam os conveses para recebê-la a bordo. Charles observou que o comportamento dos chefes que acompanhavam a rainha era muito adequado, porque, ao contrário dos fueguinos, eles não pediam nada e pareciam muito gratos pelos pequenos presentes que recebiam. Mas, abandonando sua usual gentileza, declarou:

> A rainha é uma mulher grande e desajeitada, sem qualquer beleza, graça ou dignidade. Ela só parece ter um atributo real, ou seja, uma perfeita imobilidade de expressão (e esta geralmente é amuada) sob qualquer circunstância.[6]

Após o chá, esquecendo os preconceitos dos missionários contra qualquer coisa a não ser hinos religiosos, FitzRoy propôs que ouvissem algumas canções de marinheiros, para as quais o sr. Pritchard não conseguiu pensar em qualquer tradução melhor do que *himeni*. "Rule Britannia" e uma ou duas apresentações mais graves passaram com agrado; mais bem recebida foi uma canção cômica muito barulhenta, e a rainha observou que certamente não se poderia tratar de um *himeni*. O grupo real só deixou o navio depois da meia-noite, aparentemente feliz com a visita.

Charles observou que, à parte os recifes de coral, havia visto pouca coisa de especial interesse geológico no Taiti. A ilha era de origem inteiramente vulcânica, e, pelo caráter da maioria das lavas no vale de Tia-auru, concluiu que devia originalmente ter fluído de sob o mar. Não encontrou qualquer evidência de que tivesse ocorrido alguma elevação recente da terra, embora posteriormente os geólogos descobrissem restos marinhos a uma altura considerável nas montanhas do Taiti, mostrando que havia acontecido uma apreciável elevação em um passado não muito distante. Charles coletou alguns peixes nas águas em torno da ilha, mas pouca coisa além disso. Na noite de 3 de dezembro o *Beagle* zarpou para a Nova Zelândia, e ele deu adeus à "ilha a que todos os viajantes ofereceram seu tributo de admiração".

28

Nova Zelândia

dezembro, 1835

Após vários dias de ventos leves o *Beagle* passou próximo à ilha de Aitutaki, que apresentava uma combinação de ambas as classes de recifes de coral, consistindo de uma massa irregular elevada, rodeada por um círculo bem definido de recifes baixos. Uma quinzena depois, a Nova Zelândia foi avistada a distância, e Charles se consolou com o pensamento de que, agora, que haviam passado o meridiano dos Antípodas, finalmente cada légua que cobrissem significava uma a menos rumo à Inglaterra. A 21 de dezembro ancoraram na baía de Islands, na extremidade noroeste da ilha North. Em várias partes da baía havia grupos de casas com aparência suja, próximas da água. Três baleeiros estavam ancorados, e algumas canoas cruzavam de uma margem para outra; mas apenas uma delas se aproximou do *Beagle*. A cena era claramente menos encorajadora em comparação à alegre e barulhenta recepção do Taiti.

De tarde eles foram à terra, até um dos maiores grupos de casas, que mais tarde se tornaria uma aldeia chamada Paihia. As moradias eram ocupadas por missionários, com seus criados e trabalhadores. Havia no total 200 ou 300 ingleses residindo em torno da baía. Na manhã seguinte Charles deu uma caminhada e logo descobriu que as colinas eram impenetráveis, densamente cobertas de samambaias altas e arbustos baixos que cresciam como ciprestes. E mais: quase todas essas colinas, algum tempo atrás, tinham sido fortificadas, cortadas em terraços sucessivos e protegidas por trincheiras profundas. Mais tarde o reverendo William Williams explicou-lhe que ali era o Pas, descrito pelo capitão Cook como o lugar em que os primeiros imigrantes se defenderam dos ataques dos nativos maoris. Após a introdução das armas de fogo o Pas foi nivelado, e consistia de uma estacada dupla de postes altos e grossos, colocados em uma linha ziguezagueante, de modo que era possível flanquear todas as partes. No interior da estacada havia montes de terra atrás dos quais os defensores podiam descansar ou atirar. A ubiqüidade do Pas logo fez Charles pensar na principal diferença entre os nativos do Taiti, invariavelmente tão amigáveis com os estrangeiros, e os guerreiros maoris, com sua habitual belicosidade. O capitão Cook dissera que a primeira reação que tinham ao ver um navio era jogar pedras e dizer ferozmente, "Venham para a praia, nós vamos matar e comer vocês todos". Em 1835 havia muito menos animosidade, embora na parte sul da Nova Zelândia os nativos ainda tivessem de ser domados. Mas a natureza básica dos maoris não mudara.

De tarde Charles foi com FitzRoy e um dos missionários a Kororareka, a maior aldeia da vizinhança. Além de uma considerável população nativa, havia muitos residentes ingleses, infelizmente de péssimo caráter, inclusive alguns condenados que tinham fugido de Nova Gales do Sul. Havia muitas lojas de bebidas, e grassavam a embriaguez e todos os tipos de vício. Embora muitas tribos em outras partes da Nova Zelândia houvessem adotado o cristianismo, ali a maioria era de pagãos não-convertidos. Em lugares como Kororareka os missionários não eram muito queridos e queixavam-se bastante da conduta de seus próprios compatriotas que do comportamento dos nativos. Charles afirmou que os missionários achavam só poder confiar na proteção dos chefes nativos contra os ingleses.

Charles e FitzRoy caminharam pela aldeia e falaram com muitos maoris, homens, mulheres e crianças. O povo com quem mais facilmente poderiam ser comparados era naturalmente os taitianos; mas embora os maoris fossem possivelmente superiores em energia, Charles achou que em todos os outros aspectos mostravam-se definitivamente inferiores. Bastava olhar seus rostos para concluir que os taitianos eram relativamente mais civilizados, e Charles deduziu que em toda a Nova Zelândia não se encontraria um único homem cujo rosto e semblante se comparasse ao do velho chefe taitiano Utamme. Um fator que contribuía para a comparação desfavorável era a maneira extraordinária como os rostos dos maoris eram tatuados, em padrões complicados, embora estritamente simétricos, com linhas cortadas na pele com um instrumento cego de metal e depois enegrecidas. Segundo FitzRoy, tais padrões eram marcas armoriais primitivas para distinguir as tribos, mas também serviam para impedir que as feições mudassem com a idade. Quando os missionários tentavam impedir que as mulheres fossem tatuadas, elas pediam: "Deixem-nos fazer algumas linhas nos lábios, assim eles não vão enrugar quando ficarmos velhas."

NATIVE OF KING GEORGE SOUND

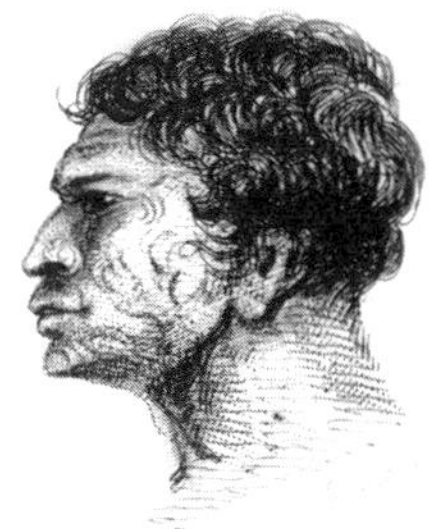

NEW ZEALANDER

NEW ZEALANDERS.

Desenhos de neozelandeses por Robert FitzRoy e Augustus Earle

Fossem o que fossem, as incisões das tatuagens tinham o efeito de eliminar o movimento dos músculos superficiais do rosto e davam aos maoris um ar nada atraente de rígida inflexibilidade.

Os maoris eram altos e de constituição sólida, mas, ao contrário da opinião de Augustus Earle em *A Narrative of Nine Months' Residence in New Zealand*,[1] não eram tão elegantes quanto os trabalhadores do Taiti. FitzRoy e Charles ficaram um pouco aborrecidos com o livro de Earle, pelas críticas à frieza dos missionários com relação a ele, pois os sacerdotes sabiam que Earle sempre fora recebido com muito mais educação do que sua evidente licenciosidade merecia. Tanto as casas como os próprios maoris eram imundos e jamais pensavam em se lavar. A terra era dividida por fronteiras bem determinadas entre as várias tribos, e cada tribo consistia de homens livres e escravos capturados em guerras; mas não havia vestígios de qualquer lei formal que governasse aquele povo. Charles afirmou que, se o estado em que os fueguinos viviam fosse fixado em zero na escala dos governos, os maoris não estariam muito acima disso, enquanto o Taiti ocuparia uma posição bastante respeitável.

Em um lugar chamado Waimate, a cerca de 24 quilômetros da baía de Islands e a meio caminho entre as costas leste e oeste, os missionários haviam comprado terras com propósitos agrícolas, e como o reverendo William Williams convidara Charles a visitá-lo, o sr. Busby, o residente britânico encarregado do distrito, se ofereceu para levá-lo de barco até um riacho perto de Waimate, a partir de onde um guia iria conduzi-lo. A trilha estendia-se por um caminho bem usado, cercado dos dois lados pelas samambaias altas que cobriam todo o país. Embora ninguém morresse de fome na Nova Zelândia — porque as raízes dessa samambaia eram muito nutritivas, e houvesse muitos mariscos no mar, a introdução da batata, muito mais palatável, foi bem-vinda. Passaram por uma aldeia nativa onde, depois que Charles recebeu uma lição sobre a cerimônia de esfregação de narizes, descansaram por meia hora enquanto os guias fumavam seus cachimbos.

Finalmente chegaram a Waimate, onde o súbito aparecimento de três casas de fazenda inglesas colocadas ali como que por efeito de uma varinha de condão foi extraordinariamente agradável. Os missionários Williams, Davis e Clark moravam nas casas, e perto havia cabanas para os trabalhadores nativos. Em um morro ao lado havia belas plantações de cevada, de trigo já espigando, batata e trevo. Também viam-se pomares em que todos os tipos de frutas inglesas e outras de clima mais quente cresciam vigorosamente. Havia estábulos, um galpão com uma máquina de debulhar e joeirar, uma forja de ferreiro e uma feliz mistura de aves e porcos no meio do pátio. Algumas jardas adiante um riacho fora represado e construíra-se um moinho. Como cinco anos antes o lugar nada produzia além de samambaias, e como todo o trabalho havia sido feito por maoris não treinados, a cena era um bom apoio à política de civilizar os nativos apresentando-os às artes práticas, e não à instrução religiosa.

Na manhã seguinte foram lidas orações na língua nativa para toda a família. Era dia de feira, e após o desjejum Charles viu os nativos trazerem seus estoques de batata, milho e porcos para trocar por cobertores, tabaco e, depois de alguma conversa, por sabão. Mais tarde ele caminhou com Williams e Davis até uma floresta próxima, onde crescia o famoso pinho *kauri*; encontrou um deles cuja circunferência na base era de nove metros, que não tinha galho algum e quase nenhuma variação de circunferência até a altura de 18 metros ou mais. Foi apresentado ao cânhamo, que era o segundo produto de exportação da Nova Zelândia, depois da madeira, e viu muitas samambaias gigantes bem bonitas. Mas nas florestas havia poucos pássaros, e Charles não teve a sorte de ver nenhum *kiwi*, um pássaro corredor que vive nas florestas, hoje conhecido como típico da Nova Zelândia. Ficou muito impressionado pelo fato de que uma ilha tão grande — que se estendia por quase 1.600 quilômetros de comprimento e 240 de largura em algumas partes, com um excelente clima e relevo de até 4.200 metros de altura — possuísse apenas um único animal (sua designação habitual para mamíferos) alóctone, um pequeno rato. Mais tarde foi de grande interesse para ele a questão de explicar os habitantes das ilhas oceânicas.[2]

FitzRoy também foi a Waimate e concordou com Charles quanto aos empreendimentos agrícolas. Os missionários estavam muito interessados em conhecer as tentativas de FitzRoy na Terra do Fogo, que encaravam como uma primeira etapa promissora, e não como um fracasso. Logo foi decidido que Richard Matthews ficaria na Nova Zelândia com o irmão, um respeitável missionário e artífice estabelecido na parte norte da ilha e que mais tarde se casaria com a filha do sr. Davis.

Na tarde de 30 de dezembro o *Beagle* partiu da baía de Islands rumo a Sydney. Charles refletiu que todos a bordo estavam felizes por deixar a Nova Zelândia, pois aos nativos faltava totalmente a encantadora simplicidade que haviam encontrado no Taiti. E só quem havia ido a Waimate encontrara um lugar atraente de verdade.

29

Austrália

janeiro – março, 1836

O primeiro porto da Austrália especificado nas instruções de navegação para o *Beagle* elaboradas por Beaufort era Port Jackson, próximo a Sydney, onde o observatório de Parramatta tinha longitude absolutamente determinada — e no qual, portanto, os cronômetros de FitzRoy deviam ser conferidos. Enquanto o capitão fazia isso, uma das primeiras providências de Charles foi procurar Conrad Martens — que, munido de uma convincente carta de apresentação de FitzRoy para o capitão P.P. King, havia chegado a Sydney a 17 de abril de 1835 e rapidamente instalara um estúdio na rua Bridge. Martens já iniciara a esplêndida série de pinturas que o transformaria no principal artista da Austrália. Charles encomendou-lhe as aquarelas desenvolvidas a partir dos desenhos a lápis que havia feito do *Beagle*, no estreito Ponsonby, a 5 de março de 1834, e da coluna de homens rebocando o barco pelo rio Santa Cruz acima, a 3 de maio de 1834.[1]

Charles contratou então um guia e dois cavalos para levá-lo pelas montanhas Blue até Bathurst, 160 quilômetros a nordeste de Sydney, para ter uma idéia geral da paisagem do país.[2] A primeira impressão que teve sobre a região foi de extrema uniformidade, com carreiras infindáveis de eucaliptos bem adaptados ao clima seco. Contudo, aquela folhagem verde-claro que durava o ano inteiro e os troncos descascados não transmitiam a visão de algo fértil, mas sim de esterilidade árida. No segundo dia ficou satisfeito por encontrar um grupo de aborígines carregando feixes de dardos e outras armas, que manejavam com grande destreza. Mas como se recusavam terminantemente a cultivar o solo, ou até mesmo a cuidar de um rebanho de ovelhas, deviam ser encarados estritamente como caçadores-coletores, e Charles colocou-os poucos graus de civilização acima dos fueguinos.

Depois de cruzar o rio Nepean na passagem Emu, os visitantes tomaram a estrada que pouco tempo antes havia sido construída nas colinas de arenito e ia até o topo achatado das montanhas Blue, a uma altitude de cerca de 900 metros; após almoçarem em uma pequena taverna chamada Weatherboard, Charles desceu para ver os rochedos espetaculares da cachoeira Wentworth, que haviam sido pintados por Conrad Martens pouco depois de sua chegada a Sydney (PRANCHA 20). No dia seguinte foi apreciar uma cena semelhante no salto Govett. Aquele era um exemplo dos diversos vales notáveis, cercados por rochedos verticais, que cortavam as montanhas e abriam-se em grandes depressões na forma de anfiteatro. Primeiro Charles achou que os vales haviam sido erodidos pela água superficial; mas depois começou a pensar se isso era compatível com a taxa de erosão existente; e, ao descrever o fenômeno em seu livro sobre ilhas vulcânicas,[3] sugeriu que um dia a área poderia ter estado submersa, sofrendo erosão marinha. Mais tarde, quando se concluiu que as montanhas Blue haviam se elevado há 180 milhões de anos, e que os vales estavam sofrendo erosão por muito mais tempo do que se imaginava até então, os geólogos voltaram atrás e aceitaram como válida a proposição original de Charles.

Ele então desceu à região de granito, 300 metros abaixo, onde foi convidado a visitar um grande estabelecimento de criação de ovelhas. Quando soube que o trabalho era realizado por prisioneiros, seus fortes sentimentos contra a escravatura logo afloraram. E escreveu no diário:

> O pôr-do-sol de um belo dia geralmente traz um ar de contentamento a qualquer cena; mas aqui, nesta afastada casa de fazenda, as cores mais brilhantes das florestas vizinhas não podiam me fazer esquecer que 40 homens endurecidos e devassos estavam terminando seus trabalhos diários como escravos africanos — e, no entanto, sem os justos reclamos de compaixão.[4]

No entanto, mesmo que alguns dos homens pudessem ser endurecidos, devassos e não merecedores de compaixão, Charles não estava necessariamente certo ao supor que fossem tratados com injustiça.

Ele também foi levado a uma caçada de canguru; ainda que não tivessem encontrado ao menos um desses animais, os galgos encurralaram um "canguru rato" no oco de uma árvore, de onde tiraram um bicho do tamanho de um coelho, embora se tratasse evidentemente de um marsupial. Pouco tempo antes o distrito estava cheio de animais selvagens, mas os galgos ingleses haviam exterminado muitos deles. Apesar disso, ali se encontravam alguns bandos grandes de cacatuas brancas e amarelas alimentando-se em um campo de trigo,

Armadilhas cônicas de uma formiga-leão
(de F.W. e S.M. Nicholas, Beagle Diary, *p.402-3)*

belas pegas em preto-e-branco, semelhantes às européias, e alguns papagaios exoticamente coloridos. Charles achou que tivera sorte ao cruzar com um grupo dos famosos ornitorrincos com bico de pato, de tal modo brincando em um riacho — muito embora mostrassem pouco de seu corpo —, que mais pareciam ratos-d'água. O superintendente da fazenda, o sr. Browne, atirou em um deles, e Charles escreveu para o capitão P.P. King, a quem pretendia visitar no caminho de volta a Sydney, dizendo: "Considero um grande feito estar presente à morte de um animal tão maravilhoso." Ele deve ter empalhado o ornitorrinco, pois comentou que o espécime não dava uma boa idéia da aparência da cabeça e do bico do animal vivo, porque este já se havia enrijecido e contraído. Mas o bicho acabou não sendo preservado em sua coleção.

Charles fez um registro significativo no diário:

> Pouco tempo antes disso, eu estava deitado em uma margem ensolarada e refleti sobre o estranho caráter dos animais deste país comparados aos do resto do mundo. Alguém que não acredite em nada além de sua própria razão poderia exclamar: "É claro que dois Criadores distintos entraram em ação; no entanto, o objetivo de ambos era o mesmo, e certamente, em cada caso, foi alcançado." Enquanto pensava nisso, observei a armadilha cônica da formiga-leão: uma mosca caiu nela e desapareceu imediatamente; então veio uma formiga grande e descuidada; como sua luta para escapar era muito violenta, imediatamente lançaram contra ela os pequenos jatos de areia descritos por Kirby (vol. 1, p.425). (*Nota à margem:* NB: A

armadilha tinha cerca de metade do tamanho da descrita por Kirby.) O destino da formiga, no entanto, foi mais feliz que o da pobre mosca; sem dúvida esta larva predadora pertence ao mesmo gênero, mas de uma espécie diferente da européia. Agora, o que o cético diria disto? Será que dois trabalhadores jamais poderiam conceber um artifício tão bonito, tão simples e no entanto tão artificial? Não se pode pensar assim. Certamente uma só mão trabalhou em todo o universo. Um geólogo talvez sugerisse que os períodos de Criação foram distintos e remotos um com relação ao outro; que o Criador descansou em seu trabalho.[5]

É preciso levar em conta que naquele momento os pensamentos de Charles haviam começado a ponderar que a Criação Especial apresentava dificuldades para explicar adequadamente as observações que fazia sobre as distribuições geográficas de inúmeras espécies de pássaros e mamíferos e as semelhanças entre certas espécies existentes e as extintas. Mas, seis meses antes, o que ele viu entre os tordos nas Galápagos levou-o a pôr no papel as primeiras dúvidas a respeito da estabilidade das espécies. No começo de 1836, em seus documentos privados, dirigidos apenas à família, ainda falava do Criador, concluindo que uma única mão trabalhara em todo o universo. Quando, em 1839, elaborou essa passagem para incluir no *Diário de campo*, a situação havia mudado, pois a série de anotações sobre o mecanismo de especialização já se encontrava bem adiantada, e sua intenção era manter estritamente no domínio privado suas idéias perigosas, sem divulgá-las para ninguém. Assim, a principal mudança feita foi substituir "cético" por "descrente", além de omitir a frase final.

Uma formiga-leão australiana, larva de um hemerobiídeo da ordem Neuroptera

Na edição de 1845 do *Diário de campo* o episódio limitou-se a uma nota de rodapé, e as cinco últimas frases foram suprimidas.

Charles cavalgou até Bathurst a convite do comandante das forças militares. Mas sua impressão do lugar não foi das melhores, graças sobretudo a uma severa seca que reduzira o rio Macquaire a uma série de poços, privando os oficiais de sua única recreação, a caça às codornizes. Regressou por uma estrada diferente, chamada Linha Lockyers. Era muito mais montanhosa e pitoresca e levou-o de volta às montanhas Blue, onde dormiu em Weatherboard; fez ainda outra caminhada até ao grande anfiteatro da cachoeira Wentworth. Depois de cruzar o rio mais uma vez na passagem Meu, encontrou o capitão King e foi até uma fazenda em Dunheved que King ganhara em 1806 do pai (P.G. King, pai), então governador da colônia, e para a qual o capitão se retirara em 1831, depois de deixar a Marinha Real Britânica. Passaram uma tarde agradável caminhando pela fazenda e conversando sobre a história natural da Terra do Fogo.

No dia seguinte cavalgaram até Parramatta, onde o cunhado de King, Hannibal Hawkins MacArthur, acabara de construir uma suntuosa mansão em estilo greco-romano chamada Vianaco, em sua propriedade em Vineyard. Havia cerca de 18 pessoas para o almoço na grande sala de jantar, e pareceu estranho a Charles ouvir belas e jovens senhoras exclamarem: "Oh, nós somos australianas, não sabemos nada sobre a Inglaterra." Curiosamente, duas das seis moças mais tarde se casaram com colegas de Charles no *Beagle*. Um deles foi o simpático primeiro-tenente John Wickham — que comandou o *Beagle* de 1837 a 1842 em uma terceira viagem de levantamento pela costa noroeste da Austrália, e depois se aposentou da Marinha para casar com Annie e se estabelecer por alguns anos naquele país. O outro foi Philip Gidley King, que ficou na Austrália com o pai, casou com Elizabeth em 1843 e fez uma longa e bem-sucedida carreira na administração de diversas empresas agrícolas e comerciais. De tarde Charles deixou aquela casa tipicamente inglesa e cavalgou sozinho até Sydney.

Ao escrever para a irmã Susan, a 28 de janeiro de 1836, Charles pintou um quadro surpreendentemente favorável sobre o futuro da Austrália, embora não pudesse deixar de sentir desagrado com a grande proporção de ex-condenados entre a população; a seu ver, eles eram intensamente cobiçosos e não conheciam outros prazeres além da sensualidade. Terminava a carta com uma confissão:

> Diga a meu pai que acho que serei obrigado a fazer um pequeno empréstimo em Hobart. Sei que ele dirá que qualquer sugestão dessas sobre tal assunto exige aten-

ção, como se fossem previsões de uma revelação sagrada. Mas na verdade não me sinto muito oracular a esse respeito. Fui extravagante e comprei duas aquarelas, uma do rio Santa Cruz e outra da Terra do Fogo, a três guinéus cada; adquiri-as de Martens, que agora é um artista estabelecido neste lugar. Não teria feito isso se tivesse adivinhado que minha viagem a Bathurst sairia tão cara.

Na mesma época a escolha de FitzRoy foi uma vista de Moorea, pela qual pagou dois guinéus. Mais tarde encomendou aquarelas pintadas a partir de diversos desenhos que Martens fizera no *Beagle*; eles serviram de base para a elaboração das gravuras que ilustraram as *Narrative 1* e *2*.

O porto seguinte do *Beagle*, segundo a lista de Beaufort, era Hobart, na Tasmânia, onde ancoraram na boca do rio Derwent a 5 de fevereiro. Charles desembarcou e descobriu que a cidade era mais bem servida de água do que Sydney, embora em outros aspectos fosse muito pior. Ficou deprimido ao saber que, após uma luta violenta com os imigrantes brancos, os aborígines haviam sido sistematicamente eliminados, e que naquele momento cerca de 60 sobreviventes eram mantidos como prisioneiros na ilha Flinders, no estreito Bass. Em 1847 eles foram transferidos para um velho presídio ao sul de Hobart, mas as doenças européias e a cobiça dos vendedores itinerantes e dos lenhadores continuaram a fazer estragos; o último aborígine tasmaniano de sangue puro morreu em 1876.

Nos dias seguintes Charles fez algumas caminhadas agradáveis para examinar a geologia da Tasmânia. Com certo estorvo, em razão da densidade dos imensos eucaliptos e samambaias, escalou o monte Wellington até o topo, onde encontrou grandes massas angulares de dioritos. As partes baixas das montanhas eram cercadas por rochas basálticas apresentando indícios de terem fluído como lava; continham conchas fósseis e briozoários semelhantes aos encontrados nos estratos silurianos, devonianos e carboníferos* da Europa. Na baía Ralphs, as margens leste e oeste estavam cobertas, até uma altura de nove metros acima da marca da maré alta, de conchas quebradas misturadas a seixos, indicando que ocorrera uma elevação muito pequena da terra em épocas mais recentes.

Enquanto Charles concentrava-se basicamente na geologia, Syms Covington coletava alguns lagartos interessantes, inclusive um cincídeo e um lagarto manchado e de língua azul do mesmo gênero. Charles também coletou uma cobra

* Portanto, entre 300 e 400 milhões de anos atrás.

cujo abdome abriu-se na captura, revelando um ovo desenvolvido de onde emergiu uma cobrinha. Ele teve a impressão que ela pertencia à família colubrídea, que conhecia da Inglaterra, não-venenosa e ovípara, e ficou intrigado porque esta era evidentemente vivípara. A explicação disso era que não se tratava, como ele julgara inicialmente, de uma inofensiva colubrídea, mas de um membro da família elapídea, vivípara e altamente venenosa, uma cobra tigre negro ou cabeça de cobre. Felizmente seu erro não teve conseqüências desastrosas.

Um dos temas favoritos de Charles por onde quer que fosse era sempre a distribuição dos besouros copröfagos que desempenhavam um papel biológico tão importante em países onde havia grandes quantidades de herbívoros cujo esterco devia ser bem distribuído pela terra para manter a fertilidade. Mas em locais como Maldonado, no Uruguai, ele descobriu que o amplo repasto proporcionado pelas imensas manadas de cavalos e bois ficava intocado, provavelmente porque não havia besouros coprófagos nativos para se alimentar do esterco. Na Tasmânia os únicos herbívoros de grande porte eram os cangurus, com esterco em forma de bolotas, obviamente inadequado para o consumo de besouros coprófagos. Charles então examinou cuidadosamente o esterco dos rebanhos que haviam sido introduzidos 30 anos antes, e de imediato descobriu nada menos que seis espécies diferentes de besouros coprófagos. Comentou que a questão era muito curiosa e merecia nova investigação.

Outra descoberta interessante feita por ele sob uma árvore apodrecida na floresta, foi uma família de platelmintos turbelários de um tipo desconhecido, evidentemente relacionado com outros que havia encontrado na América do Sul. Por oito semanas conservou alguns espécimes vivos em sua cabine do *Beagle*, em um pires com madeira podre, até que eles morreram com a temperatura muito alta na latitude que o navio então alcançara. Mais tarde os platelmintos foram classificados em Londres como espécie de um novo gênero, tasmanoplana, da subfamília *Geoplaninae*. Antes que morressem Charles fez algumas observações valiosas sobre a regeneração de espécies secionadas, sobre a morte de platelmintos terrestres e a fotofobia desses animais.

Quanto à vida social, Charles tinha uma carta de apresentação para o inspetor-geral da Tasmânia, o sr. Frankland, que não apenas lhe deu alguns úteis espécimes geológicos de áreas que ele não havia visitado, como o recebeu em casa, no que Charles descreveu como a tarde mais agradável que havia passado desde que deixara a Inglaterra. Ele chegou à conclusão de que a sociedade em Hobart tinha uma vantagem considerável sobre Sydney, por não possuir nenhum ex-prisioneiro rico.

O ponto seguinte na cadeia de distâncias meridianas que o *Beagle* tinha de determinar era uma povoação recente no extremo sudoeste da Austrália — e que depois se tornou Albany. Após três semanas de navegação sem ventos fortes, mas com um balanço que causou grande infelicidade a Charles, o navio ancorou na barra da enseada King George. Ali permaneceu por oito longos e aborrecidos dias. À primeira vista e a distância, a cor verde brilhante dos arbustos e de outras plantas sugeriam um lugar fértil; mas a impressão foi desfeita na primeira caminhada de Charles, que nunca mais quis andar por um lugar tão pouco convidativo. A única área cultivada era em volta da casa do novo governador, que tinha sido oficial da marinha a meio soldo em Lyme Regis e fora levado a aceitar o posto em troca do título de cavaleiro. Ao chegar, com nove filhos e 11 criados, descobriu que estava contribuindo para dobrar o contingente da população local.

A vantagem da nova colônia era a natureza cooperativa e amigável dos aborígines, que, apesar da compleição leve e dos rostos barbados — julgados por Charles extremamente feios e por FitzRoy, ao contrário, como de "aparência muito boa" —, eram capazes de realizar os mais árduos trabalhos manuais, em contraste com os nativos de Nova Gales do Sul. Charles achou que era impossível não gostar dessas pessoas calmas e de natureza tão bondosa. No segundo dia da visita do *Beagle* algumas pessoas de uma grande tribo chamada Homens da Cacatua Branca foram à cidade, sendo convidadas a fazer o *corroboree*, uma dança nativa, com os homens de King George. Segundo FitzRoy, tentados com a oferta de Charles de uma tina de arroz cozido e açúcar, eles aceitaram, e depois que todos se pintaram com listas e bolas brancas a dança começou. Algumas vezes correndo em fila indiana, outras vezes de lado, pisando forte e rosnando, batendo paus e armas, gesticulando e contorcendo o corpo, os dois grupos se misturavam e separavam. Algumas das danças aparentemente representavam guerras e vitórias passadas. Na dança do *emu*, cada homem esticava o braço imitando o movimento do pescoço do pássaro; em outra, um homem imitava o pássaro caçando na floresta, enquanto um segundo fingia atingi-lo com a lança. Todos os participantes estavam muito alegres, e Charles achou que nunca havia visto nativos tão felizes e tão perfeitamente à vontade.

A geologia da enseada King George não apresentava qualquer interesse particular. Mas, com a ajuda de Syms Covington, Charles fez coletas muito úteis de peixes — com quatro entre dez espécies novas — e achou um camundongo, capturado nos arbustos com uma armadilha de queijo, mais tarde classificado como novo rato dos arbustos da Austrália e que inesperadamente não era marsupial. Encontrou também algumas rãs elegantes; uma lapa de respiração aeróbica ainda viva depois de acidentalmente ter sido posta em papel absorvente por 12 dias; e uma craca com uma curiosa larva de seis pernas. Nada menos de 66 espécies de insetos foram coletadas, das quais 48 novas; seis foram posteriormente denominadas a partir dessa descoberta. Infelizmente Charles perdeu coisas importantes, porque em uma área hoje famosa no mundo todo pelo número excepcionalmente grande de plantas indígenas, não viu nenhuma delas. Teria se dado melhor na primavera; e evidentemente não poderia saber que, 40 anos depois, quando se trabalhava em Down House com plantas insetívoras, eram impressionantes os poderes digestivos das *Nepentheaceae*.

A partida do *Beagle* foi atrasada uma semana pelo mau tempo, e Charles escreveu em seu diário: "Adeus, Austrália, você é uma criança em crescimento e sem dúvida algum dia vai reinar como uma grande princesa do sul; mas é muito grande e ambiciosa para que alguém se afeiçoe a você; não tão grande, contudo, que inspire respeito; deixo suas praias sem pena ou lamento."

30

Ilhas Coco Keeling

abril, 1836

O capitão Beaufort havia sugerido que, na travessia do *Beagle* de volta à Inglaterra, "talvez, ao cruzar o oceano, se as circunstâncias forem favoráveis, poderiam examinar as ilhas Keeling e estabelecer a posição delas". Assim, a 1º de abril de 1836, o *Beagle* chegou ao canal que atravessava a barreira exterior de recifes na laguna central das ilhas Coco do Sul, ou Keeling, a leste do oceano Índico. Esse remoto grupo de ilhas de coral foi descoberto originalmente em 1608, mas pouco se sabia a respeito delas até 1826, quando um aventureiro ali se instalou com alguns escravos malaios. Pouco depois um capitão inglês chamado Ross, junto com seu imediato, o sr. Liesk — que deixou Charles muito impressionado pela inteligência —, montou as bases de um povoamento ordenado. A futura prosperidade das ilhas dependia inteiramente dos numerosos coqueiros que nelas cresciam, pois o único produto dali era o óleo de coco; além disso, esses frutos alimentavam os porcos, gansos e patos criados pelos malaios. De interesse menos comercial, porém de apreciável interesse biológico, era a população de notáveis caranguejos do coco, *Birgus latro* Linn. Essa interessante espécie de caranguejo grande era adaptada para subir nas árvores e possuía pinças capazes de abrir os cocos, alimentando-se de seu conteúdo.

Charles ficou muito satisfeito de poder finalmente examinar de modo adequado a estrutura de uma ilha de coral. Como a água era extraordinariamente tranqüila, caminhou até os montes de coral vivo, onde as ondas do mar quebravam. Nos canais e grotas havia belos peixes verdes e de outras cores; as formas e os tons dos corais eram admiráveis, embora, na opinião de Charles, alguns naturalistas tivessem se entregado a uma linguagem excessivamente exuberante ao descrever as belezas das grotas submarinas. A exposição mesmo que breve dos corais ao ar e ao sol mostrava-se fatal, um ponto crítico que, segundo ele, já havia sido apontado por alguns chefes no Taiti e confirmado pelo sr. Liesk. Desse modo era difícil obter um espécime de coral vivo, exceto quando a maré estava excepcionalmente baixa; ou por outra devia-se usar uma vara para saltar até a margem externa do recife, sobre a qual o mar quebrava. Por duas vezes Charles conseguiu saltar e encontrar o que chamava de "poritos" vivos formando grandes massas arredondadas, irregulares, de 1,20 a 2,40 metros de largura e pouco menos de espessura. Os montes eram separados um do outro por estreitos canais de cerca de dois metros de profundidade que interceptavam os recifes em ângulo reto. Todos os pólipos nas células superiores encontravam-se realmente mortos, mas entre meio e um metro abaixo estavam vivos, formando uma borda que se projetava para fora. Ele pôde ver que poucos metros adiante os pólipos que cobriam o topo dos montes permaneciam vivos; assim, Charles estava sobre o limite superior e externo dos corais que formavam a margem de fora do recife. Pela cuidadosa descrição que fez dos espécimes que coletou, os poritos eram um coral* verdadeiro, ou pétreo, formador de recifes da ordem dos escleractíneos, da família *Faviidae*, espécie *Leptoria phrygia*.

Outro coral encontrado por Liesk na borda exterior dos recifes, capaz de resistir à fúria da arrebentação, tinha menos importância e pertencia a outra ordem. Era um "coral de fogo", ou hidrocoral mileporino, que crescia em massas espessas e verticais, com pólipos imperceptíveis; estes constituíam uma massa grosseira em forma de favo, e Charles descreveu-lhes a estrutura em detalhes. Chamou-o *Millepora complanata* (seu nome moderno é *M. platyphilla*). Possuía pouca ou nenhuma matéria viscosa na superfície, mas, apesar disso, tinha um cheiro forte e desagradável. Produziu uma sensação de ardor na pele de Charles, como se fosse dotado de nematocistos protetores, o que lhe lembrava o encontro do começo da viagem com uma caravela.

Nas partes exteriores do recife Charles encontrou, além disso, uma *Millepora tenella* que também ocultava pesado esqueleto calcário, embora não urticante. Os corais mais abundantes nas águas rasas e calmas da laguna central eram de outras espécies escleractíneas, com estruturas elegantes e mais ramificadas, in-

---

* Nessa ordem de hidrozoários as colônias contêm cerca de 2.500 espécies, formando em geral maciços exosqueletos calcários (pétreos). Uma característica vitalmente importante de todos os corais construtores de recifes é que eles abrigam em seu interior plantas primitivas (algas) que ali vivem simbioticamente; elas são capazes de partilhar com os hospedeiros os produtos de sua fotossíntese. Esses corais, portanto, florescem apenas em águas rasas e claras, onde existe muita luz.

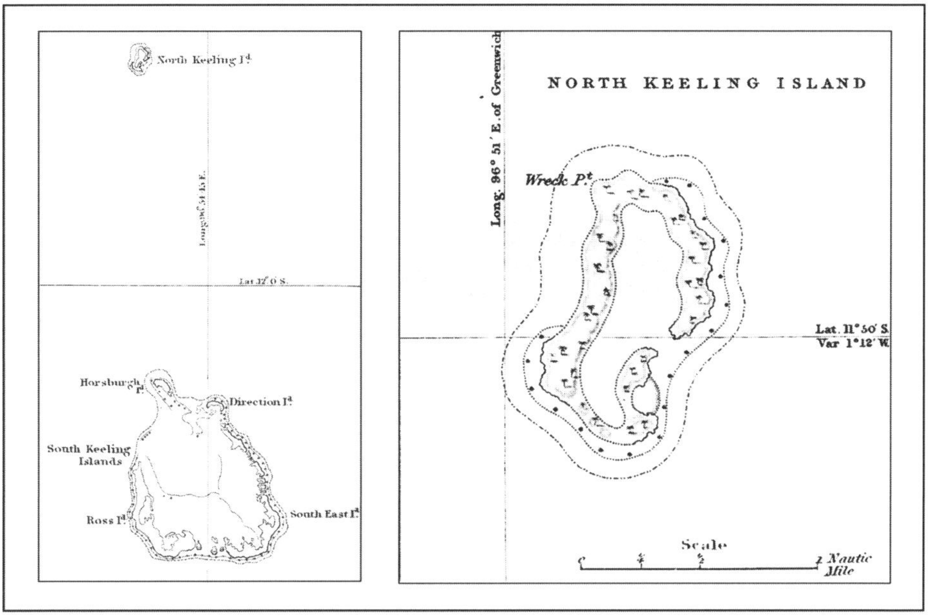

Ilhas Coco Keeling, Norte e Sul

cluindo a *Pocillopora verrucosa* e a *Acropora corymbosa*. Havia também escleractíneos que, na descrição de Charles, cresciam em expansões estreitas, frágeis, pétreas, foliáceas, com estrelas em ambas as superfícies e que podiam ser *Turbinaria bifrons*.

A 20 metros de profundidade em torno do recife, o coral mais comum era a *Millepora alcicornis*. Mas na margem superior, onde a superfície dos poritos estava morta, floresciam três espécies do que Charles chamou de *Nullipora*, algas coralinas simbióticas tais como *Amphiroa* ou *Bossea*, algas verdes como as clorófitas, ou algas vermelhas como as rodófitas. Estas conseguiam sobreviver desde que ficassem imersas na arrebentação e expostas ao ar apenas uma parte do tempo; formavam uma camada de meio a um metro de espessura que tinha valioso efeito protetor para os corais criadores de recifes, mais sensíveis.

A visita às ilhas Keeling foi de grande valor para Charles, pois, neste exemplo específico, ao investigar pessoalmente alguns dos fatos geológicos subjacentes, construiu uma base sólida para os pensamentos que vinha desenvolvendo sobre a origem das ilhas de coral. Ao mesmo tempo pôde examinar com riqueza de detalhes a biologia dos corais formadores dos recifes e verificar a estrutura interna de seus notáveis blocos.[1] Na manhã de 12 de abril olhou pela

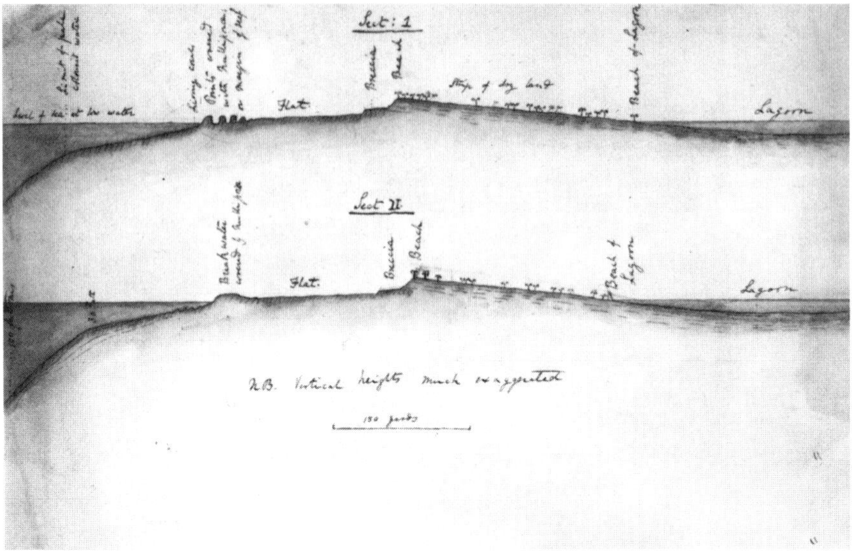

Desenhos de Charles sobre a formação de uma ilha de coral

última vez a laguna cujas margens eram cobertas de areia muito fina, cortadas por pequenos riachos que penetravam nas matas onde os coqueiros estendiam seus troncos longos e oscilantes. Ele escreveu no diário:

> *Dia 12.* De manhã fomos embora da laguna. Estou feliz por ter visitado essas ilhas; tais formações certamente constituem um dos objetos mais fabulosos deste mundo. Não é uma maravilha capturar, não o olho do corpo, mas sim, após alguma reflexão, o olho da razão? Ficamos surpresos quando os viajantes nos contam sobre o grande volume e a enorme extensão de alguma ruína antiga; mas como até mesmo a maior delas é insignificante quando comparada à matéria aqui acumulada por vários pequenos animais! Por todo o grupo de ilhas, cada átomo solitário, da mais diminuta partícula aos grandes fragmentos de rocha, carrega a marca de um dia ter estado sujeito ao poder da harmonia orgânica. A uma distância de pouco mais de uma milha [1.600m] o capitão FitzRoy lançou uma sonda com uma linha de 7.200 pés [2.160m] de comprimento e não encontrou fundo.
> Devemos considerar esta ilha, portanto, como o cume de uma grande montanha; tudo é muito incerto, desde sua profundidade, ou a espessura pela qual se estende, até o trabalho animal dos corais. Se for verdade a opinião de que os pólipos formadores de rochas continuam a construir para cima, à proporção que se vai afundando gradualmente a base da ilha composta por agentes vulcânicos, então provavelmente o calcário de coral deve ser de grande espessura. Vemos mencionadas

neste diário certas ilhas no Pacífico, como Taiti e Eimeo, cercadas por um recife de coral separado da costa por canais e bacias de água calma. Diversas causas tendem a impedir o crescimento dos mais eficientes tipos de coral nessas situações. Portanto, se imaginamos que uma ilha destas, após longos intervalos sucessivos, afunda alguns metros de maneira semelhante, mas em um movimento oposto ao do continente da América do Sul, então o coral continuaria para cima, elevando-se a partir da fundação do recife circundante. No devido tempo a terra central afundaria abaixo do nível do mar e desapareceria; mas o coral teria completado seu muro circular. Não teríamos então uma ilha-laguna? Sob esse ponto de vista devemos considerar uma ilha-laguna como um monumento erguido por miríades de minúsculos arquitetos para marcar o ponto em que uma ilha anterior jaz submersa nas profundezas do oceano?

31

Ilha Maurício, cabo da Boa Esperança, Santa Helena e ilha Ascensión

abril – julho, 1836

Quinze dias depois o *Beagle* contornava a extremidade norte da ilha Maurício — anteriormente Île de France, mas, desde o fim das guerras napoleônicas, sob administração britânica — e ancorava em Port Louis, na costa oeste. Charles admirou a planície central levemente inclinada, conhecida como Pamplemousses, "árvores de toronja", em sua cor verde brilhante por causa das muitas plantações de cana-de-açúcar, cuja produção, dizia-se, crescera 75 vezes desde que os ingleses haviam tomado posse do local. Port Louis mantinha o atraente caráter francês; todas as lojas eram francesas, e os residentes ingleses falavam francês com os empregados. Havia um pequeno teatro muito bonito, com óperas bem cantadas que — louvado seja o bom gosto, exclamou Charles — os habitantes preferiam às peças comuns. Surpreendentemente ele encontrou livrarias grandes e bem providas, atestando a adesão de Maurício à cultura do Velho Mundo, e não à do Novo. Pelas ruas via-se gente de todas as raças, pois a ilha abrigava presos hindus que haviam sido banidos de sua pátria para toda a vida. Os moradores, no entanto, eram aparentemente calmos e bem-comportados; pela limpeza e fiel observância às estranhas práticas religiosas, era impossível não os preferir aos presos de Nova Gales do Sul.

Para aproveitar um navio que ia zarpar para a Inglaterra no dia seguinte, a 29 de abril Charles escreveu de Port Louis para a irmã Caroline:

> Agora um vislumbre de meu querido lar seria melhor do que os reinos unidos de todos os trópicos gloriosos. Enquanto estamos no mar e o tempo está bom, meu dia passa rapidamente, porque estou muito ocupado. Minha tarefa consiste em reorganizar antigas notas geológicas; a reorganização geralmente consiste em

reescrevê-las completamente. Agora estou começando a descobrir a dificuldade de pôr minhas próprias idéias no papel. Quando se trata apenas de descrição é muito fácil; mas quando o raciocínio entra em cena, estabelecer uma conexão adequada, conseguir clareza e fluência moderada, isso é para mim, como já disse, uma dificuldade de que não tenho idéia.

Estou animado com minha geologia e até mesmo tenho esperança de que minhas observações venham a ser consideradas de alguma utilidade pelos geólogos de verdade. Tenho certeza de que será necessário morar em Londres por um ano, tempo em que, com trabalho árduo, acredito completar a maior parte de meu material. Peça a Erasmus para colocar meu nome no Whyndham ou em outro clube; se depois acharmos melhor eu não entrar, isso não fará mal algum. O capitão tem um primo no Whyndham e acredita que será capaz de me fazer admitir. Diga a Erasmus que pense em encontrar acomodações para mim, com aposentos grandes, em qualquer lugar de Londres. Agora que estou fazendo planos a realizar na Inglaterra, realmente acho que o país não está a uma distância assim tão desesperadora. Diga a meu pai que saquei uma letra de 30 libras. A cada dia que passa o capitão fica mais feliz e vê com maior alegria o trabalho que tem à frente. Ele, como eu, passa o dia inteiro ocupado, escrevendo; mas em vez de geologia é o relato da viagem. Algumas vezes temo que o "livro" dele seja muito difuso; mas em quase todos os aspectos certamente será bom: seu estilo é muito simples e excelente. Propôs que nos juntássemos na publicação do relato, ou seja: meu diário fica à disposição dele, que organiza e mistura minhas páginas às suas. Claro que eu disse que estou perfeitamente de acordo, se quiser material, ou se achar que vale a pena publicar os detalhes fúteis de meu diário. Leu a parte que tenho a bordo e gosta dela.

Estou ansioso para ouvir suas opiniões, pois é uma tarefa muito perigosa nestes dias publicar relatos de partes do mundo tão visitadas. É uma sorte muito grande para mim que, entre os muitos naturalistas viajantes (de navio), poucos ou quase nenhum era geólogo. Entrarei no campo sem oposição. Garanto a você que estou olhando com muita ansiedade o momento em que Henslow, fazendo uma cara séria, decidirá sobre os méritos de minhas notas. Se ele balançar a cabeça de maneira desaprovadora, saberei então que é melhor desistir de uma vez da ciência, porque ela terá desistido de mim. Pois eu trabalhei com todos os grãos de energia que possuo.[1]

A 1º de maio Charles escalou La Pouce, uma montanha de 780 metros ao sul de Port Louis, e viu como o centro da ilha se assemelhava à bacia de uma grande cratera vulcânica. La Pouce e outras montanhas pareciam formar partes de uma parede externa mais ou menos contínua. O mar alcançara recentemente a base dessas montanhas, desde o período em que a terra havia se elevado bastante, pois em torno da maior parte da circunferência da ilha havia grandes blocos de corais sublevados e camadas de um conglomerado de conchas e corais. Havia também fluxos substanciais de lava ao redor e entre o anel basáltico de montanhas.

Charles e o sr. Stokes foram convidados pelo supervisor-geral de Maurício, capitão Lloyd, conhecido por suas pesquisas no Panamá, a ficar em sua deliciosa casa de campo, a dez quilômetros de Port Louis. Mostrou-lhes um pouco da geologia, as sebes de mimosas e as aléias de mangueiras. Era também o dono do único elefante de Maurício, e os dois foram convidados a fazer um passeio à moda indiana. Charles ficou impressionado pelo caminhar do elefante, sem ruído, mas achou, como outros antes dele, que em uma viagem longa o movimento devia ser muito fatigante.

O *Beagle* continuou então sua travessia para oeste, passando no caminho por Madagascar, outra ilha oceânica cuja população de lêmures, única no mundo, talvez a tornasse tão interessante quanto as Galápagos. Mas os lêmures ficaram sem receber atenção especial ainda por algum tempo, pois não havia distância meridiana a estabelecer ali. O *Beagle* seguiu adiante, ancorando na baía Simon a 31 de maio. Em Cidade do Cabo, 32 quilômetros ao norte, o único hotel estava apinhado de passageiros de navios da Índia, e Charles se viu em meio a nababos, grandes conversadores, mas nenhum, em todo o grupo, com o fígado em bom estado. Tomou um quarto em uma hospedaria e não achou nada de interessante na cidade e na região em volta da vila de Paarl ou nas montanhas circundantes. Mas na segunda semana em Cidade do Cabo teve mais sorte e conheceu várias pessoas muito agradáveis. Uma era o dr. Andrew Smith, cirurgião do exército que se tornara a principal autoridade na zoologia da África do Sul e acabara de voltar de uma expedição ao Trópico de Capricórnio, onde descobrira uma nova espécie de rinoceronte. Outro era Thomas Maclear, astrônomo real no cabo da Boa Esperança havia alguns anos.

Mais importante de tudo, Charles e FitzRoy conheceram o famoso astrônomo, matemático, químico e filósofo John Herschel, autor de um livro sobre o estudo da filosofia natural[2] que Charles havia lido no último ano de Cambridge e estimulara nele "um desejo ardente de acrescentar nem que fosse a mais humilde contribuição à nobre estrutura da ciência natural". Herschel havia ido em 1834 ao cabo da Boa Esperança levando um telescópio de seis metros para realizar uma pesquisa sistemática dos céus do sul; depois de realizar algumas das melhores observações sobre o retorno do Halley em 1835, foi a última pessoa a ver o cometa, em maio de 1836, antes que ele desaparecesse até 1909. Charles escreveu sobre Herschel: "Nunca falava muito, mas todas as palavras que pronunciava valiam a pena ouvir. Era muito tímido e muitas vezes tinha uma expressão consternada. Lady Caroline Bell, em cuja casa jantei no cabo da Boa Esperança, admirava muito Herschel, mas dizia que ele sempre entrava em uma sala como se soubesse que suas mãos estavam sujas e sua mulher soubesse disso."

FitzRoy ficou chateado ao descobrir que em Cidade do Cabo havia fortes preconceitos contra as atividades dos missionários na África do Sul e em outros lugares. Com a intermediação de John Herschel, apresentou a um periódico o único artigo assinado em conjunto com Charles;[3] nele, as acusações dos críticos eram refutadas por uma série de exemplos retirados do diário particular de Charles, e os autores relatavam que haviam observado as atividades missionárias no Taiti e na Nova Zelândia.

Após voltar ao *Beagle* na baía Simon, quando Charles fez uma última e longa caminhada com Bartholomew Sulivan para examinar a geologia das montanhas em volta, puseram-se ao mar a 18 de junho, acompanhados pela costumeira falta de sorte — primeiro um vendaval feroz e depois quase nenhum vento. Onze dias depois o *Beagle* cruzou o Trópico de Capricórnio pela sexta vez, e Charles desejou ansiosamente que aquela fosse a última. A 8 de julho ancoraram em Santa Helena.

Esta que era a mais proibida das ilhas elevava-se como um imenso castelo no oceano, cercada por uma grande muralha construída por correntes sucessivas de lava negra. Em torno da cidade havia diversos fortes pequenos armados de canhões, embora as defesas naturais não parecessem demandar grande ajuda. Charles instalou-se em uma casa perto do túmulo de Napoleão, no centro da ilha, a cerca de 600 metros de altura, sobretudo porque isso convinha como base para as observações geológicas. Em sua opinião, nem o túmulo nem a casa onde Napoleão vivera — a 1.600 metros dali, muito suja e abandonada, com as paredes desfiguradas pelos rabiscos e nomes dos visitantes — criavam sentimentos compatíveis com o local de descanso de um espírito tão grandioso. Syms Covington ficou surpreso com a simplicidade do túmulo, de que fez um desenho, e observou com aprovação que o pequeno poço ao lado havia fornecido uma clara e bela água a Napoleão; um velho soldado ficava próximo ao túmulo, para impedir que os visitantes praticassem qualquer imprudência. Não se registrou se Covington também aprovava o uso que faziam de um cômodo da casa de Napoleão, com uma mesa de bilhar e um bar onde se vendia vinho.

Perto da costa a lava era inteiramente desprovida de vegetação; porém, mais para o interior, a aparência da ilha era notável em dois aspectos. Primeiro, o extraordinário número de estradas e fortes que haviam sido construídos, porque embora a ilha tivesse servido primariamente como prisão, o gasto público nela realizado parecia inteiramente desproporcional à extensão ou ao valor básico da terra cultivável. Com o recente afastamento da Companhia das Índias Ocidentais e a partida de muitos servidores públicos relativamente bem pagos, a maior parte da população remanescente de escravos emancipados ficou desempregada, e sua pobreza só tendia a aumentar. Os bons tempos em que "Bony" estava lá, como disse o guia de Charles, um antigo pastor de cabras, jamais voltariam. Outro legado daqueles dias era a aparência decididamente inglesa de grande parte da vegetação, com as colinas coroadas por plantações de abetos escoceses, as laterais cobertas de arbustos de tojo amarelo brilhantes, sebes carregadas de amoras e riachos com salgueiros nas margens. Dizia-se que havia quatro vezes mais espécies importadas do que nativas, muitas das quais evidentemente preferiam o clima de Santa Helena ao da Inglaterra.

Situada em ponto tão distante de todos os continentes, a ilha possuía uma flora uniforme e alguns insetos, mas nenhum pássaro ou animal próprio, à parte os recém-introduzidos. Entre os insetos, Charles mais uma vez se surpreendeu ao descobrir duas de suas espécies favoritas: besouros da família *Scarabaeidae* que vivem comumente sob o esterco. Embora pudesse haver ratos, como a ilha originalmente não possuía qualquer quadrúpede grande, cabras, cavalos ou bois, de que alimento os besouros poderiam ter vivido, caso fossem nativos da ilha? Era evidente que só poderiam ter chegado acidentalmente com as vacas e os cavalos. Ao longo dos anos, tanto ali como na Tasmânia, certamente haviam tido muitas ocasiões para serem transportados na comida e na palha dos animais importados. Talvez isso não tivesse acontecido em Maldonado, porque ali o gado era apenas exportado, e não trazido da Europa.

Perdizes e faisões eram abundantes, e a ilha era inglesa demais para não estar submetida a estritas leis de caça. Charles ficou chocado ao conhecer uma norma ainda mais injusta do que as impostas na Inglaterra: para garantir que as perdizes tivessem onde fazer seus ninhos, proibia-se que as pessoas pobres queimassem uma planta que nascia nas pedras costeiras e de cujas cinzas se extraía soda.

Havia muita semelhança entre a estrutura e a história geológica de Santiago, nas ilhas de Cabo Verde — onde, em 1832, se fizera a iniciação de Charles quanto ao nascimento e subseqüente desenvolvimento das ilhas vulcânicas —, a ilha Maurício e Santa Helena. As três ilhas eram exemplos de "cratera de elevação", em que um anel de montanhas basálticas apoiava-se em camadas submarinas mais antigas, de diferentes composições. Inundações de lava mais

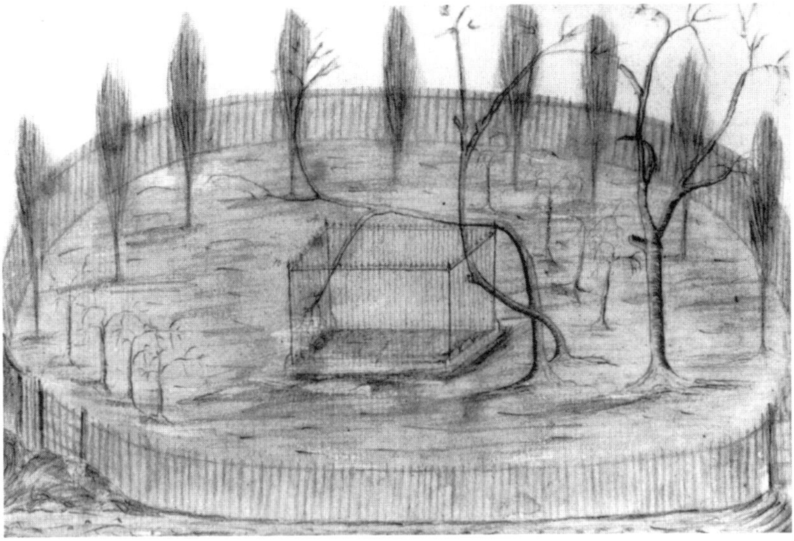

Desenho do túmulo de Napoleão, por Syms Covington

recente haviam fluído do centro da ilha em direção às montanhas originais; e em Santa Helena a lava enchera a plataforma central. As três ilhas haviam se elevado em massa. Na Maurício o mar havia alcançado as bases das montanhas em um período geológico relativamente recente, como em Santa Helena. As conclusões de Charles foram resumidas em uma conferência feita na Sociedade Geológica, em 1838,[4] e no segundo de seus livros sobre geologia.[5]

A última ilha a ser visitada por Charles no que mais tarde poderia vir a ser chamado de Excursão Cook por ilhas vulcânicas foi a Ascensión, a apenas cinco dias de Santa Helena. Tratava-se de um monte desolado de rochas vulcânicas mais ou menos triangular, com lados de cerca de seis milhas, elevando-se em um pico central de 744 metros de altura, em torno do qual havia algumas poucas casas e campos cultivados. Do lado ocidental haviam sido construídas casas de pedra e barracas ocupadas por fuzileiros. Além destes, os únicos habitantes eram alguns negros libertados de navios escravos, pagos e alimentados pelo governo britânico.

Charles subiu até o pico por uma estrada ladeada por marcos miliários e cisternas cuidadosamente controladas; todos os passantes que tivessem sede podiam beber ali uma água de excelente qualidade. Um grande problema da ilha era a pouca chuva, o que significava que nela não havia árvores e que as fontes centrais tinham de ser administradas todo o tempo com disciplina naval. Os espirituosos habitantes de Santa Helena, onde não havia escassez de água, costumavam dizer com alguma razão: "Sabemos que vivemos em uma rocha, mas os coitados de Ascensión vivem em um borralho."

Nos dias que se seguiram Charles explorou muito da ilha. Mesmo quando o sol brilhava, contudo, não se podia dizer que o lugar fosse bonito. As correntes de lava eram por toda a parte pontuadas por cômoros enrugados, entre os quais havia espaços cobertos em alguns lugares por pedras-pomes cinzentas e arenitos vulcânicos; em outros, por curiosas pedras vulcânicas com tamanho variável — desde o diâmetro de uma maçã até a altura de um homem. Elas eram esféricas ou em forma de pêra, com uma crosta de lava endurecida que encerrava um interior celular; aparentemente tinham se estirado rapidamente ao esfriar, durante uma erupção. Em outras partes havia muitos tipos diferentes de rochas vulcânicas contendo misturas laminadas de obsidiana escura e vitrificadas com outros minerais mais claros. Visto do mar, o chão, em um extremo da ilha, era pontilhado de manchas brancas, que Charles descobriu consistirem nas únicas criaturas vivas além dele mesmo: milhares de aves marinhas a dormir.

> Na praia o grande mar, embora a brisa fosse leve, batia com força nas pedras de lava quebrada. O oceano é um monstro enfurecido: insulte-o a mil milhas de distância, e sua grande carcaça estica-se com raiva por meio hemisfério.[6]

Nos longos períodos no mar, durante os meses anteriores, Charles tinha trabalhado arduamente, primeiro em suas *Notas de geologia* e depois na *Lista de espécimes zoológicos*. Ali ele marcou os registros numerados com letras maiúsculas a lápis — A para animal (isto é, mamíferos), B para pássaro, C para crustáceo e assim por diante —, mostrando a Syms Covington a que listas eles deveriam ser atribuídos e acrescentando várias outras instruções. Em alguns casos as listas foram feitas com a letra de Covington, mas as de mamíferos e pássaros foram preparadas pelo próprio Charles, muitas vezes acrescentando alguns instrutivos comentários gerais. As *Notas de ornitologia* provavelmente foram iniciadas depois de sua partida das ilhas Coco Keeling e terminadas quando chegou a Ascensión.[7]

As cinco páginas cruciais sobre Galápagos foram escritas com pena nova e quase não têm correções, sugerindo que Charles havia tido tempo para refletir cuidadosamente sobre o que precisava ser dito:

> Estas ilhas estão espalhadas em um espaço de oceano entre 124 milhas [200km] de latitude e 140 [225km] de longitude. Estão situadas diretamente abaixo do

Equador e a cerca de 500 milhas [800km] da costa da América do Sul. A constituição da terra é vulcânica; e como o clima é extremamente árido, as ilhas se revestem de arbustos ou árvores quase sem folhas. No entanto, do lado do vento, e a uma elevação entre um e dois mil pés [300 a 600m], as nuvens fertilizam o solo; e ele então produz uma vegetação verde e razoavelmente exuberante. Em tais pontos favoráveis, e em um clima tão suave, eu esperava encontrar enxames de insetos variados; para minha surpresa eram escassos a um ponto que não me lembro de ter observado em outra região semelhante. Provavelmente estes oásis verdes, cercados por terra árida e situados no meio do mar, são efetivamente impraticáveis para quaisquer colonos migrantes. No entanto isso pode acontecer; a escassez das presas causa escassez similar de pássaros insetívoros, e as florestas verdes são esparsamente ocupadas por um único animal. A maior parte dos pássaros freqüentam e são adaptados aos bosques secos, desolados e densos da terra costeira; aqui, no entanto, existe um estoque de alimentos. Todo ano caem fortes torrentes de chuva em uma estação particular; gramíneas e outras plantas rapidamente brotam, florescem e desaparecem com igual velocidade. As sementes, no entanto, jazem dormentes até o ano seguinte, enterradas no solo cheio de cinzas. Portanto, estes tentilhões* são em número de espécies e de indivíduos muito mais preponderantes do que qualquer outra família de pássaros. Entre as espécies desta família reina ali uma confusão inexplicável (para mim). De cada tipo, alguns são totalmente negros, e nestes, com tons intermediários até o marrom; o número proporcional de negros em todos os tipos é *extraordinariamente* pequeno; no entanto, minha série de espécimes mostra que aquela cor é própria apenas aos machos velhos. Por outro lado, Bynoe e Fuller asseguram ter cada um um pássaro negro do sexo feminino. Além disso, parece-me que existe uma gradação na forma dos bicos. Não há possibilidade de distinguir as espécies por seus hábitos, já que todos são semelhantes e se alimentam juntos (e também as pombas), em grandes bandos irregulares. Eu poderia observar que, com respeito à idade provável dos pássaros menores, em caso algum qualquer das penas é imperfeita, nem o bico mole, indicando imaturidade; por outro lado, em caso algum os ovos no ovário das fêmeas eram muito desenvolvidos. Suponho que a estação de incubação fosse dali a dois ou *três meses.*

...

Tenca 3306** : macho: ilha Charles —

Do 3307: do: ilha Chatham —

Estes pássaros têm uma aparência muito próxima à tenca do Chile (2169) ou à calandra de La Plata (1216). Não consigo perceber nem uma única diferença em

* A família de pássaros que seria classificada pelo ornitólogo John Gould como *Geospizinae*.

** Número do espécime nas *Notas de zoologia*.

seus hábitos. São vivazes, curiosos, ativos, *correm rapidamente*, freqüentam as casas para bicar a carne dos cágados que fica pendurada, cantam razoavelmente bem; dizem que eles constroem um único ninho aberto; são *muito* mansos, caráter que possuem em comum com outros pássaros. No entanto *imaginei* que seu tom ou grito era muito diferente do da tenca do Chile. São muito abundantes em toda a ilha; sobretudo atraídos para as partes altas e úmidas.

Tenho espécimes de quatro das ilhas maiores; os dois acima enumerados e (3349: fêmea: ilha Albermale) e (3350: macho: ilha James). Os espécimes das ilhas Albermale e Chatham parecem ser o mesmo; mas os outros dois são diferentes. Em cada ilha se encontra um tipo *exclusivo*: os hábitos de todos são indistintos. Lembro que, pela forma do corpo, pelo formato das placas e tamanho geral, os espanhóis podem dizer prontamente de que ilha um cágado foi trazido. Quando vejo estas ilhas em comparação com as outras — e elas possuem apenas um escasso estoque de animais, são habitadas por esses pássaros que diferem apenas ligeiramente em estrutura e ocupam o mesmo lugar na natureza —, sou levado a suspeitar que se trata apenas de variedades. O único fato que conheço de tipo similar é a diferença sempre afirmada entre a raposa e o lobo das ilhas Falkland Leste e Oeste.

Se existir o mais remoto fundamento para essas observações, vale a pena examinar a zoologia dos arquipélagos; pois tais fatos irão solapar a estabilidade das espécies.[8]

No primeiro parágrafo Charles explica claramente como a escassez de insetos em uma ilha oceânica isolada — que aqui ele observa pela primeira vez — pode estar causalmente ligada a uma ecologia favorecedora de pássaros que se alimentam de sementes. Mas com sua honestidade habitual admite que não consegue perceber qualquer sentido na mistura de espécies alimentando-se juntas, apenas notando de passagem que existe uma gradação no formato do bico. É no segundo desses parágrafos que ele amplia um pouco suas observações anteriores sobre os tordos de Galápagos e se compromete, pela primeira vez por escrito, a admitir que está na pista de evidências de que as espécies existentes não são imutáveis como até então se havia universalmente acreditado.

32

Uma passagem rápida pela Bahia rumo a Falmouth

outubro – novembro, 1836

A última etapa na volta do *Beagle* à Inglaterra foi uma rápida viagem pelo Atlântico até a Bahia, pois FitzRoy queria fazer a última verificação da distância meridiana que havia calculado quatro anos e meio antes.

Charles ficou feliz ao descobrir que seu prazer com o cenário tropical não diminuíra em nada com o hábito. Escreveu no diário:

> Em minha última caminhada, parei muitas vezes para olhar tais belezas e tentei fixar para sempre em minha mente uma impressão que, naquele momento, eu sabia que cedo ou tarde deveria desaparecer. As formas da laranjeira, o coco, as palmeiras, a manga e a banana permanecerão claras e separadas, mas as mil belezas que as unem em uma única cena perfeita deverão perecer: no entanto elas viverão, como uma história ouvida na infância, um quadro cheio de figuras indistintas mas muito bonitas.[1]

Teve tempo de coletar alguns insetos nas florestas; pegou na praia espécimes de algas coralinas dos gêneros *Melobesia* e *Halimeda*. Observou que, quando deixadas na água do mar e sob a luz do sol, as algas exalavam uma boa quantidade de "gás", e ficou imaginando de que tipo ele seria.*

A 6 de agosto o *Beagle* levantou âncora e tomou o rumo de casa, mas o vento aprontou seus truques habituais; uma semana depois eles eram obrigados a se abrigar por vários dias em Pernambuco (na cidade de Recife), ainda na costa

* Sem saber, Charles repetia um famoso experimento que foi primeiro realizado pelo químico Joseph Priestley (1733-1804) em 1777 ao demonstrar que, em tais circunstâncias, geravam-se bolhas de oxigênio.

brasileira. Finalmente cruzaram o Equador a 21 de agosto, desta vez sem cerimônias, e a 4 de setembro ancoraram em Porto Praia, nas ilhas de Cabo Verde. Santiago havia perdido seus atrativos anteriores, muito embora o grande baobá tivesse melhorado de aparência, vestindo-se com espessa folhagem verde. Apesar de tudo, Charles encontrou coisas de interesse na história natural das áridas planícies de lava e coletou quatro pequenos pássaros que nelas habitavam. Duas semanas depois chegaram à ilha Terceira, nos Açores, e Charles foi visitar uma cratera vulcânica onde jatos de vapor saíam de fendas; ficou feliz em encontrar alguns amigos ingleses entre os pássaros. Dali, graças a Deus, e para infinito alívio de todos a bordo, o *Beagle* conseguiu manter um curso direto até a Inglaterra e ancorou em Falmouth no domingo, 2 de outubro de 1836.

Naquela mesma noite — e era uma noite terrivelmente tempestuosa — Charles tomou a diligência para casa, em Shrewsbury, onde chegou após dois dias de estrada. Depois de um alegre encontro com o pai e as irmãs, seu primeiro pensamento foi escrever para o tio Jos, em Maer, "como se fosse meu primeiro lorde do Almirantado", e em seguida escreveu para FitzRoy:

> Meu caro FitzRoy
>
> Cheguei aqui ontem de manhã, na hora do desjejum, e graças a Deus encontrei todas as minhas boas irmãs e meu pai muito bem. Meu pai parece mais alegre e muito pouco mais velho do que quando saí. Minhas irmãs me garantem que não pareço nem um pouco diferente, e sou capaz de devolver o cumprimento. Na verdade, toda a Inglaterra parece mudada, exceto a boa e velha cidade de Shrewsbury e seus habitantes — que pelo que pude ver poderão, ao contrário, continuar como estão até o dia do Juízo Final. Gostaria, de todo o meu coração, de estar escrevendo para você entre seus amigos, e não nesta horrível Plymouth. Mas o dia logo chegará, e você vai ficar tão feliz quanto estou agora. Garanto-lhe que sou um grande homem em casa — a viagem de cinco anos certamente me elevou cem por cento. Receio que tal grandeza passe por alguma queda.
>
> Estou completamente envergonhado de mim mesmo, do meu estado nos últimos dias a bordo, meio morto, meio vivo; minha única desculpa é que certamente eu não estava muito bem. O primeiro dia na carruagem me cansou, mas à medida que ia chegando perto de Shrewsbury tudo me parecia mais bonito e alegre. Ao passar Gloucestershire e Worcestershire tive muita vontade de que você também estivesse admirando campos, florestas e pomares. As pessoas simples na carruagem não pareciam perceber que os campos estavam mais verdes do que o normal, mas tenho certeza de que nós concordaríamos inteiramente que em todo o vasto mundo não há uma visão tão feliz quanto os ricos e cultivados campos da Inglaterra.

Espero que não se esqueça de me mandar um bilhete dizendo como você vai. Torço para que acabem todos os seus aborrecimentos e preocupações com respeito à nossa viagem, que agora *sabemos* ter chegado ao fim. Se você não receber muita retribuição por toda a energia física e mental que gastou a serviço de Sua Majestade, estará sendo tratado com excessiva dureza. Pus minhas irmãs radicais em alvoroço com alguns dos procedimentos *prudentes* (se elas não fossem liberais *honestas,* eu *diria* vergonhosos) de nosso governo. Aliás, devo dizer em prol da honra e glória da família que meu pai tem um grande retrato do rei George IV pendurado em seu escritório. Mas não sou nenhum renegado, e, quando nos encontrarmos, minha política estará tão firmemente traçada e tão sabiamente fundamentada quanto sempre foram.

Eu achei, quando comecei esta carta, que iria convencê-lo sobre o firme e sóbrio estado mental em que eu me encontrava. Mas descobri que escrevo as tolices mais absurdas. Ontem dois ou três de nossos trabalhadores se puseram em ação e ficaram excessivamente bêbados em honra da chegada do senhor Charles. Quem então poderá criticar o senhor Charles se ele próprio decidir fazer papel de tolo.

Adeus. ... Deus o abençoe. ... espero que você esteja tão feliz, porém mais sábio, quanto seu sincero mas indigno filos.

Charles Darwin

Duas semanas depois FitzRoy respondeu de Londres:

Queridíssimo Filos

O que você vai falar de mim por não ter escrito antes, eu não sei ... mas realmente *não* tenho estado ocioso nem sou ingrato.

Encarreguei Fuller [o comissário do *Beagle*] de todas as informações imediatamente necessárias e agora vou tentar lhe dizer o resto.

O capitão Beaufort estava fora da cidade quando minhas cartas e documentos chegaram a Londres (de Falmouth), e o encarregado dos mapas colocou-os em um *canto* (exceto *uma* particular) para esperar a *volta* do capitão B.!!! Aqueles documentos relativos aos resultados cronométricos etc. etc. — de que dependia a necessidade de irmos a Woolwich.

Enviaram-se ordens a Plymouth para o *Beagle* despedir a tripulação — mas lorde Amelius Beauclerk teve civilidade e senso suficiente para suspender os procedimentos e aprovar minha ida a Londres para ver os lordes e diretores ... eu me encontrei com sir John Barrow [secretário do Almirantado] e aproveitei a ocasião para atacar os *outros.*

Tudo foi acertado satisfatoriamente em um tempo muito curto — e eles concordaram muito educadamente com minha proposta de ir para *Portsmouth.* Fiquei feliz ao ver que a carga de mapas de Valp°. não só havia *chegado*, mas que estava em sua maior parte *gravada* — ou nas mãos do gravador — e em uma escala *grande.* Eles deram muita satisfação no Departamento Hidr.

Prometi fazer um pequeno artigo para a Geog[a]. Society — um simples *esboço* de nossa viagem. ... vou fazer o que puder, no tempo que disponho, e vou pedir a você que o complete e corrija.

Rice Trevor [cunhado de FitzRoy] e Alex[r]. Wood [primo de FitzRoy] passaram por mim na estrada — eles em uma carruagem, eu em outra —, mas eu logo estava de volta e com eles em Devonport. ... Fuller me disse que você parecia bem e tinha um *bom chapéu!*

Quem diabos era *meu primo* de chapéu *de abas largas*?

Fiquei feliz com sua carta. As histórias de sua família, ... e o estilo alegre e um pouco embriagado de toda a carta foram *muito* agradáveis. Na verdade, Charles Darwin, eu *também* estou *muito* feliz — mesmo naquela horrível Plymouth —, pois aquele lugar terrível tem um *tesouro* para *mim* que até *você* desconhecia!! Agora adivinhe — e pense e adivinhe outra vez. Acredite ou não — a novidade é *verdade* —, vou *casar*!!!!!!!! Com Mary O'Brian.*

Agora você pode saber que decidi dar este passo há muito, *muito tempo*. Tudo está acertado e vamos nos casar em dezembro. Rice Trevor, Alex[r]. Wood e Talbot gostam *muito* dela. Por favor, procure minha irmã na rua Stratton — ela quer encontrá-lo — e peça para ver as *crianças*.

As questões de dinheiro estão melhores do que *você* pensa.

Sinceramente seu

Robt. FitzRoy

Beagle. Portsmouth 20 de outubro (à noite) PS:
cheguei esta manhã e sigo amanhã para Woolwich.

A 28 de outubro o *Beagle* ancorou em Greenwich, onde se registraram as marcas cronométricas e foram feitas as observações finais. Alexander Usborne e seus companheiros foram a bordo, tendo acabado de completar o levantamento de toda a costa do Peru, de Atacama a Guayaquil, a ser inserido nos mapas do *Beagle*, embora não tivessem acrescentado nada às coleções de conchas de Charles. A tripulação do *Beagle* foi dispensada em Woolwich a 17 de novembro.

E assim a viagem do *Beagle* terminou como começou, em uma cordial amizade entre o capitão e o cavalheiro cientista. É evidente que haviam passado as súbitas explosões de raiva de FitzRoy, que se desanuviavam com igual rapidez; é claro que havia as muitas ocasiões relembradas por Charles em sua autobiografia, quando os oficiais do dia chegavam de manhã perguntando:

* Maria Henrietta O'Brien, filha de um general aposentado que vivia no campo, tornou-se esposa de FitzRoy e mãe de seus quatro filhos.

"Hoje de manhã serviram muito café quente?", o que significava: como está o humor do capitão? Mas certamente não houve disputas prolongadas ou sérias entre eles. A história já bastante difundida de que o principal motivo de FitzRoy para recrutar um cientista tinha sido encontrar alguém que estabelecesse a verdade sobre a história bíblica da Criação, e que ele e Charles discutiram muito sobre o tema durante toda a viagem, é, segundo o próprio FitzRoy, um mito. Pois no último capítulo de seu relato de viagem escreveu:[2]

> Levado por idéias céticas, e conhecendo extremamente pouco da Bíblia, uma de minhas observações a um amigo, ao cruzar vastas planícies compostas de seixos rolados embutidos em detritos diluviais com algumas centenas de pés de espessura foi: "isto jamais poderia acontecer em uma inundação de 40 dias" — expressão perfeitamente indicativa de um modo de pensar as Escrituras, ou de ignorá-las. Eu estava disposto a não acreditar no que achava ser o relato mosaico, diante das evidências de uma rápida vista d'olhos, e embora não soubesse quase nada do registro, duvidava. ... e menciono isso em particular porque conversei com pessoas que conhecem geologia, mesmo não sabendo mais da Bíblia do que eu sabia naquele tempo.

Esta passagem refere-se sem dúvida à expedição de FitzRoy com Charles em 1834, rebocando os barcos rio Santa Cruz acima, pela infindável planície de cascalho recheada de ostras ao sul da Patagônia. FitzRoy diz que, naquela época, ele próprio não conhecia nada sobre os ensinamentos da Bíblia. Só depois que se casou, em dezembro de 1836, foi convertido pela esposa, vindo a se tornar religioso praticante. O próprio Charles lembrava: "Enquanto estava a bordo do *Beagle* eu era muito ortodoxo e me lembro de que vários oficiais (embora eles mesmos fossem ortodoxos) riam muito de mim quando eu citava a Bíblia como uma autoridade inquestionável sobre algum ponto de moralidade." Além do mais, como se viu, ele ainda falava de um Criador e de centros de criação no começo de 1836.

33

A coleta de evidências

outubro – novembro, 1836

De volta à Inglaterra, a preocupação mais imediata de Charles foi colocar seus exemplares à disposição dos especialistas, e logo estava imerso em uma atividade febril, que fez com que os tempos de maior azáfama da viagem parecessem a própria imagem da tranqüilidade. Pegou as plantas de Galápagos no *Beagle*, em Greenwich, e levou-as para Henslow, em Cambridge. Este advertiu-o de que talvez os "grandes homens" se encontrassem assoberbados com seus próprios afazeres, e Charles logo descobriu que na verdade o museu da Zoological Society parecia estar cheio de espécimes ainda não montados para estudo, e que os "zoólogos parecem achar uma chateação haver um grande número de criaturas não descritas".

Os geólogos no entanto foram mais receptivos, liderados entusiasticamente por Charles Lyell, que desde o ano anterior vinha pressionando Henslow para saber quando Darwin voltaria à Inglaterra. No final de outubro Charles e Lyell encontraram-se pela primeira vez, Charles disse que, "Lyell ingressou com a *maior* boa vontade em todos os meus planos, quase sem fazer perguntas". Charles foi o primeiro e mais fiel discípulo biológico de Lyell, e os dois logo se tornaram amigos íntimos, partilhando segredos pelo resto da vida. Lyell era então presidente da Geological Society de Londres, de que Charles se tornou sócio, embora reclamasse com seu velho amigo e primo W. D. Fox que letras como FGS e, pior ainda, FRS,* eram muito caras. Poucos dias depois, jantando com os Lyell, encontrou o anatomista Richard Owen, cinco anos mais velho

* Fellow of the Geological Society e Fellow of the Royal Society.

que ele e que acabara de ser indicado para professor do museu do Royal College of Surgeons, em Londres; Owen imediatamente se ofereceu para olhar os fósseis de Charles. Não demorou muito para que as caixas estivessem sendo descarregadas no Royal College of Surgeons, e Charles relatou à irmã Caroline que "Algumas delas estão se revelando grandes tesouros. Um animal cujos ossos tenho quase todos é um parente muito próximo dos tamanduás, mas com o extraordinário porte de um cavalo pequeno. Existe uma outra cabeça, tão grande quanto a de um rinoceronte, que, até onde eles podem deduzir, deve ter sido de um roedor. Imagine um rato ou um coelho deste tamanho — que gatos não seriam necessários naquela época!"

Antes do final do ano Owen havia chegado a algumas conclusões importantes. Refutou o palpite de Charles de que as placas poligonais ósseas de Punta Alta pertencessem a um megatério; em vez disso atribuiu-as a um enorme tatu extinto da família dos gliptodontes chamado *Hoplophorus*. De qualquer forma, os ossos que Charles trouxera deram contribuições valiosas para o que se conhecia a respeito da preguiça gigante, e entre eles estavam os de um novo animal, parente próximo da preguiça, que Owen chamou de celidotério (*Scelidotherium*). Além disso havia fragmentos do mais comum dos não-ungulados — isto é, mamífero provido de cascos e comedor de gramíneas —, um toxodonte, que tinha a conformação de um rinoceronte de pernas curtas e parecia uma capivara gigantesca. Quando chegou o segundo carregamento do *Beagle*, havia mais ossos de toxodonte, e uma novidade muito interessante foi o animal que Charles achou nas barrancas do Puerto San Julián, que Owen chamou de macrauquênia.* Este classificou inicialmente o animal como uma espécie extinta de camelo, aparentado ao guanaco hoje existente, embora novos estudos o levassem a atribuí-los a uma ordem diferente de quadrúpedes extintos. Finalmente havia ossos de um roedor extinto — *Ctenomys*, aparentado ao atual preá — e dentes de uma espécie extinta de cavalo.

---

* Era muito conveniente para Charles que a macrauquênia fosse parente do guanaco existente na América do Sul, mas o argumento se baseava em aspectos particulares dos ossos disponíveis para estudo; afinal, o mais importante era que o animal tinha o pescoço comprido e três artelhos nas patas dianteiras. A macraquênia foi enfim classificada como um litopterno, quadrúpede de couro duro, não-ruminante e parente longínquo do tapir que era encontrado em outras partes da América do Sul. Apesar disso a família de camelídeos estava muito bem representada na América do Norte; além dos guanacos, pelo menos um, o *Megalamaichnum tulipensis*, cujas pegadas foram encontradas em Pehuen-Co (ver p.119) chegaram à América do Sul.

Owen era um homem ativo e ambicioso que mais tarde veio a se tornar diretor do Museu de História Natural.* Como não acreditava na transmutação das espécies, depois tornou-se inimigo feroz de Charles e seus colaboradores. Mas sua primeira investida na paleontologia, com uma demonstração na América do Sul do que ele chamava de "persistência do tipo" — segundo a qual os fósseis se assemelhavam em tipo, mas não em tamanho, aos animais que viviam na área —, teve muito sucesso e valeu-lhe a Medalha Wollaston da Geological Society em 1838. Naquele período ele criticava veementemente o estado lastimável do Museu de História Natural, e recomendou a Charles que desse suas coleções de pássaros e animais para a Zoological Society de Londres. Foi um bom conselho. O taxonomista John Gould concordou em cuidar dos pássaros, George Waterhouse dos insetos e mamíferos, e Thomas Bell dos répteis.

Gould classificou e apresentou a maioria dos pássaros de Charles nos encontros da Zoological Society, nos dois primeiros meses de 1837, e rapidamente chegou à inesperada e mesmo surpreendente conclusão de que os "tentilhões" de Galápagos pertenciam a um grupo inteiramente novo, até então desconhecido para a ciência e existente apenas naquelas ilhas. A 13 de março Charles mudou-se com Syms Covington para a rua Great Marlborough 36, em Londres, e pôde então discutir os pássaros de Galápagos com Gould. Parecia que, como os tordos, as diferentes espécies de tentilhões estavam restritas à sua própria ilha particular, embora nem todos os espécimes estivessem suficientemente bem etiquetados para provar a hipótese. Charles já estava ciente da importância de tais evidências para sua nova idéia — ainda estritamente particular — de que ocorrera em Galápagos uma transmutação de espécies. Sendo assim, apressou-se em procurar FitzRoy e o taifeiro Fuller para pegar espécimes da coleção do comandante que pudessem ajudar a reforçar a argumentação.[1] A 14 de março sua linha de pensamento recebeu outro estímulo de Gould, quando, em uma conferência na Zoological Society, ele soube que o *Avestruz petise* que Conrad Martens havia matado em Puerto Deseado não era puramente uma variação geográfica da *rhea* comum, mas, em termos anatômicos, uma espécie definitivamente outra, que substituiu a *Rhea americana* no sul da Patagônia.

No diário particular em que Charles registrou pelo resto da vida as datas de suas várias atividades, ele escreveu:

* O título oficial do museu em South Kensington era, até recentemente, Museu Britânico (História Natural), mas em prol da simplicidade aqui vamos nos referir a ele como Museu de História Natural.

Em julho [de 1837] dei início ao primeiro caderno de notas sobre "transmutação das espécies". Tinha ficado muito abalado por volta do mês de março anterior com o caráter dos fósseis sul-americanos e espécies do arquipélago de Galápagos. Esses fatos originam (especialmente mais tarde) todas as minhas maneiras de ver.[2]

Assim, Charles ocupava-se publicamente com a edição dos resultados de suas observações científicas sobre geologia e história natural feitas no *Beagle* e com o estudo detalhado da taxonomia de toda a ordem de cracas extintas e existentes. Privadamente, no entanto, estava trabalhando nas séries de cadernos de anotações sobre geologia, transmutação das espécies e pesquisas metafísicas[3] que eventualmente levaram à publicação de *A origem das espécies*, em 1859.

O primeiro trabalho publicado de Charles — à parte o artigo com FitzRoy e os extratos de suas cartas a Henslow, impressas para os membros da Philosophical Society de Cambridge, em 1835 — foi o terceiro dos volumes intitulados *Narrative of the Surveying Voyages of HMS Beagle between the Years 1826 and 1836*, que saiu em 1839. O volume 1 foi redigido pelo capitão P.P. King; o volume 2, por FitzRoy. O volume 3 foi escrito por Charles entre março e setembro de 1837, retirando cerca de metade do material de seu diário particular, agora chamado *The Beagle Diary*, e a outra metade das notas geológicas e zoológicas. Mas os capitães King e FitzRoy foram mais lentos em concluir seus escritos. O volume 3 imediatamente vendeu mais do que os outros dois, e foi portanto reimpresso com o nome de *Journal of Researches into the Geology and Natural History of the Various Countries visited by HMS Beagle from 1832 to 1836* [aqui referido como *Diário de campo*]. Mais tarde Charles considerou-o seu livro favorito, dizendo que "o sucesso deste meu primeiro filho literário sempre afaga minha vaidade mais do que qualquer de meus outros livros". Uma versão revista foi publicada em 1845, e desde então o *Diário de campo* foi reeditado diversas vezes e em muitas línguas.

Como encontrou taxonomistas experientes para classificar seus milhares de espécimes, Charles logo conseguiu persuadir o encarregado do Tesouro a dar-lhe mil libras para a publicação em cinco partes, sob sua supervisão, de *The Zoology of the Voyage of HMS Beagle, under the Command of Captain FitzRoy, during the Years 1832 to 1836*. A parte I, *Fossil Mammalia*, por Richard Owen, foi publicada em 1838-40; a parte II, *Mammalia*, por George Waterhouse, em 1838-39; a parte III, *Birds*, por John Gould, em 1839-41; a parte IV, *Fish*, por Leonard Jenyns, em 1840-2; e a parte V, *Reptiles*, por Thomas Bell, em 1842-43.

Centenas de novas espécies foram descritas pela primeira vez nesses volumes, que incluíam comentários sobre os comportamentos e hábitos desses animais, além de desenhos de muitos deles. A coleta incluía também identificações de muitas novas plantas[4] e insetos[5] que já haviam sido divulgados em outros trabalhos.

Uma área a que Charles devotou mais tempo do que qualquer outra foi o estudo dos invertebrados marinhos de diversos tipos capturados em sua rede de plâncton — já que isso fora algo que ele pudera fazer quando o *Beagle* estava ao mar, enquanto não podia enriquecer as outras coleções. E também confessou que trabalhar ao microscópio na anatomia interna daquelas minúsculas criaturas e fazer desenhos surpreendentemente bons do que via davam-lhe um prazer especial. Ao longo desses estudos separou os controversos zoófitos de Lineu em briozoários, algas coralinas e corais verdadeiros; e fez observações pioneiras sobre uma variedade de crustáceos, tunicados, platelmintos turbelários e outras criaturas. A maior parte desse trabalho não foi publicada em vida do autor, mas há poucos anos lançou-se um volume com a transcrição de suas anotações e listas de espécimes.[6]

Charles agora estava livre para seguir seus interesses geológicos. A 4 de janeiro de 1837 leu um artigo para a Geological Society sobre suas evidências a respeito da recente ocorrência de sublevação na costa do Chile. A isso se seguiu, a 31 de maio, um relato de sua teoria sobre o modo de formação de recifes de coral. A 16 de fevereiro de 1838 aceitou com relutância o convite de William Whewell para se tornar secretário da Geological Society. A 8 de março fez a leitura de um artigo importante, intitulado "Sobre a conexão de certos fenômenos vulcânicos na América do Sul; e sobre a formação de cadeias de montanhas e vulcões como efeito da mesma força pela qual os continentes se elevam". Foi recebido com respeito, porque seus argumentos sobre a provável sucessão de elevações e declínios do nível da terra eram convincentes. Mas não causou impressão permanente, uma vez que na época não se dispunha de qualquer evidência sobre quais seriam precisamente essas forças subjacentes que afetavam a elevação e o declínio da crosta terrestre. Foi só na década de 1960, quando a teoria das placas tectônicas causou uma revolução no pensamento dos geólogos, que se pôde avaliar como a teorização de Charles havia de fato chegado perto da verdade.

Em outubro de 1838 Charles registrou ter começado a escrever o livro *The Structure and Distribution of Coral Reefs* e que isso lhe exigiria muita leitura. O volume foi publicado em maio de 1842, seguido, em janeiro de 1844, por

Geological Observations on the Volcanic Islands Visited during the Voyage of HMS *Beagle*; e, em outubro de 1846 por *Geological Observations on South America*. Na *Autobiography* Charles calculou que a elaboração de seus três livros de geologia haviam consumido quatro anos e meio de trabalho constante, e temia que com suas doenças intermitentes tivesse perdido outro tanto.

Ele estava contudo longe do ócio no que dizia respeito à intensa especulação e aos pensamentos construtivos sobre a transmutação das espécies, que foram registrados nas séries de cadernos de notas iniciados a bordo do *Beagle* em maio de 1836 com o "caderno vermelho".[7] As 112 primeiras páginas limitavam-se a tópicos geológicos, mas as notas subseqüentes foram escritas em Londres, no começo de 1837, após a identificação dos ossos da macrauquênia de Puerto San Julián por Richard Owen e de uma segunda espécie de ema no sul da Patagônia por John Gould — tempo em que Charles esteve totalmente envolvido nas considerações sobre as maneiras como as novas espécies podiam surgir.

A ordenação dos cadernos escritos entre 1837 e 1844 mais tarde colocou os estudiosos diante de um problema difícil, porque embora Charles preservasse todos os seus papéis com meticuloso cuidado, ele tinha o hábito um tanto irritante de, após completar os cadernos, voltar a eles e recortar um número considerável de páginas "úteis", que eram postas em outro lugar e em ordem muito diversa. Apesar de tudo, as notas finalmente foram transcritas segundo a ordenação em que provavelmente foram escritas. Como se verá, por muitos anos a existência dessas anotações foi cuidadosamente ocultada do mundo exterior, em parte porque Charles estava muito consciente da oposição que iria enfrentar em muitos campos com uma linha de pesquisa tão radical; e em parte por sua insistência, sempre presente e sempre consumidora de tempo, em reunir evidências completamente confiáveis em apoio a seus argumentos. Para começar, Lyell foi a única pessoa com quem discutiu abertamente seu trabalho sobre as espécies, embora Henslow, Jenyns, Waterhouse e W. D. Fox estivessem cientes de seu interesse sobre a origem e as variações das espécies. Mas em 1843 Charles embarcou em uma vigorosa correspondência com Joseph Dalton Hooker, que tinha sido o botânico do HMS *Erebus* na expedição de James Clark Ross à Antártida (1839-43). Logo estavam imersos em uma discussão sobre a botânica da Terra do Fogo e das ilhas vulcânicas, e Hooker aceitou um convite para examinar as plantas de Galápagos. Quando em 1844 eles se encontraram em Down House (Kent), Hooker se tornou a primeira pessoa para quem foi revelado o segredo básico da seleção natural, e a partir daí se tornou o mais íntimo de todos os auxiliares de Charles.

Diagrama em ramificações feito por Charles, caderno de notas B

O caderno A era dedicado inteiramente à geologia, e portanto aos temas englobados nos três livros que Charles escreveu entre 1838 e 1846. O caderno B chamava-se "Zoonomia", título do enorme tratado de Erasmus Darwin sobre medicina e biologia publicado em 1794, e que outrora Charles havia sumariamente classificado como sem importância (ver p.29). Nele aparecia a mensagem básica transmitida por Charles:

> A grande questão que todo naturalista deve ter diante de si ao dissecar uma baleia, ou classificar um ácaro, um fungo, ou um infusório* é: "Quais são as leis da vida?"[8]

Após explicar como as espécies podem se adaptar a circunstâncias variáveis pela modificação dos dois tipos de reprodução descritos em *Zoonomia*, Charles passou para a relação entre transmutação e sistemática; rapidamente chegou ao primeiro de seus diagramas em ramificações mostrando como vários grupos diferentes de animais poderiam descender de um ancestral único.

A idéia que ele assim introduziu passou a ser conhecida como teoria da descendência comum. Propunha que a evolução havia ocorrido de um modo escalar com a modificação dos animais em relação a seu padrão inicial. Isso não era novidade, pois havia ocorrido primeiro, de forma ligeiramente diferente, a Erasmus Darwin, ao eminente naturalista francês Georges-Louis Leclerc, conde de Buffon (1707-88), e a Lamarck. Havia falhas na versão apresentada

* Protozoário unicelular equipado com cílios para locomoção e geração de correntes alimentares.

em *Zoonomia*, livro de que Charles com razão não gostava, mas não se podia negar que seu avô, no melhor de seus poemas (postumamente publicado), "The Temple of Nature",[9] havia chegado à mais elegante apresentação da teoria — muito embora fosse puramente especulativa e acompanhada de pouquíssimas evidências de apoio. No canto I do poema, linhas 227 a 314, lia-se:

> Antes de começar o Tempo arrojado do Caos flamejante,
> Se elevaram as brilhantes esferas do mundo circundante;
> De cada sol, terras em rápidas explosões se abriram,
> E do primeiro planeta segundos surgiram.
> Então, enquanto o mar, em seu coetâneo nascimento,
> Onda sobre onda envolvendo a terra sem praia;
> Embalada por quentes raios de sol em cavernas primais,
> A Vida Orgânica começa sob as ondas.
> ...
> Assim, sem pais, por nascimento espontâneo,
> Se elevam as primeiras partículas da terra animada;
> Do berço da Natureza a planta ou inseto nadam,
> E brotam ou respiram, com membros microscópicos.
>
> A VIDA ORGÂNICA sob as ondas sem praia
> Nasceu e foi embalada nas cavernas do Oceano.
> Primeiro formas diminutas, não vistas por vidros esféricos,
> Movem-se na lama ou penetram a massa aquática;
> Estas, quando sucessivas gerações surgem,
> Novas forças adquirem, e membros maiores assumem;
> Quando incontáveis grupos de vegetação brotam,
> E reinos suspirantes de barbatanas, e pés, e asas.
>
> Assim o alto Carvalho, o gigante da floresta,
> Que suporta os trovões de Britânia na inundação;
> A Baleia, desmedido monstro do alto mar,
> O senhorial Leão, monarca da planície,
> A Águia planando nos reinos do ar,
> Cujo olho impávido bebe o brilho solar
> O homem imperial, que ordena a multidão bestial,
> Da linguagem, razão e reflexão orgulhoso,
> Com a testa erguida que desdenha o torrão terreno,
> E vê a si mesmo como a imagem de seu deus;
> Eleva-se dos rudimentos de forma e sentido,
> Um ponto embrionário, um ente microscópico!

Mas embora Charles aceitasse e aprimorasse a teoria da descendência comum com entusiasmo, jamais fez qualquer referência ao avô ou a outra pessoa, talvez porque achasse que era tão óbvio que se tratava de uma teoria já existente que não julgou necessitar de menção alguma.

No caderno C Charles realizou um levantamento magistral da literatura disponível em busca das leis que governam questões como: transmissão hereditária da forma; o efeito e estabilidade dos cruzamentos; distribuição de espécies locais e gerais; e a relação entre comportamento e estrutura. No caderno D concentrou-se no papel da reprodução, como escreveu em *Autobiography*:

> Em outubro de 1838, ou seja, 15 meses depois que comecei minha pesquisa sistemática, calhou-me de ler por distração o livro de Malthus, *Population*;[10] e como eu estava preparado para apreciar a luta pela existência que acontece em todas as partes, graças à minha longa observação de animais e plantas, percebi de imediato que, sob essas circunstâncias, as variações favoráveis tendem a ser preservadas, e as desfavoráveis a ser destruídas. O resultado disso seria a formação de novas espécies.[11]

Agora havia chegado à teoria da seleção natural, o segundo dos princípios mestres em que se baseava *A origem das espécies*,[12] esclarecendo um mecanismo viável para a formação de novas espécies. Dedicou-se então a reunir evidências que apoiassem tanto a extensão da variação nas reservas naturais, como a natureza do processo seletivo que capacita os indivíduos mais bem adaptados a sobreviver em um ambiente mutável. Em 1842 escreveu um esboço preliminar de sua teoria das espécies — concluindo com uma frase memorável, que é um eco fraco do poema de Erasmus e permaneceu quase sem alterações na versão final do livro, publicada em 1859:

> Há uma grandeza simples na visão da vida com seus poderes de crescimento, assimilação e reprodução, sendo originalmente soprada na matéria em uma ou em poucas formas; e que enquanto este nosso planeta vai girando de acordo com leis fixas — e a terra e a água, em um ciclo de mudanças, vão substituindo uma à outra, de uma origem tão simples, pelo processo de seleção gradual de mudanças infinitesimais —, as formas mais belas e mais maravilhosas evoluíram.

Em 1844 Charles escreveu uma versão mais elaborada do esboço de 1842, mas ela foi posta de lado, e as únicas pessoas que conheciam seus pontos de vista sobre a transmutação das espécies eram Lyell, Hooker e Jenyns. Em 1846, encorajado pela observação de Hooker de que "ninguém tem o direito de examinar a questão das espécies sem as ter descrito muitos minuciosamente", Charles se pôs a trabalhar por oito anos na dolorosa pesquisa da anatomia e taxonomia das cracas existentes e dos fósseis descritos em suas duas monografias.[13]

Quando em 1854 as cracas foram finalmente postas de lado, e milhares de espécimes tomados de empréstimo foram devolvidos a seus donos, Charles ficou livre para retomar o trabalho sobre a teoria das espécies. Procurando evidências a respeito de possíveis mecanismos para a distribuição geográfica de animais e plantas, realizou experimentos sobre a germinação de sementes encharcadas de água do mar, escondidas em cadáveres de animais que serviram de alimento a pássaros de alto mar, ou carregadas na lama das patas de pássaros. Hibridou vegetais de jardim, como ervilha e feijão, e após criar uma rede de especialistas sobre a variação em animais domésticos, ele mesmo se tornou criador de pombos em Down House. Afinal, no começo de 1856, aconselhado por Lyell, começou a escrever o "grande livro" sobre a origem das espécies, que jamais foi dado à luz, pois o autor foi avassalado pelos acontecimentos. Também deu início a uma correspondência com o naturalista Alfred Russell Wallace, que estava coletando espécimes das Índias Ocidentais, sobre os pássaros domesticados da região.

A 18 de junho de 1858 a advertência de Lyell de que Charles poderia ser atropelado se mostrou verdadeira, quando este recebeu uma carta de Wallace pedindo conselhos sobre a publicação da teoria do próprio Wallace sobre seleção natural. Charles ficou abalado, pois, como explicou para Lyell, "Nunca vi uma coincidência tão impressionante. Se Wallace tivesse lido meu esboço manuscrito de 1842 não faria um resumo melhor! Até as expressões que ele usa são títulos de meus capítulos". Seguiu-se uma discussão agoniada com Lyell e Hooker sobre o melhor caminho a seguir, pois Charles insistia: "Prefiro queimar todo o livro a permitir que ele e qualquer outro possam pensar que me comportei com um espírito mesquinho." Os dois colaboradores sabiam muito bem que ele vinha trabalhando sobre o assunto havia muito mais tempo do que Wallace e conheciam a imensa massa de provas que tinha acumulado. No final decidiu-se que a solução mais justa seria Lyell e Hooker apresentarem no encontro seguinte da Linnean Society uma comunicação conjunta compreendendo extratos do esboço de 1844, o resumo de uma carta de Charles ao professor Asa Gray, de Harvard, e o artigo de Wallace. Os textos Darwin-Wallace foram devidamente lidos na sociedade a 1º de julho de 1858.

Agora tudo estava claro no que se referia à transmutação das espécies, de modo que Charles produziu apressadamente uma versão resumida do "grande livro" que havia começado a escrever tarde demais. *A origem das espécies* foi entregue às livrarias no dia 22 de novembro de 1859, e a edição imediatamente esgotou-se.* Charles mais tarde publicou muitos outros livros, mas foi este que concluiu a história de sua obra maior, cujas sementes foram lançadas naqueles quase cinco aventurosos anos que passou a bordo do *Beagle*.

* Inicialmente foram impressos 1.250 exemplares, e o livro foi reimpresso muitas vezes.

34

Adeus a Robert FitzRoy

No começo da viagem do *Beagle*, Charles escreveu para a irmã Caroline sobre o capitão FitzRoy:

> Jamais encontrei um homem que pudesse imaginar ser um Napoleão ou um Nelson. Não o chamaria de inteligente, mas estou convencido de que nada é muito grande ou muito alto para ele. Sua ascendência sobre todos é muito curiosa: sem conhecê-lo, não se compreende a importância que uma repreensão ou um elogio seu tem para todos os oficiais e marinheiros. É engraçado ver os homens puxando uma corda sem saber que ele está no convés, e então observar o efeito quando pronuncia uma sílaba: é como uma parelha de cavalos quando o carroceiro dá um de seus estalidos. ... As boas qualidades que tem são grandes e numerosas: ele é o caráter mais marcante que jamais encontrei.[1]

Perto do fim da viagem, escreveu para a irmã Susan:

> Graças a Deus o capitão está com tanta saudade quanto eu, e acho que ela vai piorar, e não melhorar. ... Nos últimos 12 meses tenho estado em termos muito cordiais com ele. É um caráter extraordinário e nobre; contudo, infelizmente afetado por fortes peculiaridades de temperamento. Mas ninguém é mais consciente disso do que ele, como demonstra em suas tentativas de domar o mau gênio. Muitas vezes duvido de qual será o seu fim; sob muitas circunstâncias tenho certeza de que será brilhante, sob outras, temo que muito infeliz.[2]

A amizade de Charles por Robert FitzRoy e sua dívida com ele eram maiores do que muitas vezes se reconheceu, e vale a pena fazer um breve relato da carreira do capitão depois que ele e Charles se despediram em Woolwich. No verão de 1841 caiu o governo Whig de lorde Melbourne, e a isso seguiu-se uma eleição geral. Sem qualquer indicação à vista para um posto naval, FitzRoy resolveu aceitar a oferta de seu tio materno, o conservador lorde Londonderry, e candidatar-se a uma cadeira pelo condado de Durham. Infelizmente também foi indicado um segundo conservador, o sr. William Sheppard, que acabou retirando a candidatura, mas só após uma complicada briga pública com FitzRoy, com acusações mútuas e desafios para um duelo. Quando este último se elegeu, os ânimos ainda não haviam esfriado. Um dia, em frente ao United Services Club, Sheppard, brandindo um chicote acima da cabeça, disse em alta voz: "Capitão FitzRoy! Não vou bater em você. Mas considere-se chicoteado!". FitzRoy reagiu com o guarda-chuva, mas os brigões foram separados pelos amigos. Nenhum dos dois saiu do episódio com grande crédito.

Enquanto servia como membro do Parlamento, FitzRoy foi indicado para supervisor em Trinity House* e conservador do rio Mersey, sobre cujos problemas produziu um valioso relatório. Também se envolveu com a promulgação da lei da Marinha Mercante — exigindo que tanto capitães como imediatos de todos os navios tivessem certificados de competência e sugerindo o modo como estes deveriam ser concedidos. Finalmente foi encarregado de cuidar do arquiduque Frederico da Áustria por três meses, enquanto o navio de guerra do monarca era reformado. A tarefa — que incluía visitas à rainha-mãe, ao primeiro-ministro, ao duque de Wellington e outras figuras importantes, idas às docas de Woolwich, ao arsenal e revistas a paradas militares e navais — foi desempenhada com sucesso. No Natal o arquiduque partiu em seu navio, e FitzRoy foi para casa encontrar a família.

Em 1842 William Hobson, primeiro governador da Nova Zelândia, morreu após servir na nova colônia por menos de três anos, deixando para seu sucessor alguns problemas difíceis de resolver. Estes decorriam sobretudo do fato de que crescia rapidamente a população de imigrantes, sedenta por terras, e os maoris vendiam seus lotes sob leis muito incompletas e mal redigidas. O posto foi oferecido a FitzRoy, que já tinha um conhecimento superficial da Nova Zelândia. Ele aceitou com arrebatado otimismo e, conforme escreveu para o capitão P.P. King, "confiando na Providência — e ansioso para melhorar os neozelandeses. Não antecipo grandes dificuldades com eles — mas inúme-

* Por lei parlamentar de 1836, todos os faróis, bóias, balisas e fanais operados privadamente na Inglaterra e Gales foram comprados e transferidos para uma agência autônoma e não-governamental conhecida como Trinity House.

ros problemas com os brancos". Em dezembro de 1843 o capitão, a sra. FitzRoy e os filhos chegaram em Auckland, na ilha Norte da Nova Zelândia.

No começo daquele ano ocorrera uma disputa séria sobre a venda de terras em Wairau, próximo a Nelson, no extremo norte da ilha Sul. A contenda terminou com o massacre de 19 colonos brancos, inclusive um irmão do feroz líder Edward Wakefield. Em uma recepção dada por FitzRoy em Nelson, o capitão passou uma descompostura, em seu melhor estilo "café quente", em Jerningham, filho de Wakefield, o que dificilmente poderia acalmar o ânimo dos brancos. Depois, em uma audiência sobre os fatos que haviam gerado os assassinatos, decidiu que a lei, no que se referia à venda das terras, estava do lado dos maoris; mas percebeu que, como estes eram mais numerosos que os brancos, simplesmente não se tornava praticável punir seus chefes pelos assassinatos. Aquele não era um bom começo e não impressionou nem agradou qualquer dos lados.

Sem que houvesse boa vontade, FitzRoy não apenas tinha de resolver o problema da terra como também de salvar o Tesouro de uma iminente bancarrota. Nem o Tesouro britânico nem o banco da Austrália emprestaram-lhe dinheiro; e assim, ignorando suas instruções como governador, emitiu papel-moeda sobre o qual se pagavam 5 % de juros. Para aumentar os juros cancelou o embargo de venda de terras, que só podia ser feita pelo governo; e criou um imposto tão alto sobre vendas futuras que muitas vezes se tornava mais elevado que o próprio valor da terra, enfurecendo os maoris. Em seguida enfrentou uma revolta por parte dos maoris de Karorareka, na baía de Islands, originada por brancos descontentes do tipo que ele tanto criticara em 1835. Um mastro com a bandeira inglesa foi derrubado, erguido de novo e mais uma vez derrubado, a despeito da proteção dos canhões do HMS *Hazard* e de alguns soldados muito mal instruídos que haviam sido enviados de Sydney. O paiol de pólvora dos soldados explodiu acidentalmente, e Kororareka foi totalmente incendiada. O retrato de FitzRoy foi queimado em Nelson.

Em Londres, o secretário de Estado para as colônias, lorde Stanley, recebeu dos escritórios do governo local da Nova Zelândia uma descrição sem dúvida unilateral do que estava acontecendo; isso, junto com algumas justificadas acusações feitas a FitzRoy por ter tomado decisões importantes sem consulta prévia, levou à sua demissão do cargo. Na verdade o governador tinha se esforçado ao máximo para fazer o que a seus olhos era a coisa certa, e podia-se dizer que, pela sua inflexibilidade, era a vítima desafortunada de seus próprios princípios elevados.

Entre 1849 e 1850 FitzRoy ocupou o posto de superintendente das docas de Woolwich e dedicou-se a experimentar o primeiro navio a vapor movido a hélice da Marinha, que — talvez apropriadamente — se chamava HMS *Arrogant*. Mas embora achasse "um prazer manobrar" o navio, irritou-se com as freqüentes falhas mecânicas e com os corpos estranhos que se metiam sob as válvulas; continuava adepto de coração dos navios a vela. Em 1850 afastou-se do serviço ativo da Marinha Real Britânica.

FitzRoy foi eleito sócio da Royal Society em 1851, apoiado por Beaufort, Charles e mais 11 membros, pelos eminentes trabalhos que realizara nos campos das ciências da hidrografia, astronomia náutica e pelas acuradas medições que fizera da rede de distâncias meridianas na circunavegação do globo a bordo do *Beagle*. Em 1854 as principais potências marítimas realizaram em Bruxelas uma conferência sobre meteorologia no mar que recomendou a seus governos algumas ações urgentes nesse campo. A Câmara de Comércio de Londres votou a concessão de fundos e solicitou o apoio da Royal Society; com isso FitzRoy foi nomeado estatístico meteorologista oficial, com uma equipe de três auxiliares. Este foi seu último trabalho, e à parte o comando do *Beagle*, o mais bem-sucedido. Nele conquistou com justiça o título de pai da meteorologia na Grã Bretanha.

Assim que assumiu o posto, FitzRoy imediatamente pôs-se a enviar circulares para os capitães de todos os navios costeiros e de alto mar; estes, quando dispunham de instrumentos adequados, poderiam fornecer a ele dados a respeito de ventos, pressão atmosférica, temperatura e umidade, sobre os quais se podiam basear mapas de tempo para uma dada área. Lembrando-se de que eram os tripulantes dos barcos pequenos os que mais sofriam com tempestades imprevistas, a coleta de dados do ex-capitão logo se ampliou para o fornecimento do que veio a ser conhecido como "barômetros FitzRoy" para cidades e vilas pesqueiras em toda a costa. Junto com um *Manuel barométrico* de 50 páginas, o aparelho custava um shilling. A mensagem básica de FitzRoy foi, desde o início: "Sempre devemos lembrar que o estado do ar *prevê* mais o tempo *futuro* do que indica o tempo *presente*", e logo se apropriou da expressão que tornou sua: *previsão de tempo*. Também não demorou a avaliar a importância do telégrafo elétrico introduzido havia pouco para a obtenção das últimas informações sobre o tempo; e montou uma cadeia de 18 estações nas costas da Inglaterra, Escócia e Irlanda, com outras seis na Europa Ocidental, que a intervalos freqüentes se comunicavam com ele em Londres. FitzRoy então produziu quadros sinóticos do tempo, incluindo velocidade e direção dos ventos,

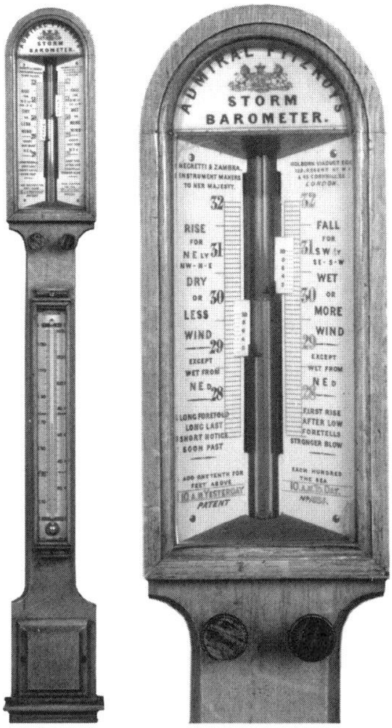

Barômetro de tempestade do almirante FitzRoy

curvas isóbares que mostravam as pressões atmosféricas e gráficos isotérmicos que exibiam as temperaturas, em conjunto com previsões de tempo para os dois dias seguintes. As informações eram publicadas em *The Times* e outros jornais da mesma forma como ainda são hoje. Também instituiu um sistema de cones de aviso, içados nos portos, ancoradouros e vilas de pesca quando se esperava um vendaval. Finalmente em 1857 foi promovido a contra-almirante, e em 1863 a vice-almirante.

A filha de FitzRoy, Laura, contou a Norma Barlow em 1934 que, um dia, em 1860, ainda menina e morando com os pais em Kensington, ouviu a campainha tocar, abriu a porta da frente e lá estava o Mensageiro da Rainha, que tinha ido perguntar na casa do almirante como estava o tempo e se havia alertas de tempestade para o dia seguinte. Sua Majestade pretendia ir a Osborne, na ilha de Wight. Não sabemos se a previsão daquele dia estava correta.

A 30 de junho de 1860, em um encontro da British Society for the Progress of Science, em Oxford, o bispo local, conhecido como "Sam Sabão" Wilberforce — por seu hábito de esfregar as mãos como se as estivesse lavando quando fazia um sermão ou conferência —, promoveu um famoso ataque a Charles que foi energicamente refutado por seus principais defensores, T.H. Huxley e Hooker. No dia anterior o almirante FitzRoy havia lido um artigo sobre tempestades na Grã-Bretanha, e algumas pessoas afirmaram que, após a fala de Huxley, o almirante ficou de pé, enfurecido; brandindo uma bíblia atacou rudemente seu antigo companheiro de cabine. No entanto isso parece ser exagero, pois o relato oficial do encontro simplesmente diz que o almirante FitzRoy lamentou a publicação do livro do sr. Darwin e contestou a afirmação do professor Huxley de que se tratava de uma ordenação lógica dos fatos. Além disso, a reação de FitzRoy imediatamente após a publicação de *A origem das espécies*, em 1859, não foi de raiva, mas de susto com os pontos de vista extremos de seu "pobre amigo e por cinco anos companheiro de cabine Charles Darwin", a quem ele havia escrito: "Meu velho amigo. ... Quanto a mim, *não* vejo nada de enobrecedor na idéia de ser descendente ainda que do *mais* remoto dos macacos." Não se registrou qualquer resposta de Charles. Ao longo dos anos Charles e FitzRoy se corresponderam, mas não se encontraram com freqüência, sendo as duas últimas ocasiões quando FitzRoy foi admitido como sócio da Royal Society em 1851, e quando este foi a Down House em 1853 e 1857.

Apesar do sucesso inicial das previsões de tempo de FitzRoy, seus últimos anos não foram felizes. As críticas públicas cresciam cada vez mais quando algumas de suas previsões se mostravam inevitavelmente equivocadas, como continua acontecendo um século depois — embora seus sucessores disponham de uma quantidade muitíssimo maior de informação. O grande pioneiro norte-americano M.F. Maury, decisivo na convocação da conferência a que FitzRoy devia sua indicação, mostrou-se muito injusto em suas censuras às previsões feitas na Inglaterra e na França. Até mesmo o *The Times* aderiu às críticas, embora ao mesmo tempo insistisse com FitzRoy para que não desistisse delas. Este sempre demonstrou uma tendência à depressão, mas o que os médicos prescreveram foi, de modo bastante razoável, um período de descanso total. Sua reação foi trabalhar ainda mais, até que, na manhã de domingo, 30 de abril de 1865, aos 59 anos, entrou no quarto de vestir, pegou uma navalha e cortou a garganta. Assim, a premonição de Charles se revelava tragicamente correta.

Epílogo

Em *Autobiography*, Charles afirmou que "A viagem do *Beagle* foi de longe o acontecimento mais importante de minha vida e determinou toda a minha carreira"; mas como se viu neste relato de suas atividades durante o percurso, foi apenas bem perto do fim da expedição que pôs na forma escrita suas primeiras dúvidas sobre a estabilidade das espécies existentes. Desse modo, pode-se perguntar como, após mais de quatro anos de fatigante estudo geológico e extensa coleta de animais e plantas, ele chegou à sua mais importante descoberta, lançando luz sobre a maneira como surgiram as novas espécies?

No mesmo livro Charles também afirmava, talvez para ficar de acordo com a moda da época, mas sem qualquer rigor, que "trabalhou sobre princípios verdadeiramente baconianos e, sem qualquer teoria, coletou fatos por atacado". A verdade é que o elemento central de sua abordagem científica era a paixão pela teorização, e embora admitisse que a especulação era uma falha séria quando se faz observação, sempre declarou que a sistematização era essencial tanto antes como depois da atividade empírica. Isso ficou muitíssimo claro nas anotações extensas e extremamente bem organizadas que desde o início fez de todas as suas investigações geológicas e zoológicas.

No primeiro projeto geológico que fez, no começo da viagem, em Santiago, nas ilhas de Cabo Verde, foi guiado não apenas pelo que aprendera cinco meses antes em sua expedição com Adam Sedgwick em Gales do Norte, mas também pela cuidadosa leitura do volume 1 dos *Principles* de Lyell. Primeiro teorizou e depois, após realizar alguns experimentos em amostras de pedras que recolheu, abandonou os argumentos que considerava equivocados. Um ano depois fez novas correções e acréscimos nas conclusões iniciais. E continuou da maneira que começou, com uma longa série de observações sobre a lenta elevação da costa da Patagônia; sobre as seqüências de grandes elevações e afundamentos na formação dos Andes; sobre a origem dos recifes de coral; e sobre a estrutura das ilhas vulcânicas. Charles também escavou fósseis de enormes animais que se descobriu serem aparentados a espécies sul-americanas modernas. Ao final, a quantidade de notas de geologia e paleontologia era quatro vezes maior que as de história natural.

No campo da zoologia não encontrou tanta literatura para guiá-lo, embora sempre se referisse às obras da famosa escola francesa dos *encyclopédistes*, presentes na biblioteca do *Beagle*. Seu primeiro passo prático foi inventar um novo tipo de rede para coletar plâncton na superfície do mar (cuja anatomia estudou detalhadamente em seu microscópio de dissecação, ainda a bordo). Na costa de Santiago (Cabo Verde) encontrou um polvo, o decano dos invertebrados, e fez a primeira das muitas observações originais e altamente perceptivas, não apenas sobre as características desta e de outras espécies importantes para sua classificação taxonômica, mas também sobre o comportamento, a maneira como se moviam e a relação com o ambiente. Sempre que possível realizava pequenos experimentos para testar suas teorias e argumentava criticamente consigo mesmo sobre a interpretação adequada dos resultados. Sua maneira de pensar intensamente analítica, combinada com a eficiência ordenada com que mantinha as anotações e uma memória excepcional para detalhes, foi elemento importante para seu sucesso.

Durante a viagem Charles se expôs a uma variedade de novos fatos científicos verdadeiramente desafiadores. Teve uma sorte excepcional, não apenas quanto aos momentos em que chegou aos lugares, no que se referia aos terremotos, por exemplo, mas também pela oportunidade de ter estado no local que se tornou o exemplo clássico de um conjunto de ilhas oceânicas isoladas onde se podia observar o desenvolvimento de novas espécies. Seu talento para a observação e seu gênio para encontrar, por meio de muita reflexão, justificativas lógicas para o que via foram recompensados com *A origem das espécies*.

Quando embarcou no *Beagle*, Charles era um admirador da filosofia de William Paley, e até o começo de 1836 continuou a falar de "centros de criação", em que as espécies nativas teriam aparecido pela primeira vez. Algumas das áreas da biologia pelas quais se interessou — por exemplo, a descoberta de novas espécies de vermes turbelarianos, ou a questão controversa de saber se as coralinas eram animais ou plantas — não tinham conseqüência imediata sobre a origem da espécie em estudo. Mas quando começou a pensar em como primeiro havia se dado a distribuição de criaturas específicas, ou em como elas haviam interagido entre si e com o ambiente, percebeu rapidamente que seria preciso levar em conta outros mecanismos além da criação para explicar por que "a natureza, quando formou estes animais e plantas, sabia que eles iam residir juntos". Nas Falkland em 1833, levou adiante essa linha de pensamento e começou a pensar sobre o papel da separação dos continentes. Concluiu dois anos depois que, para explicar a população de pássaros e animais encontrados nos dois lados da enorme barreira à migração constituída pelos Andes, era preciso supor que a mesma espécie tivesse sido criada em dois lugares diferentes, ou que as espécies não eram imutáveis e podiam se modificar em um longo período. Embora nas Galápagos ele não tivesse percebido durante um tempo o significado da variação do bico dos tentilhões, observou a variação dos tordos entre as diferentes ilhas e, pela primeira vez, a "notabilíssima" escassez de insetos em uma ilha isolada. E evidentemente tirou disso tudo a conclusão correta.

Assim, quando Charles voltou à Inglaterra, já estava preparado para dar o passo crítico de admitir que as espécies não eram imutáveis e para explorar as conseqüências lógicas dessa conclusão. No começo de 1837 ele soube por Richard Owen que tanto na América do Sul como na Austrália os imensos mamíferos extintos eram claramente relacionados às espécies existentes, estas muito menores; e, por John Gould, que os tentilhões pertenciam a uma incrível família nova de pássaros com bicos de diferentes tamanhos, evidentemente adaptados a dietas diversas. Assim, na solidão de seus estudos, pôs-se a trabalhar nas séries de cadernos de anotações sobre transmutação que, afinal, levaram à publicação de *A origem das espécies*. Graças à invariável insistência em apoiar a argumentação em todas as evidências que pudesse reunir, muitos dos trabalhos de Charles passavam por um longo período de incubação; em alguns casos, as provas da correção de seus pontos de vista só apareceram muito depois de sua morte.

Desse modo, a primeira grande teoria científica de Charles foi a "teoria da terra", apresentada na Geological Society em 1838,[1] com impacto limitado, porque postulava movimentos subjacentes da crosta terrestre para os quais não havia na época qualquer evidência direta. Na década de 1960, no entanto, surgiu uma nova teoria unificadora da ciência geológica, com o advento da idéia de placas tectônicas que explicava como a crosta externa da Terra é fragmentada no interior em cerca de uma dúzia de grandes placas rígidas que flutuam na região mais fraca e parcialmente derretida do invólucro. A colisão entre a placa da América do Sul, cobrindo a terra, e a placa Nazca, cobrindo a parte ocidental do Pacífico Sul, é agora vista como um belo apoio para as hipóteses de Charles.

Um dos dois principais esteios a sustentar as idéias de Charles sobre a evolução era a teoria da descendência comum; mas embora ela parecesse tão obviamente válida, faltava-lhe a comprovação científica; até que, mais uma vez na década de 1960, provou-se que o código genético era virtualmente idêntico em todos os organismos vivos.

Em 1866 Gregor Mandel publicou um famoso artigo sobre a matemática básica da herança de características em ervilhas plantadas no jardim de seu mosteiro em Brünn, e Charles poderia ter lido a obra nas bibliotecas da Royal Society ou da Linnean Society. Mas raramente ia a Londres com esse objetivo e trabalhava sem descanso em seu escritório em Down House. Desse modo, ficou sem conhecer a existência das idéias de Mandel pelo resto da vida; assim como muitos outros, até que elas fossem redescobertas em 1900. Embora Mendel tivesse lido e anotado seu exemplar de *A origem das espécies*, não fez tentativa alguma de visitar Charles em Down House quando esteve na Inglaterra, em 1862.[2] Fechando este livro, pode-se dizer que uma das mais notáveis realizações de Charles Darwin foi estar tão certo, embora nada soubesse da genética de Mendel ou sobre o mecanismo molecular da hereditariedade.

Notas

A maior parte das informações deste livro foi retirada das seguintes fontes:

Narrative 1– Narrative of the Surveying Voyages of His Majesty's Ships Adventure and Beagle between the Years 1826 and 1836, Describing their Examination of the Southern Shores of South America, and the Beagle's Circumnavigation of the Globe. Volume I: *Proceedings of the First Expedition, 1826-1830, under the Command of Captain P. Parker King, RN, FRS.* Londres: Henry Colburn, 1839.

Narrative 2 – Narrative of the Surveying voyages ... of the Globe. Volume II: *Proceedings of the Second Expedition, 1831-1836, under the Command of Captain Robert FitzRoy, RN.* Londres: Henry Colburn, 1839. Trechos substanciais deste volume podem ser encontrados em David Stanbury (org.), *A Narrative of the Voyage of HMS Beagle.* Londres: The Folio Society, 1977.

Journal of Researches 1– Narrative of the Surveying Voyages ... of the Globe. Volume III: *Journal and Remarks. 1832-1836.* Charles Darwin, Esq., MA Sec. Geol. Soc. Londres: Henry Colburn, 1839. [No texto, mencionado como *Diário de campo.*]

Journal of Researches 2 – Journal of Researches into Natural History and Geology of the Countries Visited... under the Command of Capt. Fitz Roy, RN. Charles Darwin, MA, FRS. Londres: John Murray, 1845. [No texto, mencionado como *Diário de campo.*]

Origin – On the Origin of Species by Means of Natural Selection, on the Preservation of Favoured Races in the Struggle for Life. Charles Darwin, MA, FRS, FGS, FLS. Londres: John Murray, 1859. [No texto, mencionado como *A origem das espécies.*]

Notebooks – Charles Darwin's Notebooks, 1836-1844. Paul H. Barrett, Peter J. Gautrey, Sandra Herbert, David Kohn e Sydney Smith (org.). Londres/Cambridge: Museu Britânico/Cambridge University Press, 1987.

Autobiography – The Autobiography of Charles Darwin, 1809-1882. Nora Barlow (org.). Londres: Collins, 1958.

Beagle Record – *The Beagle Record: Selections from the Original Pictorial Records and Written Accounts of the Voyage of* HMS *Beagle.* Richard Keynes (or.). Cambridge: Cambridge University Press, 1988, 2001.

Zoology Notes – *Charles Darwin's Zoology Notes and Specimen Lists from* HMS *Beagle.* Richard Keynes (org.). Cambridge: Cambridge University Press, 2000. [No texto, mencionado como *Notas de zoologia.*]

Correspondence 1– *The Correspondence of Charles Darwin. Volume 1. 1821-1836.* Frederick Burkhardt e Sydney Smith (org.). Cambridge: Cambridge University Press, 1985.

Biography – Janet Browne, *Charles Darwin.* Volume 1: *Voyaging.* Londres: Jonathan Cape, 1995.

Prefácio

1. *Autobiography*, p.76-7.
2. *Journal of Researches* [*Diário de campo*] 1 e 2.
3. Alan Moorehead, *Darwin and the Beagle*, Londres, Hamish Hamilton, 1969.
4. *Origin* [*A origem das espécies*], p.192.
5. Richard Keynes e Hiss Martins Ferreira, "Membrane Potentials in the Electroplates of the Electric Eel", *Journal of Physiology*, 119, p.315-51, 1953.
6. *Narrative 2.*
7. Richard Keynes (org.), *Charles Darwin Beagle Diary*, Cambridge, Cambridge University Press, 1988, 2001.
8. "Diary of Observations on the Zoology of the Places Visited during the Voyage of HMS Beagle", CUL MSS DAR 30.1, 30.2, 31.1, 31.2.
9. Ibid, CUL MSS DAR 32.1 32.2 33.
10. "Notes on the Geology of the Places Visited during the Voyage...", partes I-V. CUL MSS DAR 34, 35, 36, 37, 38.
11. CUL MS DAR 118.
12. Nora Barlow (org.), *Darwin and Henslow: The Growth of an Idea. Letters 1831-1860*, Londres, John Murray, 1967. Ver também *Correspondence I.*
13. *Zoology Notes* [*Notas de zoologia*].
14. Charles Darwin (org.), Richard Owen, George Waterhouse, John Gould, Leonard Jenyns e Thomas Bell, *The Zoology of the Voyage of* HMS *Beagle during the Years 1832-1836*, partes I-V. Reimpresso em fac-símile por Nova Pacífica, Nova Zelândia, Wellington, 1970.
15. James Secord, "The Discovery of a Vocation: Darwin's Early Geology", *British Journal of the History of Science* 24, p.133-57.
16. Sandra Herbert, "Charles Darwin as a Prospective Geological Author", *British Journal of the History of Science* 24, p.159-92.
17. Frank Rhodes, "Darwin's Search for a Theory of the Earth: Symmetry, Simplicity and Speculation", *British Journal of the History of Science* 24, p.193-229.
18. *Biography*, p.167-340.

1. O rapaz que caminha com Henslow

1. Desmond King-Hele, *Erasmus Darwin: A Life of Achievement*, Londres, Giles de la Mare Publishers, 1999.
2. P.H. Jesperson, 1948-9. "Charles Darwin and Dr. Grant", *Lychnos* p.159-67.
3. *Autobiography*, p.49.
4. Ibid, p.28.
5. *Correspondence* 5, p.63.
6. John Maurice Herbert (1808-82) mais tarde foi juiz em Monmouth e Cardiff.
7. *Autobiography*, p.62-3.
8. Alexander von Humboldt, *Personal Narrative of Travels to the Equinoctial Regions of the New Continent during the Years 1799-1804, by A. de Humboldt, and A. Bonpland; ... Translated into English by H.M. Williams*, 7 vol., Londres, 1824-29. Os volumes 1 e 2 reunidos em exemplar único, 3ª ed., com a dedicatória "de J.S. Henslow para C.D. em sua partida, setembro de 1831", estavam na biblioteca do *Beagle*.
9. John Frederick William Herschel, *A Preliminary Discourse on the Study of Natural Philosophy*, publicado em D. Lardner, Londres, Cabinet Cyclopoedia, 1831.
10. *Correspondence 1*, p.125-6.
11. *Autobiography*, p.69-70.
12. George Bellas Greenough, "Geological Map of England and Wales", Londres, 1820. Havia uma cópia na biblioteca do *Beagle*, no livro de Greenough, *A Critical Examinationof the First Principles of Geology*, Londres, 1819.
13. As notas foram transcritas por P.H. Barrett em "The Sedgwick-Darwin Geological Tour in North Wales", *Proceedings of the American Philosophical Society* 118, p.146-64, 1974.

2. As estranhas conseqüências de roubar uma baleeira

1. *Narrative 1*, p. xi.
2. Ibid, p.385.
3. *Narrative 2*, mapa solto.
4. *Narrative 1*, p.444.
5. Nick Hazlewood, *Savage: The Life and Times of Jemmy Button*, Londres, Hodder & Stoughton, 2000.
6. Ver Fergus Fleming, *Barrow's Boys*, Londres, Granta Books, 1999.
7. *Narrative 2*, p.4-10.
8. Ibid, p.24-41.
9. Georges Bellas Greenought, op.cit.
10. Ibid, p.18.
11. *Correspondence 1*, p.127-8.
12. Ibid, p.128-30.
13. *Narrative 2*, p.18-19.

3. Preparativos de viagem

1. *Correspondence 1*, p.131.
2. Ibid, p.132.
3. Ibid, p.132-3.
4. Ibid, p.133-5.

4. De Plymouth ao arquipélago de Cabo Verde

1. *Correspondence 3*, p.359-60.
2. *Narrative 2*, p.49.
3. *Zoology Notes*, p.3.
4. *Beagle Diary*, p.21.
5. *Zoology Notes*, p.9.
6. Ver Sandra Herbert, "Charles Darwin as a Prospective Geological Author", *British Journal of the History of Science* 24, p.159-92, 1991; e James Secord, "The Discovery of a Vocation: Darwin's Early Geology", *British Journal of the History of Science* 24, p.133-57, 1991; e MS DAR, 32.1, p.15-20.

5. Da travessia do Equador à Bahia

1. *Narrative 2*, p.56.
2. Um exemplar do relato de P.G. King sobre a viagem, escrito em 1890, está em CUL MS DAR 107.
3. *Autobiography*, p.73-4.
4. *Narrative 2*, p.61-2.

6. Rio de Janeiro

1. *Narrative 2*, p.67-72.
2. Uma cópia do relato de viagem de P.G. King escrito em 1890 está incluído em CUL MS DAR 107.
3. Idem.
4. *Beagle Diary*, p.139.
5. *Correspondence 1*, p.225-8.
6. Albert Friendly, *Beaufort of the Admiralty*, Londres, Hutchinson, 1977.
7. *Zoology Notes*, p.47.
8. *Correspondence 1*, p.250-3.
9. *Zoology Notes*, p.378.
10. Ibid, p.38-39.
11. Idem.
12. Ibid, p.50-2.

7. Uma viagem intranqüila de Montevidéu a Buenos Aires

1. Ver David Stanbury (org.), *A Narrative of the Voyage of* HMS *Beagle*, Londres, The Folio Society, 1977.

8. À procura de fósseis nos penhascos de Baía Blanca

1. C. Darwin, "Observations on the Structure and Propagation of the Genus *Sagitta*", *Annual Magazine of Natural History* 13, p.1-6, 1844. Reimpresso em *Collected Papers 1*, p.177-82.

2. *Zoology Notes*, p. 73.
3. Down House Notebook 1.10.
4. CUL MS DAR 262.33.
5. *Beagle Diary*, p.107-8.
6. *Correspondence 1*, p.279-82.
7. Idem.
8. Silvia A. Aramayo e Teresa M. de Bianco, *Hallazgo de una icofauna continental (Pleistoceno tardio) en la localidad de Pehuen-Co (Partido de Coronel Rosales), Província de Buenos Aires, Argentina. Parte i: Edentata, Litopterna, Proboscídea*. La Paz, IV Congresso Latinoamericano de Paleontologia, n.1, p.516-31, 1987; Silvia A. Aramayo e Teresa Manera de Bianco (1996), *Edad y nuevos hallazgos de icnitas de mamiferos y aves em el yacimiento paleoicnologico de Pehuen-Co (Pleistoceno tardio), Provincia de Buenos Aires, Argentina*, Buenos Aires, Asociación Paleontológica Argentina de Icnología, Publicación Especial 4, 1ª Reunión Argentina de Icnología, p.47-57, 1996.

9. A volta para casa dos fueguinos

1. *Zoology Notes*, p.106-9.
2. Ibid, p.120-1.
3. Ver E. Lucas Bridges, *Uttermost Part of the Earth*, Londres, Hodder e Stoughton, 1948.
4. Joseph D. Hooker (org.), Journal *of the Right Hon. Sir Joseph Banks during Captains Cook's First Voyage in* HMS *Endeavour in 1768-71 to Tierra del Fuego, Otahite, New Zealand etc.*, Londres, 1896.
5. *Beagle Diary*, p.122-5.
6. Henry Norton Sulivan (org.), *Life and Letters of the Late Admiral Sir Bartholomew James Sulivan, K.C.B. 1810-1890*, Londres, John Murray, 1896.
7. Thomas Bridges, *Yamana-English: A Dictionary of the Speech of Tierra del Fuego*, F. Hestermann e M. Gusinde (org.), edição privada, Viena, Mölding, 1933.

10. Primeira visita às ilhas Falkland (Malvinas)

1. *Narrative 2*, p.228-40.
2. Down House Notebook 1.14; ver também Nora Barlow (org.), *Charles Darwin and the Voyage of the Beagle*, Londres, Pilot Press, 1945.
3. *Beagle Record*, p.131-3.
4. Admiralty Records, Record Office ADM/1/1819.
5. Ver Fergus Fleming, *Barrow's Boy*, Londres, Granta Books, 1999.

11. Coleta perto de Maldonado

1. Roger McDonald, *Mr. Darwin's Shooter*, Londres, Transworld, 1998.
2. René Primevère Lesson, *Manuel d'ornithologie*, vol.2, p.385, Paris, 1828. Havia um exemplar na biblioteca do *Beagle*.

12. Um encontro com o general Rosas no caminho entre Patagones, Buenos Aires e Santa Fé

1. *Correspondence 1*, p.326.
2. Ibid, p.334-6.

13. Despedida de Montevidéu

1. *Beagle Diary*, p.200.
2. Ibid, p.202.

14. Natal em Puerto Deseado e de lá a Puerto San Julián e Puerto Hambre

1. Nat Rutter, Enrique J. Schnack, Julio del Rio, Jorge L. Fasano, Federico L. Isla e Ulrich Radke, "Correlation and Dating of Quaternary Littoral Zones along the Patagonian Coast, Argentina", *Quaternary Science Reviews* 8, 1989, p.213-34.
2. *Beagle Diary*, p.209.
3. Knut Schmidt-Nielsen, *Desert Animals: Physiological Problems of Heat and Water*, Oxford, Clarendon Press, 1964.
4. *Zoology Notes*, p.183.
5. Michael Organ (org.), *Conrad Martens: Journal of a Voyage from England to Australia 1833-35*, Sydney, State Library of NSW Press, 1994.
6. Charles Darwin (org.), *The Zoology of the Voyage of* HMS *Beagle ... 1832 to 1836*, parte III, John Gould, *Birds*, Londres, Smith Elder, 1836, p.123-5.
7. Para o mapa e a história de Puerto Deseado, ver Felix Reisenberg, *Cape Horn*, Londres, Robert Hale Ltd, 1941.
8. *Correspondence 1*, p.368-72.
9. *Narrative 2*, p.320.

15. Adeus a Jemmy Button e à Terra do Fogo

1. Richard Keynes, "Steps on the Path to the Origin of Species", *Journal of Theoretical Biology* 187, p.461-71, 1997.
2. *Beagle Diary*, p.227.
3. Nick Hazlewood, *Savage. The Life and Times of Jemmy Button*, Londres, Hodder e Stoughton, 2000.
4. Bridges, *Uttermost Part of the Earth*, op.cit.

16. Segunda visita às ilhas Falkland (Malvinas)

1. Patrick Armstrong, *Darwin's Desolate Islands: A Naturalist in the Falklands, 1833 and 1834*, Chippenham, Picton Publishing Ltd, 1992.
2. *Zoology Notes*, p.214-15.

17. A subida do rio Santa Cruz

1. *Narrative 2*, p.348.
2. *Beagle Diary*, p.237.
3. *Narrative 2*, p.350.

18. Pelo estreito de Magalhães até Valparaíso

1. *Zoology Notes*, p.227-8.
2. Ibid, p.xvi.
3. *Beagle Diary*, p.245.

19. Valparaíso e Santiago

1. *Beagle Diary*, p.249-50.
2. Ibid, p.250.
3. Ibid, p.254.
4. *Correspondence 1*, p.406-7.
5. Ibid, p.41-12.
6. George Pickering, *Creative Malady: Illness in the Lives and Minds of Charles Darwin, Florence Nightingale, Mary Baker Eddy, Sigmund Freud, Marcel Proust and Elizabeth Barrett Browning*, Londres, George Allen e Unwin Ltd, 1974.
7. *Zoology Notes*, p.253-4.
8. Dos arquivos do Departamento de Hidrografia, Taunton.
9. *Autobiography*, p.75.
10. *Correspondence 1*, p.417-20.

20. Chiloé e o arquipélago Chonos

1. Ver "Down House Notebook", 1.8, p.229-30, de Nora Barlow (org.), *Charles Darwin and the Voyage of the Beagle*, Londres, Pilot Press Ltd, 1945.
2. *Journal of Researches* 1, p.352.
3. Ibid, p.341.
4. *Beagle Diary*, p.273.
5. Henry Norton Sulivan, *Life and Letters of the Late Admiral Sir Bartholomew James Sulivan ... 1810-1890*, Londres, 1896.
6. *Beagle Diary*, p.277.
7. *Zoology Notes*, p.274-6.

21. O grande terremoto de 1835 atinge Valdívia e Concepción

1. *Beagle Diary*, p.292-3.
2. *Narrative 2*, p.406-8.

22. A cavalo de Santiago a Mendoza e de volta pelo passo Uspallata

1. *Beagle Diary*, p.309.
2. Charles Lyell, *Principles of Geology, Being an Attempt to Explain the Former Changes of the Earth's Surface*, vol .2, Londres, John Murray, 1832.
3. *Journal of Researches* 2, p.327-8.
4. Down House Notebook 1.13 e *Beagle Diary*, p.315.
5. *Beagle Diary*, p. 315.
6. Ralph Colp, *To be an Invalid: The Illness of Charles Darwin*. Chicago, University of Chicago Press, 1977.
7. *Correspondence 1*, p.442.
8. *Journal of Researches*, p.406-7.

23. Uma última viagem pelos Andes, de Valparaíso a Copiapó

1. Charles Lyell, *Principles of Geology*, vol.3, p.131, Londres, John Murray, 1833.

24. O naufrágio do HMS *Challenger*

1. *Correspondence 1*, p.458.
2. *Narrative 2*, p.428-80.
3. H.E.L. Mellersh, *FitzRoy of the Beagle*, Londres, Rupert Hart-Davis, 1968.

25. De Copiapó a Lima

1. Duccio Bonavia, *Los Gavilanes*, Lima, Corporacion Financiera de Desarrollo S.A. Cofide, 1982.
2. *Beagle Diary*, p.349-50.
3. Relatórios do Almirantado, Departamento de Arquivo, ADM/1/3848.
4. *Correspondence 1*, p.464-5.
5. Carta em CUL MS DAR 207.

26. As ilhas Galápagos

1. *Beagle Diary*, p.351-2.
2. *Narrative 2*, p.486-7.
3. Gregory Estes, K. Thalia Grant e Peter R. Grant, "Darwin in Galapagos: His Footsteps through the Archipelago". *Notes Rec. Royal Society, London* 54, 2000, p.343-68.
4. *Beagle Diary*, p.353.
5. *Zoology Notes*, p.293-4.
6. *Beagle Diary*, p.354.
7. *Zoology Notes*, p.291-3.
8. *Beagle Diary*, p.356.
9. *Zoology Notes*, p.294-6.

10. Ibid, p.297.
11. Frank J. Sulloway, "Darwin and his Finches: The Evolution of a Legend". *Journal of History of Biology* 15, 1982, p.1-53.
12. Frank J. Sulloway, "Darwin's Conversation: The *Beagle* Voyage and its Aftermath", *Journal of the History of Biology* 15, 1982, p.325-96.
13. Paul Barrett, Peter J. Gautrey, Sandra Herbert, David Kohn e Sydney Smith (org.), *Charles Darwin's Notebooks, 1836-1844*, Cambridge, Cambridge University Press, 1987.
14. David Lack, *Darwin's Finches: An Essay on the General Biological Theory of Evolution*, Cambridge, Cambridge University Press, 1947.
15. Peter Grant. *Ecology and Evolution of Darwin's Finches*, Nova Jersey, Princeton University Press, 1999. Ver também Jonathan Weiner, *The Beak of the Finch: Evolution in Real Time*, Londres, Jonathan Cape, 1994.
16. *Zoology Notes*, p.300.
17. *Origin*, p.185.
18. *Zoology Notes*, p.300.
19. *Narrative 2*, p.36-7.
20. Peter Lancaster-Brown, *Halley and his Comet*, Dorset, Blandford Press/Poole, 1985.

27. Pelo Pacífico até o Taiti

1. Patrick O'Brien, *Joseph Banks: A Life*, Londres, Collins Harvill, 1987.
2. R. Fitzroy e C. Darwin (no mar, 28 de junho de 1836), "A Letter Containing Remarks on the Moral State of Tahiti, New Zealand etc", *South African Christian Recorder* 2, p. 221-38, 1836. Reeditado em Paul H. Barrett (org.), *The Collected Papers of Charles Darwin*, vol.1, p.19-38, Chicago/Londres, University of Chicago Press, 1977.
3. *Narrative 2*, p.506-63.
4. *Beagle Diary*, p.378.
5. Charle Lyell, *Principles of Geology*, vol.2, cap. XVIII, Londres, John Murray, 1832.
6. *Beagle Diary*, p.379.

28. Nova Zelândia

1. Augustus Earle, *A Narrative of a Nine Months' Residence in New Zealand, in 1827; Together with a Journal of a Residence in Tristan d'Acunha*, Londres, 1832.
2. *Origin*, p.388-406.

29. Austrália

1. *Beagle Record*.
2. F.W. e J.M. Nicholas, *Charles Darwin in Austrália*, Sydney, Cambridge University Press, 1989; é um relato detalhado e bem ilustrado dessa viagem.
3. Charles Darwin, *Geological Observations on the Volcanic Islands Visited during the Voyage of* HMS *Beagle, together with some Brief Notices of the Geology of Australia and the Cape of Good Hope*, Londres, Smith Elder & Co., 1844.

4. *Beagle Diary*, p.401.
5. Ibid., p.402-3.

30. Ilhas Coco Keeling

1. *Zoology Notes*, p.305-10.

31. Ilha Maurício, cabo da Boa Esperança, Santa Helena e ilha de Ascensión

1. *Correspondence 1*, p.495-6.
2. Sir John Herschel, *A Preliminary Discourse on the Study of Natural Philosophy*. publicado em D. Lardner, *Cabinet Cyclopedia*, Londres, 1831.
3. R. FitzRoy e C. Darwin (no mar, 28 de junho de 1836), "A Letter Containing Remarks on the Moral State of Tahiti, New Zealand", loc.cit., p.221-38.
4. Charles Darwin, "On the Connexion of Certain Volcanic Phenomena in South America; and on the Formation of Mountain Chains and Volcanos, as the Effect of the Same Power by Which Continents are Elevated" (lido a 7 de março de 1838), *Transactions of the Geological Society of London*, 2ª série, 3, 5, p.601-31, 1840.
5. Charles Darwin, *Geological Observations on the Volcanic Islands Visited during the Voyage of* HMS *Beagle*, op. cit.
6. *Beagle Diary*, p.432.
7. Frank J. Sulloway, "Darwin"s Conversion: The *Beagle* Voyage and its Aftermath", *Journal of the History of Biology* 15, 1982, p.325-96.
8. Nora Barlow (org.), "Darwin's Ornithological Notes", *Bulletin of the British Museum (Natural History) Historical Series*, vol.2, n.7, p.261-2.

32. Uma passagem rápida pela Bahia rumo a Falmouth

1. *Beagle Diary*, p.434.
2. *Narrative 2*, p.258-9.

33. A coleta de evidências

1. Frank J. Sulloway, "Darwin and his Finches: the Evolution of a Legend", *Journal of the History of Biology* 15, 1982, p.1-53.
2. *Correspondence 2*, p.431.
3. Paul H. Barrett, Peter J. Gautrey, Sandra Herbert, David Kohn e Sydney Smith (orgs.), *Charles Darwin's Notebooks, 1836-1844*, Museu Britânico e Cambridge University Press, 1987.
4. Duncan M. Porteer (org.), "Darwin's Notes on *Beagle* Plants", *Bulletin of the British Museum (Natural History) Historical Series*, vol.14, n.2, p.1987, 145-233.

5. Kenneth G.V. Smith (org.), "Darwin's Insects", *Bulletin of the British Museum (Natural History), Historical Series* 14, n.1, 1987, p.1-143.
6. *Zoology Notes.*
7. Sandra Herbert (org.), *The Red Notebook of Charles Darwin*, Nova York, Museu Britânico (História Natural)/Cornell University Press, 1980.
8. *Notebook*, p.228.
9. Erasmus Darwin, *The Temple of Nature*, Londres, J. Johnson, 1803.
10. Thomas Robert Malthus, *An Essay on the Principle of Population*, 6ª ed., Londres, 1826.
11. *Autobiography*, p.120.
12. Richard D. Keynes, "Steps on the Path to the Origin of Species", *Journal of Theorethical Biology* 187, 1997, p.461-71.
13. Charles Darwin, *A Monograph on the Sub-class Cirripedia, with Figures of all the Species*, vol 1 (The Lepadidae, or Peduncuted Species), Londres, The Ray Society, 1851; vol. 2 (The Balanidae, or Sessile Cirripedia; The Verrucidae), Londres, The Ray Society, 1854.

34. Adeus a Robert FitzRoy

1. *Correspondence 1*, p.226-7.
2. Ibid, p.483.

Epílogo

1. Charles Darwin, "On the Connexion of Certain Volcanic Phenomena in South America; and on the Formation of Mountain Chains and Volcanos, as the Effect of the Same Power by Which Continents Are Elevated" (lido a 7 de março de 1838), *Transactions of the Geological Society of London*, 2ª série, partes 3 e 5, p.601-31, 1840.
2. Robin Marantz Henig, *A Monk and two Peas: The Story of Gregor Mendel and the Discovery of Genetics*, Londres, Weindenfeld & Nicolson, 2000.

Índice remissivo

Os números de páginas em *itálico* referem-se às ilustrações.

aborígenes australianos, 320, 325, 327-8
Abrolhos, arquipélago de, 86, 87, 93
Aconcágua, 228, 270
Acropora corymbosa, 331
Adelaide, 42
Adventure (novo), 144-5, 146, 147, 152, 178, *179*, 190, *192*, 209, 223, 236
Adventure (velho), 42, 43, 46, 152
afódios (vira-bosta), 151
África do Sul, 336
Aitutaki, ilha, 315
Alakalufes, 136, 200
Albany (Austrália), 327
Albermale (Isabela), ilha, 297, *297*
Aldunate, general, 274
alga gigante, 210-11
Allen Gardiner, 202, 203, 204, 205
amonita, 186
Amphiroa, 184n.
Andes, 153, 366
  viagem de Charles Darwin pelos, 270-5
Anson, sir George, 249
A origem das espécies (Darwin), 29, 264, 351, 356, 358, 366, 367, 368
aperea, 150
Aramayo, Silvia A., 120
aranhas, 97
  teias de, 123-4
aranhas caranguejeiras, 97
araucanos, índios, 122, 153, 253
Argentina, 46, 118, 147n.
Ascensión, ilha, 339-40
ascídia, 211
Aston, sr., 93
Audubon, John James, 27
Aush, tribo, 126
Austrália, 320-8
  estudos geológicos, 321, 325
  vida selvagem, 321-2, 325-6, 327-8
Autobiography (Darwin), 35, 71, 98, 353, 356, 365
ava, planta, 308-9
Avestruz petise, 183, 350
aviculário peduncular, 111

Babbage, Charles, 35
Bahia (Salvador, Brasil), 80-5, *82*, 93, 343
Baía Blanca, 159
baiacu, 82-3
Baker, almirante sir Thomas, 88-9, 93
Balboa, Vasco Nuñez de, 41
baleias, 101-2
Bancks, microscópio, 58, *70*, 70
Banks, Joseph, 126, 306, 310
baobá, árvore, 70
Baptiste, Geneviève Marcellin Bory de Saint-Vincent, 97
barrancas de San Gregorio, 172
Barrow, John, 46, 145
"basalto, vale de", 216, *217*
Beagle:
  canhões no, 103-4
  descrição do, 58, 60

desenhos do, *59*, *61*, *238*
gravura do, *214*
levantamento da costa sul da América do Sul (1826-30), 42-3, 44, 46, 49-50
reparos para a viagem, 58, 60-1
roubo da baleeira pelos fueguinos, 44, 46
Beagle, canal, 46, 90, 133, 134, 205
Beagle, viagem do,
compra de outros barcos por FitzRoy para auxiliar nos levantamentos, 122, 144-5, 284-5
enfrenta o vendaval, 130-3
oferta do posto de naturalista a Darwin, 51-2, 53
partida, 64-5
preparação do, 53-65
recepção desconcerto e insultos feitos ao entrar em Buenos Aires, 103-5
tarefas, 49-50
travessia do Equador, 78-9
viagem de Plymouth às ilhas de Cabo Verde, 66-75
viagem de volta, 343-7
ver também Darwin, Charles: viagem do *Beagle*,
Beaufort, capitão, 49-50, 56, 60-93, 138, 139, 144-5, 238, 304, 329
Bell, lady Caroline, 337
Bell, Thomas, 350, 351-2
Bennett, James, 46, 198, 278, 280
Berkeley, estreito (Falkland), 141, 208, 209, 210
Bernantio, 161, 165
besouros:
primeiras coleções de Darwin, 32-3, 34-5
vira-bosta, 151, 326, 338
Bingley, sr., 274
Binoe, Benjamin, 92, 178, 198, 240
Blanca, Baía, 111-12, 113, 115, 125
blancos, 147
Blonde, 278, 279, 280, 284, 288
Blue, montanhas (Austrália), 321, 324
Boa Esperança, cabo da, 336
Boat Memory, 46
Bonpland, Aimé, 36
borboletas, 125
Papilio feronia, 98-9
Brattle, ilha (Tortuga), 297
Brasil, 41, 147n.
anexa partes do Uruguai, 102n.
guerra com o Uruguai, 172-3
visita à Bahia, 80-5, *82*, 93, 343
ver também Rio de Janeiro
Bridges, E. Lucas, 126, 206
Bridges, Thomas, 126, 133, 205, 206-7
Brisbane, 139-40, 208, 209
briozoários, 28, 69n., 109-11, *110*, 220-2, 352
Brown, Robert, 58, 266n.
Bryant, Edward, 258n.
Buenos Aires, 103-5, 124, 139, 153, 154, 164-5, 171
Buen Suceso, baía de, 126, 137
Bugula, 111
Busby, 318
Byron, lorde George, 288n.

Caberea minima, *221*, 221-3
cabo Desolación, 44
Cabo Frio, 87-8
Cabo Verde, ilhas de, 338, 344
viagem de Plymouth até, 66-71
vida marinha selvagem, 70-2
ver também ilha Codorna; Santiago
cágados: das ilhas Galápagos, 292, 293-7, *295*
Calceolaria darwinii, 190-1
Caldcleugh, Alexander, 259, 262, 271
Callao (Peru), 282
Cambridge Philosophical Society, 35, 95, 351
camelídeo, 349, 349n.
Campaña, 270
Canárias, ilhas, 40, 66
canibalismo, 207
Cano, Sebastián del, 184
capivaras, 150-1
caravela, 68, 330
Carcávana, rio, 169
Castro (Chiloé), 242-3, 251-2
Cavendish, sir Thomas, 178, 194
Caylen, (Puertio Quellón), 244
celidotério, (*Scelidotherium*), 118, 349
Chacao (Chiloé), 242
Chaffers, sr., 145, 162, 180
Chagas, doença de, 265
Challenger, 208-9
naufrágio do, 276-81
Charles, ilha, 192-3, *293*
Chatham, (ilha) (San Cristóbal), 286, *287*, 292
cheucau, 244
Chile, 46, 228-41, 272

Darwin sobre seus habitantes, 231-2
chilimoya, 283
Chiloé, 225-7, *227*, 242-6, *245*, *247*, 249-52, 260
chinches, 265
Chonos, arquipélago, 246, 248-50
Christmas, estreito, 130
Church Missionary Society, 48, 133
Churichoel, 164
Cidade do Cabo, 336-7
cirrípedes, 249-50, *250*
ver também craca
clinômetro, 36-7, *37*
cnidários, 68n.
Cochrane, almirante lorde, 230, 254
cobras,
na Tasmânia, 324-5
coelhos, 212
coqueiro, caranguejo de, 329
Coco Keeling, ilhas, 311, 329-33, *331*
Codornizes, ilha da, 72-4, *74*
Coldstream, John, 27, 30, 58, 68
Coles, Alfred, 204, 205
Collins, tenente, 277
Colnett, capitão James, 292, 292n.
Colônia de Sacramento, 172
colorados, 147
Concepción, 255-8, *256*, 272
Concholepas peruviana, 250
condores, 27, 216-7, 236-8
Constitución, 284
Cook, capitão James, 126, 128, 130-1, 306, 310, 315, 316
Copiapó, 270, 273-4, 275
Copiapó, rio, vale do, 273
Coquimbo, 270, 271-2
coral, recifes de, 366
e as ilhas Coco Keeling, 243-6
livro de Darwin sobre, 352-3
Taiti, 311
Corallina inarticulata, 141
coralinas, 109-11, 181-2, 211-12, 221, 331-2, 343, 352, 366-7
Corcovado (Rio de Janeiro), *95*, 97
Cordilheira, 259, 260-4, 267, 268-9, 270, 275
Corfield, Richard, 229, 259, 269
Cortez, Hernán, 41
Covington, Syms, 149, 162, 165, 171, 283-4, 292, 307, 325, 350
desenho do túmulo de Napoleão, 337, *339*
craca, 357
crotofagíneos, 96
Cruz, *don* Benito, 274
Ctenomys, 349
Cucao, 251-2
cuco europeu, 149
Cuvier, Georges, 27, 71, 116, *116*

Daphne Major, 303
Darwin, Caroline (irmã),
cartas de Darwin para, 92, 124, 163, 235-6, 276, 307, 334-5, 359
Darwin Catherine (irmã),
cartas de Darwin para, 148-9, 187, 240-1
Darwin, Charles,
amizade com Henslow, 35-6
antepassados, 23-4
ataque por Wilberforce, 363-4
características, 30-1
coleção de besouros, 32-3, 34-5
correspondência com Fox, 33
doença crônica, 265-6
e a teoria da descendência comum, 354-6, 368
e a teoria da seleção natural, 353, 356-7
e cadernos de notas, 353-4, 356
e distribuição geográfica das espécies, 143, 263-4, 296, 323
e doutrina da criação especial, 98, 143, 296-7, 323-4, 347, 366-7
educação, 25, 26, 30
e entomologia, 31-2, 34-5
em Cambridge, 30-2, 34, 35-6
encontro com o general Rosas, 156-7
enjôo no mar, 66, 285
equipamento usado na viagem do *Beagle*, 58, 60-1, *70*
estada em Plymouth antes da viagem do *Beagle*, 62-5
estudo dos invertebrados marinhos, 352
estudos geológicos *ver* geológicos, estudos
e transmissão das espécies, 342, 350, 351, 352-3, 354-5, 356-8, 366-7
fundador da "ecologia", 99-100, 210
Lista de espécimes zoológicos, 340-2
livros de referência usados, 72, 94-5, 97
livros lidos, 36
membro da Plinian Society, 26-7
Notas de zoologia, *73*
obras publicadas sobre, 351-2

oferecimento do posto de naturalista e eventual aceitação, 40, 50-8
oferecimento dos espécimes coletados para especialistas examinarem após a viagem, 60, 348-9
paixão pelas coleções desde tenra idade, 24-5
paixão pela teorização, 365
passaporte do presidente do Chile, *261*
pioneiro em estudos comportamentais, 212
primeiro encontro com FitzRoy, 56-7
primeiros experimentos científicos e interesse em química, 25, 26
relações com FitzRoy, 62-3, 84-5, 161-2, 239-40, 345-7, 359-60
relações com Grant, 28, 29-30
relações com Lyell, 348
saúde precária, 235, 236
secretário da Geological Society, 352
trajeto analítico de pensamento, 366
treinamento como geólogo e viagem a Gales do Norte, 37-40
treinamento em biologia marinha, 27-8
visão da escravidão, 84-321
Darwin, dr. Erasmus (avô), 23-4, 354
"The Temple of Nature", 355-6
Darwin, dr. Robert Waring (pai), 23, *24*, 25, 30
reação à proposta de viagem no *Beagle*, 53-4, 55-6, 58-60, *59*, 61, *61*
Darwin, Erasmus (irmão), 25-6, 35
Darwin, Henrietta (filha), 28, 114
Darwin, Susan, (irmã), 37
cartas de Darwin para, 324, 359
Darwin, enseada, 135
Davis, John, 139
de Bianco, Teresa M., 120
descendência comum, teoria da, 354-5, 368
Descent of Man, The (Darwin), 33
Despard, rev. George Packenham, 202, 203, 204, 205, 206
diário, (*Beagle Diary, The*), 310, 350-1
Diário de campo [*Journal of Researches*], 163, 230, 257, 263-4, 267-8, 303, 323, 324, 351
Dickson, sr., 208
Dictionnaire classique d'histoire naturelle, 97
diorito, 232
Dixon, sir Manley, 62
Doughty, Thomas, 185
Drake, sir Francis, 41, 184-5, 192
Druid, 104

Earle, Augustus, 89, *103*, *105*, 147, 178, 318
ecologia: Darwin como fundador da, 99, 110
Edwards, *don* Joaquin, 271-2
Edwards, *don* José Maria, 272
Elizabeth, ilha, 190
escala Beaufort, *49*, 49-50, 144
escravidão, 84, 91
ponto de vista de Darwin sobre a, 84, 321
Espanha, 139
espanholas, colônias, 41
"espécie representativa", 183
Equador: travessia pelo *Beagle* do, 78-9

Falkland, ilhas, 138-45, 367
colonização por europeus, 139
descoberta de conchas fósseis, 143
entrada da Marinha Real, 139-40
estudos da vida marinha, 209-11
estudos geológicos, 141, 209, *210*
estudos zoológicos, 141-2, 143-4, 212
história, 138-9
revolta, 208-9, 210
segunda visita às, 208, 12
feldspato, 188
Felipe II, rei da Espanha, 192
Fell, Robert, 202, 204
Fernando de Noronha, 79, *79*, 80
filo, 28
Figueiredo, Manuel, 90, 91
FitzRoy, barômetros de, 362
FitzRoy, capitão Robert, 42, 58, 76-7, 101, 134-5, 359-64
antepassados, 43n.
cartas para Darwin, 165-7, 345-6
casamento, 346
compra/aluguel de escunas para auxiliar nos levantamentos, 122, 144-5, 284-5
Darwin sobre, 359
desenho de, *57*
e a chegada do *Beagle* à baía de Buen Sucesso, 126
e a *Narrative of the Surveying Voyages of HMS Ships Adventure and Beagle*, 351
e a rede de distâncias meridianas, 49-50, 93
e as ilhas Falkland, 140, 209, *210*
e a subida do rio Santa Cruz, 213
e a travessia do Equador, 79

e o emprego de Darwin na viagem do *Beagle*, 56-7
e o naufrágio do *Challenger*, 277-9, 280-1
e o roubo da baleeira pelos fueguinos, 44
e os fueguinos, *45*, 46, 48, 134-5, 136-7, 197-8, *200*, 200-1, *201*
e os levantamentos do *Beagle*, 43-4, 144, 154-5
e o *Thetis*, 87-8
morte, 364
negociações no Taiti a respeito do incidente com o *Truro*, 311-13
nomeado comandante do *Beagle*, 43
pai da meteorologia, 362-3, *363*
pontos de vista sobre a escravidão, 84-5
pontos de vista sobre o *geospizanae*, 302-3
primeira expedição com o *Beagle*, 136-7
primeiro encontro com Darwin, 56-7
promoção, 269
relações com Darwin, 61, 62-3, 84-5, 161-2, 239-40, 346-7, 359-60
relações com os lordes do Amirantado a respeito da compra do *Adventure*, 238-9, 240
sobre o insulto ao *Beagle* em Buenos Aires, 104-5, 106
vida e carreira após a viagem do *Beagle*, 359-64
FitzRoy, Laura (filha de R. F.), 363
Flustra, 27-8, 111
focas, 249
formigas, 81-2
formiga-leão, 322-3, *322*, *323*
Forsyth, sr., 178, 284
fósseis,
descoberta de, 114-15, 116-22, *116*, 169, 175-6, 186, 187-8, *187*, 235, 274
investigação sobre, na volta à Inglaterra, 348-50
Forth, estuário do, 109, 212
Fox, Samuel, 31
Fox, William, Darwin, 31-3, 353
fragata, pássaro, 304
Frankland, sr., 326
Frederico da Áustria, arquiduque, 360
Freycinet, 138
Fuegia Basket, 48, 89, 130, 133, 136, 200, 206, 207
fueguinos, 195-207, 222-3, 320
atritos com missionários a respeito da devolução da ilha Keppel para Woolya, 203-4
captura por FitzRoy, 44
desenhos de, *45*, *127*, *134*, *196*, *197*, 199, 200, *207*
e ilha Keppel, 203
emprego da *tabacana*, 207
escritos e descrições de Darwin sobre, 128-30, 195-7
ida à Inglaterra e tentativas de civilização, 44-6, 48, 206
língua, 205
massacre da tripulação do *Allen Gardiner*, 205
número de, 207
retorno à terra natal, 125-37
roubo da baleeira na primeira expedição do *Beagle*, 44, 46

Galápagos, ilhas, 286-305, 367
cágados, 292, 293-7, *295*
estabelecimento penal na ilha Charles, 292-300
geologia dos fluxos de lava, 292
iguanas, 286, 287, 288-9, *289*, 297-300
mapa, *290*, *291*
Notas de ornitologia, 340-2
pássaros de, 300-5, 323, 340-2, 350
vulcões, 297
Gales do Norte
mapa, *39*
visita de Darwin e Sedgwick, 37-40
Gardiner, Allen, 201
Geological Observations on South America (Darwin), 353
Geological Observations on the Volcanic Islands Visited during the Voyage of HMS *Beagle* (Darwin), 353
Geological Society, 257, 339, 348
apresentação por Darwin da "teoria da Terra", 367
leitura de artigo de Darwin na (1837), 352
geológicos, estudos, 71-2, 186-9, 274-5
Austrália, 320-1
Bahia, 83
Cordilheira, 263
e Patagones, 154-5
Fernando de Noronha, 80
ilha Codornizes e Santiago, 72-5, *74*

ilhas Falkland, 141, *210*
livros de Darwin sobre, 352-3
Patagônia, 187-9, 214-15, 218-19, 266
rochedos de São Paulo, 77
Taiti, 314
Tasmânia, 325
geospizinae, 301-3, 303n.
gliptodonte, 117-18, *117*, *118*, *121*
golfinhos, 102, 146, *147*
Gonzáles, Mariano, 259, 270, 275
Goree, enseada, 133
Gould, John, 183, 301, 350, 351, 353, 367
Grafton, duque de, 48
granito, 83, 248-9
Grant, Peter, 303
Grant, Robert, 27, 28-9, 30, 35, 109, 212
Gregório, baía, 222
Gryphoea darwinii, 275
guanacos, 178-9, *180*, 182, 214, 272, 349
Guasco, vale de, 272-3
Guilherme IV, rei, 48, 58

Halimeda, 181
Halley, cometa, 305, 336
Hamilton, capitão, 102
Hamond, tenente, 124
Harris, James, 111-12
Harris, sr., 157-61
Hawkins, 139
Hellyer, sr., 140
Henslow, John Stevens, 26, *33*, 35-6, 50-2, 56, 58, 60, 71, 74, 86-7, 95, 97, 348, 353
Herbert, John Maurice, 31, 34, 35
Hermit, ilha, 130
Hermoso, monte, 115, 117, 120
Herschel, John, 36, 336-7
Hidrografia, Departamento de, 41, 49, 50
hidrozoários, 68, 69, 249
Hill, capitão, 313
Hobart (Tasmânia), 325-7
Hobson, William, 360
Hooker, Joseph Dalton, 227, 353, 356-7, 364
Hope, Frederick William, 29
Hope, Thomas Charles, 26
Hoplophorus, 349
Horno, cabo (Horn), 130-1
Humboldt, Alexander von, 36, 66, 99
Hurd, capitão, 41
Hutton, James, 26n.
Huxley, T.H., 364

ictiossauro, 162
iguanas, 286, 287, 288-9, *289*, 298-9
incas, 268
índios ou indígenas (sul-americanos), 161, 163-4, 169, 249, 253
campanha contra, pelos argentinos, 153-4, 163-4
descoberta de túmulo por Darwin, 181-2, *181*
luta contra os espanhóis em Patagones, 155-6
Ona, 206
patagônios, 190, 192, 222
yahgan, 133, 134, 136, 195
ver também fueguinos
Iquique (Peru), 282

Jajuel: minas de cobre em, 232
James (Santiago) ilha, 293, 297-8, *298-9*
Jameson, Robert, 26
Jemmy Button, 48, 126, 129, 130, 133, 134, 136, 137, 198, 200-5, *201*
Jenyns, Leonard, 33, 50-1, 56, 287, 351, 353
Juan Fernandez, ilha, 257
juçara, 91

Keeling, ilhas, *ver* Coco
Keppel, ilha, 202, 203
King, capitão Philip Parker, 42, 48, 58, 62, 144, 320, 322, 360
King, Philip Gidley, 58, 60, 78, 88-90, 115, 251, 252, 284, 324, 351
Kororareka (Nova Zelândia), 316

La Pouce, 335
Lack, David, 303
lagartos: Tasmânia, 325-6
Lamarck, Jean-Baptiste, 29, 354
Lavalleja, Juan Antonio, 102n., 106
Lavater, Johann Kaspar, 41, 41n.
Lawrie, 90
Lawson, Nicholas, 293, 296
Leclerc, Georges-Louis, 354
lêmures, 336
Lemuy, 243
Lennon, Patrick, 90, 91, 92
lepidópteros, 125

lesmas do mar, 141, 249
Liebre, 122, 144, 154, 156, 172
Liesk, sr., 329, 330
Lima, 282-5
Lineu, Carl, 27, 35, 99, 141
Linnean, Society, 357
Lloyd, capitão, 336
lofóforo, 222
Londonderry, lorde, 48
London Zoological Society, *ver* Zoological Society
Los Hornos, 271
Low ("arquipélago Perigoso"), ilhas, 306
Low, William, 143-4, 208, 223, 249
Lumb, Edward, 165
Lunar Society of Birmingham, 23
Luxan, 265
Lyell, Charles, 74, 263, 264, 348, 353, 357
    Principles of Geology, 72, 98, 272, 310, 365

Macaé, rio, 90
MacArthur, Hannibal Hawkins, 324
Maclear, Thomas, 336
macrauquênia, 120, *120*, 349n., 353
Madagascar, 336
Magalhães, estreito de, 42, 190, 192-4, 206, 220-3
    mapa, *191*
Magalhães, Fernando de, 125, 184, 185
Maipu, 259-60
malária, 93
Maldonado (Uruguai), 326, 338
Malthus, Thomas, 356
maoris, 315, 316, *317*, 318, 361
Martens, Conrad, 72, 89, 178, 180, 184, 213, 217, 229, 320
    aquarelas, 223
    auto-retrato, *168*
    Darwin sobre, 166
    desenhos de fueguinos, 195, *196*, *197*, *199*, *200*, *207*
    desenhos de Montevidéu, *173*, *174*, *175*, *176*, *177*
    desenhos do Rio de Janeiro, *95*, *96*
    desenhos por, *132*, *140*, *179*, *192*, *210*, *217*, *218*, *219*, *225*, *226*, *227*, *229*, *230*, *238*, *241*
    na Austrália, 320
    tiro à ema, 183
Mary Walker, *238*
Mason, comodoro, 278, 279, 312
mastodonte, 169, 186
Matta, *don* Eugenio, 274
Matthews, Richard, 133, 134, 136, 319
Maurício, ilhas, 334-6, 338-9
Maury, M.F., 364
McCormick, Robert, 92
Megalamaichnum tulipensis, 120-1, *121*, 349n.
megaloniquídeo, 162
megatério, *116*, 116-17, *119*, 120, 175-6, 186, 349
Mendel, Gregor, 368
Mendoza, capitão Pedro, 194
Mendoza, Luis, 184
Mercedes, 175
mexilhões, 179, 187
Millepora alcicornis, 331
Millepora complanata, 330
Millepora tenella, 330
Miranda, comandante, 161
missionários,
    África do Sul, 337
    Nova Zelândia, 316, 318, 319
    Taiti, 307, 309, 310
Montevidéu, 102-3, 104-8, 124-5, 147, 151, 172-7
    desenhos de, por Martens, *173*, *174-5*, *176*, *177*
    insurreição das tropas negras, 105-7
    vida selvagem, 107-8
Mucor, 86
Murray, estreito, 44, 46, 133, 134
Murray, sr., 44
Museu de História Natural, 350
Muster, Charles, 62

Napoleão, túmulo de (Santa Helena), 337, *339*
Narrative of the Surveying Voyages of HM *Ships Adventure and Beagle* (Darwin), 351
Navarin, ilha, 133
Negro, rio, 153, 172, 175
Niebla, forte, 254
Nott, sr., 309
Nova Zelândia, 315-19
    e maoris, 315, 316, *317*, 318, 361
    empreendimentos agrícolas em Waimate, 318, 319
    FitzRoy nomeado governador de, 360-2
    missionários, 316, 318, 319

Old Red Sandstone, 37, 38-9
Ona, índios, 126, 206
orcas, 101-2
ornitorrincos, 322
Osborne, sr., 280
Osorno, vulcão, 225, 242, *243*, 251
ostras, 187
Otway, almirante, 43
Owen, Fanny, 60
Owen, Richard, 114n., 150, 348-9, 351, 353, 367

Pacífico, oceano, 41
Paget, capitão, 84
Paley, William, 34, 366
 Natural Theology, 98
pampas, formação dos, 159
Panamá, 41
Panamá, canal do, 228
Panuncillo, minas de cobre de, 271
Pão de Açúcar, morro do, *96*, 99, 246
Papilio feronia, 48
Paraguai, 147n.
Parry, Robert, 166
pássaros, 149, 169-70, 212, 214
 classificação e exibição de, 350
 das ilhas Galápagos, 300-5, 323, 340-2, 350
 do Rio de Janeiro, 96
 no Chile, 236-8
 no rio Santa Cruz, 214-15
Patagones, (atualmente El Carmen de Patagones), 153, 154-5
Patagônia, 40, 42, 70, 109-22, 125, 178, 183, 264, 366
 grande formação terciária de, 188, 218-19, 266
Patagonian Missionary Society, 202, 205, 206
patagônios, índios, 190, 222
Paz, 144, 154, 172
Pcillopora verrucosa, 331
Peacock, George, 35, 50-2, 56
Pedro, dom, governador, 251
Pedro I, imperador dom, 102n.
pelota, 216
Pembroke, cabo, 138
Peñas, golfo de, 42
Pernambuco (Recife), 343
Peru, 41, 282-5
Physalia, 68
Pizarro, Francisco, 41
plâncton, rede de / plâncton, *68*, 68, 70, 352, 366
platelmintos,
 na Austrália, 326
 no Rio de Janeiro, 94-6
Plinian Society, 26, 28
Plínio, o Velho, 26
Plymouth Athaeneum (Ateneu de Plymouth), 62
polvo, 70-1, 366
Pomare, rainha, 311-14
Ponsonby, enseada, 133, 198, 202, 208
Ponsonby, lorde, 157
Pontobdella muricata, 28
Port Egmont, 139, 140
Port Jackson (Austrália), 320
Port Louis (Falkland), 139, *140*, 143, 209
Port Louis (Maurício), 334
Port Stanley (Falkland), 138
Port William (Falkland), 138
Prata, rio da, 102, 103, 104, 109, 153, 164, 172, 176
preá, 117-18
Priestley, Joseph, 343n.
Pritchard, sr., 309, 311, 312
Protococcus nivalis, 263
Pteroptochos rubecula, 244
Puerto Deseado (Port Desire), 178-9, *179*, 181, 184, 187, 213, 350
Puerto Hambre (Port Famine), 192-4, *192*, 222
Puerto San Julián, 184-6, 215, 349
 estudos geológicos, *215*, 185-6, 187-8, *188*
 incidentes históricos em, 184-6
 mapa, *185*
Punta Alta, 114, 116, 117, 118, 160, 162, 349

Quesada, Gaspar, 184
quetógnatos, *70*, *109*
 desenho de Darwin, *69*
Quivi, Kiwi, 319

Ramsay, Marmaduke, 51
raposa de Chiloé, 244
Rato, ilha do, 102
Rex, Geworge, 232
Rhea americana, 121, *121*, 183, 350
Rhea darwinii, 183
Rhyncops nigra, 149-50, *151*
Rio de Janeiro, 82, 87-100
 chegada, 88-9

distância meridiana entre as ilhas Abrolhos e, 93
estudos e descobertas zoológicas, 93-8, 99-100
expedição a cavalo até o rio Macaé, 90-1
morro do Corcovado, *95*, 97
morro do Pão de Açúcar, *96*, 99
Rivera, *don* Fructuoso, 107
Rolor, general, 170
Rosas, general Juan Manuel de, 153-4, *154*, 156-7, 161, 163, 164, 170-1, 253
Ross, capitão, 65
Ross, James Clark, 353
Ross, sir Ronald, 93
Rouse, sr., 277, 279, 281
Roussin, barão, 87, 93
Rowlett, George, 223
Royal Geographical Society, 52
Rugendas, Johann Moritz, 229

São Paulo, rochedos, 76-7
San Blas, 125
San Carlos (agora conhecida como Ancud) (Chiloé), 225-7, 228
San Lorenzo, 282-3
San Pedro, 244, 245
Santa Cruz, rio, 213-19, *214*, *217*, *218*
Santa Fé: cavalgada de Buenos Aires, 165, 168
Santa Helena, 337-9
Santiago (Cabo Verde), 70, 72, 75, 338, 344, 365, 366
Santiago (Chile), 228, 232-5, 259, 269
sapos, 113
sapos, no Rio de Janeiro, 96
Sarmiento, montanha, 135
Sarmiento, monte, 223
Sarmiento y Gamboa, *don* Pedro de, 193-4
Sauce, rio, 164
saya, 283
Sedgwick, Adam, *34*, 35, 37-8, 74, 141, 365
Sedgwick Museu (Cambridge), 268
seleção natural, teoria da, 353, 356-7
Seymour, capitão Michael, 208, 209, 276, 277, 278, 280, 281
Sheppard, William, 360
Sierra de la Ventana, 164
Sierra Negra, vulcão, 297
sifonóforos, 68-9
Skyring, William, 43
Smith, dr. Andrew, 336
Smith, tenente, 208, 209
Smyley, William, 204-5
Snow, William Parker, 202
Solander, Daniel, 126
Stanley, lorde, 361
Stewart, ilha, 135-6
Stewart, sr., 284
Stirling, Waite, 205
Stokes, capitão Pringle, 42, 213
Stokes, John Lort, 4, 58, 60, 125, 249, 269
Structure and Distribution of Coral Reefs, The (Darwin), 352
Sulivan, tenente Bartholomew (mais tarde almirante), 80, 87, 132, 183-4, 206, 242, 248, 284
Syme, Patrick, 94-5

tabacana, 207
Taiti, 306-14
Darwin sobre os habitantes do, 307
estudos geológicos sobre o, 314
missionários no, 307, 309, 310
negociações de FitzRoy a respeito do incidente do *Truro*, 311-13
recifes de coral, 310
taitianos, 307, 316, 318
Tasmânia, 325, 338
tatus, 117, 349
tectônica, placa, 367-8
Tehuelches, tribo dos, 163
teias de aranha, 123-4
Temple of Nature, The, (Erasmus Darwin), 355-6
Tenerife, 36, 67
tentilhões, *300*, 301-4, 341, 350, 367
Terceira, ilha, 344
Terra do Fogo, 42, 43, 44, 48, 49, 125, 126, 186
mapa, *47*
repatriação dos fueguinos para a, 126-37
terremotos, 257
(1751), 255, 257
(1835), 254-8
Thecacera darwinii, 249
Thetis, 87
Thompson, J. Vaughan, 67
Todos os Santos, baía de (Brasil), 80
tordos, 303, 323, 342, 350, 367
toxodonte, 169, *170*, 349
Triatoma infestans (besouro "barbeiro"), 265

trincheira Peru-Chile, 258
Truro, 311-13
tuco-tuco, 117, 131
turbelarianos, vermes, 366
Turbinaria bifrons, 331
Turritella andii, 275

Unicorn, 143, 144
University College de Londres, 29
Uruguai, 102, 106-7, 146-52, 172, 326, 338
 guerra com o Brasil, 172-3
Usborne, Alexander, 178, 278, 284, 285, 346
Usher, bispo, 98
Ushuaia, 205
Uspallata, cadeia, 266-8
Uspallata, passo, 275
 árvores fossilizadas em, 268, *269*
Uruguai, rio, 172

Valdez, almirante *don* Diego Flores de, 192-3
Valdivia, 253-5
Valenzuela, coronel, 278, 279
Valparaiso (Chile), 228-32, 234, *241*, 259
Vascuñan, *don* Francisco, 284
veado, 150
Velella, 69
Venilia, 313
Vênus, 306
Vernet, Lewis, 139, 140
vespas, 97-8
Viedma, tenente, 193-4
vira-bosta, 151, 326, 338
Vogelborg, Anthony, 258, 278
vulcões, 338-40, 352
 das ilhas Galápagos, 296-7

Wakefield, Edward, 361
Wallace, Alfred Russel, 357
Waterhouse, George, 99, 146, 350, 351, 353
Waterton, Charles, 26
Wedgwood, Hensleigh, 31
Wedgwood, Josiah (I), 23, 24, 30
Wedgwood, Josiah (II), 24, 54-6
Wellington, monte, 325
Werner, Abrahamn Gottlob, 26n.
Wernerian Society, 27, 28
Whale Boat, enseada, 136
Whewell, William, 35, 352
Wickham, tenente John, 70, 114, 125, 146, 178, 228, 236, 240, 269, 278, 324
Wilberforce, bispo, 363
Williams, rev. William, 315, 318
Wilson, rev. William, 48n.
Wood, Alexander Charles, 56
Woolaston, ilha, 195
Woolya, 134, 137, 198
 massacre da tripulação do *Allen Gardiner*, 204-5

Yahgan, índios, 133-4, 136, 195
Yamana, 133
Yarrell, William, 58
York Minster, 48, 126, 129, 130, 133, 136, 200, 206
Yuche, ilha, 248-9

Zoology of the voyage of HMS, 351
Zoological Society, 99, 148, 244, 348, 350
Zoonomia (Erasmus Darwin), 29
zoófitos, 27, 182, 352

Este livro foi composto em Minion e Englische
e impresso pela Geográfica Editora, em agosto de 2004.